WITHDRAWN

HANS SCHWERTE

Faust und das Faustische

Ein Kapitel deutscher Ideologie

ERNST KLETT VERLAG

STUTTGART

Doch werden sich Poeten finden,
Der Nachwelt deinen Glanz zu künden,
Durch Torheit Torheit zu entzünden.

Mephisto; ,Faust' II, 4.

. . . nein, wir Deutsche . . . interessieren
uns nur für das Schicksal!

Joseph Goebbels zu Graf Guy de Pourtalès.

INHALT

I

„DAS FAUSTISCHE" — EINE DEUTSCHE IDEOLOGIE
BEDEUTUNGSGESCHICHTE DES WORTES
„FAUSTISCH"

Der merkwürdige literatur= und geistesgeschichtliche Bogen von der
‚Historia von D. Johann Fausten', gedruckt 1587 bei Johann Spies in
Frankfurt am Main, bis zu der symphonischen Kantate „Dr. Fausti
Weheklag" in Thomas Manns Roman ‚Doktor Faustus', gedruckt 360
Jahre später, 1947, in Stockholm, ist im letzten Jahrzehnt oft bedacht
worden. Goethes Dichtung, in sechzig Jahren geformt, mehrfach in sich
gestuft, und Spenglers morphologische Geschichtsphilosophie bilden in
diesem weit ausschwingenden Bogen die beiden, über ein Jahrhundert
auseinanderliegenden Scheitelpunkte. Spenglers faustische Hymnik war
bereits Abgesang. Von da an begann, im ganzen gesehen, die Kurve
endgültig sich wieder zu senken, bis zu dem scheinbar abschließenden
Ausruf unserer Jahre „Faust ist tot".[1] Diesem Außenbogen, von der
Literatur selbst gezogen, bald aber „weltanschaulich" breitflächig und
meist dissonant untermalt, könnte zugeordnet ein Innenbogen entspre=
chen, von der Literaturdeutung und =forschung angelegt, der, abgekürzt
gesprochen, etwa von „Faust dem Faustischen" bis zu „Faust dem Nicht=
faustischen" reichte. Hier ist derselbe Rhythmus zu finden, im wesent=
lichen bestimmt durch die letzten zwei Jahrhunderte, in denen das Nach=
denken über Faust — als historische Gestalt und Sagenheld, als Dichtung
und Mythos, als Ursprung auch des „Faustischen Menschen" — nicht zur
Ruhe kommen wollte. Dieses Nachdenken, ursprünglich literarisch be=
stimmt, schlug doch allerorten wie ein Zündfunken in die „weltan=
schauliche" Diskussion um Sinn und Wesen des (deutschen) Menschen
und seines rechten Handelns hinüber. Das „Faustische" schien jeweils
ein Destillat dieses geistigen Zündvorganges zu sein.

Das Vorstellungsbild vom Bogen oder der auf= und abschwingenden
Kurve dieses mehrhundertjährigen „faustischen" Prozesses stellt freilich
eine starke Vereinfachung dar und macht die tatsächliche Problematik

innerhalb dieses geistigen Ablaufes undeutlich. Der geschichtlichen Wirklichkeit näher käme eher das Modell eines Doppelgeleises, mit wechselnden, mehr oder minder starren Abständen der Stränge vonein= ander, bestenfalls das zweier einander hartnäckig sich umschwingender und verfolgender Kurven, wobei die Auszeichnung öffentlicher Zustim= mung jeweils wechselt: bald ist Faust der verdammte Verbrecher, bald der Heros der Menschheit oder Heros der Nation; bald das „Faustische" ein Schimpfwort, bald ein Geheimniswort humanen oder nationalen Auftrags. Nur das Einsinnige scheint jederzeit zu fehlen. Doch diese einander begleitende, dialektische Doppelkurve des „Faustischen" will die folgende Untersuchung erst genauer deutlich zu machen versuchen.

Das Phänomen jedenfalls liegt vor (nur eines unter anderen Bei= spielen), daß ein ursprünglich rein literarischer Begriff, „faustisch", ab= geleitet von eindeutig fixierbaren Literaturdenkmalen — der Historia von 1587, den Schauspielen und Puppenspielen, der Dichtung Goe= thes —, sich „weltanschaulich" und weltdeutend ausweitet, ins Feld poli= tischer Auseinandersetzung gerät und hier zu einem ideologischen Stich= und Kampfwort wird, das schließlich zur Konstituierung eines „Fausti= schen Menschen" mit eigener „Faustischer Kultur", „Faustischer Reli= gion", „Faustischer Mission" usw. dient. Innerhalb solches ideologischen Ausweitungs= und Überhöhungsprozesses verschmolz dieser Wortbe= reich in einem seiner Abläufe, dem für die deutsche Geschichte folgen= reichsten, immer enger und verhängnisvoller mit dem Nationalen, Deutsch=Nationalen, Deutsch=Imperialen und entfernte sich dabei um so weiter von seinem literarischen Ausgang. Kein Wunder, daß die Bogen= höhe, strahlend in „Reichs"=Optimismus, genau zwischen 1871 und 1914 erreicht wurde. Der auch in diesen Jahrzehnten vorhandene, nie unterbrochene „negative" Gegenstrang wurde abgedunkelt, verfemt, blieb „inoffiziell". Und ebenso folgerichtig war, daß etwa ab 1918 der Abstieg offensichtlich einzusetzen begann, „offizieller" Umschlag, trotz manchen gewichtigen Gegenstimmen noch; aber diese bestimmten nicht mehr unangefochten den Sinnklang des „Faustischen". Endlich 1933, noch vor der nationalsozialistischen Staatsübernahme geschrieben, warf Wilhelm Böhm sein provokatorisches „Faust der Nichtfaustische" in die Debatte und zeigte damit öffentlich und seitdem unabweislich das längst wache Mißbehagen an der „faustischen" Verwirrung um Goethes

Dichtung und ihrer ideologischen Verzerrung an.[2] Der Nationalsozialis=
mus, der auch das „Faustische" in mancherlei Variationen neu zu be=
leben versuchte,[3] pseudoromantischer Rückgriff wie so vieles damals,
konnte diese umkehrende Fallbewegung in der Wortbedeutung und Be=
wertung des „Faustischen" nicht mehr aufhalten. Die allzu enge Ver=
bindung des „Faustischen" mit nationalen (und säkularen) Hochstim=
mungen mußte, da nach 1945 Deutschland als Nation sich aufzulösen
schien, diesen Begriff ebenso deutlich in dieselbe Auflösung miteinbe=
ziehen; Thomas Manns Roman bündelte die verschiedenen Auflösungs=
schichten in seinem deutsch=faustischen Abgesang des 19. Jahrhunderts
exemplarisch zusammen. Das „Faustische" trat — nach Durchschreiten
eines rein negativen ideologischen Feldes, wo es sich selbst dialektisch
zum Gegenbegriff wurde — schließlich wieder in den Bereich der Litera=
tur zurück, in dem es gegenwärtig sich in die geschärfte Deutung der
Goetheschen Dichtung einzufügen oder in ihr sich aufzulösen scheint.

„Faustisch", wie es in einem üblich geläufigen, hier vorläufig ange=
nommenen „traditionellen" Sinn vor allem zwischen 1870 und 1918
geprägt und verwendet wurde („der faustische Mensch", „der faustische
Deutsche", „der faustische Kulturauftrag" und so fort) und, heimlich=
unheimlich, bis in unsere Tage apokryph fortlebt, war anfangs sicherlich
nichts mehr als der abkürzende Ausdruck für eine zunächst nicht er=
kannte, dann lässig verschobene, später offenbare Fehlinterpretation
des poetischen Textes Goethes. Mit dieser, endlich in ganz bestimmter
Richtung sinndeutenden Chiffre „faustisch" wurde vorerst die *poetische
Wirklichkeit* des Gedichtes interpretatorisch verfälscht und durch philo=
logisch unkontrollierte Wunschvorstellungen ersetzt. In den dafür ent=
scheidenden Jahrzehnten, zwischen 1860 und 1920 — mit derselben
Berechtigung darf man sagen: in dem Jahrhundert zwischen 1840 und
1940 — hat sich, immer freilich die Gegenseite mitgesehen, die es anders,
wenn oft auch nicht weniger propagandistisch verzerrt wußte, im großen
und ganzen ein interpretatorischer Prozeß vollzogen, den man umschrei=
ben könnte als: die Enttragisierung der Tragödie Goethes, das Eliminie=
ren ihrer formalen Struktur („Eine Tragödie") — und analog, in begriff=
licher Analogie zu dieser Formzerstörung: das Löschen der Schuld
Fausts, das Umdeuten seiner Schuld und seines wiederholten „Irrtums"
geradezu in ein humanes, in ein prometheisches Verdienst. Oder zu=

mindest: das Bejahen, das auszeichnende Bejahen der Tragödie und der tragischen Schuld Fausts als eines germanisch=deutschen amor fati, das „faustische" Dennoch und Trotz=Alledem, das Annehmen also des Tita= nischen, des Tragisch=Vermessen, auch des schuldhaften und rück= sichtslosen Durchsetzens des „großen" Individuums als eines wahrhaft Menschlichen, als des eigentlich Humanen, des Deutsch=Humanen, eben: als des eigentlich „Faustischen" mit dem Weltausgriff über jede abge= steckte Grenze hinaus. „Lange wurde Goethes ‚Faust' als Verklärung einer menschlichen Haltung gefeiert, die man die ‚faustische' nannte. Das konnte nur geschehen, weil man die Dichtung als Tragödie nicht ernst nahm" (Hennig Brinkmann).[4] Jedoch erkannte die Literaturwissen= schaft diese Fehlinterpretation schließlich selbst und löste sie, wenn auch in der öffentlichen Wirkung zu spät, auf — mindestens seit dem genann= ten Buch von Wilhelm Böhm ‚Faust der Nichtfaustische' (1932/33), doch vorbereitet durch das ganze 19. Jahrhundert. So weit bliebe das „Fau= stische" ein ästhetisches, zugleich ein wissenschaftliches Problem, ein Problem literaturwissenschaftlicher Methode, ein Problem interpreta= torischen Versehens und Wähnens, bliebe schlechte Philologie.

Jedoch von einem bestimmten Zeitpunkt an — auch hierfür mag vor= läufig das Jahr 1870 als ein vergröbernder Merkpunkt angesetzt sein — begann eine immer breitere, aber abgrenzbare Gruppe deutscher Men= schen sich mit diesem, traditionell=literarischen, „Faustischen" selbst zu identifizieren, das heißt sich selbst zu identifizieren mit dieser in ein faßbar=unfaßbares Schlagwort chiffrierten Fehlinterpretion der größten nationalen Dichtung. Sie begannen, in ihm ihre „Interessen und Leiden= schaften" zu fixieren, sich „existentiell" in ihm einzurichten, sich von ihm national „bewegen" zu lassen. Faust trat aus dem Bereich der Poesie in den eines nationalen Kodex. Das Ästhetische schlug ins „Weltan= schauliche" um, in einem typisch „romantischen" Prozeß, und zog über= dies pseudoreligiöse Emotionen an sich. Das „Faustische" entwickelte sich zu einem Propagandawort, zum „mythischen" Kennwort für eine bestimmte „Weltanschauung", und dies hieß alsbald: für eine er= wünschte politische Verhaltensweise; es wurde zu einem nationalen „Selbstmißverständnis" (Hans Barth). „Faustisch" wurde zu einem der (romantischen) oppositionellen Sinnzeichen gegen die übrige, soge= nannte „westliche" Welt gemacht. Unerkannt blieb bei dieser Selbst=

identifikation die Bodenlosigkeit solcher emotionalen Chiffre; denn längst wurde sie nicht mehr an dem Text der Tragödie, von der ihr Lautzeichen stammte, überprüft.

Dieses Schlagwort vom „Faustischen" als einer schließlich vorbild= lichen Verhaltensweise deutsch=nationalen Handelns, mythisch=religiös aufgehöht, vom Literarischen ins „Volkseingeborene" gewendet, ver= fälschte nun seinerseits — die zweite Verfälschung in diesem Prozeß — die *politische Realität*. Ein „So soll und muß es werden" im Namen der Autorität Fausts schob sich über das reale „So ist es". Eine „Ersatzwelt", eine „zweite Wirklichkeit" (Heimito von Doderer), die „faustische Wirklichkeit", legte sich über die „erste". Unendlichkeitsperspektiven, bald imperial drapiert, verstellten das der Nation Zugemessene. Das „Faustische", mit dem angeblichen Gewicht geistiger Weisung, usurpierte das vernünftige Bedenken des Möglichen. Diese Verzerrung realen na= tionalen Verhaltens und realen politischen Handelns durch das Schlag= wort und selbst gesetzte, scheinbar poetische Leitbild „faustisch" nenne ich die „faustische Ideologie". Auch sie ist, wie mannigfache analoge Vorgänge im 19. Jahrhundert, Ausdruck der „spezifisch deutschen Distanz von Geist und Macht". Bei Mangel einer echten „normativen Idee" wurde versucht, diese Distanz mit einer „deutschen Ideologie" zu überbrücken, einem „Missionsauftrag an die Menschheit schlechthin", wie er von Fichte und Hegel schon einmal, am Anfang des Jahrhunderts, vom Geist her verkündet worden war.[5]

Wohl verbirgt sich hinter der „faustischen Ideologie", im Ursprung, „nur" eine literarische Fehlinterpretation und Grenzüberschreitung; doch, zum Schlagleitwort geronnen, diente sie schließlich mit zur Ver= fälschung der eigenen nationalen Situation, zur Selbsttäuschung über das Unbegründete solcher Weltmission. Die „faustische Ideologie", im scheinbaren Sich=Berufen auf Goethes Dichtung, der man den Charakter der Tragödie nahm und deren Held man Schuld und Verbrechen strich, bedeutete die Einsetzung einer falschen Realperspektive; sie bedeutete ein wahnhaftes Sich=Verhalten=Sollen gegenüber einer historisch und politisch geprüften, nüchternen Einsicht in die deutsche Wirklichkeit, eine Einsicht, die sich in diesem wie in jedem Fall mit dem nüchternen und genauen Hinsehen auf den tatsächlichen poetischen Textbefund ge= deckt hätte. Sprache ohne Realität, auch ohne poetische Realität, endet

im Bodenlosen einer Ideologie. So wurde das „Faustische" ein euphori=
sches Gebilde, „falsches Bewußtsein", dessen Verbindung mit der Dich=
tung bald nur noch scheinhaft war; vielmehr wurde auch die Dichtung
im fortschreitenden Prozeß der Ideologisierung selbst destruiert. Auch
ihre Realität wurde in die Irrealität dieses Schlagwortes aufgehoben.
Ideologien verhüllen in jedem Fall die Realität; aber der Kritik ent=
larven sie auch, wie man vor dieser Realität sich verbergen zu können
glaubt. Kritik scheidet Realität und Ideologie.[6]

Auch hier dürfen die bekannten Worte von Ernst Troeltsch angefügt
werden, mit denen er die „seltsame Zwiespältigkeit" des deutschen
Staatsdenkens charakterisiert hat als eine Nachwirkung der „Deutschen
Bewegung": „... einerseits erfüllt von den Resten der Romantik und
von sublimer Geistigkeit, anderseits realistisch bis zum Zynismus und
zur vollen Gleichgültigkeit gegen allen Geist und alle Moral, vor allem
aber geneigt, beides merkwürdig zu mischen, die Romantik zu brutali=
sieren und den Zynismus zu romantisieren".[7] Beides ist im faustischen
Prozeß vollauf zu beobachten und wurde durch ihn bestätigt.

Die Bildungs= und Bedeutungsgeschichte des Wortes „faustisch" ist,
neben ihren literarhistorischen und geistesgeschichtlichen Aspekten, so=
mit auch zu einem Kapitel der „Deutschen Ideologie" geworden, zu
einem Kapitel deutscher Problematik, deutscher Propaganda, deutscher
Unwirklichkeit und Übersteigerung, deutscher Sehnsucht und Selbst=
kritik, deutschen Selbstbewußtseins und deutschen Weltverlustes. „Die
Erhebung der Faustfigur zum Symbol der heutigen Welt [konnte] einzig
in einer bestimmten romantischen Vision eine gewisse Begründung
finden" (Johan Huizinga).[8] Die wechselvolle Geschichte des Wortes
„faustisch", der auch der Literarhistoriker nicht ausweichen kann,
wurde in sich selbst ein Stück Geschichte deutscher Realitätserfahrung
im ideologischen Versehen dieser Realität.[9] Das Wort bildet eine der
am deutlichsten ablesbaren Kennmarken deutschen Schicksals, und nicht
nur des geistigen, ideologisch ebenso vernutzt wie der Begriff „Schick=
sal" selbst[10] und wie viele andere solcher hypertrophen Schlagworte; im
literarischen Umkreis braucht nur an das ebenso vernutzte deutsche
Schicksalswort „romantisch" erinnert zu werden, dessen widerspruchs=
reiche Bildungs= und Bedeutungsgeschichte genauer, wenn auch noch
nicht abschließend durchforscht und geschrieben worden ist.[11]

Denn – und das ist zunächst das Überraschendste bei der Beschäfti= gung mit der faustischen Ideologie – die genaue Entstehungsgeschichte des Begriffes „faustisch", die Ausbildung und Geschichte seiner Bedeu= tung ist im einzelnen weithin unbekannt, bzw. thematisch nicht zu= sammengestellt worden. Etymologisch und sprachgeschichtlich bietet dieses Wort (als Adjektiv und in seiner substantivierten Form) keine Probleme. Doch seine wechselvolle *Bedeutungsgeschichte* blieb unge= schrieben.

Wörterbücher und ähnliche Hilfsmittel (Wortgeschichten) geben keine Auskunft; das Wort wurde, bis auf wenige neuere Ausnahmen, nir= gends gebucht. Jedermann scheinbar aus allgemeinem Vorwissen ge= läufig, wird es von jedem Autor „selbstverständlich" benutzt. Fast jeder aber drückt mit ihm, ebenso „selbstverständlich", meist nur die *eigene* Meinung aus – *seine* Auffassung etwa von Goethes ‚Faust' damit setzend, *seine* „faustische" Welt aufbauend, *seine* „faustischen" Visio= nen projizierend. Ein allgemein verbindlicher Sprachgebrauch konnte sich bei diesem Zustand ebensowenig entwickeln, wie die sich vielfach wandelnde und meist doppelgeleisige, doppelsinnige Bedeutungsge= schichte dem jeweiligen Autor nicht bewußt und geläufig ist. Die Quel= len wurden ausdrücklich auf diese Bedeutungsgeschichte hin bisher weder („philologisch") befragt noch geordnet. Das gilt zumal für die Bedeutungsentstehung und die für solche ideologische Schlag= und Glanzworte meist entscheidende Frühgeschichte. Dieses Kapitel deutscher Ideologie, die Bedeutungsgeschichte des Wortes „faustisch", ist noch nicht geschrieben worden – und dies trotz der modernen „faustischen" Überdosierung und obgleich „faustisch", noch im 20. Jahrhundert, in allen nur denkbaren Variationen des Positiven und des Negativen bis zur schließlich inneren Aushöhlung verwendet worden ist. Gerade das Vieldeutige, Unscharfe, letzthin Unfaßliche seines Inhaltes, bedeutungs= geschichtlich bedingt, läßt dieses Wort gegenwärtig, scheint es, mehr und mehr in wissenschaftlicher Diskussion unbenutzbar werden.

Der Mangel einer genaueren Einsicht in die Bedeutungsstruktur des „Faustischen" ist allerdings längst und oft empfunden worden. Oskar Walzel veröffentlichte schon 1908 einen Aufsatz über ‚Goethe und das Problem der faustischen Natur',[12] wo er eingangs seine Verwunderung darüber aussprach, daß Wörterbücher und Kommentare zur Frage nach dem genaueren Bedeutungsumriß der sogenannten „faustischen Natur" versagten. Das ist bis heute, ein halbes Jahrhundert danach, im wesent‧lichen das gleiche geblieben. „Jedem von uns ist das Wort ‚faustische Natur' geläufig", stellte Walzel zwar fest. Doch schien in diesem Begriff etwas „Widerspruchsvolles" zu stecken: es liege in ihm etwas Großes, Ehrfurchtsvolles, zugleich aber etwas Fragwürdiges, fast ein Vorwurf, eine Warnung — etwas also, das unsere Bewunderung erregt, doch ebenso etwas, was geradezu „vernichtend" auftreten kann. Jedes Zeit‧alter, folgerte Walzel, schien diesem Begriff einen anderen Inhalt ge‧geben zu haben, ein Wandlungsprozeß, der bald nach Erscheinen von Goethes Dichtung eingesetzt, ja, so mute es an, schon in den Fortgang der Dichtung selbst eingewirkt habe. Der Typus der „faustischen Na‧tur", wie vor allem Goethe selbst ihn in der Sturm‧ und Drang‧Periode geschaffen hätte, verändere sich im Verlauf der späteren Dichtung wesentlich, wobei Walzel anzunehmen schien, daß für Goethe diese „faustische Natur" tatsächlich schon ein Begriff oder gar ein Wort ge‧wesen wäre. Walzel seinerseits versuchte, diese so benannte „faustische Natur" „kulturhistorisch" zu charakterisieren und sie progressiv im Sinne einer Höherentwicklung darzustellen, angefangen vom „Volksbuch" und bei Marlowe, über wesentliche Stufen wie Herder, „Urfaust", Schiller, Fichte, Novalis bis zu Goethes vollendeter Dichtung beider Teile. So gesehen und so wiederum über den eigentlichen Anlaß aus‧geweitet erscheint dieses „Faustische", die „faustische Natur", als ein jeweils Verschiedenes, ja Zwiespältiges, das nur unter einem gleich‧lautenden, aber nicht gleichbedeutenden Oberbegriff gebunden wird.[13]

Was eigentlich heißt „Faustischer Mensch", fragte ähnlich unbe‧friedigt, noch zwanzig Jahre später, Werner Schultz (1930).[14] Er ver‧einheitlichte, aber verschärfte die Frage Walzels nach der „faustischen Natur" (Spenglers, Obenauers, Korffs, Strichs Werke waren inzwischen erschienen), um darin das eigene Unbehagen an dieser immer unklarer gewordenen Formulierung auszudrücken. „Mit kaum einem Wort wird zur Zeit mehr Mißbrauch getrieben als mit diesem", mußte auch Schultz feststellen. „Es ist zu einem Schlagwort geworden, hinter dem sich eine Weltanschauung birgt, zu einem Bekenntnis, in dem unzählige Men‧schen unserer Zeit die Formel ihres Wesens und damit Erlösung und Befreiung zu finden meinen", so beschrieb er, schon hellhöriger ge‧

worden als Walzel, den Prozeß der Ideologisierung, der sich aus dem Schlagwort entwickelt hatte. „Jeder scheint zu wissen, was das Wort bedeutet. Fragt man aber nach seinem Sinne, so erhält man die ver= schiedensten Antworten und Auslegungen... Faustischer Mensch ist also kein feststehender, wissenschaftlicher Begriff, mit dem sich einwandfrei sofort arbeiten ließe. Der Ausdruck bedarf durchaus einer näheren Bestimmung." Auch das gilt bis heute, falls diese Aufgabe, die immer einer Destruktion der Dichtung gleichkommt, nicht überhaupt falsch gestellt wäre. In konsequentem Rückgang auf Goethes Gedicht ver= suchte Schultz, die Genauigkeit und Bestimmtheit „dieser Formel" vom „Faustischen Menschen" wiederzufinden, auf die selbst, als geistesge= schichtlichen Sammelbegriff, auch er nicht verzichten zu können meinte. „Der Faustische Mensch ist also zunächst der Mensch, wie Goethe ihn in seinem ,Faust' gestaltet hat... also keine Idealfigur, keine phan= tastische, heroische Gestalt, kein Idol; sondern wir verstehen darunter den aus einem bestimmten Abschnitt der Geistesgeschichte heraus= wachsenden Menschen, wie der Dichter Goethe ihn geformt hat." „Ty= pische Wesenszüge" dieses faustischen „repräsentativen Charakters" seien „das Unendlichkeitsgefühl" und, daraus erwachsend, „das Ge= fühl der Unruhe"; beides wollte Schultz zumindest als ausreichende „Bedingungen" des Typus „Faustischer Mensch" festgehalten wissen (er exemplifizierte sie an Wilhelm von Humboldt), so unfaßbar und im Grunde ungenau auch diese „Bedingungen" blieben.

Eindeutiger und noch einheitlicher, wiederum in direktem, umsich= tigem Rückgang auf Goethes Dichtung, versuchte etwa zur gleichen Zeit Heinrich Rickert die Formel „faustisch" verbindlich zu fixieren. ,Die Einheit des Faustischen Charakters', von der er 1925 in einer Studie sprach,[15] meinte, ohne jede bis dahin fast immer übliche abstrahierende oder „weltanschauliche" Ausweitung, lediglich die Einheit des Charak= ters Fausts, die Einheit der ganzen, in sich geschlossenen *poetischen* Figur Faust.[16] Rickerts späterer Buchtitel ,Goethes Faust. Die drama= tische Einheit der Dichtung' (1932)[17] schloß an diese, ihm allein aus der Dichtung selbst gegebene Einheit faustischen Wesens und Cha= rakters an. „Man spricht oft von einem ,faustischen' Charakter. Dies Wort aber hätte keinen Sinn, wenn die Person des Mannes, der im Zentrum des Dramas steht, sich in keiner Weise als Einheit auffassen ließe. Soll der vielgebrauchte Ausdruck ‚faustisch' eine eindeutig verständliche Bedeutung bekommen, so muß man wissen, wie die verschiedenen Äußerungen von Fausts Wesen, die Goethe zu so verschiedenen Zeiten niederschrieb, zu einem Ganzen zusammenzufügen sind...".[18] Oder 1932: „In der Faustdichtung muß eine ‚Idee' verkörpert sein, deren Durchführung dem Wort ‚faustisch' eine bestimmte Bedeutung verleiht."[19] Auch Rickert war sich demnach der Problematik einer unüberprüften Wortbenutzung mehr und mehr bewußt geworden — wie vor ihm Walzel, später Werner Milch. So bemühte er sich, im Anschluß an seinen Einheitsbegriff der Dichtung zugleich auch die von ihm darin erschlossene und gemeinte Wortbedeutung von „faustisch" mitzudefinieren. In der Studie von 1925 verwandte Rickert daher „faustisch" mehrfach in solchem „konkreten", nur auf die Dichtung selbst, bzw. auf die in eigener Weise gedeutete Dichtung, bezogenen Sinn: „faustisch" entspricht hier allein der Einheit des Charakters von Goethes Faustfigur.[20]

Trotz diesem vorsichtigen Versuch Rickerts, die konkrete „Einheitlichkeit" des „Faustischen" von der „Einheit" der Goetheschen Dichtung her zu erhellen und, nach einer jahrhundertlangen zweideutigen Wortgeschichte, einen Grundsinn verbindlich wiederherzustellen (aber schon dieses Beispiel zeigt, daß der Begriff des „Faustischen", falls man ihn durchaus verwenden will, immer abhängig bleibt von der jeweiligen Interpretation und kein vorgegebener Allgemeinbegriff sein kann), beunruhigte die neuere Forschung weit mehr das bereits von Walzel herausgespürte Doppeldeutige und Zwiespältige des „Faustischen", — das man oft auf die „zwei Seelen" Fausts selbst zurückzuführen versucht hat —, auch das Täuschende darin, das Sich=selbst=Maskierende dieses bald konkret gemeinten, bald abstrahierenden Begriffes, dieses bald positiv heroisierten, bald negativ sich selbst aufhebenden Wortes. Man braucht nur, als bekannte Beispiele, an zwei hervorragende und fördernde ‚Faust'=Abhandlungen zu erinnern, in denen eine doppelte Entwicklung und Verwendung des „Faustischen" nachgezeichnet und solches Aufzeigen gleichzeitig zum Ausgang eigener geistesgeschichtlicher Interpretation verwendet wurde: Wilhelm Böhm, ‚Faust der Nichtfaustische',[21] und Ernst Beutler, ‚Der Frankfurter Faust'.[22]

Böhm hob bekanntlich ein (traditionelles) „perfektibilistisches" Faustisches scharf von einem „unperfektibilistischen" ab; dieses nannte er, in paradoxer und „herausfordernder" Charakterisierung, das „Nicht= faustische", mit welcher Umschreibung, gegen einen großen Teil der bis dahin gültigen Forschung gerichtet, er den eigentlichen Sinngehalt der Goetheschen Dichtung genauer wiedergeben wollte. „Der ‚Faustische Mensch' in der traditionellen Bedeutung ist eine Vergewaltigung des Goetheschen Menschen Faust ins Meisterische, um nicht zu sagen ins Iphigenische"; dieser „faustische Mensch", „der eigentliche Homun= kulus", sei, „ohne Instinkt für das Dichterische, in der Retorte ‚ge= macht'" worden.[23] Böhms Buch versuchte, im ganzen, den Nachweis des unperfektibilistischen Sinnes des sogenannten Faustischen aus der Dichtung selbst zu erbringen. Der Begriff des „Faustischen" stand hier, nicht ohne Vorgänger, an seiner deutlichsten Wende im 20. Jahrhundert. War er, vergröbert gesprochen, bis zu Böhm auch in diesem Jahrhundert immer noch vorzüglich („offiziell") als ein Hochwert genommen wor= den, durchaus positiv, so erscheint er seitdem — trotz den politischen, aber von der Wissenschaft nirgends ernst genommenen Aufblähungen in den Jahren nach 1933 — mehr und mehr als ein problematischer, fragwürdiger, schließlich rein negativer; damit wurde, wie zu zeigen sein wird, oft in die früheste Wortbedeutung des endenden 18. und des beginnenden 19. Jahrhunderts zurückgeschwenkt.

Die „begriffliche Problematik des faustischen Menschen"[24] war auch das Ergebnis des historischen Überblicks Ernst Beutlers, der seit Goethes Tod zwei Hauptlinien des Faustbildes und des „faustischen Menschen" als öffentlich wirksam aufzeigte, bis, nach dem Ersten Weltkrieg, bei Spengler, Obenauer,[25] Böhm, „der Name Faust von seiner Dichtung losgelöst" werde. In dieser Doppelerscheinung des „Faustischen" spie= gelte sich, darf man nochmals anfügen, gewiß der Zwiesinn der ‚Faust'=Dichtung Goethes selbst wider; aber spiegelte sich gleichzeitig wider, seit langem getrennt von der Dichtung Goethes,[26] die historische Doppelläufigkeit des solchermaßen abgelösten Wortes „faustisch", ebenso zwiesinniges Hin= und Herpendeln zwischen Position und Nega= tion im selben Wortlaut.

Erst Werner Milch hat 1949 in einem Vortrag, den er den ‚Wand= lungen der Faustdeutung' widmete,[27] versucht, seine Untersuchungen durch eine Auftrennung der einzelnen (modernen) Bedeutungsschichten im Wort „faustisch" zu stützen. Da er den gegenwärtig vorwiegenden Wortsinn (neben „faustisch" als auf den historischen Namen und zum andern als auf die Goethesche Dichtung unmittelbar verweisend) ent= scheidend durch Spengler oder durch von ihm beeinflußte Formulierun= gen und Auffassungen bestimmt sah, lehnte er jede Anwendung eines solchen „Faustischen" auf Goethe und dessen Daseinshaltung ab;[28] ebenso aber auch auf eine perfektibilistisch gedeutete ‚Faust'=Dichtung. Man müsse das Adjektiv „faustisch" von seiner inhaltlichen Vieldeutig= keit befreien (die schon Walzel verwirrte) und es endlich auf *eine* Be= deutung einschränken. Milch glaubte, diese in einer Verbindung von Spenglers Beschreibung der zum Verfall bestimmten „faustischen Kul= tur" mit dem „rückfälligen Titanen" und „Nihilisten" Faust der (nun= mehr unperfektibilistisch interpretierten) Goetheschen Dichtung fixieren zu können. Allein in solchem Umkreis liege das einzige Anwendungs= gebiet des Wortes „faustisch", das daher jedoch, weil von Goethe ur= sprünglich nicht so angelegt, niemals ein Kennwort für „den" deutschen Menschen, noch für die gesamte abendländische Kultur sein dürfe.

Ob das Wort „faustisch" tatsächlich in dieser Bedeutungseinschrän= kung auf (Spenglersche) Verfallszivilisation und „nihilistischen" Tita= nismus sich gegenwärtig allgemein verbindlich halten könnte, bleibe dahingestellt.[29] Der Ansatz aber, endlich zu einer *Einsicht* in den Be= deutungssinn des „Faustischen" zu kommen, die historisch *gewordene* Schichtung dieses Wortes Schnitt um Schnitt zu untersuchen und in ihm selbst die einzelnen Sinnebenen aufzudecken, scheint mir methodisch richtig. Danach erst wird nachzuweisen möglich sein, daß dieses Adjek= tiv „faustisch" von einem bestimmten Zeitpunkt ab, endgültig bedingt durch die Auseinandersetzung mit Goethes Dichtung, schon immer etwas Mehrsinniges, ja Gegensätzliches ausgedrückt hat, selten einen eindeu= tigen Begriff bezeichnete und vor allem in ihm keineswegs von vorn= herein jener „Hochsinn" angelegt gewesen war, den am Ende einige Generationen des 19. und 20. Jahrhunderts einzig glaubten heraushören zu dürfen und den sie, in immer neuer dichtungsfremder Anreicherung, ideologisch so sehr ausweiteten, bis das „Faustische" eine (nationale) „Weltanschauung" wurde. Eine „naive" Verwendung des Wortes „fau= stisch", als eines ein für allemal selbstverständlichen und darum allge= meinverbindlichen Ausdruckes, ist jedenfalls nach dem Einblick in seine historische Sinnstruktur nicht mehr möglich. Es muß jedesmal definiert und in Bezug gestellt werden.

Wie scheinbar „selbstverständlich" und unproblematisch der Begriff des „Faustischen" auch von hervorragenden Forschern gehandhabt wurde und gelegentlich noch heute gehandhabt wird, wäre beliebig oft nachzuweisen möglich. Ein Beispiel, das für viele andere stehen kann: Robert Petsch schrieb 1911, drei Jahre nach Walzels Aufsatz, typisch in seiner sicheren Verallgemeinerung: Lessing habe in sich nichts verspürt, „was wir seit den Tagen des Sturmes und Dranges eine Faustische Natur nennen . . .",[30] obgleich ihm bei genauerer Prüfung des Sprach= und Sachverhaltes hätte bewußt werden müssen, daß diese Benennung weder allgemein üblich war, noch gar so weit zurückgegriffen haben kann.[31] Und noch 1943 bemerkte Petsch,[32] daß sein eigenes Bestreben in den Arbeiten über ‚Faust' darauf gerichtet gewesen sei, herauszufinden, „was Goethe unter dem ‚Faustischen Menschen' verstand" (jetzt aller= dings schon wesentlich problematischer gemeint als dreißig Jahre zu= vor),[33] obgleich auch hier ihm genaueres Überlegen hätte sagen müssen, daß Goethe darunter gar nichts verstehen konnte, weil ihm eine solche, aus der Dichtung heraustretende, generalisierende Wortprägung und Wortverbindung unbekannt war. Petsch wollte tatsächlich sagen: was Goethe mit der Faust=Figur im Gefüge der gesamten ‚Faust'=Dichtung meinte. Dies zog er zu der mindestens seit Spengler und Obenauer allgemein geläufigen Abkürzung des „Faustischen Menschen" zusam= men, womit er jedoch, wie alle Benutzer dieser Abkürzung, sich außer= halb der Goetheschen Sprach= und Dichtungsweise begab, vielmehr in Sprach= und Denkgewohnheiten blieb, die allein typisch für das aus= gehende 19. und für die ersten Jahrzehnte des 20. Jahrhunderts waren.

Noch ein weiteres Beispiel sei gegeben, das in seiner scheinbaren sprachlichen Selbstverständlichkeit, in Wirklichkeit einer sprachlichen Selbstaufhebung, eher schon komisch wirkt. Hermann August Korff be= spricht im IV. Band seines ‚Geist der Goethezeit'[34] den 5. Akt des Zweiten Teiles, der, wie er meint, bereits zum „Faust=Mythus" überleite und sich „hier zu seiner letzten, eindrucksvollsten Gestalt" erhebe. „Es ist die Gestalt des alten Lebenskämpfers, der endlich mit dem Leben seinen Frieden macht [!], auch wenn er weiß, daß er nie aufhören kann, im Wechsel von Lust und Qual einem imaginären Ziele zuzuschreiten, das er ebensowenig erreicht wie jene definitive Befriedigung, die für den faustischen Menschen, als den er sich jetzt begreift, ein ebenso unmög= liches wie widersinniges Ideal ist." Dieser „faustische Mensch", sprach= und geistesgeschichtlich in dem von Korff gemeinten Sinn eine Spät= prägung erst des 20. Jahrhunderts, wird hier unbedenklich dem alten Faust, der konkreten dichterischen Gestalt des 5. Aktes, als Selbstaus= legung und Selbsterkenntnis gleichsam wörtlich in den Mund gelegt, als hätte Goethe diese ebenso abstrahierte wie fanatisierte Ausdrucksweise nicht nur gebildet und gebilligt, sondern geradezu selbst durch Faust aussprechen lassen. Das ist ein interpretatorischer Zirkel, der — nichts besagt. Goethes Faust begreift sich an keiner Stelle der Dichtung als „faustischer Mensch"; er kann es schon darum nicht, weil, wie ange= deutet, Goethe eine solche Wortbildung im dichterischen Bereich niemals verwendet hat, sie niemals verwendet haben würde und weil sie über= haupt erst von späteren Generationen her einen verständlichen Sinn erhielt, der zudem völlig uneinheitlich blieb. Die sprachliche Vermi= schung zweier wesensfremder Ausdrucksbereiche — der alte Faust der Dichtung, der sich selbst als einen faustischen Menschen begreifen soll — ergibt lediglich eine sinnlose Aussage.[35] Geradezu töricht wird eine solche Sinnlosigkeit dort, wo aus dem interpretatorischen Zirkel ein moralischer abgeleitet wird: Faust („ein Ritter zwischen Tod und Teu= fel"), nach dem Gespräch mit der Sorge, „stellt sich mit großartiger Gebärde in seinem jenseits von Gut und Böse liegenden faustischen Ethos wieder her . . .".[36] Auf solche Definitionen (die ebenfalls exem= plarisch für viele andere stehen) trifft Böhms Warnung vollauf zu: dieser „Faustische Mensch" ist Goethes Dichtung gegenüber eine Ver= gewaltigung; in solchem („traditionellen") Sinne ist Goethes Faust= Figur tatsächlich der „Nichtfaustische". —

Nicht also das scheinbar Einsinnig=Selbstverständliche des „Fausti= schen" kann bei einer Beschäftigung mit diesem zu reich facetierten Begriff Ausgang oder Ziel sein, sondern sein komplexer, vielsinniger, durchaus veränderlicher Zustand, der ihn eher unfaßlich als greifbar erscheinen läßt. Sein ideologisches Anschwellen, und das heißt ebenso wieder seine ideologische Unfaßbarkeit und Unverbindlichkeit, ist, als Untersuchungsgegenstand, ein historisches Phänomen und wird als sol= ches zum Problem. Im Rückgang auf die historischen Quellen kann zu=

mindest das *Entstehen* dieser Ideologie des „Faustischen" verfolgt und in seinem widersprüchlich=komplementären Ablauf begriffen werden.

Das verlangt eine *Wortuntersuchung* — als Frage nach der *Bedeutung* dieses Wortes in seinen verschiedenen historischen Auftritten und nach seiner Verwandlung und Maskierung in der Abfolge dieser Auftritte. Am Ende können dann, fixiert in solchen Erscheinungspunkten, die Kurven nachgezogen werden, die das „Faustische" in seinem wechsel= reichen historischen Verlauf wiedergeben.

Eine Vollständigkeit in dem Sinne, daß dabei alle nur denkbaren Quellenstellen zu erfassen seien, ist bei dieser prüfenden Rückschau weder erstrebt, noch dem Einzelnen überhaupt zu leisten möglich, ohne nicht ins Ungemessenste abzuschweifen. Trotzdem dürften im Folgenden für die „Frühzeit", d. h. das Ende des 18. Jahrhunderts und die erste Hälfte des 19. Jahrhunderts alle wesentlichen Stellen erfaßt sein, ebenso wie für die andere Jahrhunderthälfte die wichtigsten; auf jeden Fall erlauben es die gefundenen Belege, Entstehung und Ausbreitung des „Faustischen" so genau zu umgrenzen und zu beschreiben, daß auch übersehene Stellen an dem Hauptzug kaum etwas ändern dürften, außer daß sich möglicherweise einige Jahreszahlen vor= oder rückwärts verschöben.

Diese Untersuchung ist auch nicht zu verwechseln mit einer (vor= oder nachgoetheschen) Geschichte des Fauststoffes oder einer Geschichte der Faustforschung, obgleich sie sich mit ihnen berührt und sich an diese Paralleldarstellungen gelegentlich anlehnt. Diese Probleme sind öfters untersucht und aufgezeigt worden,[37] so daß sie aufs neue in die Darstellung hier einzubeziehen nur Wiederholung von oft Gesagtem bedeuten würde. Es schien methodisch deutlicher und für die gestellte Frage fruchtbarer, sich möglichst genau an den Leitfaden des Wortes „faustisch" selbst zu halten, das allerdings nach dem Erscheinen der Dichtung Goethes vorzüglich in Arbeiten, die sich mit Deutung oder Kritik des ‚Faust' befassen, aufgesucht wurde. Daß sich die Verwendung des Wortes „faustisch" und seiner Ableitungen, zumal im Vorschreiten gegen das 20. Jahrhundert zu, außerhalb unseres Untersuchungsbe= reiches in zahlreichen Büchern, Zeitschriften und öffentlichen Äußerun= gen aller Art, die nicht einmal andeutungsweise herangezogen werden konnten, nachweisen ließe, versteht sich von selbst. Doch dürften solche

Verwendungen bestenfalls Variationen, nicht aber grundlegende Ver=
änderungen der aufgefundenen Sinngeschichte darstellen. Aus solchen
Gründen wurde auch der Nachdruck der Untersuchung ins 19. Jahr=
hundert, als dem entscheidenden ideologisch zeugenden Zeitraum, ge=
legt. Je näher wir dabei der Jahrhundertwende und je weiter ins 20.
Jahrhundert kommen, desto öffentlich bekannter wiederum ist der Be=
deutungswandel. Hier brauchten daher, um nicht ins Uferlose zu kom=
men, nur die wichtigsten Stationen nochmals vergegenwärtigt zu
werden.

*

Wörterbücher versagen, die Wortgeschichten geben keine genügende
Auskunft. Erst in jüngster Zeit scheint das Wort „faustisch" zögernd
in Rechtschreibe=Wörterbüchern Platz zu finden. ‚Der Sprach=Brockhaus'
nimmt es 1935 auf und verdeutlicht es mit: „zu immer neuem Erleben
drängend, niemals satt=zufrieden (Goethes Faust)".[38] Durch den in
Klammern angefügten Hinweis auf Goethes ‚Faust' wird diese spezielle
Umschreibung, die eher eine Ausdeutung ist, zwar begründet, doch in
gleichem Maße eingeschränkt. Auch der ‚Duden' bucht „faustisch" erst
seit seiner 11. Auflage von 1934. Er umschreibt es, auch gegenwärtig
noch,[39] „nach Art und Wesen des Faust", was angemessen neutral ist und
wobei zu recht offen bleibt, welcher Faust und vor allem welche Deutung
des Faust darin zum Ausdruck kommen soll. Im Grunde kann dieses
Adjektiv auch nicht mehr besagen — oder dürfte es wenigstens nicht.
In solcher vorsichtigen, „neutralen" Umschreibung spiegelt sich der
heutige Bedeutungsstand insofern wider, als gegenwärtig jede spe=
ziellere Charakterisierung andere mögliche und auch vorhandene Wort=
bedeutungen ausschließt und sie daher „falsch" wäre. In gleicher Weise
umschreibt neuerdings Richard Pekrun: „nach Art des Faust".[40] In
Leipzig erscheint seit 1953 ein eigener ‚Duden';[41] er übernimmt zu=
nächst die alte Duden=Umschreibung „nach Art und Wesen des Faust",
fügt aber an: „einer Gestalt der dt. Volkssage". Wird „faustisch" im
‚Sprach=Brockhaus' auf Goethes Dichtung festgelegt, so hier auf die

angebliche Sagengestalt. In dieser gegensätzlichen Bedeutungseinschrän=
kung zeigt sich die Unsicherheit im heutigen Wortgebrauch an, die, will
man genau sein, es tatsächlich verlangt, jeweils durch Definition anzu=
geben, welchen Bereich des möglichen Bedeutungsfeldes von „faustisch"
man im einzelnen Fall meint. Dieses Adjektiv hatte seit Generationen
breite Lebens= und Geistesbereiche in sich aufgenommen; daher fällt es
gegenwärtig schwer, es so genau einzugrenzen, daß Verständigung, aller
Sprache Aufgabe, möglich ist.

Aufschlußreich für die kaum abgeklungene innere Wortspannung
ist, wenn dagegen Lutz Mackensen in seinem ,Neuen deutschen Wörter=
buch' „faustisch" noch umschreibt mit „tief forschend; ringend; ge=
nial".[42] Hier werden, zumal gegenüber Duden und Pekrun, andeutungs=
weise noch Reste bestimmter „ideologischer" Setzungen verwendet
und dabei, als „selbstverständlich", andere mögliche Auffassungen
kategorisch ausgeschieden. In diesen jüngsten, etwa im gleichen Zeit=
raum erschienenen Wörterbüchern (bzw. Auflagen) bildet sich in den
unterschiedlich nuancierten Umschreibungen charakteristisch die gegen=
wärtige „faustische" Lage ab: die Ideologie klingt ab und tritt zurück,
das Wort wird mehr und mehr neutralisiert, zurückgenommen auf seinen
Ausgangsstand und eng wieder an das Substantiv gebunden, von eigener
Bedeutung möglichst entlastet. Das „Faustische", über ein Jahrhundert
selbständig ausschweifend, zieht sich wieder auf den Namen Faust zu=
rück und erhält von ihm allein seinen Inhalt, der freilich entsprechend
dem verschiedendeutigen Haupt= und Ableitungswort variiert werden
kann.

Philosophische Wörterbücher verzeichnen neuerdings dieses Wort
auch, jedoch charakteristisch verengt. Im ,Wörterbuch der philosophi=
schen Begriffe' erscheint es 1944 in der von Johannes Hoffmeister her=
ausgegebenen Umarbeitung. Dort wird „faustisch", eine neue Bu=
chungsvariante, einseitig auf Oswald Spengler und dessen Definitio=
nen zurückgeführt,[43] anscheinend durch Rudolf Eislers älteres ,Wörter=
buch' angeregt.[44] Daß Spengler diesen Begriff eingeführt hätte, kann
schlechterdings nicht behauptet werden, nicht einmal als erster zur
Kennzeichnung der gesamten abendländischen Kultur. Ebenso allein
auf Spengler abgestimmt, Hoffmeister fast wörtlich folgend, um=
schreiben die letzten, von Julius Streller und Georgi Schischkoff be=

arbeiteten Auflagen des ‚Philosophischen Wörterbuches', begründet von Heinrich Schmidt.[45]

Auch in den Wortbildungslehren und entsprechenden Abhandlungen tritt, soweit ich sehe, das Adjektiv „faustisch" unter Hunderten anderer angeführter isch=Bildung nicht einmal als Beispiel auf, was, neben dem Kuriosum, insofern symptomatisch zu sein scheint, als die grammatische Wissenschaft dieses Wort anscheinend nicht als gewichtig genug — oder nicht als eindeutig genug empfunden hat.

Immerhin, auch ohne solche ausdrückliche Zitierung gibt die Wortbildungslehre gerade für unsere Fragestellung wichtige Hinweise, die die Wortgeschichte von „faustisch" mit zu erhellen vermögen; diese selbst wiederum vermag die allgemeinen Bildungsgesetze aufs deutlichste zu belegen. Daß seit dem Gotischen die Ableitungssilbe =isks, =isc, =isk, =isch Zugehörigkeit, Herkunft, Abstammung bezeichnet, diese Ableitungssilbe vorzüglich an Volks=, Länder=, Orts=, Personen=,[46] auch Religionsnamen sich anlehnt (ebenso an Tiernamen) und damit charakterisiert, auch auf sittlichem Gebiet, ist ohne weiteres einleuchtend. Aber schon Wilhelm Wilmanns fügte aufschlußreich und lapidar hinzu: „Charakteristisch für die jüngere [!] Sprache ist, daß sie mit Vorliebe solchen Adjectiven die Endung =isch giebt, die moralische Eigenschaften bezeichnen, und zwar schlechte."[47] Diese Feststellung bleibt, mit einigen Modifikationen, bis heute hin maßgebend. So heißt es 1947 ebenso kurz bei Walter Henzen: „Der abschätzige Charakter des Suffixes tritt also früh auf, bildet sich aber erst im 18. Jahrhundert voller heraus."[48]

Alfred Götze hatte 1899 in einer längeren Abhandlung die Geschichte der Adjektiva auf =isch untersucht und dabei der „Entwicklung des bösen Sinnes" besondere Aufmerksamkeit geschenkt. Diese Adjektiva gaben zunächst, als Herkunftsbezeichnungen, Lob und Tadel des Ableitungswortes wieder, wobei die tadelnden (zufällig?) die häufigeren gewesen seien; diese, im Ursprung anscheinend nicht erklärbare Häufung habe das Sprachgefühl wesentlich beeinflußt, so daß neue Adjektiva auf =isch vorwiegend von Tadelsworten abgeleitet oder sie selbst dazu umgebildet wurden, gleich, ob aus Orts=, Länder=, Personen=, Religionsnamen usw. Schließlich genügt allein schon dieses Suffix, um einen Tadel, eine Abwertung in das betreffende Wort hineinzubringen.

Solche Wortbildungen seien bis weit ins 19. Jahrhundert zu beobachten. Auch habe sich, wie Götze glaubte feststellen zu können, der bösartige Sinn dieser isch=Adjektiva zunächst in Mitteldeutschland entwickelt.[49]

Untersuchungen zu einzelnen solcher Adjektiva auf =isch runden das Bild ab. Besonders gründlich wieder eine Arbeit von Alfred Götze selbst über ‚Lutherisch';[50] zu den bisher gewonnenen Einsichten („lu= therisch" ursprünglich nur abfällig, von gegnerischer, katholischer Seite gebraucht und durchgesetzt, bis hoch ins 18. Jahrhundert; erst spät in die amtliche Sprache „positiv" aufgenommen usw.) tritt eine weitere grundsätzliche Beobachtung zur inneren Sprachbildung solcher Formen hinzu: dieses Adjektiv wurde anfangs rein *possessiv* verwendet, anstelle des *Genitivs* („des Luthers", „Luthers"). Erst daraus entwickelte sich, wie bei allen Adjektiva auf =isch, die *verallgemeinernde* Bedeutung „in Luthers Sinn und Richtung, nach Luthers Art". Dieses in solcher we= sentlichen Weise bedeutungserweiterte Adjektiv *prädikativ* gebraucht („der ist gut lutherisch"), führte schließlich zur *Substantivierung*, dem letzten grammatischen Schritt („du bist ein Lutherischer": ein negativer, feindlicher Parteiname). Weitere Einzelheiten (etwa daß Luther selbst dieses „lutherisch" ablehnte oder es nur im Sinn seiner Gegner „zi= tierte") interessieren für unseren Zusammenhang nur am Rande. — Im Grundschema kam zu ähnlichen Ergebnissen eine Untersuchung von G. Lüdtke über (das internationale) „‚Gotisch' im 18. und 19. Jahr= hundert"[51]: in Italien während und seit der Renaissance ausgebildet (gotico), bedeutete es ursprünglich „barbarisch, roh, gekünstelt, abge= schmackt", drang in dieser Bedeutung nach England und Frankreich und erschien in solchem schon übertragenen Sinn seit der Mitte des 18. Jahrhunderts auch in deutschen Wörterbüchern als „barbarisch, regellos, stillos, mittelalterlich"; erst gegen Ende des 18. Jahrhunderts trat im deutschen Sprachbereich der radikale Bedeutungswandel in den fast entgegengesetzten Sinn ein, eingeleitet wahrscheinlich durch Her= der ab 1767/69; diese Entwicklung wurde, unter Beteiligung Goethes, von der Romantik abgeschlossen und auf ihre Höhe geführt.[52] Schließ= lich darf nochmals an „romantisch" selbst erinnert werden, das einen ähnlichen Bedeutungswandel durchlief.

In solchem Umkreis und unter solchen Bildungsgesetzen stehend muß das allmähliche Aufkommen von „faustisch" im 18. Jahrhundert gesehen werden. Dieselben Sprachkräfte formten die erste, durchaus negative Bedeutung und den langsamen Bedeutungswandel auch dieses Adjektivs, das dann allerdings bald in die leidenschaftliche Auseinandersetzung um die Dichtung Goethes geriet, sich von hier aus ideologisch verselbständigte und darin eigene Geschichte erfuhr — und machte.

II

DAS NEGATIVE ADJEKTIV
IM 17. UND 18. JAHRHUNDERT

Ob das erste mir bekannte Beispiel vom Ausgang des 17. Jahrhunderts, um 1695, tatsächlich das früheste überhaupt ist, darf füglich bezweifelt werden; jedoch spielen bei der Eindeutigkeit der Frühgeschichte von „faustisch" solche Überlegungen wie auch die einer lückenlosen Erfassung keine entscheidende Rolle.

Auf der Wiener Hofbibliothek steht in einem Miszellankodex des ausgehenden 17. und beginnenden 18. Jahrhunderts ein anonymes Epigramm auf den Tod des verhaßten Herzogs von Luxemburg (gest. Januar 1695), entdeckt und veröffentlicht von Richard M. Werner.[1]

> „Der Krumme Luxenburg ist Endlich auch verrecket,
> In dessen Puckel so viel böses hat gestecket..." —

so beginnt das menschenfreundliche epigrammatische Epitaph. Die letzten vier Zeilen dieses längeren, noch aus barockem Sprachgeist stammenden Spottgedichtes lauten:

> „Die hell alß rechter Sitz dergleichen Ungeheuer
> Die lohnt ihn itzt darfür mit schweffel, pech, Undt feuer.
> Soll ein Erschröckliches: Doctor=Faustisches
> Ende genommen haben. Exitus acta probavit."

Der Tatbestand ist eindeutig. Diese possessive oder genitivische Umformung steht dem, seit dem Volksbuch, über ein Jahrhundert lang viel gebrauchten und geläufigen „Doctor Fausti" noch so nahe, daß der Übergang zu der adjektivischen Bildung fast unvermerkt und zögernd geschieht, wobei der bis dahin übliche „Doctor" angefügt bleibt. Das Ende *des* Doctor Faust, das Ende D. Fausti, wird zu einem „Doctor=Faustischen Ende" sprachlich umgewandelt, aber schon, ausgeweitet über den sprachlichen Ursprung, auf eine andere Person angewendet. Hohn, Spott und Haß soll mit dieser (neuen?) isch=Bildung zum Ausdruck gebracht werden, deren negative Tönung den überkommenen Klang des Ausgangswortes noch verstärkt.[2] Dieses „Faustisch" ist „erschröcklich" diabolisch gemeint. Der Faust der Sage und des Romans wurde hier noch bitter ernst genommen — war damals doch eben erst (1674, ins=gesamt sieben Auflagen bis 1726) in Nürnberg die zweite große Um=arbeitung des Faustbuchs durch Johann Nicolaus Pfitzer erschienen: ‚Das ärgerliche Leben und schreckliche Ende deß viel=berüchtigten Ertz=Schwartzkünstlers D. Johannis Fausti', so hebt sein 31 Zeilen langer Titel an.[3] Rein negativen Sinnes ist dieses frühe „faustisch" — in der Bedeutung eng gebunden an den Teufelsbündner, der wenig mehr als hundert Jahre vordem, 1587, zum erstenmal literarisch vor die Öffent=lichkeit getreten war. Negativ im Schauder des Höllenhauches, der allein damals aus dem Namen Faust anwehte, noch ohne jede Ironie, noch ohne Spott gegen diesen Schwarzkünstler selbst, noch ohne Abwehr seiner vermeintlichen höllischen Künste.[4]

Solcher ironisch=abwehrende Ton drang in den (trotzdem weiterhin nur negativen) Begriff „faustisch" erst eine oder zwei Generationen später ein und wurde dann allerdings während des ganzen 18. Jahr=hunderts verstärkt durchgebildet. Dazwischen lagen ein paar wesent=liche Umformstationen der öffentlichen Faust=Auffassung, die bald auch das Adjektiv „faustisch" beeinflußten. 1683, neun Jahre nach Pfitzers Bearbeitung, hatte der Theologe Johann Georg Neumann (1661—1709) seine danach häufig aufgelegte Wittenberger Dissertation ‚Disquisitio Historica prior de Fausto Praestigatore ...' (deutsche Übersetzungen ab 1702) veröffentlicht, erstes Werk der „Faust=Philologie", das den Wust abergläubischer, „bißher vor wahr gehaltener" und erfabelter Nachrichten über Faust von den historisch tatsächlich bezeugten und überprüfbaren zu trennen versuchte und „die rechte Historie wieder zusammensuchen" wollte. Faust wurde, „im Nahmen Gottes", seiner zauberischen Allmächtigkeit entkleidet und auf die Stufe eines eitlen, marktschreierischen, betrügerischen Landfahrers gestellt. Neumann wollte dabei „nur dasjenige in etwas examiniren, was bißanhero viel mit dem gemeinen Volck blind hin gegläubet haben". Bis 1750 waren etwa vierzehn lateinische Ausgaben und deutsche Bearbeitungen dieser Abhandlung erschienen. „Zudem ists der Kerle mit alle nicht werth, daß man so viel Wesens von ihm machen solte", war der unwirsche

Schlußsatz Neumanns (in der deutschen Fassung von 1702)[5] — oder wie es ein anderer Autor 1697 nicht weniger autoritativ formuliert hatte: „Daß die Erzählung von dem (so genandten) D. Faust ein leeres Gewäsch sey".[6]

Das wurde zur Meinung der „aufgeklärten" Geister des 18. Jahrhunderts, die in geschlossener Front gegen den Faust=Aberglauben angingen, der vor allem in Schauspielen und Puppenspielen und unechten Faust=Schriften aller Art sich immer noch breit genug machte. Der geniale Einfall Lessings, Faust seines Wahrheitssuchens und Wissensstrebens wegen umgekehrt gerade als gottbehütet und darum nicht mehr der Hölle verfallen hinzustellen, war ohne diese vorangegangene jahrzehntelange „Enttheologisierung" Fausts nicht denkbar; erst danach konnte Lessing seinerseits gegen die gänzliche Ächtung der Faustgestalt auftreten.

Von J. G. Neumann führte ein direkter Weg zur letzten, nun kritischen Volksbuchbearbeitung des pseudonymen „Christlich Meynenden" von 1725,[7] in der Faust ohne allen „Höhenflug" dargestellt wurde, abschätzig, jeder Unheimlichkeit und des „Titanismus" entkleidet — ein geschicktes Werk aufklärerischer Gegenpropaganda, kein naives Jahrmarktswerk, wenn es sich auch so gab, um vom „Volk" gelesen zu werden. „. . . in der Welt einen Greuelsvollen Nahmen hinterlaßen": das schien jetzt das abschließende Fazit über Faust.[8]

Gottsched, als eine der zentralen Figuren der ersten Jahrhunderthälfte und noch der Jahrhundertmitte, mag mit seinen Äußerungen zum Faust=Thema beispielhaft stehen. Noch vor dem „Christlich Meynenden" (der sich hinter den bis heute unaufgelösten Initialen C. M. verbarg) schrieb Gottsched 1723 in Königsberg eine Ode, An Herrn D. Carl Friedrich Lau, veröffentlicht allerdings erst 1736, die eingangs den Faust „beschwört".[9] Die ersten drei Strophen (von zehn) genügen hier:

> „Des Aberglaubens Anker bricht,
> Sein tiefbeschämtes Angesicht
> Muß sich je mehr und mehr mit blöder Röthe färben.
> Der aufgeklärte Geist der Welt,
> Dem keine Thorheit mehr gefällt,
> Wird nun nicht, wie vorhin, vor eitler Angst verderben.

Wie bebte vormals Stadt und Land,
Wenn eine freche Zauberhand
Sich murmelnd in den Kreis beschworner Zeichen zirkte?
Wenn Faust auf seinem Mantel fuhr,
Und zur Beschimpfung der Natur
Mehr Wunder in der Welt, als Moses Stecken, wirkte.

Nun steht der kahle Blocksberg leer,
Der Hexen Körper ist zu schwer,
Kein Geist kan solche Last durch leichte Lüfte führen:
Kein heisser Scheiterhaufen schmaucht,
Kein angeflammter Holzstoß raucht,
Es ist itzt keine Spur der Zauberey zu spüren."

Neben dem hellen Siegeston einer endlich von allem Zauberdruck
„klaren" Welt, der sich auch schon naturwissenschaftlicher Argumente
poetisch bedient (der heimliche Kirchenliedton dieser „Ode" ist freilich
ebenso wenig zu überhören), „bebt" doch noch, in der zweiten Strophe,
einiges von der unheimlichen Erschütterung nach, die dieser Erzschwarz=
künstler in dem mündlichen und schriftlichen Geraune eines Jahrhun=
derts ausgelöst haben mochte. Die „Beschimpfung der Natur" war es
vor allem, die ihn jetzt ebenso verhaßt wie töricht erscheinen lassen
mußte, Prototyp eines überwundenen Zeitalters blöden Aberglau=
bens — „drum wird Betrug und Angst itzt keinen Menschen morden".
Denn Deutschland stecke nun nicht mehr so tief in diesem Unwesen
wie vordem, Unholde und Hexen seien verschwunden; wer Zauber=
künste behaupte, mache sich höchstens lächerlich; „nur der Pöbel
schleppet sich noch mit D. Fausts und andern dergleichen Büchern her=
um, die man ihm aber mit der Zeit auch aus den Händen bringen wird",
verkündete, recht militant, Gottsched daher am 5. Juli 1728 in ‚Der
Biedermann Zweyter Theil' (61. Blatt).[10] Und in seinem durch Jahr=
zehnte weithin wirkenden und maßsetzenden Zentralwerk ‚Versuch
einer Critischen Dichtkunst vor die Deutschen' in dem Kapitel „Von
dem Wunderbahren in der Poesie" (Kap. 5, § 19), durch alle vier Auf=
lagen von 1730 bis 1751, kam er in gleichem Sinn auf diesen „un=
glaublichen", deshalb dichtungsunwürdigen Gesellen zu sprechen. Hier
wurden die ästhetischen Folgerungen aus Neumanns ‚Disquisitio' und

dem ‚Christlich Meynenden' gezogen und für die moderne literarische Situation zusammengefaßt: „Das Mährchen von D. Faust[en] hat lange genug den Pöbel belustigt, und man hat ziemlicher maßen auf= gehört solche Alfanzereyen gerne anzusehen. Daher muß denn ein Poet große Behutsamkeit gebrauchen, daß er nicht unglaubliche Dinge aufs Theater [später: auf die Schaubühne] bringe, vielweniger sichtbar vor= stelle."[11]

Damit schien über Faust „offiziell" und ein für allemal der Stab ge= brochen.[12] Seine knapp anderthalb Jahrhunderte dauernde literarische Laufbahn schien beendet. Der Hieb ging vorzüglich gegen das Theater, gegen die fahrenden Truppen, die, „unregelmäßig", noch ihren ‚Faust' (das sogenannte Volksschauspiel) „als eines von ihren vornehmsten Stücken auf allen Schaubühnen" aufführten — Hauptverbreitungsort der sogenannten „Volkssage".[13] Gottscheds allzu selbstbewußtes und höh= nendes Verdikt mag Lessing, neben anderem, gereizt haben, sich an dem also verächtlich gemachten Stoff von neuem zu versuchen. Wer den Faust=Stoff trotz dieser jahrzehntelangen, von höchster literarischer Stelle ausgesprochenen Verurteilung, die von allen Anhängern Gott= scheds beflissen nachgeschrieben wurde, dennoch wieder aufnahm, führte den eigenen Hieb direkt gegen Gottsched zurück. Der 17. Litera= turbrief, vom 16. Februar 1759, in dem Lessing seinen ersten (und doch so ganz unshakespeareschen) Faustplan andeutete, war denn auch vor allem gegen den Leipziger Literaturprofessor gezielt und wurde im Gottsched=Lager sofort entsprechend beantwortet, wobei Lessing zu= nächst arg den kürzeren zog. Es war zunächst eine literarische Fehde, der wir die bekannte Wende in der Geschichte des Faust=Stoffes ver= danken, nicht ein Durchbruch letzten germanischen, letzten volksgebo= renen Mythos.[14]

Doch je mehr aus dem „Pöbel" das „Volk" wurde, dessen scheinbar ureigenen „Liedern" man lauschte, je mehr aus der „nature machine" eine „Natur" von Herz, Gemüt und „Genie" wurde, desto unaufhalt= samer begann der neue Aufstieg Faustens: aber aus dem Erzschwarz= künstler und Teufelsbündner, aus dem „Alfanzer" und Pöbelkaspar war der genialische Held einer ganzen jungen Generation geworden, Stell= vertreter, schien es, der befreiten Menschheit, dem Urteilsspruch der Orthodoxie und der Vernünftelei entzogen.

Bis es dazu kam, wurde freilich noch mancher Streit um Faust aus=
gefochten. Wie schnell literarische „Moden" wechseln, wird an solchen
Äußerungen deutlich. Bedenkt man, daß gegen 1775 schon Goethes
„Urfaust" vorlag,[15] dazu eine Anzahl anderer Faustspiele oder =szenen
dieser Sturm= und Dranggeneration, so kommt einem die bekannte, nur
zwanzig Jahre zurückliegende Notiz über eine Berliner Theaterauffüh=
rung der Schuchschen Truppe in den ,Neuen Erweiterungen der Er=
kenntnis und des Vergnügens' fast unwahrscheinlich vor: „Den 14
(mit deiner Erlaubniß, mein Leser) ward D. Faust vom Teufel geholet.
(Herr Schuch muß vielleicht nicht in den Kalender gesehen haben, daß
wir im 1754ten Jahre leben)."[16] Aber diese „Modernität" aufgeklärter
Wortführer war damals die allgemeine öffentliche Meinung über Faust,
gegen die vorerst auch Lessing nicht aufkam. Moses Mendelssohns
Kopfschütteln über seinen Freund, als er dessen Faust=Pläne vernahm,
ist ebenso bekannt: „Ich möchte es nicht gerne bei dem Namen nen=
nen, denn ich zweifle ob Sie ihm den Namen Faust lassen werden. Eine
einzige Exclamation — o Faustus, Faustus! könnte das ganze Parterre
lachen machen."[17] 1756 veröffentlichte Johann Friedrich Löwen sein
satirisches „Gedicht in drey Gesängen" ,Die Walpurgis Nacht',[18] in
dem auch der „Ehrwürdige Doctor Faust" durch alle drei Gesänge auf=
trat und, zusammen mit anderem zauberischem Unwesen und Hexen=
wahn, als Züchtigung des „blöden Aberglaubens" verspottet und ver=
höhnt wurde; auf dem Blocksberg würden nur Narren geschaffen und
Betrüger ehrlich gemacht, Wahrheit und Tugend dagegen müßten sich
noch immer vor diesen unvernünftigen Ausschweifungen verstecken.
Faust erschien als der Anführer solchen Wahn=Sinnes, der nicht mehr
in die neue Zeit gehörte. Gottsched selbst nahm nochmals, als Goethe
schon in Leipzig zu studieren begann und dort wahrscheinlich die ersten
nachhaltenden Faust=Anregungen empfing, seinen Spott gegen Lessing
und dessen öffentlichen Faust=Hinweis auf, in der Vorrede zu Schern=
bergs Juttenspiel in ,Des nöthigen Vorraths zur Geschichte der deut=
schen Dramatischen Dichtkunst Zweyter Theil . . .', den er 1765 zu
Leipzig erscheinen ließ (und den auch Goethe gelesen haben wird).
„Ich billige alle diese Ausschweifungen des Wunderbaren nicht", hieß
es dort. „Wer weis, wo noch ein heutiger brittenzender Shackespear
drüber kömmt, der nächst der versprochenen Comödie vom D. Faust,

auch das Trauerspiel unsers Scherenbergs von Papst Jutten erneuert und umschmelzet, um ein recht erstaunlich rührendes Stück, trotz dem Kaufmanne zu London, oder Miß Sara Samson, daraus zu machen?"[19]

Aus diesem Umkreis zumeist der Anhängerschaft Gottscheds und ihrer Abwehr des ominösen Wiedererscheinens Fausts, den man mit anderem Aberglauben überwunden zu haben glaubte, stammen auch die nächsten Belege für die Ausbildung des — negativ gemeinten — Wortes „faustisch".[20]

In einer literarischen Fehde, die 1753 in Leipzig um das modische, aus dem Englischen übersetzte Singspiel ‚Der Teufel ist los' (The devil to pay, 1731) von Charles Coffey mit Schrift und Gegenschrift heftig ausgefochten wurde, wobei von seiten der „vernunftmäßigen" Kritiker besonders das Auftreten des Teufels gerügt und, als gegen jeden ver= nünftigen Geschmack verstoßend, scharf satirisch verhöhnt wurde, holte man, bei solcher passenden Gelegenheit, auch D. Faust in dasselbe kri= tische Licht. Dabei tauchte das Adjektiv wieder auf, noch wenig anders gebildet als sechzig Jahre früher in dem barockischen Epigramm. Der (anonyme) Verfasser einer dieser Streitschriften, ein gewisser Steger, schrieb darin in einer Anmerkung, als Abwehr des Vorwurfes, man gehe gegen das Stück nur an, weil es aus England stamme: „Der Teufel möchte seyn wo er her wollte, so wäre er ein ungeschliffner Teufel. Man darf nur nachsehen wie andre deutsche Stücke die schlecht waren kritisirt worden sind: So wird man sehr leicht sehen, daß man Vernunft, nicht aber Partheilichkeit gehabt hat. Der D. Faustische Teu= fel bey Reibehanden[21] ist ein deutscher Teufel; aber wer hat ihn iemals gelobet?"[22] Dieses genitivisch gebildete Adjektiv „D. Faustisch" ist als Wortbildung noch dasselbe wie jenes „Doctor=Faustisches Ende"; und da es sich auf ein Negativum zurückbezieht, wie aus dem Textzusam= menhang hervorgeht, auch in derselben Weise zweifellos negativ ge= meint, spöttisch und verächtlich. Jedoch das Verhältnis zu Faust hatte sich inzwischen gewandelt: nichts gefürchtetes Diabolisches mehr darin, Faust ist ein pöbelhafter Hanswurst geworden; dementsprechend hat sich auch die negative Facette des „D. Faustisch" verändert. Zwei Gene= rationen früher ein „höllisches" Haßwort — jetzt ein Spottwort, das den Gegner lächerlich machen will. So können sich Wortformen zwar gleichen, wo die Wortbedeutung längst eine andere geworden ist.

Diese Kritik gegen den Bühnenauftritt des Teufels, sei es des eng=
lischen, sei es des deutschen, kam aus der Gottsched=Schule. Ein weite=
res Beispiel stammte wahrscheinlich unmittelbar von der Gottschedin
selbst. Jetzt war es schon der Lessingsche Literaturbrief, an dem man
sich rieb und dem man eine geschickte Abfuhr erteilte. „Jede Blöße des
Dichters wird ausgespäht, und dem Unerbittlichen ist während seiner
ganzen Schriftstellerlaufbahn niemals übler mitgespielt worden", ur=
teilte Erich Schmidt zu recht.[23]

‚Briefe, die Einführung des Englischen Geschmacks in Schauspielen
betreffend, wo zugleich auf den Siebzehnten der Briefe die neue Littera=
tur betreffend, geantwortet wird', verlegt Frankfurt und Leipzig 1759
(vordatiert auf 1760), hieß der Titel der Schrift, in der, mit scharf zu=
packendem Spott, gegen das neue Lessingsche Vokabular von Genie
und Regellosigkeit, Volk und Natur, Shakespeare und Englisch losge=
zogen, vor allem aber seine mitgeteilte Faust=Szene erbarmungslos
zerpflückt und bloßgestellt wurde. Daß Lessings Mystifikation, seine
Szene stammte aus einem alten deutschen Trauerspiel, dabei als ein
„heiliger Betrug" entlarvt wurde, war noch das geringste. Wort für
Wort dieser Faust=Szene wurde vorgenommen und glossiert. „Was
sagen Sie zu dieser Scene? Sie wünschen ein deutsches Stück, das lauter
solche Scenen hätte? Ich auch!" — so schloß bekanntlich Lessing, zu
übereifrig, seinen Literaturbrief. „Um Himmels willen . . . Hr. Niemand
möchte es für Ernst halten, und uns mit einem dergleichen heimsuchen:
es ist schon schlimm genug, daß er es wünscht. Ich meines Orts sage
Ihnen von Grund der Seele: Ich nicht! und deren werden vielleicht mehr
seyn, die bey mir sind, als die bey ihm sind." Mit dieser Antwort dürfte
Frau Gottsched, falls sie die Verfasserin der gesamten Gegen=‚Briefe'
war, recht behalten haben. Auf Seite 116 dieser Schrift schrieb sie dann
beiläufig: „Wenigstens halte ich dafür, hätte er [Herr Niemand alias
Lessing] uns auch eine komische Scene, nach Art der Faustischen, . . .
geben sollen": nach Art eben jener „faustischen" Szene Lessings, die
sie im folgenden so bitter verhöhnte. Possessives Adjektiv negativer
Bedeutung — „faustisch" nicht im Sinne der Lessingschen Absicht, son=
dern im Sinne der abwehrenden Gottschedschen Kritik, ein Spottwort
wieder, ein „Pöbel"wort.[24]

Mit diesen wenigen mir bekannten Belegen ist die Bildungs= und

Bedeutungsgeschichte von „faustisch" im 18. Jahrhundert doch deutlich genug umrissen; über die damalige negative Bedeutung kann kein Zweifel bestehen. Mit dieser „Frühgeschichte" paßte sich „faustisch" typisch und eindeutig den erwähnten Beispielen derselben Wortbildung („lutherisch", „gotisch", „romantisch") an. Ein Jahrhundert lang und weiterhin galt zunächst unangefochten dieser negative Sinn.

Zwei Beispiele vom Ende des 18. Jahrhunderts können diesen Tat= bestand nur noch verdeutlichen. In der ‚Allgemeinen Literatur=Zeitung vom Jahre 1792', in der Nummer 252 vom 22. September, wurde eine anonyme Faust=Schrift besprochen.[25] Dabei hieß es: „Was die Fausti= schen Gaukeleyen selbst betrifft, so sucht sie der Vf. meist aus ganz natürlichen Gründen zu erklären." Und ein wenig weiter ähnlich: „Von dem berufenen Faustischen Höllenzwang,[26] von welchem der Vf. zuletzt noch handelt, merken wir an . . .". Wiederum die schon bekannte geni= tivische Verwendung; und auch hier fraglos im Bereich des Kampfes gegen einen „unsinnigen" Aberglauben stehend, wie aus der ganzen Anzeige hervorgeht. „Der Mensch ist nicht gemacht für den Umgang mit höhern Wesen, und darf es nicht ungestraft wagen, aus dem Kreise der Menschheit herauszutreten": so etwa lautete die Stimme der Spät= aufklärung des 18. Jahrhunderts, wo sie mit dem Faust=Stoff sich aus= einandersetzte, formuliert ebenfalls 1792, zwei Jahre nach Erscheinen von Goethes Faust=Fragment, im ‚Journal von und für Deutschland' als Resümee der ‚Scenen aus Faust's Leben' von Karl Gottlob Cramer.[27] In solcher Auffassung wurde das Wort „faustisch", als Abwehr eines sträflichen leichtfertigen Verhaltens, damals benutzt.

Sechs Jahre später verwandte Novalis das Adjektiv in einem Brief. Die rein genitivische Bedeutung ist geblieben, aber der Sinnklang scheint hier und indessen verändert worden zu sein, befreit von der scharfen Polemik, fast „romanhaft"=zauberisch jetzt; ein anderer „Geist" scheint in dieses Wort gefahren. Am 1. April 1796 schickte Hardenberg, als Aprilgeschenk, an Frau von Thümmel einen Kalender und schrieb dazu einen fröhlichen Aprilbrief, in dem er ihr die Verwendungs= möglichkeiten dieses Kalenders schalkhaft auseinandersetzte. „Obiges Etwas wird Sie in den Stand setzen 1. Die Zukunft aufs genaueste vorherzusehen" — und so fort die Punkte 2., 3., 4. Sodann: „5. Dient es Ihnen zum Faustischen Mantel, wenn Sie sich nach den Mitteln bequemen, die es enthält, um überall hinzukommen."[28] Diese Stelle ist ohne sonderliches Gewicht, eine zufällige Verwendung, absichtslos, die aber das Adjektiv, zumal in einem privaten Brief, schon als geläufig geworden erscheinen läßt. Der Mantel Fausts, des zauberischen Volks= buchhelden — das allein ist dieser „Faustische Mantel", ohne jede wei= terreichende Bedeutung: ein Requisit der Märchen=Phantasie, der April= Ausgelassenheit, ohne düstere oder polemische Erinnerung. Dieses Adjektiv wandelte sich jeweils mit dem Klang des Faust=Namens.

Kurz vor dieser zufälligen Verwendung des jungen Hardenberg lag aber, 1794, ein bemerkenswertes, auffälligeres Zeugnis, das nicht nur diese Mitverwandlung nochmals deutlich werden läßt, sondern bei dem bereits ernstlich zu fragen ist, ob hier „faustisch", wenn auch ebenso beiläufig verwendet, im Ton nur gerade angeschlagen, schon mehr be= deutete als jenes indessen verfügbar gewordene genitivische Beiwort — also eigenen, verallgemeinernden (freilich immer noch negativen) Inhalt gewann, der sich aus dem Ganzen des an dieser Stelle mit „Faust" Gemeinten ergab und darin womöglich sprachlich frei verfügbar wurde. Die Stelle steht in einer Anmerkung der zweiten Auflage (und aller späteren) von Friedrich Maximilian Klingers Faust=Roman, ‚Faust's Leben, Thaten und Höllenfahrt in fünf Büchern', Zweite verbesserte und vermehrte Ausgabe, St. Petersburg 1794. Klinger schrieb von seinem Faust=Helden im Text: „Wenigstens war er auf dem Wege ein Philosoph wie Voltaire zu werden, der nur überall das Böse sah, es hämisch her= vorzog und alles Gute verzerrte, wo er es fand" — so auch in der ersten Auflage von 1791.[29] Noch aus dem Sturm= und Drang=Geist kommend, war dies ein starker Hieb gegen den französischen Philosophen und dessen Welthaltung; gleichzeitig wollte Klinger mit diesem Satz seinen eigenen Faust derart hämisch „böswillig" charakterisieren. Drei Jahre später, in der zweiten Auflage, glaubte Klinger, den scharfen Satz durch eine Anmerkung abmildern zu müssen. Er wollte sich „an diesem großen und einzigen Genie der alten und neuen Zeit" nicht vergreifen, fügte er dort „unter dem Strich" an, denn „wenn man bedenkt, daß Voltaire Geschichtsschreiber war, daß er nur mit Großen und zwar mit Großen aus den Zeiten des Regenten,[30] Ludwig XV. und mit Schriftstellern gelebt hat, so wird seine *faustische Laune, die er hin und wieder äußert,* wenigstens begreiflich." Das war, scheinbar mit anderer Spitze, nicht weniger boshaft. Doch jene hämische Verzerrung alles Guten, wie es unverändert im Romantext von Voltaire hieß, wurde jetzt mit „fau= stische Laune" umschrieben. Gewiß: zunächst heißt dies auch „Laune *des* Faust" — selbstverständlich die von Klingers Faust, so wie er ihn in seinem Roman zeichnete, der, immer tiefer in die Dunkelheiten der Welt= und Menschenverachtung sinkend, über die Frage nach dem Bösen in der Welt nicht hinwegkommt und „das Gespenst der Ver= zweiflung" nicht aus seinem Gehirn ausbrennen kann, voller unge= zügelter Empörung gegen Gott und Satan, allein auf die eigene Kraft pochend bis zuletzt, da er sich, ungeheuer lästernd, vor dem Höllen= fürsten windet. Der düsterste Faust unserer Literatur, trotz dem Spies= schen Buch von 1587, trotz Grabbe und Lenau, trotz dem syphillitischen Leverkühn und seiner dissonanten Weheklag. All das Ungeheuerliche, Düstere, Genialisch=Vertrotzte und Empörerisch=Verzweifelte scheint plötzlich in diesem „faustisch" mitzuschwingen und in ihm sich gegen= wärtig zu finden. Die „faustische" Laune, die Klinger beiläufig „erfand", ist schon, über die rein genitivische Zugehörigkeit hinaus, angereichert mit dem Grundklang einer „Welt", wie der Roman sie, als grundver= dorben, verzweifelt in sich selbst, zu schildern versuchte. In diesem „faustisch" liegt weder der — fast wäre man geneigt zu sagen: harm= lose — „Teufelsklang" der sogenannten Volksbücher noch die „ver= nunftgemäße" Ironie der aufgeklärten Literaten dieses Jahrhunderts: es ist der düsterere Klang von der vermessenen Größe und dem ver= nichtenden Absturz allen *vergeblich* „strebenden" Menschentums. Solche „faustische Laune" paßte, geistesgeschichtlich gesehen, genau in die Jahrzehnte um die Wende vom 18. zum 19. Jahrhundert, wo zum erstenmal ein schauderndes Abgrundgefühl des Nichts in das Bewußt= sein der Generation trat, die im Übergang von „Aufklärung" zu „Ro= mantik" und „Realismus" stand, Beginn des industriellen, hochkapitali= stischen Zeitalters, und die nicht überall und sogleich die (zeitlich kurze) „klassische" oder überhaupt eine „poetische" Bändigung vollziehen konnte. Klingers „faustische Laune" hatte von fern schon den hoff= nungslosen Ton in sich, der in den Jahrzehnten um die Mitte des 20. Jahrhunderts wieder in das Wort „faustisch" eindrang. Eine Zufalls= bildung — wahrscheinlich; ohne Nachfolge zunächst;[31] aber trotzdem „genau" in seiner geschichtlichen Stunde: die Negationen des 18. Jahr=

hunderts dissonant zusammenfassend in einer Vorahnung „modernen" Existenzgefühles, vorweg voller Zweifel am kommenden „faustischen" Hochgemut. Goethes Fragment war damals schon veröffentlicht. Doch darauf nahm dieses Klingersche „faustisch" keine Rücksicht — im Gegenteil: lange bevor aus der Goetheschen Dichtungswelt (wenn auch niemals unangefochten) sich „das Faustische" heraushob und verselb= ständigte, wurde an dieser Stelle in einem rein negativen Wortbild, wie eine Vorwarnung, eine gegen „faustische" Welt angedeutet. Diese „fau= stische Laune" hatte schlechterdings nichts mit einem „Faustischen" zu tun, das den „faustischen Menschen" ideologisch ausbilden helfen sollte. Nicht ein Hochgefühl — vielmehr die verzweifelnde Verächtlichkeit und dämonische Verfallenheit menschlichen In=der=Welt=Seins wurde darin zum Ausdruck gebracht. „Finstre Gedanken, wie plagende Dämonen der Nacht, ziehen in meinem Gehirne herum, und oft dünkt mich, die mora= lische Welt würde von eben einem solchen Dinge beherrscht, wie dieser Elende eines ist [der französische König, dessen Untaten Faust mit= ansehen muß] . . . Faust fuhr in dieser *Laune* fort und spann seine dunkle Gedanken und Gefühle bis ins Abscheuliche aus. Der Teufel ergötzte sich, da er ihn seinem Zwecke nahen sahe . . ."[32]: mit solchen Sätzen wurde die „Laune" beschrieben, die Klinger „faustisch" nannte — über seinen Urheber Faust, Klingers Faust, hinaus. So auch wird der Klang= und Sinn=Unterschied deutlich, der zwischen dem seinerzeit ge= wünschten „erschröcklichen: Doctor=Faustischen Ende" des Herzogs von Luxemburg und der „faustischen Laune" des hämischen Voltaire liegt. Jenem „Doctor=Faustischen Ende" stand noch die Anwesenheit Gottes gegenüber; diese „faustische Laune" ist gottleer, und die Hölle des Romans ist eigentlich schon der „Abgrund" der Seele, der in den näch= sten 150 Jahren immer genauer topographisch aufgenommen werden wird. —

Goethe hatte mit dem „Faustischen" unmittelbar nichts zu tun. An dieser Wortgeschichte als solcher und ihrer ideologischen Festlegung war er unbeteiligt. Sein Gedicht gab zwar den entscheidenden Anstoß, der durch das 19. und 20. Jahrhundert fortwirkte und „das Faustische" immer von neuem bilden und variieren half — Goethe selbst kannte diese sprachliche Ausweitung noch nicht oder nahm keine Notiz von ihr. Wo er, wie auch Schiller, „faustisch" gelegentlich verwandte, blieb dieses Beiwort eindeutig objektgerichtet, ein possessives Adjektiv ohne jeden Eigenklang, bezogen auf die eigene Dichtung als Gegenstand, oder auf die Sage als Gegenstand. Im Tagebuch vom 18. März 1811 sprach er von „Faustischen Zeichnungen"[33]: gemeint waren Zeichnun= gen zu seiner ‚Faust'=Dichtung. An Zelter schrieb er am 7. Juni 1820: „Was soll ich aber nun zu eurer Faustischen Darstellung sagen?"[34] — ge= meint war die Berliner ‚Faust'=Aufführung; eine Adjektiv=Verwendung, wie sie heute, nach dem Durchgang durch die Preßkammern der Ideo= logie, kaum mehr möglich erscheint. Ebenso an Zelter schrieb Goethe ein andermal von der „Faustischen Legende"[35]: gemeint war nur die Faust=Sage, die „Legende" des Faust aus dem 16. Jahrhundert. Jede an= dere Bedeutung ist ausgeschlossen. Genau so Schiller, wenn er am 23. Mai 1800 an Goethe schrieb: „Ich wünsche gute Faustische Erscheinun= gen";[36] das bedeutete lediglich, er wünsche gute Einfälle für den Fort= gang der von ihm selbst so stark angetriebenen ‚Faust='Dichtung. „Fau= stisch" blieb bei Goethe und Schiller eng an den Gegenstand gebunden und überschritt diesen nicht. Es ist neutral; an eine auch nur irgendwie eingefärbte Wertung, positiv oder negativ, kann dabei nicht gedacht werden. Es bezieht sich gegenständlich auf die konkrete Dichtung, auf die konkrete Sage, und läßt andere Funktion nicht aufkommen.

Als Goethe im Dezember 1826 den zweiten Entwurf zu einer An= kündigung der ‚Helena' („Helenas Antezedenzien") diktierte, stellte er an dessen Anfang eine zusammenfassende Charakterisierung Fausts nach dem bis dahin bekannten Handlungsablauf in ‚Faust I'. Obgleich Goethe sich durchaus der allgemeineren Gültigkeit seiner poetischen Figur bewußt war, sogar die Bezeichnung „modern" für sie in Anspruch nahm („Diese Gesinnung ist der modernen so analog ..."), kam er nicht auf den später so selbstverständlich gewordenen Einfall, etwa von einem „faustischen Charakter" oder dem „modernen faustischen Menschen" zu sprechen. Er blieb, so setzte das Diktat ein, bei dem konkreten „Fausts Charakter ... stellt einen Mann dar ...".[37] Ein „faustischer Charakter", sprachlich also die Dichtung und ihren Helden Faust überschreitend, wäre Goethe fremd gewesen.

*

Solcher einfacher adjektivischer Rückbezug auf die ‚Faust'=Dichtung Goethes oder den Faust der Sage, des Volksbuches usw., blieb, neben der fortschreitenden ideologischen Aufwucherung, durch das ganze 19. Jahrhundert erhalten; auch im 20. Jahrhundert kann man diesem possessivischen „faustisch" noch vielfach begegnen. Der ursprüngliche Sprachgebrauch, den früheren Genitiv ersetzend, hat anscheinend nie aufgehört. Derartige Beispiele sind zwar für die „Ideologie" ohne Wert; als Kontrast zu ihr sollen sie jedoch soweit angeführt werden, als die eigentliche Bedeutungs*ausweitung* durch sie schärfer in den Blick bekommen wird. Freilich ist diese „objektive" Verwendung nicht immer eindeutig; die Grenzen zwischen dem nur objektverweisenden und dem schon ausgeweiteten, ein Allgemeineres bezeichnenden Adjektiv sind, zumal je weiter man in das 19. Jahrhundert kommt, nicht mehr in jedem Einzelfall zu ziehen möglich. Trotzdem ist dieser „neutrale" Verwendungsbereich, im ganzen gesehen, klar fixierbar.

Jedoch blieb dieser gelegentliche, bis heute geübte neutrale Gebrauch immer nur *eine* neben anderen Möglichkeiten. Er trat auch kaum mehr „rein" auf, unvermischt. Um diese ursprünglichere possessive Grund= anwendung hat sich, seit Erscheinen des Ersten Teils der Goetheschen Dichtung, im Verlauf von anderthalb Jahrhunderten ein zunehmend widersprechendes Spannungsfeld gelegt, ein dialektisches „Kampffeld", wenn man diese Umschreibung zugestehen will, auf dem das „Faustische", vieldeutig in sich geworden, gegen sich selbst in Fehde lag, je nachdem in welcher weltanschaulichen, in welcher ideologischen Um= bedeutung, auf zwei Pole zugeordnet, setzte ein, wie er immer nur bei grundsätzlichen ideologischen Kampf= und Schlagworten zu beobachten und in seinen einzelnen Phasen zu verfolgen möglich ist. Negation und Position bedienten sich desselben Wortkörpers; sie maskierten schließ= lich ihr eigentliches Wollen mit ihm.

Doch ist es kennzeichnend für unser Wissen oder auch nur für unser unüberprüftes Gefühl über diese Wort= und Bedeutungsgeschichte, daß die *Aufhöhung des „Faustischen"* bis endlich zu einem Kennwort ger= manisch=deutscher Ideologie und nordisch=abendländischer Schicksals= mystik unserem Bewußtsein eher geläufig erscheint und hier auch eine gewisse „offizielle" Kontinuität für einige Generationen deutlicher ent= wickelt worden ist, als der ebenso alte, vom Gegenpol ansetzende *Ab=*

wertungsprozeß des „Faustischen", die Negation also. Dieser nie aus=
setzende Gegenprozeß wurde für die Gegenwart allgemeiner sichtbar
und allgemeiner bewußt erst wieder etwa seit dem genannten Werk
von Böhm. Seit dem Zweiten Weltkrieg überwiegt er, oft nicht weniger
„modisch" bestimmt. Doch wird jetzt jene Aufhöhung, in Zusammen=
hang mit einem genaueren oder gewandelten Verstehen der ‚Faust'=
Dichtung selbst, als „Ideologie", als verführerische und verführende
Mißform entlarvt, als eine Grenzüberschreitung des Wortes über seinen
legitimen Sinnbezirk hinaus, wodurch es in geistige, schließlich politische
Bereiche eingedrungen war und sie umschreiben sollte, die ihm vom
Ursprung her fremd waren und denen es, in Genauigkeit der Sprache,
nicht mehr gewachsen war.

Die interessanteste Wortgruppe dürfte daher gerade die der nega=
tiven Beispiele des frühen und späteren 19. Jahrhunderts sein, ein=
schließlich ihrer negativen „Umgebung", aus der sie heraustraten. Diese
begegnen unserem Vorwissen unvermutet. Die idealische und ideali=
sierte Hochschätzung der ‚Faust'=Dichtung, wie sie noch in der „Goethe=
zeit" selbst entwickelt und fundamental ausgesprochen wurde — von
Schiller, Wieland,[38] Humboldt, Schelling, Hegel, Fichte, den Schlegels,
Luden, Niebuhr, um nur diese bedeutendsten Namen zu nennen —,[39]
läßt eine deutlich fixierbare Gegenbewertung von „faustisch" in einem
grundsätzlichen und allgemeineren, über die Einzelsituation hinaus ge=
meinten Sinn zunächst nicht erwarten. Doch entwickelte sich die Be=
deutung von „faustisch", neben dem possessiven, „neutralen" Gebrauch,
anfangs eher in dieser „negativen" Richtung weiter (wie schon, wenn
auch mit anderen Vorzeichen, im 18. Jahrhundert vorbereitet) als in der
uns geläufigeren eines, schließlich ideologisch angereicherten, Hoch=
wortes.

III

FRÜHE ZWEIFEL UND KRITIK AN
GOETHES ‚FAUST'

Man braucht — neben den Zweifeln Wielands — nur an Jean Pauls
bekanntes Brief=Wort über ‚Faust I' zu denken: „Eigentlich ists gegen
die Titanen=Frechheit geschrieben, die er [Goethe] sehr leicht in seinem
— Spiegel, wenigstens sonst, finden konnte",[1] um zu spüren, Brief=
schreiber und Briefempfänger bürgen dafür, daß neben der frühen und
reich bezeugten Hochschätzung der Goetheschen Dichtung (und min=
destens ab 1808 entzündete sich die „faustische" Diskussion so gut wie
ausschließlich an ihr) ebenso früh Bedenken gegen sie auftraten. Kri=
tische Stimmen wurden laut, die bald ins Grundsätzliche sich steigerten
und die dadurch ebenso bald auch die Wortbedeutung von „faustisch"
mitbeeinflußten, jedenfalls in gewissen geistigen Kreisen. Seitdem gab
es durch das ganze 19. und 20. Jahrhundert eine doppelte Herausbildung
und Entwicklung von „faustisch" und dem „Faustischen" — vereinfacht
ausgedrückt: eine negative und eine positive, die sich bekämpften, be=
einflußten und abstießen, die aber geschichtlich ineinander, zum min=
desten nebeneinander, also zusammen gesehen werden müssen, nicht
isoliert voneinander. Die „Faustische" Vision Spenglers im Ersten
Weltkrieg, ideologischer Gipfel dieses Wortfeldes, erhob sich nicht aus
einer eindeutigen und einsträngigen Entwicklung des 19. Jahrhunderts,
sondern schloß nur für einen Augenblick den jahrhundertalten *Wider=
streit* des „faustischen" Gegeneinanders — scheinbar — ab. Auch der
Gegenzug zur heroischen „Faustik" Spenglers, die Ablehnung des „fau=
stischen Menschen", wie sie gegenwärtig in den beiden letzten Jahr=
zehnten zunehmend öffentlich deutlich wurde, bis zur neuerlichen Höl=
lenfahrt Fausts und des faustischen Deutschen bei Thomas Mann, ist
durchaus keine Erfindung erst des 20. Jahrhunderts, sondern knüpfte,
das sei wiederholt betont, an eine ebenso alte, nimmt man die vor=
goethesche Wortgeschichte hinzu, noch an ältere Tradition an, als es die
„positive" faustische Ideologie war.

Ein Jahr später, als Jean Paul den Brief an Jacobi schrieb, sollte Madame de Staëls ‚De l'Allemagne‘ erscheinen. Von Napoleon beschlag= nahmt, wurde diese Schrift erst 1813 in London veröffentlicht und sogleich auch in Deutschland viel gelesen und diskutiert.[2] Sicherlich war darin auch das 23. Kapitel über ‚Faust‘ als Hymnus auf den Goetheschen Geist gemeint; in diesem Gedicht wurde die umfassendste Verkörperung des Dichtergenius gesehen. Aber wenn der deutsche Geist seitdem als „faustisch" (dieses Wort kam natürlich im Text nicht vor) den französi= schen erfrischt, befruchtet und aufgeregt und dadurch die französische „Romantik" mit ausgelöst haben soll, wie Fritz Strich bemerkte,[3] so klan= gen die Ausführungen der Staël selbst, die übrigens die Handlung auf weite Strecken hin mißverstand, wesentlich zurückhaltender. Die Ge= walt dieser Dichtung, vor allem das Mephistophelische darin,[4] zog sie wohl an, bannte sie wie ein nicht mehr abzuschüttelnder Traum, aber sie versuchte doch, von ihr wenigstens sich abzugrenzen und deren angebliche Unform kritisch aufzuzeigen. „Geschmack, Maß und Kunst= geschick, welches wählt und abschließt, darf man nicht in diesem Werke suchen, wenn aber die Einbildungskraft sich ein intellektuelles Chaos vorstellen könnte, wie man häufig das materielle Chaos beschrieben hat, so müßte Goethes ‚Faust‘ sicherlich in dieser Epoche verfaßt sein. In Bezug auf Kühnheit der Gedanken wird man das Stück nie übertref= fen . . .", so hieß es schon einleitend. Oder noch deutlicher: „‚Faust‘ ist der Alp des Geistes, aber ein Alp, der seine Kraft verdoppelt. Das Stück ist die diabolische Offenbarung des Unglaubens, eines Unglaubens, der sich auf alles erstreckt, was es Gutes auf Erden geben kann, und diese Offenbarung dürfte vielleicht gefährlich sein, wenn nicht die durch die tückischen Absichten des Mephistopheles herbeigeführten Begebenheiten eine Abscheu gegen seine hochmütigen Reden erregten und die Ruch= losigkeit erkennen ließen, die sie enthalten." „Faust besitzt alle Schwä= chen der Menschheit: Wißbegierde und Arbeitsüberdruß, Ehrsucht und Übersättigung. Er ist das vollkommendste Muster des veränderlichen, beweglichen Wesens, dessen Gesinnungen noch flüchtiger sind als das kurze Leben, über das er sich beklagt. Fausts Ehrgeiz ist größer als seine Kraft, und diese innere Erregtheit reizt ihn gegen die Natur auf und veranlaßt ihn, zu allen möglichen Zauberkünsten seine Zuflucht zu nehmen, um den harten, aber notwendigen Beschränkungen zu ent=

gehen, denen die Sterblichen sich fügen müssen."[5] Und am Ende ihrer ausführlichen Beschreibung und Inhaltswiedergabe der Dichtung: „Faust setzt in Erstaunen, ergreift und rührt, aber läßt keinen angenehmen Eindruck in unserem Gemüte zurück."[6] Zwar „eine solche Dichtung muß wie ein Traum beurteilt werden" — „dennoch ist Faust sicherlich kein gutes Muster. Er mag als Werk der geistigen Fieberglut oder als Er= zeugnis des Überdrusses an der Vernunft betrachtet werden, auf alle Fälle ist zu wünschen, daß dergleichen Produktionen nicht wiederkehren. Wenn allerdings ein Genie wie Goethe sich aller Fesseln entledigt, so ist die Menge der Gedanken so groß, daß sie auf allen Seiten über= strömen und die Schranken der Kunst zertrümmern."[7]

Das waren, neben der schuldigen Bewunderung für das „Genie", im Grunde recht kritische Töne, die sich von den philosophisch hochge= stimmten Ausdeutungen des engeren Weimarer und Jenaer Kreises deutlich abhoben, Stimme noch des kritischen und vernünftigen 18. Jahr= hunderts, die sich doch schon angerührt wußte vom Schauder und der Faszination des neuen Jahrhunderts und des mächtigen Dichtwerkes, das an seiner Schwelle stand.

Das Buch der Staël wurde dort durchaus „kritisch" verstanden, wo man so verstehen wollte — zum Beispiel auf seiten der katholischen Theologie, die den Kampf gegen das „Faustische" (und meist auch gegen die Dichtung ‚Faust') konsequent von seinem ersten Auftreten im 19. Jahrhundert bis in unsere Tage als stärkste Gegnerin aufgenommen und fast kompromißlos, wenn auch nicht immer mit glücklicher Argumen= tation, durchgehalten hat. Die katholische Kirche hat immer und über= all „antifaustisch" gesprochen, oft auch antigoethisch.

So — als einer der ersten dieser eindrucksvollen Reihe selbst höchster Geistlicher — Ignaz Heinrich Karl Freiherr von Wessenberg (1774 bis 1860), Domherr, seit 1802 Generalvikar des Bistums Konstanz (später mit der Kurie in ernsten Konflikt geraten), ein gewandter und erfah= rener Schriftsteller dazu. Er ließ 1824 ein Bändchen erscheinen: ‚Über den sittlichen Einfluß der Schaubühne',[8] darin er kurz auch auf ‚Faust' zu sprechen kam. Den Gehalt der Dichtung lehnte er ab, und zwar unter ausdrücklicher Berufung auf Madame de Staël und mit Übernahme ihrer Einwände, die er noch kräftiger herausarbeitete. „Geist und Herz allen Lockungen zur Verirrung und zum Bösen blosgestellt und ihnen unterliegend", schrieb er, „dies ist der Gegenstand des Stücks. Alles was darin vorgeht, entsteigt dem Abgrund der finstern Mächte. Mephi= stopheles ... herrscht darin mit Allgewalt." „Von einer Erhebung des guten Prinzips über das böse, von der bessern, höhern Kraft im Menschen, von der Macht seines Willens, von seiner Verwandtschaft mit Gott zeigen sich nur zuweilen leise Spuren; aber gleich werden sie wieder verwischt. Daher schreibt eine geistreiche Frau (Anm.: Mad. de Staël=Holstein de l'Allemagne.T.I.ch.23,p.487): ‚Die ganze Schöpfung erscheint hier als ein schlechtes Werk, zu dessen Zensor der Teufel sich aufwirft'."[9] Zwar gingen solche Sätze notwendig an der künstlerischen Wirklichkeit der Dichtung vorbei, wie die meiste Faust=Literatur im 19. Jahrhundert, aber sie drückten genau und unmißverständlich den Abstand aus, den bedeutende Teile des geistigen Deutschlands dem Werk Goethes gegenüber damals (und immer) empfanden.

Aber doch Schauder und Faszination, bis zum Grauen vor dem in der Dichtung aufgerissenen Abgrund: das traf sicherlich oft eher die Stimmung, mit der man sich dem Gedicht nahte, als jener „ewig frische Quell der Begeisterung" und die „dichten Lichtstrahlen", die Schelling allein daraus las und begeistert vom Katheder verkündete.[10] Sein Generationsgenosse Heinrich Steffens beschrieb diese gleichzeitige Anziehung und Abstoßung durch die Goethesche Dichtung, rückblik= kend und tief bewegt wie bei der ersten Begegnung, gewiß nicht minder genau (1817, im Todesjahr der Staël), wenn er berichtet: „Göthe er= öffnete die verborgene alte Kunst... Was er sang, war Leben und Tiefe, seine Lieder erschütterten das innerste Gemüth, und wie ein gewaltiger Torso trat Faust hervor, als wollte die alte mythische Zeit wieder aufleben, aus unserm Fleisch und Blut geformt, das tiefe, dunkle Streben, was ohne Andacht frevelhaft ist, das Grauen einer erwachten Zeit bezeichnend, die wohl ein mächtiges Verlangen, aber noch nicht seinen heitern Mittelpunkt gefunden und daher in seinem finstern Brüten von bösen Geistern spottend ergriffen zu Grunde gehen mußte. Aber jenes Entsetzen muß der freudigen Begeisterung vorangehen, und wer aus der äußern Welt und ihrem Sinn in die verborgene Tiefe hin= eingreift, muß vor ihr, wie vor seinem Untergange, zurückschaudern."[11] Wer wollte Steffens, gar nach diesen erschütternden Worten, „Goethe= feindlichkeit" vorwerfen? Das war Zustimmung, nicht Ablehnung der

Dichtung. Aber wenn hier ein „Faustisches" formuliert worden wäre, so hätte es Abgrundschauder und Untergangsgrauen in sich begriffen — wie es ähnlich, vom selben Schauder berührt, zwei Jahre später der Breslauer Professor für Geschichte, Ludwig Wachler (1767–1838), in seinen ‚Vorlesungen über die Geschichte der teutschen Nationallittera= tur' ausdrückte: „Das schauderhaft ahndende Gefühl von der Zerstörung des Göttlichen im Menschen durch leidenschaftliche Wißbegierde und Sehnsucht nach dem Höchsten, wenn sie von sittlicher Liebe und Glau= bensdemuth nicht ermäßigt werden, gestaltet sich im ‚Faust' ... zur anschaubaren Wahrheit."[12] Man muß solche Stimmen mithören, um die anhebende Diskussion um den ‚Faust'=Kern, eben das „Faustische", in ihrer Dialektik zu verstehen. Steffens stimmte allerdings mit Schelling und vielen anderen Zeitgenossen darin überein, daß ‚Faust' in das Zentrum der „gegenwärtigen Zeit" gehöre und sie, poetisch, zum Aus= druck bringe.

Insbesondere von theologischer Seite her, und zwar beider Konfes= sionen, wurde jedoch, wie schon angedeutet, früh Zweifel laut — und bald ins Prinzipielle gehoben —, ob Faust tatsächlich jene allgemeine, repräsentative Stellvertretung hohen, strebenden Menschentums dar= stellte, wie es längst öffentlich zu hören war (die „Jenaische Weisheit"); man suchte aus der Dichtung Goethes selbst Argumente zu finden und vorzuführen, wonach in Faust vielmehr der große Sünder dargestellt, mit ihm der verderbte Unglauben getroffen werden sollte. So deutete der bekannte Heidelberger protestantische Theologe Carl Daub (1765 bis 1836), damals gerade von Schelling zu Hegel „übertretend", schon in seiner, ihrerzeit berühmten Schrift ‚Judas Ischariot oder das Böse im Verhältniß zum Guten' (1816/18) vorsichtig, aber entschieden und damit auch vorbildlich diese Problematik an, wenn er den „trotzig stolzen Faust", der nur mit Hilfe der Magie das „Innerste" erkennen will, dem „gedemüthigten Hiob" gegenüberstellte, „der durch Gott be= lehrt wird".[13] Wenig später, 1824 (als Wessenbergs Schrift erschien), besprach Daub das Werk von Göschel ‚Über Göthe's Faust' (1824). Nachdrücklich stimmte er der Tendenz des Theologen Göschel zu, daß Faust eher das allgemeine Individuum der *verdammten* Menschheit dar= stelle, „ohne Glaube und Hoffnung, aber nicht ganz ohne Liebe", wie er selbst hinzufügte.[14] Nur und erst an der „Liebe" werde Fausts Fluch zuschanden; dem *gescheiterten* „Individuum der Menschheit" (dieses letztere war damals bereits stehende Redensart und gut Hegelsche Vo= kabel) bleibe einzig die Liebe übrig, bei dauerndem Gefühl des Mangels von Hoffnung und Glaube. Fausts „Streben" ist in Wahrheit nur Un= geduld. Faust gehe, bestätigte er Göschel, „statt auf den Grund zu kommen, im Grundlosen zu Grunde". (Freilich — am Ende der Hegelsche Sprung: „In diesem Kampfe unterliegt zwar Faust, allein die Menschheit selbst geht, in demselben sich fortbildend, siegreich aus ihm hervor", da der Zweifel sich selbst zerstöre und sich selbst aufhebe.)[15]

Und kam denn die „ruchlose Art",[16] wie Karl Ernst Schubarth (1796 bis 1861) sein Faust=Bild zeichnete, des öfteren beschrieben,[17] solchen, zunächst noch vorsichtig abwehrenden Bemerkungen nicht auch ent= gegen? Schubarth stand zeitweise mit Goethe in persönlichen Beziehun= gen; mündlich und brieflich hatte er sich, was bekannt geworden war, mit ihm über die „Faust'=Dichtung aussprechen können, zumal über den vermuteten Zweiten Teil und dessen Gnaden=Ausgang.[18] Die „Theo= dicee", die Schubarth aus der Dichtung Erstem Teil herauslas und in seinen verschiedenen Goethe=Büchern, mehrfach abgewandelt, dargestellt hat,[19] stützte sich als Haupttragepfeiler, in „positiver" Umwandlung der Staël'schen Formulierung, auf Mephistopheles — „diese Figur ist es, an welcher der Dichter die Absicht einer Theodicee *gegen* die falsch vordringende Kraft des Menschen [lies: Fausts!] am meisten entwickelt und anschaulich macht, indem er diese Figur die äußerste Gränze dar= stellen läßt, die alles menschliche Wollen, Können und Dürfen um= spannt . . .".[20] In Mephisto, dem „gereizten Gott der Weltgeschichte",[21] dem Apologeten der Welt,[22] würden „jene Gegenkräfte in der mensch= lichen und großen Natur und in der Geschichte zur Anschauung ge= bracht", die „unmerklich zum Heil des ganzen Geschlechts und alles Lebens ihre anregende Thätigkeit überall beweisen, aber ebenso auch gestört, gehemmt in ihrem ruhigen, naturgemäßen Wirken, wenn das rechte Lebensmaaß verloren worden — als furchtbar zerstörende Mächte sich entwickeln, und die ganze Natur zu dem Abgrund des Verderbens, der Vernichtung hinführen; wenn nicht schleunig erwachende Vernunft, rechtes Gefühl und wahre Empfindung sie beschwichtigen mögen . . .".[23] Faust dagegen gebrauche seine Vernunft nur tolldreist, wobei schließlich alles eigentlich Menschliche untergehe; ohne das heilsame mephi=

stophelische Gegengift würde er jede Möglichkeit rechten menschlichen Wirkens verspielen[24]: Faust also ein zunächst „krankhaftes Phänomen", das allerdings — so erklärte es sich Schubarth nach einem Satz der ‚Farbenlehre' — in seiner gesetzlichen Bahn dennoch Ursprung und Zu= sammenhalt der ganzen Welt andeute, eben in seinem notwendigen Zusammen„arbeiten" mit dem maßbildenden Mephisto, dem „Gewis= sen" Fausts.[25] „Denn dieß ist die Aufgabe des Faust, zu zeigen, wie der Mensch, der vom Höchsten begonnen hatte, sich in ein Unterstes ver= lieren konnte . . .".[26] Faust, der, auf dem Weg der Magie, „nicht zu wissen vermag, was er gern wissen möchte", wird „von Natur, Mensch= heit und Gott zum Ungeheuern, Abentheuerlichen" gedrängt: das ge= rade mache seine Tragödie aus.[27] So vermag ihm gegenüber Mephisto „als Hüter und Herr der Herrlichkeiten der Welt und des Lebens" zu erscheinen.[28] Menschliches Wollen, exemplifiziert in der Figur des Faust, schaffe es immer nur zu Halbheiten. Der Teufel ist es, der Faust schließ= lich in den Himmel bringt. Fast selbst verwundert, vermerkte Schubarth am Ende: „Wenn das *Streben nach dem Absoluten* sich in der neuern und neuesten Menschheit auf mancherlei Weise hervorgethan, und auf dem philosophischen Wege der ernsthaftesten Behandlung unterworfen zu werden, nicht für unwerth befunden worden: so ist es merkwürdig, wie der Dichter dasselbe *als einen Wahn* von sich zu weisen scheint, dem auf ernstem Wege positiv durchaus nichts abzugewinnen sey. Auf einem scherzhaften Wege hingegen in gründlich tüchtiger, verneinender Be= handlung gewähre es die glänzendsten Vortheile und Befriedigung."[29] Faust selbst stellte, falls dieses Wort fiele, ein negatives „Faustisches" dar (sein „Streben nach dem Absoluten" als „Wahn"); erst in der Koppelung mit Mephistopheles erscheint der positive, der wahre Mensch, dem Gott das All zur Tätigkeit eingerichtet hat.

Das Wort „faustisch" fällt nicht. Aber Schubarth kam dem in der angedeuteten negativen Weise in einer Anmerkung nahe, die in beiden Ausgaben von 1818 und 1820 stand.[30] Dort hieß es, und zweifelsohne mit einem Hieb gerade gegen Schelling und dessen Anhänger: „Die neuere Naturphilosophie ist aus dem nämlichen *wilden, wüsten* [1820: nämlichen *anmaßlichen] Streben* und dem im Faust angedeuteten *Irr= thum* der Menschheit von neuer Bildung: Welt, Gott, Natur und Leben über das gewöhnliche, allbekannte, längst und immer gewußte Maaß zu erfassen, entsprungen. Doch sind diese neuern Naturphilosophen nur halb zur Reife gekommene, erstickte Fauste, denen die Energie und das Talent eben ausging, als es darauf ankam am kühnsten und verwegen= sten zu sein". In diesen „halb zur Reife gekommenen, erstickten Fauste" liegt (hypothetisch) ein verspottetes „faustisch" verborgen, als eine mögliche Umschreibung für eine Geisteshaltung — hier und ande= renorts die „neuere Naturphilosophie" —, die sich einbilde, direkt auf Faust sich berufen zu dürfen, ohne zugleich das mephistophelische Ge= gen= und Heilgift einnehmen zu wollen. So konnte bei aller Hoch= schätzung der Dichtung, die Schubarth durchaus bezeugte, sich aus dem Wort „Faust" doch eine Negation entwickeln, jene lächerlich gemachten „Fauste", die schon darauf angelegt schien, zum „Schlagwort", zum Anti=Schlagwort zu werden. Im Zusammenhang unserer Untersuchung ist eine solche Äußerung festzuhalten.[31]

Mephistopheles nicht als den echten Teufel der Hölle und als das radikale Übel schlechthin zu nehmen, mußte, allein schon wegen der dadurch ausgesprochenen „Nivellierung" Gottes, vor allem und jeder= zeit die theologische Kritik auf den Plan rufen. Franz von Baader (1765 bis 1841), eine der stärksten Gegenmächte gegen alles „Faustische" durch das ganze Jahrhundert, immer wieder als „Hilfe" zitiert, pole= misierte ausdrücklich gegen diese Auffassung Schubarths, und über Schubarth ebenso deutlich gegen Goethes ‚Faust'=Dichtung selbst.[32] In Wien, von Anfang an und stets ein Sammelort des „Antifaustischen", ging im gleichen Jahr 1822 ein gewisser Friedrich Wähner, wahrschein= lich ein gescheiterter Theologe, in einer Besprechung (der 2. Auflage) scharf gegen Schubarth an,[33] der, im ganzen genommen, ein Lobpreiser Goethes gewesen war; dabei fielen wieder die schon bekannten Ein= wände auch gegen die Faust=Figur selbst („eigenmächtigste Selbster= höhung im Allgenuß der Welt", die Faust „in seine erobernde Gewalt zu bringen" bemüht sei), die in dieser Form und in diesen Kreisen bald kanonisch werden sollten. „Das Zurückstoßen jeder nur mittelbaren Gemeinschaft, das Verschmähen jeder natürlichen Gränze, das Auf= lehnen gegen jedes bestimmte Gesetz, mit einem Worte, das versuchte Überspringen seiner selbst und jedes Endlichen, um das unendliche Wesen aller Dinge im Schwunge unwiderstehlich an sich zu reißen: das ist *das Verkehrte, Zerrüttende, Ungeheure in der Tendenz des Faust"*[34] —

solche und ähnliche Sätze, gegen Schubarth wie gegen Goethe gleicher=
maßen gerichtet, muten fast „modern" an (doch diese „Modernität"
wurde hier vorgeprägt und durch das ganze 19. Jahrhundert durchge=
halten) und, das ist entscheidender, arbeiteten eindeutig an der nega=
tiven Bedeutung eines, freilich auch hier nicht ausgesprochenen, „fau=
stisch" mit.

Diese brauchte durchaus nicht immer nur aus Gegnerschaft zu Goethe
zu entstehen. Achim von Arnims Verehrung Goethes und seine Hoch=
schätzung des ‚Faust' sind bekannt.[35] Seine 1817 geschriebene Vorrede
zu Wilhelm Müllers (erster deutscher) Übersetzung des ‚Doktor Faustus'
von Marlowe drückte dies kräftig genug aus.[36] Auch in Arnim selbst
„summte" die Faustidee;[37] die ‚Kronenwächter',[38] vor allem ‚Halle und
Jerusalem' und die ‚Päpstin Johanna' bezeugten es, ohne daß diese Idee
jemals festeren Ausdruck bei ihm gewonnen hätte. „Es sind noch nicht
genug Fauste geschrieben", stellte er in seiner Vorrede, nach einem
historischen Überblick über die Geschichte des Faust=Stoffes, fest, damit
eine frühere Formulierung (1807) von Görres aufnehmend („so hatte
jedes Zeitalter gewissermaßen seinen Faust...");[39] „es ist nur zu be=
dauern, daß nicht jeder... seine Art *gefühlten und gefürchteten Ver=
derbens* ausspricht, auf diesem Wege würde jeder das Allgemeine in
seiner Absonderlichkeit berühren".[40] Hochmut und Hoffart sah Arnim
als die charakteristischen, wesentlichen Kräfte der neueren Zeit, die sich
in Goethes ‚Faust' (dem Ersten Teil) genial darstellten. „Je weiter das
Lüsten nach Wissenschaft sich verbreitet, je höher der Hochmuth der
Einzelnen wächst, die Etwas geleistet zu meinen glauben, und sich
dann vergöttern, je mehr Entbehrung die Wissenschaft fordert, je mehr
sich der Genuß in der Wissenschaft ausbreitet, je tiefer wird die ernste
Wahrheit von Göthe's Faust gefühlt werden..." — unter solchen
warnenden Aspekten erlebte auch Arnim die verehrte Dichtung. Und
er entwarf Pläne „zu noch einem neuen Faust", um das „Zweifelhafte
menschlicher Verdienste" möglichst drastisch auszudrücken, jenes „ge=
fühlte und gefürchtete Verderben". Echt „romantisch" hieß es unter
anderen solcher Entwürfe: „Eben jene Gewalt, jene Anmaaßung des
Bewußtseyns, das unbekannte unendliche Reich des Herzens und der
Phantasie begrenzen zu wollen, der Versuch es zu wissenschaftlichen
Zwecken in seine Gewalt zu bekommen und es in Versuchen zu zer=

reißen, bilden auch einen *Faustischen Höllenzwang*, und die Verteufe=
lung durch Kritik ist wohl noch nie in ihrem ganzen Umfange darge=
stellt worden."[41] Hier finden wir, nach Klinger (und Hardenberg) das
untersuchte Adjektiv wieder wörtlich vor. Sicherlich ist dieser „Fau=
stische Höllenzwang" zunächst im damals noch geläufigen und gerade
in solcher Zusammenstellung überlieferten possessiven Sinn gemeint.
Aber ebenso zeigt diese Stelle mit wünschenswerter Deutlichkeit, wie
der possessive Sinn von innen her gesprengt und umgeformt wurde;
der „Höllenzwang" betraf gleichsinnig die ganze, vorher von Arnim
so breit und ernst ausgedeutete „faustische" Problematik, durch alle
Jahrhunderte bis zu den „Fausten der neueren Zeit".[42] „Faustisch" —
das meinte hier tatsächlich die „Verteufelung", die „Zersetzung der
Seele"[43] durch die Anmaßung des kritischen Bewußtseins. Jedenfalls
nichts von Streben und hohem Mut menschlichen Fortschrittes; dieses
‚faustisch', wie Arnim es hier in „verfremdender" Anknüpfung an die
Tradition verwendete, bedeutete im dunkelsten Sinn eine Verneinung
wahren Menschentums. Arnim glaubte sich durch Goethe dazu auto=
risiert.

Die eigentliche Gruppe der literarischen Goethe=Kritiker und Goethe=
Gegner zwischen etwa 1820 und 1848, von behutsamer Ablehnung bis
zur gehässigsten Verzerrung, ist hier in Einzelheiten nicht darzustellen
notwendig.[44] Die Beweggründe solcher Abwehr waren so verschieden
wie die konkreten dichterischen Objekte der Vorwürfe; alte Aufklärung
(Pustkuchen, Spaun) mischte sich mit gewissen romantischen Angriffen
(Hardenberg), neue soziale und „reale" Kritik (Börne, Heine) mit na=
tionalen Ressentiments (Menzel). Vom unvernünftigen, unsittlichen,
nur virtuos artistischen, aber ebenso vom pedantisch=verknöcherten,
servilen und poesielos gewordenen (alten) Goethe reichte diese kritisch=
nörgelnde Palette bis zum Vorwurf des undeutschen und vaterlands=
losen Dichters. „Ich glaube, Goethe's gefährlichster Gegner wird die
Zeit seyn, und zwar gerade die nächste Zeit, ungefähr aus denselben
Ursachen, wie sie Schillers wärmster Freund ist", orakelte ein kluger
und respektloser Beobachter, „der erste deutsche Improvisator, Doctor
Wolff aus Hamburg", unmittelbar nach Goethes Tod.[45] Das „Junge
Deutschland", voran Börne und Heine, spielte zudem gern den revo=
lutionären jungen gegen den reaktionären alten Goethe aus; Goethe

wurde mit eigenen Waffen zu schlagen versucht. Für unseren Zusam=
menhang hieß das, man stellte ‚Faust I', möglichst nur noch das Frag=
ment,[46] hoch über ‚Faust II', lobte den ersten Teil enthusiastisch, um
den zweiten entsprechend abwerten, für verfehlt und unpoetisch er=
klären zu dürfen. Dies blieb ein kritisches Grundmuster, das von der
jungdeutschen Publizistik über Fr. Th. Vischer und Hebbel[47] bis ins
20. Jahrhundert angewendet wurde, wenn auch zu den verschiedensten
Absichten variiert. Überdies lag und liegt in diesem Schema immer eine
bestimmte Deutung des ‚Faust', später auch des „Faustischen", einge=
schlossen, die in jedem Fall die Lösung Goethes in dessen abgeschlossener
Dichtung nicht anzunehmen gewillt ist.

Johann Friedrich Wilhelm Pustkuchen kam in seinen falschen ‚Wan=
derjahren' auch auf ‚Faust' zu sprechen.[48] Seine Einwände glichen noch
denen des rationalen 18. Jahrhunderts, das sich gegen das neuerliche
Hochsteigen des Faust=Stoffes zu wehren versucht hatte. Pustkuchen
sicherte die Kontinuität dieser Argumentation ins 19. Jahrhundert hin=
ein, mit ebenso bekannten Vokabeln. Früher, meinte er, habe die Faust=
sage zur warnenden Verkörperung des menschlichen Vorwitzes gedient,
der seine naturgesetzten Schranken nicht einhalten wolle. In den ersten
Szenen scheine Goethe den Sinn dieser rechten Überlieferung noch be=
griffen zu haben. Dann aber setze, unverständlicherweise, der Um=
schlag ein, der aus dem „Frevler" den „Helden" mache: „der ungeheure
Frevler, der alle Verhältnisse niedertrat, alle Regeln höhnte und als
ein Riesengeist selbst den Teufel an wilder Kraft überbot, dieser furcht=
bare Mensch, in welchem der gezähmte Tieger wieder aus den Schranken
bricht, der nach der Volkssage mehrere Länder mit seinen Gräueln füllt
— er wird bei unserm Dichter ein Held, wie alle seine Helden." Goethe
müsse den Sinn der Sage schier vergessen haben. Diesen Faust nun gar
„als Bild des menschlichen Lebens anzupreisen", sei eine Behauptung
seiner Bewunderer, „die jedem Besonnenen *verrückt* erscheinen muß ...".

Kakophonisch wurde solche Abwertung des ‚Faust' im Namen des
„gesunden Menschen=Verstandes" bei dem Süddeutschen Franz von
Spaun (1822), der, mit gröbsten Ausdrücken, diesen „plattfüßigen Un=
sinn" ins Narrenhaus verbannt, „diese Diarrhö von unverdauten Ideen",
in denen weder Vernunft noch Verstand zu finden sei, „in die Cloacam
parnassi" geworfen zu sehen wünschte. Eine Schande für das deutsche

Vaterland sei solches „nonsensikalisches Produkt"; Spaun wollte den Leser von der „Anbetung dieses Ungeheuers zurückbringen".[49] Diese bajuwarischen Grobheiten brauchen uns nur soweit anzugehen, als auch sie, mit längst überholten Mitteln, die vorhandene Anti=‚Faust'=Stim= mung der ersten Jahrzehnte des 19. Jahrhunderts verstärken halfen.

Auch die „christlich=deutsche Gegenwehr" des protestantischen Schle= siers Wolfgang Menzel gegen Goethe und dessen ‚Faust' gehörte in diesen Umkreis, durch das ganze 19. Jahrhundert in den verschiedenen Auflagen seiner Literaturgeschichte vorgetragen und verbreitet,[50] oft belacht („Wo bleibt Gott? Ist denn kein Mann mehr im Himmel?"), aber nicht weniger oft ernst genommen. Von 1824[51] bis zum Jahr= hundertende wurde auf diese Weise durch den „groben Polterer", wie Laube ihn nannte, eine gegenfaustische Stimmung wach gehalten, die nicht zu überhören war und durch mancherlei Rinnsale bis ins 20. Jahr= hundert deutlich wirksam blieb.[52] Mit starken Worten und handfesten Argumenten wurde, jetzt im Namen eines gesunden deutschen Volks= tums und rechter Christlichkeit, gegen die ästhetische Verwilderung, gegen egoistische Selbstvergötzung und „Volksferne" gefochten, was alles Menzel gerade im ‚Faust', wie in der gesamten Erscheinung Goe= thes, verkörpert sah. „Göthe's poetischer Egoismus gipfelte im Faust", „eine reine Allegorie, die Apotheose des Ich",[53] eine „Blüthe des in der modernen Welt herrschenden Materialismus",[54] wobei Menzel wieder Faust I, den ungebeugten, aber höllenreifen Titanen, gegen Faust II, den weibischen Genüßling, der sich in den „Mädchenhimmel" einschmug= gele, ausspielte. Mit dieser falschen Lösung hat Goethe die alte, kräftige und tragisch=luciferische Sage bis auf den Grund verdorben und sich eine bequeme, wollüstige Brücke in den Himmel gebaut, komödian= tische Selbsttäuschung eines koketten „Weiberhelden". Faust (und Goethe) haben keine „Ehre";[55] damit war Menzels Urteil endgültig gegen ‚Faust' gesprochen.

„Der Abschluß des Gedichtes ist eine Apologie des Bösen. — Ein schöneres Loos ist noch keinem Bösen gefallen. Das ganze Leben ein ergötzlicher Wechsel; von Genuß zu Genuß eilend; wo das Gewissen sich regt, sogleich ein freundlich Mittel, es zu beschwichtigen. — Fluch dem Höchsten, Fluch dem Edelsten, Mord, Verführung der Unschuld, Buhlerei mit Gespenstern, Betrug und Gaukelei und zuletzt — ein sanfter

Tod als guter alter Mann und von Engeln in den Himmel gewiegt die unsterbliche Seele. Böser, was willst du mehr?", echote noch knapp 20 Jahre später im selben Geiste der ehrenamtliche „Professor der deut= schen Sprache und Literatur zu Braunschweig" Wolfgang Robert Grie= penkerl,[56] gescheiterter Dichter und Dozent, der sich in dieser hämischen Goethe=Feindschaft sowohl mit Menzel wie auch mit den unter sich so verschieden gearteten „Jungdeutschen" einig war, Bindekitt einer Generationsgruppe, die sonst in vielem Grundsätzlichen auseinander= strebte und sich untereinander bissig befehdete („unter uns gesagt, es war eine sehr gemischte Gesellschaft", gestand Heine), Akt der Selbst= behauptung jüngeren Lebens vor dem übermächtigen Schatten der Größe.[57] „Goethe ist gegenüber der Idee feige", stellte also auch Grie= penkerl fest, „er kann seine Helden nicht opfern, wie er sich selbst nie für etwas opferte"[58] — im Gegensatz zu Schiller (was man schon bei Pustkuchen lesen konnte), auch zu Shakespeare. „Das Positive im Faust= charakter ist in seiner Einseitigkeit bis zu einer solchen Höhe hinauf= getrieben, daß in jedem Momente seine Nachtseite, das *Negative*, sich hervorkehrt."[59]

Solche Stimmungen und Stimmen begannen schon in den frühen zwanziger Jahren des 19. Jahrhunderts öffentlich laut zu werden; nach Goethes Tod wurde alsbald der zweite Teil der Dichtung, spätere Keim= zelle der „faustischen Ideologie", angegriffen und, oft höhnend und spottend, abgelehnt. Die eigentlichen Vertreter des „Jungen Deutsch= land" ließen sich mit ihren stereotypen Äußerungen zu diesem Thema hier unschwer einordnen — Börne, Heine, Laube,[60] Gutzkow, Wienbarg, Mundt.[61] Heine besuchte 1824 Goethe in Weimar.[62] „. . . jeder Mensch sollte seinen Faust schreiben", hatte er zu dem Freund Wedekind an= geblich schon Monate vorher geäußert. Und sein Faust damals, von dem er Goethe gesprochen haben will, hätte genau das Gegenteil zu dessen Faust werden sollen: nicht handelnd, eher passiv gegenüber dem lenkenden Mephistopheles. Aus demselben Jahr 1824 liegen auch die ersten abwehrenden Äußerungen Börnes vor.[63] Der Vergleich, der „ge= lehrte Doktor Faust" ist das deutsche Volk selbst, wurde von Heine in Goethes Todesjahr in der ‚Romantischen Schule' ausgeführt, aber tat= sächlich gemeint war die Absage an den „Spiritualismus", das Unge= nügen am „Geist", der Kampf um die „Rechte" des Sinnengenusses

und des Fleisches.[64] (Später, in seinen ‚Erläuterungen' zum Faust=
Ballett, 1847, einer ausdrücklichen Gegenlösung zu Goethe, formulierte
er die „eigentliche Idee der Faustsage" als „die Revolte der realistischen,
sensualistischen Lebenslust gegen die spiritualistische altkatholische
Askese".)[65] Wienbarg nahm Heines Vergleich sofort emphatisch in
seinen ‚Aesthetischen Feldzügen' auf[66]: Faust stelle das nach Befreiung
des Fleisches ringende Deutschland dar, der Faust des Fragments, des
ersten Teiles,[67] genialer Denker, „Tat"= und Sinnenmensch, den Goethe
später, im zweiten Teil, selbst verraten habe.[68] Wieder umgekehrt
Gutzkow, die eigene Unzufriedenheit mit der (über Menzel gesehenen)
Lösung in ‚Faust II' formulierend: „Der wahre zweite Theil des Faust
im Lichte des Jahrhunderts, Faust kein Egoist, sondern sich aufopfernd
und dadurch versöhnend, Faust schaffend und ringend für die Mensch=
heit und dadurch den Geist des Neides und der Lüge, den Teufel, von
sich bannend, dieser zweite Theil des Faust soll erst noch geschrieben
werden".[69]

Wie immer man Lob und Tadel dieser Gruppe und ihrer Ausbreiter
nimmt: der Ansatz zu einer faustischen Ideologie aus Goethes Dichtung
heraus wäre hier nirgends zu finden. Ihr Lob zielte genau in die Ge=
genrichtung; ihr Tadel löschte gerade das „faustische" Wesen des zwei=
ten Teiles, da ihnen Faust durchweg als Egoist oder Sinnenmensch
(positiv oder negativ gesehen), nicht aber als strebender, Gemeinsinn
bezeugender Täter erschien.

Der antispiritualistische Faust als Verkörperung der Deutschen, im
Kampf um die Rechte der Sinne und des „Fleisches" — daraus ließ sich
ein „Faustisches" im Ernst nicht aufbauen. Anders, man muß sagen:
grundlegend anders, die gesamte bisherige Szenerie verändernd, klan=
gen solche exemplarischen Vergleiche mit dem Deutschtum, wenn etwa
der in Berlin lebende zweitrangige Literarhistoriker und Privatlehrer
Franz Horn, den Heine so köstlich, Grabbe so grimmig verspottet hat,
noch zu Lebzeiten Goethes, aus dem Geist romantischer Mythenbildung,
festlegte: „Faust, der, *als ein durchaus vaterländischer Mythus*, die
höchste tragische Idee andeutet" — und fortfuhr, Gedanken Herders,
Görres' und der Grimms schon simplifizierend: „Wir sollen keineswges
einen einzelnen Dichter nennen, als Urheber dieser tiefsinnig allegori=
schen Sage, sondern wir dürfen gar wohl behaupten, daß *das ganze*

Volk mit daran gearbeitet hat". Faust, hier noch „Sage", Volksschau=
spiel und Puppenspiel, literarischer Stoff also des 16. Jahrhunderts,
sollte in den Rang einer „Mythe", einer volksgeborenen Mythe, in den
Rang *der* eigentümlichen deutschen Mythe gehoben werden — der „My=
thos von Faust, (vielleicht der Höchste, den je die Deutschen ersonnen
haben) . . .", bei dem die deutschen Dichter sich „wie in ihrer Heimath"
fühlten.[70] Der frömmelnd=deutschtümelnde Franz Horn (1781—1837)
gehörte zum engsten Freundeskreis um Fouqué, wo in denselben Jah=
ren der „Ritter, Tod und Teufel"=Mythus geschaffen wurde (Fouqué,
‚Sintram' 1814);[71] hier scheint auch, formuliert von Franz Horn
(1817/20), die angebliche Faustsage zu einem volkseigenen, zu einem
„vaterländischen" Mythus umpoetisiert worden zu sein — vorläufig
noch ohne sichtbare ideologische Folgen. Die wurden aus diesem
scheinbaren Volks= und Sagenmythus endgültig erst 25 Jahre später
(Emil Sommer, 1845) gezogen. Erst solche vaterländisch=historisierende,
vaterländisch=germanisierende Romantik und die nachfolgende germa=
nistische Mythenbildung haben Faust und das Faustische in den Bereich
einer nationalen Ideologie gedrängt. Der Fouqué=Freund Franz Horn
hatte, ohne jeden wissenschaftlichen Beweis und Ehrgeiz, diese Wei=
chenstellung in den höchsten vaterländischen Mythus („faustischer
Mythus" würde er einst heißen) nur zu genau eingerichtet. 1847
tauchte sein Faust=„Gemälde", geschrieben als ein Damenbrief, noch=
mals und schon gemeinsam mit den mythologisierenden Bemerkungen
Emil Sommers in dem Faust=Sammelband der Reihe ‚Das Kloster'
(Band 5) auf; seine eigentliche Geschichtsstunde war gekommen.

Oder ein anderer Gelehrter nun streng Hegelscher Observanz, der
1825 den Faust=Abschnitt seines Ordensmeisters[72] geradezu wörtlich
ausschrieb, Hermann Friedrich Wilhelm Hinrichs, gerade Professor der
Philosophie in Halle geworden: auch er verband mit dem breiten dia=
lektischen Wust seiner philosophisch=theologischen Ausdeutung und
Auswalzung des ‚Faust I' (als hätte ihn in seiner Vollkommenheit der
heilige Geist in Person gemacht, höhnte Vischer über diese Methode)
plötzlich nationales Hochgefühl.[73] Im ‚Faust' („die absolute Vorstellung
der christlichen Welt selbst" und, in allen ihren Stufen, der „Philoso=
phie . . . im Allgemeinen")[74] gewinne in gleichem Maße das deutsche
Volk über allen anderen Völkern seine Tiefe oder — Höhe. Die „Wis=

senschaft, welche . . . im Allgemeinen als Gabe der Menschheit erscheint,
aber *in ihrer höchsten Weise* als Philosophie *nur einem besondern
Volksgeist,* dessen Bewußtseyn jedoch seinem Wesen nach mit dem
Bewußtseyn der gesammten Menschheit eins ist, zukömmt und ange=
hört. Dasjenige Volk nun, das diese höchste Weise der Wissenschaft
vermittelst des allgemeinen Bewußtseyns der Welt von der Wahrheit
aus seinem Geiste herausgeboren hat, *ist das deutsche Volk.* Indem
also dasselbe von allen christlichen Völkern die Philosophie zur tiefsten
Weise seines Bewußtseyns hat — wie deshalb *unser Faust* als das nach
der Wahrheit strebende Bewußtseyn im poetischen Gewande auch nur
wie die Sage so der Dichtung nach aus dem deutschen Volksgeiste her=
vor gehen konnte, und die Philosophie im Allgemeinen vorstellt — so
haben neben demselben die andern christlichen Völker mehr oder
weniger blos die empirische Wissenschaften zur Weise ihres Wissens,
und entsprechen darum dem Wagner. *Insofern deshalb alle andern
Völker in Sachen der Wissenschaft das deutsche Volk als ihren Herrn
und Richter anerkennen müssen,* vereinigt dasselbe alle Weisen der
wissenden Erkenntnis in sich, und hat wie Faust so auch den Wagner
zu seinem wissenschaftlichen Elemente."[75] Das klingt, so ungenieß=
bar abstrakt es ausgedrückt sein mag, anders als bei den Jungdeut=
schen. Aus solcher „imperialen" Gestik abstrakten Katheder=Gelehrten=
tums, verwegene Simplifikation Hegels und seiner Idee der Vernunft,
bereiteten sich „faustische" Hochstimmungen vor, unkontrolliert an der
Dichtung, die bald diesen Namen selbst, und damit Goethes Werk, in
Erbpacht nahmen. Faust, das Gedicht und die gedichtete Figur, wird
über die auszeichnende Bewußtseinsweise von Wissenschaft und Philo=
sophie, ein nationales Zeichen, dem andere Völker sich zu beugen haben.
Ein Sonderauftrag des deutschen Volkes beginnt sich zu bekunden im
Namen Fausts.

IV

DAS „FAUSTISCHE" VOR UND NACH GOETHES TOD
(1824–1840)

In diesen Jahren um Goethes Tod, etwa zwischen 1824 und 1840, zwischen Göschels erstem ‚Faust'=Buch (1824) und Fr. Th. Vischers erstem kritischen Referat über die ‚Faust'=Literatur (1839), spielten sich auch schon die ersten deutlichen Auseinandersetzungen um den Wort= gebrauch von „faustisch" ab, mögen die einzelnen Autoren sich einer besonderen begrifflichen Problematik dabei bewußt gewesen sein oder nicht. Das Wort versuchte, „selbständig" zu werden, auch hier und da sich mit „positivem" Sinn zu füllen. Doch der Protest dagegen wurde ebensogleich laut, übernahm sogar zunächst den Grundton.

‚Über Göthe's Faust und dessen Fortsetzung. Nebst einem Anhang von dem ewigen Juden' — unter diesem Titel ließ 1824 Carl Friedrich Göschel (1784–1862) eine der frühesten ‚Faust'=Schriften erscheinen,[1] von der die Goethe selbst noch verwundert Kenntnis genommen hat. Göschel führte hier den zwar vorgeprägten, seitdem folgenschweren und zumal für die Geschichte des „Faustischen" unabsehbar wirkungsvollen Satz ein: „. . . ist Faust das allgemeine Individuum der Menschheit".[2] Der Autor, streng christlicher Hegelianer,[3] zog daraus sogleich für die eigene verallgemeinernde Verwendung des Wortes „Faustisch" die „logische" Folgerung, in Koppelung mit seinem zweiten Grund=Satz: „. . . ist in Faust der Unglaube in allen seinen Niederlagen dargestellt".[4] Neben der für Göschel charakteristischen, negativen Verallgemeinerung des „Faustischen" verwandte er dieses Beiwort, dessen substantivische Funktion noch überall erkennbar bleibt, auch im überlieferten Sinne possessiv. Überhaupt kann bei ihm der Übergang von der konkreten zur „abstrakten", allgemeinen Bedeutung gut verfolgt werden, so wie in seiner Darstellung selbst der Bezug auf die konkrete Dichtung Goethes mit dem auf „das allgemeine Individuum" Faust wechselte.

Possessive Verwendung zum Beispiel: Fausts Vor= und Zuname er= innere an zwei gleichnamige Zeitgenossen, meinte Göschel, an den

Buchdrucker Johann F[a]ust und an den Freidenker Faustus Socinus, „die Faustische Bücherweisheit an die Faustische Buchdruckerkunst" usw.[5] „Faustisch" bedeutet hier, trotz modernerer Mitschwingung, zunächst „des Faust", als der bekannte, genau fixierte Sagenheld. Wenn es jedoch davor heißt: „Fast scheint es, als wenn *jeder Mensch* mehr oder weniger an der *Faustischen Verdammung* Theil hätte, um die Faust sich selbst zu beklagen und zu belachen gezwungen wäre",[6] so ist hier zwar ebenfalls noch der konkrete Bezug auf die (in diesem Abschnitt besprochene) Sage gewahrt, aber durch den Anruf von „jeder Mensch" gerät dieses Beiwort unversehens, wenn auch noch zögernd („fast") in andere Dimensionen; es scheint sich an dieses „Jedermann" enger anlehnen zu wollen als an den eigenen substantivischen Ausgang.[7] Eine spätere Erläuterung Göschels fügte ausdrücklich hinzu: „Insofern die Sage von Faust Nothwendigkeit und Freyheit im grellsten Zwiespalte, im bittersten Kampfe, insofern Faust selbst das vergebliche Murren und Ankämpfen der Menschheit gegen die unabänderliche Nothwendigkeit ausdrückt, auch insofern *ist jeder Mensch mehr oder weniger ein Faust.*"[8] Das waren die Ansätze, von denen aus „faustisch" sich in die luftigen Höhen der Ideologie erheben konnte. Daß bei Göschel selbst dieses derart entwickelte „faustisch" ausschließlich negativ gefaßt wurde, ändert an dem Grundsätzlichen des Prozesses nichts.

Der symptomatische Übergang jedenfalls vom possessiven zum „verallgemeinernden" Gebrauch kann an solchen Beispielen einsichtig gemacht werden, besonders in der Verbindung mit „jeder Mensch" und „allgemeines Individuum der Menschheit" — in Göschels Sinn genauer: „das allgemeine Individuum der verdammten Menschheit",[9] denn „die ganze Tragödie und die Sage selbst ist bestimmt, jenes Streben des Menschen, das Innerste ergründen zu wollen, in aller seiner Nichtigkeit und Verkehrtheit darzustellen".[10]

Dies war genau das, was Göschel unter „faustisch" verstand. Ein paar Sätze zuvor hieß es nämlich, bei Auseinandersetzung seiner eigenen (Hegelschen) Interpretationsmethode, man könne nicht ins Ganze des Gedichtes eindringen, wenn man es in kleine Stücke zerpflücke und dieses Ganze dadurch entzweibreche: „ja es ist *ein verkehrtes, wahrhaft Faustisches Unternehmen,* in das Innere des Gedichts dringen, dieses Innerste von allem Äußeren trennen ... zu wollen".[11] Diese „wahrhaft" Faustische Verkehrtheit gipfele in der Subjektivität und Ichsucht eines Menschentums, das sich nicht selbst als schuldigen Sünder erkennen und nicht dem rechten Glauben sich zuwenden wolle, wie dies Göschel in der schärfer polemischen Schrift von 1831, ‚Herolds Stimme zu Göthe's Faust...', nun mit Zweifeln auch gegen Goethe selbst, ausführte. Der „arme, verirrte Faust"![12] Von solchen Formu=lierungen her versteht man noch besser — und allgemeiner den zitierten Satz, daß es „fast" scheine, „als wenn jeder Mensch mehr oder weniger an der Faustischen Verdammung Theil hätte".[13] Ein anderer Satz wenige Seiten weiter, wo die Frage diskutiert wird, ob — in der Sage — Unglauben oder Nichtwissen den Fall Fausts bestimmt haben, zeigt den gleichen Wechsel von possessivem Bezug zur allgemeinen Lage „der Menschheit" im Wort „faustisch" selbst: „Wenn das Nichtwissen der Grund des Faustischen Sündenfalls und Verderbens ist, wenn dieses Nichtwissen dem Glauben so gut als dem Unglauben angehört und zur Grundlage dient, so scheint es, als wollte die freche Sage den Glauben und Unglauben zumal als grund= und gehaltlos abweisen."[14]

Könnte man immer noch zögern, ob tatsächlich ein abstrahierender Schritt über den konkreten Ausgang hinaus gemeint war, so dürfte solcher Zweifel, ebensowenig wie bei dem „verkehrten, wahrhaft Fau=stischen Unternehmen", bei einer weiteren Verwendung nicht mehr angebracht sein. Nach der Beschreibung von Gretchens Verzweiflung in der Domszene, wo ihr der „böse Geist" sich nähert, formulierte Göschel (und man kann den noch keineswegs gefestigten Prozeß der neuen Wortbildung geradezu „dramatisch" an der Doppelform auf =isch ab=lesen): „Dieß ist dieselbe Versuchung, welcher Faust, der Mann, nicht zu widerstehen vermocht hatte? Aber wie könnte in des Weibes Busen der Versucher Eingang finden, und der übermüthige Faustisch=Yngur=dische Mannestrotz Platz nehmen...?"[15] „Yngurdisch" war gebildet nach Adolf Müllners shakespearisierendem Schauspiel ‚König Yngurd' (1817), das Göschel schon vorher einmal mit ‚Faust' verglichen hatte;[16] diese merkwürdige Zusammenstellung übernahm Göschel übrigens unmittelbar und wörtlich von Arnim.[17] Gretchen, die von der Gnade Ausgezeichnete, die Erlöste, wurde, wie in vielen solcher religiös über=treibenden Ausdeutungen, in beiden Schriften Göschels, besonders in

der von 1831, stark idealisiert und als das Gegenbild gläubigen Chri=
stentums dem vermessenen, „verkehrten", verdammten Faust gegen=
über gestellt. „Faustisch" wurde dadurch noch eindeutiger zu einer
Negation.

Nichtigkeit, Verkehrtheit, Übermut, Trotz, Sündenfall, Verderben,
Verdammung: dies ist das überraschende Bedeutungsfeld, in dem am
Anfang des 19. Jahrhunderts, noch während Goethe lebte, das Wort
„faustisch" zum erstenmal deutlich in einer auf die „Menschheit" be=
zogenen Verallgemeinerung erschien; auch die negative Wortbedeutung
des 18. Jahrhunderts blieb darin tradiert. Am Ende stand der Ruf der
Verzweiflung über diesem „faustisch": „Darum ist die Bahn, welche
der Geist [lies: der ungläubige] geht, der Weg der Verzweiflung und
hierinn ist der innerste Sinn der alten Sage vom Faust enthalten, wel=
chen diese Tragödie in seiner höchsten Ausbildung entfaltet."[18] So
mußte Göschel 1824 Goethes Bezeichnung „Der Tragödie Erster Theil"
schließlich als ironisch nehmen; für ihn war mit Fausts Höllenfahrt
und Gretchens Himmelfahrt die Tragödie ‚Faust' endgültig abge=
schlossen. Sein „faustisch", mehrfach von ihm verwendet, wollte diese
Überzeugung umschreiben. Es meinte den „modernen" verkehrten
Menschen, eben: den „faustischen" Menschen, der durch „Selbsthilfe",
durch eigenes „Streben", ins „Innerste" einzudringen versucht — und
daran notwendig scheitert.[19]

Ähnlich wie Göschel argumentierte der damalige Göttinger Privat=
dozent August Wilhelm Bohtz (1799–1880) in seiner 1832 am selben
Ort erschienenen ‚Geschichte der neuern deutschen Poesie', einer Vor=
lesungsreihe: die reine Subjektivität des Denkens löse Faust von allen
objektiven Glaubensinhalten ab, ohne daß er über diese Subjektivität
hinauskomme; Hochmut und Verblendung stürzten ihn — „der Heros,
der da fiel, weil er sich selbst zum Gotte erheben, in seinem Fluge die
Natur ... sich unbedingt unterwerfen wollte ...".[20] Solches Urteil (über
‚Faust I') bestimmte den auch von diesem Autor an einer Stelle ver=
wendeten Ausdruck „Faustischer Charakter", wobei allerdings die
possessivische Bedeutung überwiegen dürfte. Die sechste Vorlesung
handelte, in einer Vermischung Hegelscher mit Görres=Baaderschen
Anschauungen, von Goethes ‚Faust', mit kurzem Rückblick auf den
historischen Faust und auf die Sage. „Faust wird nun einmal in dem

Mythus [der Volkssage] *allgemeine Person,* Repräsentant sämmtlicher Hexenmeister, Teufelsbanner und Nekromanten, welche vor ihm im Glauben des Volks gelebt hatten; aber ein eigentümlicher Zug, der wenigstens so entschieden und bestimmt in seinen sämmtlichen Vor= gängern nicht hervortritt, ist dennoch dem Faustischen Charakter durch die Zeit, in welcher gerade er lebte, aufgedrückt worden",[21] nämlich jene reine Subjektivität des Denkens. Charakter des eben beschriebenen Faust also, das war, rückbezüglich, zunächst konkret gemeint. Ist es jedoch Zufall oder Absicht, daß solches „faustisch" in der Vorlesung nur einmal an dieser Stelle der „Hexenmeister" und „Teufelsbanner" vorkam? Eine Entscheidung zu treffen, wird schwer möglich sein; im= merhin darf eine mehr negative Schattierung, wie bei Göschel, aus dem Zusammenhang vermutet werden.

Auffälliger ist, daß aus Goethes nächster Umgebung eine ähnliche Stimme kam, die Goethes eigene „demütige" Durchdringung von Gott und Natur, sein „Universalleben der Natur", das — mit Schelling — „die Schöpfung und den Schöpfer als ein von Ewigkeit Ungetrenntes zusammendenkt", unmittelbar in Gegensatz brachte zu Fausts „uner= laubter Wißbegier" und zu seinem „ungemessenen Bestreben" und der „verderblichen Neugierde": so Johannes Falk (1768–1826) in seiner Schrift ‚Goethe aus näherm persönlichen Umgange dargestellt', mit dem (2.) Anhang ‚Über Goethe's Faust. Ein Fragment'. Dieses Büchlein erschien erst nach Falks und Goethes Tod (Leipzig 1832), war aber im Vorwort schon „Weimar 1824" datiert, vom selben Jahr also, in dem Göschels erste Schrift erschien. Falks ‚Faust'=Auslegung,[22] die allerdings mit Beginn der Gretchenhandlung abbrach, behauptete tat= sächlich im ganzen, daß Goethe mit seiner Natureinsicht selbst das wunderbarste Gegenbeispiel zu Fausts verfehltem Leben und Streben sei (nur an einigen Stellen wurde dieses Schema durchbrochen, so bei Fausts Logos=Übersetzung und seinem „Glaubensbekenntnis" zu Gret= chen, die gut in die Schelling=Falkschen Naturspekulationen hinein= paßten). Faust, in der Schrankenlosigkeit der Wißbegierde, in seinem Abfall von Gott und Natur, werde — durchaus im Gegensatz zu seinem Dichter — „aus dem Mittelpunkte aller sittlichen Schöpfungen ver= schlagen".[23] „... die unselig einseitige Richtung seines Geistes, in ver= botenen Schöpfungskreisen zu stören", vernichte den „überklugen

Faust", der Gott gleich sein wolle. Fausts Wissenwollen arte in Hoch=
mut aus; dagegen Goethes „fromme geregelte Naturbetrachtung" ge=
winne den rechten Zugang zu der untrennbaren Einheit von Gott und
Welt, wobei der „sinnreiche, tiefe Schelling" den Eidhelfer abgab.

Aus solchem Faustbild verwandte Falk einmal das Beiwort „fau=
stisch"; wie zu erwarten, in rein negativem, geradezu abwehrendem
Sinn. Es fällt im Hauptteil des Buches, der von Goethe selbst handelt,
im Kapitel über Goethes wissenschaftliche Ansichten, in dem Falk auch
dessen bekannte Äußerungen über Wielands Unsterblichkeit wieder=
gab, eine berühmt gewordene Stelle, oft nachgelesen und zitiert. Bei
der Gelegenheit äußerte er einige eigene Gedanken über den Zusam=
menhang von Wissen und Glauben, worüber auch Goethe gesprochen
hatte. „Die Aufgabe des Lebens", heißt es, „allein ins Wissen gesetzt,
muß gleichsam nothwendig einen *verzweifelnden, faustischen Unmuth*
herbeiführen. Dem Glauben als ihrem eigentlichen Elemente wiederge=
geben, ist auch Jedem, vom Höchsten bis zum Geringsten, ein Kreis
würdiger Thätigkeit angeordnet, wodurch er in dies herrliche Ganze
frei und selbständig eingreift".[24] Dreißig Jahre nach Klingers ätzender
„faustischer Laune" wurde von Falk dieser „verzweifelnde, faustische
Unmut" gesetzt, ohne jeden Zweifel an dem vermeintlichen Sinn dieses
Beiwortes, zur Kennzeichnung eines Menschenschlages, der allein aus
dem „Wissen" das Leben zu meistern versuchte und darüber den
„Glauben" verlor, „wie es der stolzvermessene Faust wollte".[25] Ver=
zweifelnder Unmut: das war, möglicherweise im selben Jahr 1824 for=
muliert, fast genau die gleiche Umschreibung für „faustisch" wie Gö=
schels faustische Verkehrtheit, an deren Ende ebenfalls Verzweiflung
als ihr „innerster Sinn" stand.

Gehört in diesen Zusammenhang auch Eckermanns anfängliches
Zurückschaudern vor den „Abgründen menschlicher Natur und Ver=
derbniß" in ‚Faust I', wie er noch 1835 in der Einleitung zu seinen
Gesprächen mit Goethe mitteilte?[26] Faust — ebenso Clavigo, Meister,
Wahlverwandtschaften — sprachen ihm alle „die hohe Warnung aus:
Frevle nicht gegen das Heilige der Tugend, Natur und Sitte!"[27] Ecker=
manns eigener Versuch, zur Bühneneinrichtung von ‚Faust II' eine
dialogische Szene als Übergang zwischen der angeblich ersten (An=
mutige Gegend) und zweiten Szene (Kaiserliche Pfalz) des ersten Aktes

neu zu schreiben, ging von derselben mäßigenden, antititanischen Ein=
stellung aus: Faust überwindet sich zu guten Werken und betritt „die
neue höh're Bahn".[28] Oder in Worten ausgedrückt, mit denen Eckermann auf seine Art die Empfindungen Fausts im ersten Monolog beim
Anblick des Regenbogens, die Sonne im Rücken, wiederzugeben versucht hat: „. . . findet er darin die Lehre, daß es dem Glück des Menschen angemessener sey, wenn er überwältigende Leidenschaften der
Liebe und des Hasses hinter sich thue und dagegen in ruhiger Betrachtung und mäßigem Mitgenuß sein Leben suche".[29] Das war ein
Biedermeier=Faust, fern aller Verherrlichung „faustischen" Tat=Stre-
bens; die Abgründe wurden verdeckt.

＊

Indessen aber war von anderer Seite das Wort „faustisch" aufge-
griffen, „positiv" verarbeitet und in die wissenschaftliche Begriffs-
sprache aufgenommen worden — durch den Philosophen und Literarhistoriker Karl Rosenkranz (1805–1879), der, aus der Hegel=Schule
kommend, in ihr zwischen „Links" und „Rechts" vermittelte und der
seit 1833 als Professor in Königsberg lehrte. Rosenkranz hatte das
Wort sogar schon in den Titel seiner ersten Faust=Schrift von 1829
aufgenommen (auch sie Goethe noch bekannt geworden): ‚Ueber Cal-
deron's Tragödie vom wunderthätigen Magus. Ein Beitrag zum Verständniß der Faustischen Fabel'.[30] Wohl scheint der possessive Bedeu-
tungsansatz einsichtig, doch meint diese Wortverbindung nicht allein
mehr nur „die Fabel von D. Faust", wie noch in ähnlichen zeitgenössischen Beispielen.[31] Denn auch dieses „Faustisch" schwang schon, nur
in umgekehrter Richtung wie bei Göschel, ins Allgemeinere — durch
Unterlegen eines anderen Grund=Satzes, der, nicht weniger hegelia-
nisch, lautete: „In der Faustischen Fabel dagegen faßt sich das einzelne
Selbstbewußtsein als das absolut freie" (im Unterschied zur Hiobge-
schichte),[32] oder anders: „Diese Faustische Fabel klingt daher fast unter
allen Europäischen Völkern als das Zeugniß von dem hohen Bewußtsein
ihrer Freiheit wieder . . .".[33] Unschwer konnte von solchem Deutungs-
grund aus „faustisch" in ein positives Allgemeines ausgeweitet werden
Daß aber Rosenkranz die possessive Verwendungsmöglichkeit noch
geläufig war (und wahrscheinlich die „Faustische Fabel" davon noch

mit bestimmt wurde), bewies sein Gebrauch in einem späteren Aufsatz, wo er formulierte: „Hr. Bechstein hat die Faustische Sage ... nicht tief genug genommen."[34] Hier bedeutete dies sicherlich nur „die Sage von Faust". Jedoch die Benutzung von „faustisch" in dem Titel einer (zwei= mal aufgelegten)[35] Schrift, die, schon wegen ihres geistreichen Verfassers, genug Beachtung fand,[36] dürfte dessen allgemeine Verwendung ge= steigert haben.

Zum Beispiel überschrieb der Schwabe Gustav Pfizer (1807–1890) seine Faust=Szenen, die er als Vierundzwanzigjähriger im Juli 1831 im Cottaschen ‚Morgenblatt für gebildete Stände' veröffentlichte,[37] nicht mehr, wie noch Cramer 1792, mit ‚Scenen aus Faust's Leben', sondern mit ‚Faustische Scenen'. Gewiß war das damals „modern" aus= gedrückt. Es bedeutete freilich nur dasselbe wie bei Cramer: Szenen aus Fausts Leben („diese Scenen knüpfen sich an das Ende der Goetheschen Tragödie", erläuterte Pfizer einleitend). Sein „faustisch" meinte allein und konkret den Goetheschen Faust, dessen Lebenslauf er in Vers und Szene, nicht ohne Geschick, fortzusetzen versuchte.[38]

Rosenkranz selbst steigerte die fällige generalisierende Ausdrucks= weise, die auf eine Isolierung des „Faustischen" von der konkreten Dichtungsvorlage zielte, in einem weiteren zusammenfassenden Satz seiner Frühschrift, der eigentlich besagen wollte, daß der Dichter jetzt von dem „Wissenschaftler" abgelöst werden müsse, wie es die Tendenz der Zeit verlange: das Ende „des wunderthätigen Magus [ist] das Wis= sen von Gott in der Form des Glaubens, das der Tragödie Faust eben dies Wissen in der Form der sich selbst als an und für sich wahr beweisen= den Wissenschaft ..., welche *Entwickelung des Faustischen Selbstbe= wußtseins* nicht weiter poetisch vorgestellt werden kann und als zweiter Theil der Tragödie in die prosaische Bemühung um die Wissenschaft fällt".[39] Die Positionen des „Rechts=Hegelianers" Göschel (und auch die Falks) waren in die Gegenrichtung gekehrt worden; Wissenschaft, Selbstbewußtsein, „Subjektivität" sind nun die wahren, positiven (fau= stischen) Werte geworden gegenüber dem „Glauben", der im „moder= nen" Leben, „dessen allgemeines Bewußtsein Faust ist", der „wahr= haft speculativen" Form zu weichen hat. Mit dieser dialektischen Umkehrung der Werte wandelte sich folgerichtig der Sinngehalt von „faustisch" mit: aus einem negativen Beiwort der Verkehrtheit und

Verzweiflung wurde in diesem („modernen") Begriffsfeld ein positives Zeichen, das sich, in Fortführung Hegelscher Sprachdialektik, sogleich selbständig machte, sich von der Bindung an die ursprüngliche „Sache", die Dichtung, zu lösen versuchte und sprachlich als substantiviertes Adjektiv, als *das* Faustische", als ein Abstraktum erschien. Auch diesen für die zukünftige Begriffs= und Sinnentwicklung fundamentalen Schritt machte Rosenkranz schon. „Die Fortsetzung des Faust in dem, was Göthe den zweiten Theil genannt", schrieb er in derselben Schrift,[40] „geht ganz *aus dem Faustischen* heraus und behält nur die Anschauung der bunten von Mephistopheles bewegten Welt". (Rosenkranz kannte damals nur die bis 1829 veröffentlichten Fragmente aus ‚Faust II'.)

Die substantivierte Form, die Isolierung, die Verselbständigung des „Faustischen" war erreicht, wenn auch dem Sinn nach eng noch an die Dichtung angeschlossen. Doch dieses „Faustische" war bei Rosenkranz ein Wort und Wert modernen Selbstbewußtseins geworden, das sich, antimittelalterlich, antiromantisch, kühn von früheren Zuständen des „Wissens" (und „Glaubens") absetzte, im selben Maße wie, nach Rosenkranz, die Goethesche Dichtung „eine Concentration unseres gan= zen gegenwärtigen Lebens nach allen seinen Elementen" darstelle.[41] Insofern war auch der Untertitel „Ein Beitrag zum Verständniß der Faustischen Fabel", verbunden mit Calderons Magus, im Grunde schon als eine Abstraktion gemeint, die das „Faustische" als neues Subjekt eigenständig aus sich entließ.

Wie sehr Rosenkranz sich dieses sprachlichen Vorganges mehr oder minder bewußt gewesen sein mußte, geht aus einer späteren Bemerkung in der bereits genannten Schrift von 1836 (‚Zur Geschichte der Deutschen Literatur') hervor, in der er ‚Andere Bearbeitungen' des Faust=Stoffes be= sprach, u. a. die Tragödie ‚Faust' von B(raun) von B(raunthal), Leip= zig 1835.[42] Dort prägte Rosenkranz den lapidaren Satz (und erläuterte damit gleichsam nachträglich die Verwendungen in der Schrift von 1829): „Ist *ein Typus, wie der Faustische*, einmal geschaffen, so verbindet man mit dem Wort auch schon *eine Idee*".[43] Nicht also Faust allein, die konkrete Person der Dichtung, war gemeint; ein „Typus" ist aus ihr herauskristallisiert worden, der als „der Faustische" bezeichnet wird und der, in diesem Wortzeichen, eine „Idee" vorstellt, eine „Ideenmytho= logie", über die poetische Person hinaus. Auf solchem Wege scheint

Rosenkranz selbst zu dem Wort gekommen zu sein, das er von sich aus inhaltlich alsbald mit dem freien Selbstbewußtsein des modernen, wis= senschaftlich denkenden Menschen gefüllt hat.

Der auffällige Prozeß der Verselbständigung des „Faustischen" wurde sogleich, 1835, von Carl Gustav Carus, in den ‚Briefen über Göthe's Faust',[44] zu einem ersten Abschluß gebracht und das Wort durch ihn in weiteste geistige Bezüge gestellt. Dieser Prozeß muß um so typischer erscheinen, als auch Carus noch und schon die beiden Aus= drucksmöglichkeiten des Adjektivs — die traditionellere, mehr posses= sive, und die modernere, mehr generalisierende — kannte und deutlich unterschieden anwandte. Wenn er seine Niederschriften selbst „diese Faustischen Briefe" nannte,[45] so sollte das nichts anderes heißen als Briefe über Faust, Briefe die von Goethes ‚Faust' handeln. Jede weitere Sinngebung ist an dieser Stelle ausgeschlossen. Anders im zweiten Fall, wo Carus entscheidend die andere Möglichkeit, in einem gegenüber Rosenkranz noch gewandelten „positiven" Sinn, weiterentwickelte und vorprägte.

Vor Erscheinen dieser ‚Briefe' spielte sich eine Kontroverse ab, die zwar für den Begriff des „Faustischen" unmittelbar nichts einbrachte, auf die aber kurz eingegangen werden muß. Denn die schmale, frag= mentarische Schrift von Carus wuchs aus dieser heftigen Diskussion heraus und wurde direkt von ihr angeregt — überragte sie aber durch Reife und Höhe der Aussage zu Goethes Gedicht, die es verständlich sein läßt, warum diese ‚Briefe' damals in breiterer Öffentlichkeit kaum Widerhall fanden und, unvollendet, abgebrochen wurden.[46]

In seinem ersten Brief polemisierte Carus mit ein paar Sätzen gegen einige 1834 erschienene Faustschriften — die von Löwe, Enk und Deycks — und zitierte, beistimmend, einen Aufsatz des Ernst von Feuchtersleben aus einer Wiener Zeitschrift desselben Jahres 1834.[47] Feuchtersleben hatte sich dort ebenfalls mit der Schrift des Melker Benediktiners Enk über ‚Faust' auseinandergesetzt; er besprach dessen aggressive Ver= öffentlichung noch an anderer Stelle,[48] dort schon zusammen mit der „Gegenschrift" von Deycks, wobei er diesem zustimmte, der der Dich= tung als einem Ganzen gerecht zu werden sich bemüht hatte.

Vorangegangen waren — 1833 — einige ironische „Randglossen" eines Anonymus über Goethe und ‚Faust II' in der Kölner ‚Zeitschrift für

Philosophie und katholische Theologie',[49] die den Dichter als großen Heiden hinstellten, der alle christlichen Elemente aus der modernen Poesie ausgeschieden habe. Man spöttelte ein wenig, daß Faust anscheinend trotzdem „nur durch ein katholisches Moment: die Intercessio Sanctorum, zu gutem Ende gebracht werden konnte", und gipfelte diese konfessionelle Polemik in dem groß aufschwingenden Satz: „So viel bleibt: der ‚Faust von Göthe' bildet nunmehr ein Denkmal des menschlichen Geistes, welches der deutschen Nation und unserer Zeit eben so eigenthümlich, und für alle Zeiten und alle Nationen eben so ein Gegenstand der Bewunderung und des Studiums sein wird, wie die Iliade des Homer den Griechen; — aber die heilige — die christliche Muse sitzt verhüllten Angesichtes am Fuße und im Schatten des ungeheuren, mit Hieroglyphen bedeckten Obeliskes, und weint um ihr verlorenes Recht an den großen Todten! —"

Das war deutlich und eindeutig. Im 9. Heft derselben Zeitschrift[50] wurde mit einer ‚Correspondenz=Nachricht' aus Wien, einem der Hauptorte des antifaustischen Widerstandes, diese kirchliche Auseinandersetzung fortgeführt (die Schrift von Enk war indessen erschienen). Der gleiche ironische, aber unerbittliche Ton wurde beibehalten; jetzt verglich dieser andere Anonymus Faust mit Goethes eigenem Leben und dessen gleichgearteter Weltlust (ein weiteres polemisches Grundmuster, das bis ins 20. Jahrhundert gültig blieb). Auch in dieser „Nachricht" wurde wieder die ganze Wucht des Non possumus in den Schlußsatz gelegt: „Eine andere Frage wäre die, ob denn wirklich in dem vorliegenden Falle, nämlich bei der Leiche Göthe's, der Streit zwischen Teufeln und Engeln auf die vom Dichter supponirte günstige Weise geschlichtet worden; allein wer wagt sich hier als Sitten= und Höllenrichter aufzuwerfen? Daß Menschen wie Göthe nicht nach der gewöhnlichen Elle gemessen sein wollen, ist zweifellos; daß die Kirche nur darum die alleinseligmachende heiße, weil sie allein mit Sicherheit die Seligkeit verbürgen kann und nur wegen der in ihr auf Erden heimisch gewordenen Erlösung dem Geschlechte die Vereinigung mit Gott offen steht, und daß jeder, der außer ihr steht, nach seinem Gesetz wird gerichtet werden, ist ebenso klar; aber — wem viel gegeben worden, von dem wird viel gefordert werden, und daß Göthe gegen die Idee, gegen die Würde und Unbeflecktheit des Geistes, gegen die Überwelt=

lichkeit und Persönlichkeit Gottes sich vergangen habe, kann nach den vorliegenden Daten nicht geläugnet werden." So wurden die Fronten bis, wenn man will, heute hin klar abgesteckt.

Aus demselben Wien war vorher schon die scharfe Stimme des er= wähnten Friedrich Wähner gedrungen, der das „Verkehrte, Zerrüttende, Ungeheure in der Tendenz des Faust" aufzudecken versucht hatte; hier erschienen 1834 die ‚Briefe über Goethe's Faust' des Michael Leopold Enk von der Burg (1788—1843),[51] der wiederum mit Lenau bekannt war und einen guten Teil Einfluß auf die ersten Szenen seines ‚Faust' hatte,[52] einem bewußt antigoetheschen Faust, den der Teufel holte (erstes Fragment 1834 geschrieben, 1835 erschienen; erste Fassung vollständig 1836 bei Cotta gedruckt). Ein geschlossener Aufmarsch hatte sich vollzogen.

Enk, ein leidenschaftlicher Liebhaber der Dichtung Calderons und Lope de Vegas, ging in seiner ‚Faust'=Analyse von dem ihn „tief ver= letzenden Grundton des ganzen Gedichtes" aus[53]: „der frechsten Em= pörung gegen jedes Gesetz der Begränzung",[54] die in der alten Sage noch echt geahndet worden war. „Man hat... in Faust's Charakter immer zu viel Accent auf sein Streben nach Erkenntniß, *als ein posi= tives*, und als Grund seiner Zerfallenheit gelegt."[55] Erkenntnisstreben um seiner selbst willen ist aber ohne jeden Wert. „Denn da, wo das Streben nach Erkenntnis und Wissen, wie bei Faust, der Träger eigen= süchtiger Zwecke, titanischen Hochmuthes und unersättlicher Genußgier ist: da wendet sich der gärende Unmuth,[56] wenn er in der Erreichung jener Zwecke sich gehemmt, und in seinen Erwartungen sich betrogen sieht — ... mit wilder Heftigkeit und feindseliger Zerstörungslust gegen die Schranken, welche er nicht zu durchbrechen vermag, und sucht das Gefühl seiner Schwäche durch übermüthige Verachtung und freche Verläumdung der Natur zu rächen."[57]

So wurde, zunächst nach dem Ersten Teil der Dichtung, Faust als Exponent des reinen Nichts, des Nihilismus, dargestellt und abgeurteilt. „Hochmuth und Genußgier sind die beiden Pole seines Wesens, und beide erzeugen nothwendig die Keime einer unheilbaren Entzweiung in ihm ... Mit wildem Ungestümm, mit feindseliger Verachtung wendet sich sein Unmuth gegen die menschliche Natur, und sein Groll findet allein noch darin Erleichterung, sie herabzuziehen, und in den Staub zu treten ... und sich ihm Alles in eine *reine Verneinung* auflöst. Mit dieser fürchterlichen Leere eines allgemeinen Verneinens steht Faust da, ohne jedes Ziel eines kräftigen Strebens ... Nichts bleibt ihm übrig als der leidenschaftliche Groll seines Zerwürfnisses, der fortwährend in ihm wächst ... Auf dem höchsten Punkt dieser inneren Gährung zerreißt er zuletzt mit übermüthigem Hohn jedes Band, welches ihn noch an die Menschheit knüpft, und vernichtet mit der höchsten Willkür der Empörung sein moralisches Dasein, nachdem er Alles vernichtet hat ...".[58] Daher ist Fausts „Streben" durchaus wertlos; Goethes Riesenwerk dürfe allein „wegen des Umfangs und der Tiefe der Darstellung des Zerstörens und Vernichtens von Allem" geschätzt werden. Am Ende ist Faust, das gilt nun in gleichem Maße für beide Teile, „nichts geblieben, als eine gänzliche Leere des Innern, die durch das Wohlgefallen am Schlechten, Niedrigen und Gemeinen nicht ausgefüllt werden kann".[59] Vom Himmel durch die Welt zur Hölle: in allem anderen widerspreche Goethe sich selbst, wobei der Prolog sich als der entscheidende „Fehler" der Dichtung herausstelle, der bis zum Schluß, auch diesen zerstörend, fortwirke. (Das hatte schon Göschel behauptet; Gwinner wird denselben Gedanken am Ende des Jahrhunderts noch einmal zum Hebelpunkt seiner weit ausholenden antifaustischen Polemik machen.) Der Ausgang der Tragödie bleibt reine Willkür, „die das Geschaffene in ein Nichts auflöst".[60]

So dieses empörte, maßlose, aggressive Faust=Bild der Wiener Geistlichkeit.[61] Feuchtersleben allerdings wandte sich dagegen; er hatte einen Bundesgenossen in dem Koblenzer Gymnasiallehrer und Philologen Ferdinand Deycks (1802–1867) entdeckt, dessen zu einem Teil schon gegen Enk gerichtete Schrift ,Goethes Faust. Andeutungen über Sinn und Zusammenhang des ersten und zweiten Theiles dieser Tragödie' ebenfalls im Jahr 1834 in Koblenz erschienen war.[62] „Großartige Thätigkeit" als letzter Wunsch Fausts, „Übung der Kräfte, nützliche Thätigkeit", „Arbeit", „Religion ... als der Gipfel alles Daseyns und Strebens"[63]: das waren die anderen Stichworte, aus denen Deycks sein Faust=Bild entwickelte und die Feuchtersleben begeisterten. „So findet Faust das Ziel seines Strebens in einem sehnsüchtigen Vorgefühl, alle Lust der Erde konnte ihn nicht befriedigen, wohl aber beständige Thätigkeit auch in Alter und Blindheit die Kraft frisch erhalten ...".[64]:

solche leicht engsinnigen, diätetischen, bürgerlich=biedermeierlichen Le=
bensregeln prägten das andere Faust=Bild vor, das des strebenden, rast=
los tätigen, schließlich Gott wohlgefälligen Mannes. Allerdings arbeitete
Deycks noch den Gegensatz zum gläubigen Christentum heraus; doch
im Ewig=Weiblichen, im marianischen Glauben, wurde die Brücke ge=
funden, so daß am Ende Faust, der voranstrebende Mensch, Klarheit
erfahren kann. Die mäßigenden Schlußworte Deycks sind beachtlich:
„Faust ist ein Mensch von den reichsten Gaben, aber in Bezug auf das
Sittliche steht er mit der Mehrzahl der wirklich Lebenden ungefähr auf
gleicher Stufe, und Goethe hat ihn so wenig, als z. B. den Werther,
darum sündigen lassen, damit Andere ihm darin nachfolgen. Faust ist
keine Predigt, kein Musterbild der Beschauung, aber ein *Gedicht*, reich
und tief, wie das Leben, wahr und ernst, wie die Natur, und im
höchsten Sinn ein Spiegel der Warnung und Mahnung für Mit= und
Nachwelt."[65]

Dem voll zustimmend, schloß Feuchtersleben seine Besprechung:
„Denn wie die Fortführung des Wilhelm Meister, so ist auch die des
Faust, deren Verwandtschaft mit jener wohl Jeder, der sich mit Goethe's
Werken liebevoll beschäftigt, empfinden wird, einzig bemüht, uns Ehr=
furcht vor dem Höchsten und liebevolle Thätigkeit in unsern Kreisen
auf's Dringendste an's Herz zu legen; *die* Moral, welche alle die andern
in sich schließt . . .".[66] Solche Nähe zum „Meisterischen" wird immer
dort auftreten, wo man das Dämonische, das Scheitern, das Verbreche=
rische Fausts eliminieren und übersehen will.

Auf diese Auseinandersetzung spielte Carus unmittelbar an, wenn
er zu Beginn seiner kleinen Faust=Schrift ausdrücklich dem Aufsatz
Feuchterslebens von 1834 beipflichtete;[67] auch wählte er als Titel bewußt
dieselbe Überschrift wie Enk, ‚Briefe über Göthe's Faust', und kenn=
zeichnete sie dadurch als Gegenbriefe. Auf ihren Inhalt soll im ein=
zelnen nicht eingegangen werden; auch heute noch gehören sie zu den
schönsten Bemerkungen, die über die Dichtung Goethes geschrieben
wurden — „der Faust, dieses wunderbare Bild, in welchem sich das
geistig mächtigste Streben der Menschheit concentrirt . . .".[68] Das Ge=
netische und Morphologische dieser Betrachtungen, kongenial an Goe=
thes Metamorphosen=Lehre anknüpfend, eröffnete geistreiche Einblicke
in die ‚Faust='Dichtung, die noch nicht ausgeschöpft scheinen. „Dieses

hohe Geheimniß . . ., in dessen Kerne wir zuletzt die Nothwendigkeit des Sündhaften zur Läuterung jenes in die Natur eingebornen Gött= lichen der Menschheit deutlich ahnen können . . .".[69]

Nur dem Begriff des „Faustischen" soll nachgegangen werden, der an einer Stelle der Briefe bedeutungsvoll auftritt, gefaßt als der „innere Zustand einer *Faustischen Natur*".[70] Jetzt scheint, nach und parallel zu Rosenkranz, die sprachliche Durchgestaltung und Verselbständigung so weit ausgebildet zu sein, daß diese Formel, verallgemeinernd und in Distanz zu der konkreten Dichtungssituation, einen Typus, eine be= stimmte Art „Menschheit" zu umschreiben und begrifflich zu fixieren imstande ist. Nicht „die" Faustische Natur — was noch einen direkten Bezug nur zu Faust selbst bedeuten könnte —, sondern „eine" Faustische Natur, eine typische, so und so charakterisierte menschliche Erschei= nungs= und Ausdrucksform, die Carus als hohes Menschentum galt, belastet und ausgezeichnet durch jenes „Geheimnis" der inwendigen, sündigen Herausläuterung des Göttlichen.

Was verstand Carus unter „einer Faustischen Natur"? Jeder Indivi= dualität liege „eine besondre, eigenthümliche, von der andern verschie= dene Idee zum Grunde" und daher sei jeder eine eigene Entwicklung zugewiesen. So müssen, „neben einzelnen ruhigern, klarern Individua= litäten, auch andere thatkräftige, gewaltige, ich möchte sagen, dämo= nische Naturen auftauchen, welche, von feurigern Gedanken getrieben, zu prometheischen Thaten bestimmt sind, bedeutend in den gesammten Entwicklungsgang der Menschheit von irgend einer Seite eingreifen und, gleichsam schwerer, als viele Andre, von irdischen Stoffen und irdischen Bestrebungen belästigt, erst nach langwierigen Stürmen zu voller Beschwichtigung, zu höherer Befriedigung gelangen".[71] Das ge= schieht zwar nicht ohne „Schwermuth" (wobei auf Dürers ‚Melancholie' gewiesen wird). Tatkraft und lebendiges Streben, ohne sich von Un= würdigem ins „Träge" ablenken zu lassen, leite aber auch diese Seele „durch alle Metamorphosen" schließlich zur „höhern Beseligung".[72] Von solchen allgemeinen Umschreibungen ausgezeichneten mensch= lichen Daseins (der „bedeutenderen Monas") und dessen Seelenweges kommt Carus zur besonderen Charakterisierung Fausts.

„Nehmen wir nun eine Feuer=Seele, gleich der des Faust, ihrer inner= sten Eigenthümlichkeit nach von unbedingtem Streben gegen ächtes

Freisein in Läuterung von allem Ungemäßem gerichtet, denken wir aber in dieser Seele zugleich eine heftige Anziehung gegen das Drängen der Erscheinungswelt und überdieß sie in eines jener dissonirenden Verhältnisse des Lebens verwiesen, dessen Druck uns nur gerechtfertigt wird, wenn wir daran gedenken, daß ohne dissonirende Akkorde im Einzelnen keine befriedigende Fortschreitung höherer Harmonie im Ganzen möglich wäre, und es wird uns begreiflich, wie schmerzlich, krankhaft und stürmisch die Entwicklung einer solchen Seele durch tausendfältig bindende, lösende und wieder bindende Vorgänge zu endlicher Freiheit sich hindurch winden müsse . . .".[73]

Diese dissonante Harmonie errungener Freiheit, als die Fausts Men= schentum hier erscheint, „schmerzlich, krankhaft und stürmisch" durch= lebt und erlitten, exemplarische Auszeichnung einer „Feuer=Seele", ver= sucht Carus wenige Abschnitte weiter nochmals in geradezu beschwö= renden Worten zu umschreiben, besorgt um die Verfälschung der Goetheschen Wahrheit von dem „schlechthin unverwüstlichen göttlichen Princip der Seele" (womit sicherlich auch Enk mit seinen harten Ab= urteilungen Fausts unmittelbar angesprochen sein sollte): „vor allem fordere ich, daß Jemand, der den Faust überhaupt anerkennen will, seine Grundidee anerkenne, daß er das darin ausgesprochene genetische Princip alles ächten Seelenlebens achte, und daß er deutlich empfinde, wie das Begeistigende, ewig Anregende, ich möchte sagen, Frühlings= mäßige dieses Faust auf der lebenvollen Grundanschauung von dem zwar tief zu beugenden, aber an sich schlechthin unverwüstlichen gött= lichen Princip der Seele durch und durch gegründet sei" (hier fällt ein Blick auf Dürers ‚Ritter zwischen Tod und Teufel').[74] In solchen weit schwingenden Sätzen zeichnete Carus, leidenschaftlich bewegt, sein Bild von Faust, dem „symbolischen Menschen",[75] das gleichzeitig das typische, das beispielhafte Material für den „Zustand einer Faustischen Natur" lieferte. Dieser Ausdruck selbst knüpfte an die beschriebene Ent= wicklung der Feuer=Seele an, die sich von Station zu Station zur Frei= heit durchwinden müsse; ein Vergleich aus Dantes Convito (‚Convivio') wird herangezogen und dazwischengestellt: der Weg der suchenden Seele gleiche dem Wanderer, der bald diesen, bald jenen fern gesehenen Ort für seine Heimat halte, ihm freudig=ängstlich zueile und dann, seine Täuschung schmerzlich einsehend, weiter ziehen müsse — „gewiß dieses

Bild eignet sich nun auch besonders, um den *innern Zustand einer Faustischen Natur* zu bezeichnen . . .".

„Positiv" ist hier dieses „Faustische" gesetzt: aber ohne jede hybride Aufhöhung. Es zeigt einen allgemeinen „Zustand" menschlicher Da=seinsmöglichkeit an; aber das Dissonante, Schmerzliche, Verwirrte wird nicht voreilig ausgeschieden oder abgeschwächt. Das Wort „Natur", „diese ewige Hieroglyphe der Geisteswelt", wird dabei ganz als „gene=tisches Princip", als organische Entelechie genommen. „Eine Faustische Natur": sie bedeutete für Carus höchstes und volles Menschentum, das sich, durch Irrsal und Sünde, als Läuterung des „in die Natur *einge=bornen* Göttlichen" entwickelt,[76] als Metamorphose zur vollkommenen inneren Ausbildung, als Weg der Seele „zu endlicher Freiheit". Das Fragwürdige, Vernichtende, Zwielichtige, das später Walzel (1908) in seinem Aufsatz über das ‚Problem der faustischen Natur' neben dem Ehrfurchtsvoll=Großen darin entdeckte, wurde von Carus in seiner Prägung der Faustischen Natur noch nicht so pointiert mitgemeint. Für Carus war dies ein Ausdruck des Maßes, eine Umschreibung „ächten Seelenlebens".

Auf dieser Höhe der Definition und zurückhaltenden Begrenzung hat sich das „Faustische" nicht gehalten. Man wird sagen müssen: dieser Klang ist kaum wieder zu hören gewesen. Auch bei Carus mag dieser Ausdruck „bedingt" gewesen sein, abhängig von Anschauungen, die außerhalb der Goetheschen Dichtung lagen. Doch um so mehr wird, von ihm her gesehen, ebenfalls mit aller Schärfe deutlich, wie sehr die ideologischen Vernutzungen solcher Formeln in Wahrheit Verengungen sind, die — oft fanatisch, oft schönfärbend, immer übertreibend — sich von der Wirklichkeit des Auszusagenden mehr und mehr entfernen und eine Scheinwirklichkeit ohne Maß und Fug vorzutäuschen helfen.

*

Vieles, was in den Jahren nach dieser Schrift des Carus an „fausti=schen" Formulierungen vorkam, wirkte demgegenüber ohne Überzeu=gungskraft, farblos, zufällig.

1836 erschien, gleichzeitig mit der Faust=Schrift von Wilhelm Ernst Weber, das seinerzeit weit bekannte und für die Geschichte der ‚Faust'=Auslegung durch das ganze Jahrhundert nachwirkende Buch ‚Göthe's Faust in seiner Einheit und Ganzheit' des klassischen Philologen und vielschreibenden Bibliothekars Heinrich Düntzer (1813–1901).[77] Auch dessen Verwendungen von „faustisch" stehen sprachlich genau an der Übergangsstelle, wo das neutrale Adjektiv possessiver Bedeutung fast unmerklich in einen, aus sich selbst Sinn entwickelnden Allgemein= begriff umgewandelt wurde. „Faustisch" als „faustähnlich, faustver= wandt", noch unmittelbar bezogen auf die Gestalt des Faust in Sage und Dichtung, kannte Düntzer, wenn er anmerkte: „In Kalderons wun= derthätigem Magus wird der faustische Cyprian von Liebe und Wissens= durst getrieben."[78] (Zudem spielte er damit sicherlich auf den Titel der Calderon=Schrift von Rosenkranz an.) Anders lag der Bedeutungsnach= druck wahrscheinlich schon, wo Düntzer ausführte, daß die innere Wen= dung Fausts, „die Wendung des Faustischen Strebens", durch die Liebe (Gretchen und Helena), durch die Idee der Güte (Gretchen) und die Idee der Schönheit (Helena) bewirkt worden sei, eine errettende Wen= dung zu „zweckmäßiger Thätigkeit", „wie sie aus der Natur des Men= schen hervorgeht".[79] Wohl heißt das zunächst „die Wendung des Stre= bens Fausts". Aber nur? Wenn man bedenkt, daß der Hauptsatz Dünt= zers lautete: „Somit wäre der Faust nichts anderes, als eine Apotheose des natürlichen Strebens", da die „Idee" der Dichtung in dem „gött= lichen Funken" dieses, wenn auch irrenden, Strebens liege,[80] so ist man beinahe geneigt, das „Faustische Streben" an dieser frühen Belegstelle bereits als „menschheitliche" Verallgemeinerung zu nehmen, wie es später in dieser Weise unzähligemal als ein „faustischer" Fundamental= begriff verwendet wurde.

Jedenfalls ist die generalisierende Absicht einer solchen Verwendung des „Faustischen" nicht ausgeschlossen, wenn auch der konkrete Genitiv „des Faust" noch überwiegen mochte. Jedoch im Anhang seiner Schrift, wo Düntzer mit Worten des Carus von Lessings ‚Doktor Faust' sprach, hieß es: „So wird *jeder gute Mensch*, ist er auch einmal gefallen, sich wieder aufrichten; denn die innere strebende Kraft, der im Menschen lebende göttliche Funke, widerstrebt der Finsterniß, dem Reiche der Verneinung."[81] Von diesen (im ganzen gesperrt gedruckten) Schluß= worten Düntzers zu jener „Wendung des Faustischen Strebens" war es nur ein kleiner Schritt; möglicherweise könnte dieser abschließende Satz („jeder ... Mensch") geradezu als eine Definition des vordem gebrauchten „faustisch" gelten. Aber wie platt klingt das, wie dürftig!

Wie undichterisch, wie flach wirkt dieser Düntzersche „gute Mensch" Faust mit seiner „zweckmäßigen Thätigkeit", dem der „Pakt nur eine poetische Maschinerie", eine „poetische Fiktion", und „der Teufel nur eine Nebensache" bedeutet![82] Der „Feuerstrahl unablässigen Strebens" ziehe den guten Menschen unwiderstehlich nach oben, hieß es fünf= zehn Jahre später bei Düntzer[83] — und dem Leser kann es noch heute schwül werden, wenn der gelehrte Gymnasial=Bibliothekar aus Köln mit voller Palette die ganz und gar rein deutsche Natur dieses Faust ausmalte: „Deutsche Gemüthlichkeit, deutscher Tiefsinn und deutsche Spekulation, deutsches Erfassen der geistigen Schönheit, deut= sche Begeisterung für wahre Menschenwürde, deutsche Ausdauer und Thatkraft, das ganze deutsche Leben" seien in ihm verkörpert.[84] Das sind die Gliedstücke eines bestimmten Bereiches faustischer Ideologie, wie sie bequemer zubereitet kaum noch wünschbar waren. Weitere zwanzig Jahre danach waren sie zu voller, nationaler Stärke entwickelt worden. Dieser Faust mit dem „Gefühl der Würde des der Förderung des allgemeinen Besten mit allen Kräften nachstrebenden Menschen"[85] hatte in einem solchen Begriffs=Bandwurm alles Dissonante und Irr= sälige, alles Dämonisch=Fragwürdige, auch alles „Genetische" längst ausgeschieden und stand als ein deutsch=tüchtig Wirkender ein für alle= mal gerechtfertigt vor und über aller Welt, bereit den faustischen Son= derauftrag zu übernehmen.[86]

Tüchtigkeit und Tätigkeit als der eigentliche, förderliche Sinn der Goetheschen Dichtung waren in diesen Jahren, als Düntzer sein erstes Faust=Buch schrieb, schon mehrfach, wenn auch nicht unangefochten, herausgehoben worden; damit wurde späteren landläufigen, banalisie= renden Interpretationen kräftig vorgearbeitet. Der Breslauer Gymnasial= direktor Carl Schönborn stellte in seiner Faust=Schrift von 1838[87] zwar recht theologisch fest, daß rastlose und unbeschränkte Tätigkeit nicht zufrieden mache und unsere Seele der Beruhigung durch den Christus= Glauben bedürfe („diese Erfahrung hat Göthe in seinem Faust ausge= sprochen"!);[88] und er baute seine Interpretation auf der Behauptung auf, daß Faust selbst diesen Läuterungsweg von schuldhafter Verirrung zu später Einsicht in seine Erlösungsbedürftigkeit gehe, eine Art Sau= lus=Paulus=Weg. Aber der Nachdruck lag, trotz solchem Kanzelstil, auch bei Schönborn auf dem Preis „ruhiger geordneter Thätigkeit", durch die Faust am Ende des 5. Aktes „gesund" gemacht wird: dort komme er zu „fast möchte man sagen bürgerlicher Thätigkeit".[89] Nachdem er „gelernt" hat, „in geregelter Weise thätig zu sein", konnte er „auch zur Aufnahme in das Reich der Gnade vorbereitet werden" (diese letzte Umwandlung geschieht nach seinem Tode).[90] Ein christlich=bürgerlicher Biedermann („er kann auf das Lob bürgerlicher Gerechtigkeit und Tüch= tigkeit Anspruch machen, denn die letzte Gewaltthat ist von ihm nicht befohlen...")[91]: Goethes Gedicht wurde in solchen Deutungen zu einem hausbackenen Erbauungsbuch, das jedermann Hoffnung auf die himmlische Gnade machte, der, in gewonnenem Bewußtsein seiner Er= lösungsbedürftigkeit, die geregelte und wohlgeordnete Art der (bürger= lichen) Tätigkeit Fausts sich zum Vorbild nahm. Dann gelange man, was Faust am Ende der Dichtung begreife, zur „Zufriedenheit mit der Beschränktheit des menschlichen Daseins".[92]

Deutlicher, unter Ablegen der christlich=biedermännischen Schlupf= maske, wurde ein Jahr später (1839) ein Artikel von Wolfgang Stich,[93] der seine (hegelisierende) Darlegung vom Entwicklungsgang der „Idee" beider Dichtungsteile (das „Prinzip der Beschränkung, des heitern Maßes herrscht im zweiten Theil") mit dem freien Gesetz der „reinen That" schloß, wobei der forschende und handelnde Geist, in „verständigem Maaß", sich an die umzubildende Natur halten müsse. „Wohin geht das Bestreben unserer prosaisch=industriellen Epoche, als auf Beherrschung und Bewältigung der blinden Naturkräfte?" Diesen epochalen Sinn drücke genau der Schluß des 5. Aktes aus: dort entwickelt Faust sich zum „realistischen" Pionier des heraufkommenden industriellen Zeit= alters, entlassen aus der metaphysischen Qual, dem Widerspruch zwi= schen Geist und Natur des ersten Dichtungsteiles, endlich „auf den Boden der Wirklichkeit" geführt, „in's heitere Leben, in die freie Welt" des zweiten Teiles. Faust „endet mit der freien, besonnenen That"; sie allein bestimmt den Abschluß seines weltweiten Wirkens, dessen reali= stische Tendenz in der Gegenwart nicht mehr aufzuhalten ist. Der hinter= sinnige Artikelschreiber setzte den „gebildeten Lesern" des Morgen= blattes die eigene Vision der neuen, durch diesen realistischen Faust ausgedrückten Weltepoche vor (das Stichwort „faustisch" in schon Spenglerschem Sinne lag sozusagen auf der Zunge): Faust, am Ende der Handlung, „will die Welt durch Verkehr und Schifffahrt verbinden, die wilden Elemente bezwingen, Länderbesitz sich erringen. In diesem *Streben*, in dieser *realistischen Tendenz* nach erweitertem Weltverkehr, deren Ziel unübersehbar ist und die in ihrem unbedingten Fortschreiten die Hütte stiller Genügsamkeit vernichtet — in dieser freien Herrschaft über die Natur offenbart sich der Geist der gegenwärtigen, besonnen handelnden Weltepoche. Mit ihr schließt Faust, insofern er auf Erden strebt und handelt."

Das war ebenfalls deutlich und eindeutig. Fausts „Streben" wurde in die unaufhaltsame „realistische" Tendenz einer so optimistischen wie „unbedingten", das heißt rücksichtslosen Industrialisierung der Welt umgedeutet und als solche gutgeheißen. Dieser beginnende moderne Realismus, literarisch im selben Zeitraum faßbar, galt als „Besonnenheit", die „nirgends ... ein Rasten, ein Ruhen" kennt. Stich scheute sich nicht, dem lesenden Bürgertum die letzten Konsequenzen von Fausts Weltverwandlung vorzustellen: „... das Asyl des Glaubens, des Friedens, der Genügsamkeit verschwindet und der Blick verliert sich in den großen, weiten, endlosen Gang des Weltlebens". „Faustisches Streben": diese Formulierung stand bei Düntzer, platt, dürr. So aufgefüllt, wie Stich die dichterische Botschaft Goethes herauslas und widergab, wurde sie unheimlich verwegen. „Die Hütte stiller Genügsamkeit" muß, als unrealistisch, zerstört werden, Bauopfer einer „großen ... endlosen" Zukunft. Schon war das Dissonante zu menschlicher Grenzüberschreitung geworden; die Hybris des „Faustischen" offenbarte sich früh und wurde akzeptiert. Der Wechsel auf diese Zukunft lief.

Die „Gegenseite" wurde nicht weniger grobschlächtig. 1835 veröffentlichte Willibald Alexis einen zweibändigen Zeitroman in Art und Stil der Jungdeutschen, ,Das Haus Düsterweg'. Zur Charakterisierung eines egoistischen, jedem System liebedienernden Beamten, des typischen „deutschen Biedermanns", wie es hieß, eines Schnüfflers gegen revolutionäre Bestrebungen, ohne eigene Meinung, ließ Alexis diesen in einem Gespräch zynisch bemerken: „Ich brauche an nichts zu glauben, ... das ist der Vorzug unserer Zeit. Die That hilft dem Menschen zur Seligkeit. Lesen Sie es nicht im zweiten Theil vom Faust? Der Doctor wird selig, weil er activ wird und ein paar Gruben gräbt, und der Teufel und das deutsche Volk ist um die Höllenfahrt geprellt."[94] Das war ein scharfes, wenn auch plumpes Wort gegen die schon auf=

kommenden einseitigen Tat=Verherrlicher; Goethe bekam dabei gleicher=
maßen sein Teil ab.

Ein anderer, „echterer" Jungdeutscher, der um acht Jahre jüngere
Ferdinand Gustav Kühne, ließ im selben Jahr 1835 ebenfalls einen
Roman erscheinen, der damals, allein schon seines bizarren Titels we=
gen, Aufsehen erregte, ‚Eine Quarantäne im Irrenhause. Novelle aus
den Papieren eines Mondsteiners'. Auch Kühne kam in diesem Buch
auf das, seit Erscheinen des Zweiten Teiles, neuerlich aktuell gewordene
Faustproblem zu sprechen. Er verhöhnte es als deutsches metaphysisches
Relikt, das nicht mehr in das moderne Völkerleben passe. Denn das
beliebte (faustische) Stichwort „Tat" wurde in diesen Kreisen nicht
ernst genommen; mit scheinbar gleichen Begründungen wie wenig
später von Wolfgang Stich, nur daß man eine andere Seite des Ge=
dichtes ebenso einseitig hervorkehrte, wurde hier Faust gegenteilig als
durchaus unbrauchbar für die „realistische" Gegenwart abgelehnt,
Typus jetzt eines verhängnisvollen Idealismus. „Ist die ganze specula=
tive Richtung der deutschen Philosophie, das Absolute..., in seiner
ewigen Construktion vom Anfange bis zum Ende der Welt, begreifen
zu wollen, nicht ein Überheben der Creatur über sich selbst, nicht eine
titanische Himmelstürmerei?" fragte Kühne,[95] mit ihm recht wunderlich
anstehendem theologischem Vokabular. Darum solle man Faust —
wieder ein neuer Vorschlag eines „passenderen" Dichtungsschlusses —
derart darstellen, daß sein grübelnder Verstand schließlich im Wahn=
sinn ende. Der „deutsche Nachtwandler" müsse in Faust sich selbst
wahnsinnig erblicken.

Aber Kühne hatte, wie vor ihm Arnim, weitere Vorschläge für solche
„genaueren" Schlüsse bereit. „Fausts Ende ließe sich auch noch in an=
derer Weise denken. Ich hatte einmal den Plan entworfen, ihn als
einen Mann darzustellen, der sitzt und sinnt und sich starr und todt
grübelt." Diese langsame Versteinerung Fausts wird im einzelnen aus=
gemalt — ein Hohn auf die philosophische Epoche. „Alles ist kalter und
todter Stein, der ganze deutsche Mann ein Anthropolith. Ach, ach! wir
müssen entweder den Faust in uns sterben lassen oder wir werden mit
ihm zu Stein": so die gewiß „antifaustische" Quintessenz dieser Satire
auf die deutsche (philosophische) Weltfremdheit, die „keck und grell"
mit der Gestalt von Goethes Faust gleichgesetzt wurde. Doch mit solcher

Satire auf die deutsche Pedanterei und Philisterei sei es allein nicht getan, fuhr Kühne fort. Es fehlten noch die starken Geister, die den Deutschen endlich um und um kehrten. *„Solange man den Faust in uns nicht ertödtet, hat man den Nerv des Unheils nicht erfaßt.* Börne's diabolische Ruthenstreiche haben nur die Oberfläche des deutschen Wesens getroffen . . .; wer hat uns aber das Herz im Innersten umge= wendet, das dunkle metaphysisch verwachsene Herz mit seiner Sucht, sich einzuspinnen in eitel Spinngewebe? wer hat *das Faust'sche Gelüst in uns* zerstört? das speculative Brüten über die Geheimnisse Gottes uns verleidet? — Der alte Faust lebt noch, er geht noch um am lichten Tage in der deutschen Geisteswelt. Das Hegel'sche System, dies laby= rinthische Gebäu mit den tausend Kammern, ein Werk des deutschen Fleißes, das die ägyptische Architektur hinter sich läßt, von dem aber die Sonne der griechischen Schönheit ihr Auge abwendet, — das ist das neueste Stück Arbeit vom alten Faust. Ist er nicht steinern geworden, er wie sein Werk, denn seine Werke und er sind eins —?"[96] Gut heinisch wurde Faust über Hegel visiert und ironisiert. Mitten in dieser nicht witzlosen Suada fällt das Beiwort „Faust'sche", noch in statu nascendi unmittelbar aus dem Hauptwort heraus gebildet, aber kompromißlos negativ angesetzt, ein Wort ironischer Abwehr und satirischen Zu= schlagens. Die junge Generation, die ein anderes Deutschland schaffen möchte, dies jedenfalls rhetorisch vorgab, empörte sich über das „Faust'= sche Gelüst" endlosen spekulativen Brütens und Spinnens, über die ägyptische Totengräberei; Hohn und Spott, Verachtung und Ungeduld lag darin, wenn auch, schon der Rahmen weist darauf, alles ein wenig leichtsinnig, witzelnd, effektsuchend blieb. Die Klingersche Abgrund= Laune war dies nicht mehr, noch nicht der politische Ernst des Gervinus.

Aber doch: der Hieb gegen den „steinernen Mann, den alten anthro= politischen Faust" saß, zumal wenn schließlich, scheinbar resignierend, festgestellt wurde, daß Faust nicht zu töten und zu vernichten sei, er fahre nie gen Himmel, sondern immer wieder „in die deutsche Haut, er bleibt in Deutschland und ein Deutscher".[97] Jedenfalls wurde hier ein sich bildendes „faustisch" („Faust'sche") — verallgemeinernd, die Goethesche Dichtung nicht mehr beachtend — als ein aggressiv spöt= tisches, den Deutschen in seiner Schwäche und Narrheit treffendes Wort gesetzt. Ein irgendwie verbindlicher Sprachgebrauch ist zu diesem

Zeitpunkt weder zu erwarten noch zu fassen möglich; wir sind mit dieser Verwendung im selben Jahr 1835, in dem Carus seine „Faustische Natur" fand und beschrieb. Fortschritt und Rückschritt, Zukunfts= hoffnung und Aberglaube, Geisteshöhe und Philisterei, alles dieses verband sich vermischt im Namen Faust — und in „faustisch".

Kühne hat, als Redakteur der ‚Zeitung für die elegante Welt', dort 1835 nochmals zu Faust Stellung genommen,[98] allerdings später ge= schrieben als der Irrenhaus=Roman, im ganzen versöhnlicher und gegen Goethe gerechter, wenn auch ‚Faust' ihm nach wie vor als endgültiger Schlußstein der „metaphysischen" Epoche galt; das hatte schon Heine behauptet, das gleiche wird Gervinus behaupten.

‚Faust und kein Ende!' lautete die geschickte Artikel=Überschrift. Sie wandte sich, über Goethe hinweg, gegen die neuen Dramatisierungen des Stoffes durch Lenau und Braun von Braunthal. Am Anfang schlug Kühne denselben „kecken" Ton an wie in dem Romankapitel. „Will denn unter den Deutschen Niemand aufstehen, der genug Aristopha= nische Keckheit und Aristophanischen Tiefsinn besitzt, um die alte deutsche Faustmythe zu travestiren und mit einem Satyrspiel die ele= gischen Quälereien unserer Poeten zu beenden? Der Faust sitzt dem Deutschen wie Blei auf den Schultern, hat sich ihm ins Herz genistet, in sein Blut eingesogen; wir sitzen und dichten und dämmern über das Schicksal, das wir in uns selbst tragen, wir käuen und käuen daran und können uns selbst nicht verdauen."

Nach Goethes ‚Faust' sei es ein für allemal genug; „Fäustchen" brauchten die Deutschen nicht mehr. Auch sei Goethes Faust, „der meta= physische Sünder" — damit kam Kühne auf Goethes Dichtung selbst und ihre Einordnung zu sprechen — auf durchaus „loyale Weise" end= lich in den Himmel gekommen; wozu also weitere Höllenfahrten? Goethe habe das Kapitel des metaphysischen Faust abgeschlossen. Zwar bleibe diese Figur ein bedeutendes Symbol der modernen Welt, inso= fern „wir Alle" an ihrer metaphysischen Sünde teilhätten. Doch jetzt bedürfe es des Schrittes, des Fort=Schrittes in die neue Stunde der Welt= geschichte (das war der gemeinsame Grundton dieser Generation: nur die Bewertung des ‚Faust' und seiner Botschaft für diesen Fortschritt wechselte; und gleichermaßen verlagerte sich Bedeutung und Gewicht des immer noch seltenen Wortes „faustisch"). „Den metaphysischen

Faust hat der alte Göthe fertig gedichtet und gerettet", faßte Kühne sein Urteil im Sinn dieses erwünschten und erwarteten Fortschrittes zusammen. „Faust aufgeben, hieße die ganze moderne Welt aufgeben, denn Faust sind wir Alle selber, und so war es Göthe's Vermächtniß, diesen Vertreter der modernen Menschheit nach überwundenem Leben in den Schooß der ewigen Seligkeit zu betten. Wollt ihr noch immer an der alten Sage dichten, so zeigt uns den Faust im Völkerleben und in weltgeschichtlicher Bewegung. Dies hat der Patriarch von Weimar nur mit schwächlicher, mit schwankender Hand in seinem zweiten Faust= theile gezeichnet." Denn „. . . der weise Mann des alten Deutschlands hatte keinen rechten Sinn für Völkerleben, Staatenentwicklung, Welt= geschichte. Das sind die Schwächen und die Lücken in der großen Dichtung; wer diese zu füllen weiß, mag an der Sage weiter dichten."[99] Bei vorsichtiger Anerkennung der Goetheschen Position und Leistung wurde doch, im Gegensatz zu Wolfgang Stich, ein kräftiger Trennungs= strich zwischen ihm und dem „jungen Deutschland", zwischen Faust und dem „realistischen" Geschlecht gezogen.[100] Von hier waren weitere „faustische" Idealisierungen, etwa in Richtung Düntzers und seiner Nachschreiber, nicht zu erwarten. —

Noch weniger von seiten jeder theologischen Haltung, wie schon bisher aus den Quellen deutlich wurde. „Im Faust . . . wird über das gescherzt, was nicht angetastet werden kann, ohne das tiefste Gefühl des Menschen zu kränken, was er auch denken und glauben oder nicht glauben mag"; er verletze oft roh und gesucht das „Gefühl für Anstand und Schicklichkeit" und empöre „den gesunden Sinn, so lange dieser sich nicht durch eine falsche Vorspielung von Genialität irre machen läßt", erklärte kategorisch der Anonymus, der 1835 — nochmals in diesem auffälligen Jahr — die vielbeachtete Schrift ‚Goethe und sein Jahrhundert' erscheinen ließ[101] (gegen die sogleich Düntzer in seiner Faustschrift von 1836 polemisierte).[102]

Doch die Höhe der Diskussion auf der Ebene des Carus wurde, sofort ein Jahr nach dessen „Faustischen Briefen", allein in einer Schrift er= reicht, deren Verfasser der bedeutende dänische Theologe Johannes Martensen war. Damit vereinten sich in Jahresfrist die beiden Kreise, in denen damals das „Faustische" ebenbürtig diskutiert worden ist: der Weimarisch=Dresdnerische und der Wienerisch=Münchnerische.

Hans Lassen Martensen (1808—1884), in Flensburg geboren, war seit 1854 Bischof in Kopenhagen;[103] dort hielt er seinem Vorgänger, Bischof Mynster, die Totenrede, die Kierkegaard, kurz vor dem eigenen Tode (November 1855), zu dem heftigen Angriff auf die Staatskirche veranlaßte. Martensen hatte 1834—1836 in Deutschland studiert (Ber= lin, Heidelberg, München) und war von deutscher Mystik und Roman= tik stark bewegt und beeinflußt worden, dazu von Hegel, Schelling und vor allem von Franz von Baader, von dem er — 1835 lernte er ihn und Schelling in München persönlich kennen — nachhaltige Eindrücke empfing; noch in seinen Lebenserinnerungen von 1882 bekannte er sich zu ihnen.[104] Das Primat von Glauben und Offenbarung als notwendige Voraussetzung aller menschlichen Erkenntnis hatte dieser protestan= tische Bischof aus der religiösen Philosophie Baaders für sich unver= rückbar erfahren. Im Frühjahr 1836 ging er für kurze Zeit nach Wien, wo er Lenaus Bekanntschaft suchte und bald mit dem Dichter Freund= schaft schloß, dessen soeben erschienenen ‚Faust' er, in der ersten Fas= sung, vorher während eines Aufenthaltes in Melk gelesen hatte — in jenem Melk, wo der Benediktiner Michael Leopold Enk lebte, der den Weg zu Lenau vermittelt haben könnte. Von Baader in München über Enk in Melk zu Lenau in Wien — diese alte „katholische" Straße führte den Dänen Martensen zu Faust. In Lenaus Gedicht sah er diesen „christ= lichen" Stoff in der einzig wahren Art dargestellt; Goethe sei ihm nicht gerecht geworden.[105] Die Frage, wie weit Martensen selbst auf Lenaus weitere Umarbeitung noch eingewirkt haben dürfte, unter ausdrück= licher Vermittlung von Gedanken Baaders, den auch Lenau bald per= sönlich kennen lernte,[106] kann hier nicht angeschnitten werden. (Die „Zweite, ausgeführte Auflage" erschien erst 1840 bei Cotta.) Jedenfalls hat Lenau selbst Martensens orthodox=christlicher Auslegung seines Werkes damals, 1836, zugestimmt; an Martensens und Baaders starkem Einfluß auf den schwankenden Lenau ist nicht zu zweifeln,[107] ebenso wenig an der Begeisterung des 28jährigen Theologiestudenten für Lenaus angeblich streng christliches Gedicht, das allein den Rettungs= weg des Glaubens zu zeigen vermöge.[108]

Das waren die persönlichen und geistigen Hintergründe, aus denen die kurze Abhandlung Martensens ‚Über Lenau's Faust' sogleich 1836 entstand,[109] niedergeschrieben nach vielen Gesprächen, die er in Wien mit Lenau über dessen Gedicht führen konnte.[110] „Ich theilte sie ihm stückweise mit, wie ich sie niederschrieb, und erwarb seinen vollen und ungetheilten Beifall."[111] Die Widmung des christlich=mystischen ‚Savonarola', in der ersten Auflage von 1837, an „Herrn Dr. Johannes Martensen in Kopenhagen" war der öffentliche Dank Lenaus.[112]

Martensens Interpretation des Lenauschen ‚Faust' als solche soll uns nicht beschäftigen. Hier interessiert die polemische Einleitung auf den ersten zehn Seiten dieser Schrift, die von der „Faustidee" im allge= meinen und ihrer (abgelehnten) dichterischen Verwirklichung durch Goethe im besonderen handelte und wo zweimal das Stichwort „Fau= stisch" in einem nunmehr entscheidenden Zusammenhang fiel — als ein Wort *gegen* die Goethe=Hegel=Zeit, in dem sich für Martensen die „Tragödie des Zusammenbruchs der subjektiv=idealistischen Philoso= phie",[113] letztlich der ganzen „Neuzeit" sammelte, wobei er sich aus= drücklich auf Baaders ‚Vorlesungen über religiöse Philosophie' (Mün= chen 1827) berief. In Wien niedergeschrieben, faßte dieses luziferische „Faustisch" die Ablehnung des altkatholischen bairischen Raumes zu= sammen, so wie des Carus „Faustische Natur" die eigenständige Goe= thesche Intention ein Jahr zuvor in dieses neue Wortzeichen zu bringen versucht hatte.

Goethe habe die Idee der christlichen Sage nicht in ihrer Tiefe er= faßt — Lenau gestalte sie aus einem grundsätzlich anderen geistigen Gesichtskreis: *„welcher* aber der wahre sey, ist eine Frage, die mit den höchsten geistigen Interessen der Zeit zusammenhängt". In solchen weiten Perspektiven begann Martensen seine Untersuchung der „Idee der Faust=Sage". Er bringt sie sogleich, wie er definiert, auf „ihre letzte Wurzel . . . ., auf das Centraldogma der geoffenbarten Religion, das Grund=Mysterium und Wunder alles Lebens: die Idee des Schöpfers in seinem Verhalten zur Creatur". In dieser Realität, von der sich abzu= wenden „Abfall vom Schöpfer" selbst und „directe Opposition und Lüge" bedeute, liege allein der entscheidende tragische Wendepunkt des Fauststoffes, „wo der Zweifel entweder im Glauben ersterben oder in die absolute Verzweiflung übergehen muß . . ."; denn diese Schranke ist nun nicht mehr „die bloß theoretische des Endlichen und Unend= lichen, nicht mehr die Gränze des Erkennens, sondern des Seyns; und indem der Mensch diese Gränze überspringen will, und sich gegen den

Schöpfer opponirt, ist er zugleich in fortwährender Opposition und ununterbrochenem Wüthen gegen seine eigene Natur begriffen ...". In Faust, Verkörperung des „absoluten Geistes", versuche also der er= schaffene Geist mit seinem Schöpfer um die geistige Ebenbürtigkeit zu streiten und zu rechten, wodurch „dieser gefallene Stern der Mensch= heit zugleich Gegenstand der höchsten Rührung und des tiefsten tra= gischen Interesse's" werde. Von solchen allgemeinen theologisch=philo= sophischen Setzungen her (die begriffliche Schulung bei Hegel, Schelling und Baader klingt hindurch) gewann Martensen die ebenso allgemeine Bedeutung seines „Faustischen" als eines radikalen, gegen die Aner= kennung des Schöpfers gerichteten menschlichen Aufbegehrens. „Es enthält diese Idee einen unerschöpflichen Quell der Dichtung", führt Martensen den Gedankengang fort; „denn da das Wesen nicht in der äußeren Begebenheit oder in der Entwickelung des einzelnen Individuums liegt, sondern hier alles zugleich symbolisch ist; da der Inhalt hier eine innere Geschichte ist, die sich um das ewige Verhältniß der Menschheit bewegt, und da *das Faustische Bestreben der Menschen sich durch das ganze Zeitleben* hinzieht: so wird die Idee in verschiedenen Epochen der Zeit auf neue Weise hervortreten, und sich auch neu und wieder- geboren in der Dichtung abspiegeln können."[114] Das Faustische Bestre= ben *der Menschen* durch das ganze Zeitleben: deutlicher ist die mit diesem „Faustisch" gemeinte und erreichte generalisierende Abstraktion kaum zu formulieren — ein historischer Begriff luziferischer Größe, Ironie, Eitelkeit, Auflehnung und bösen Abfalles zugleich, der sich Martensen aus der „Idee" des Fauststoffes, als eines christlichen Para= digmas, ergab; ein Begriff, der zwar höchste Energien des Menschen andeutet, die dieser aber durch alle Zeit und Geschichte zu tragischer Opposition wendet; im ganzen: der unchristliche Mensch, der den Schöpfergott negiert — der „faustische Mensch".

Denn wie immer ein Dichter mit dem Fauststoff fertig werde: die „Idee des Schöpfers" dürfe er in ihm niemals aufgeben, solle sein Werk nicht Spiegelfechterei, ohne tragischen Ernst, das heißt „höchst unvoll= kommen" werden. Es ergehe dem Künstler dann wie Faust selbst; „wie dieser in seinem Versuche, das Gewissen mit Ironie zu behandeln, in seinem Streben den Schöpfer herabzusetzen und selbst Gott zu werden, wohl manchen Anlauf nimmt, der wahrhaft genial zu nennen ist, im

Ganzen aber den Kürzeren ziehen muß: so wird der begabte Dichter in seinem Streben, die christliche Idee, die als ein Absolutes genommen werden will, zu einem Relativen herabzusetzen und ironisch nach seinen eignen Ansichten zu modeln, nur der hohen Ironie dieser Idee unter= liegen, und mit allem Aufwand von Genialtät, mit dem ganzen Reich= tum der Sprache, mit allen Mitteln, die der Kunst zu Gebote stehen, uns nur das Schauspiel eines großartigen poetischen Bankerutts geben. Nach unserer Überzeugung findet dieses seine Anwendung bei dem Goethe'schen Faust."[115]

Mit dieser Erklärung des „poetischen Bankerutts" war der Kern der Polemik erreicht; von da aus konnte der ‚Faust' Lenaus als die ge= glücktere Gegenlösung interpretiert werden. Weder Gottvater noch Gottsohn haben ernstlich einen Platz in Goethes Dichtung, in der „überhaupt keine wirkliche Weltanschauung zu finden sey"; einzelne Momente in ihr seien zwar großartig und unvergleichlich. Aber das alles seien nur „die disjecta membra eines Faust". Nur wenn Goethe sich in die christliche Weltanschauung hätte finden können, würde er uns „einen *ganzen* Faust" gegeben haben. „Wie er aber in eine Zeit hineintrat, die eine Fülle lebendiger Geisteskräfte in sich trug, denen aber der Mittelpunkt fehlte; wie in dieser Zeit tiefe Anklänge des Christenthums vernommen wurden, ohne daß jedoch das Christenthum selbst in ihr Wurzel faßte, so gibt jenes merkwürdige Gedicht uns ein Bild der geistigen Bewegungen und Schwankungen dieses Zeitalters, und hat insofern eine bleibende geschichtliche Bedeutung."[116]

Auch die universalhistorische menschheitliche, empörerische Ansicht des „Faustischen" erfuhr dadurch, daß am ‚Faust'=Gedicht Goethes das innerste Bestreben eines ganzen Zeitalters abgelesen wurde, ihre schär= fere, genauere, zeitkritische und zeitpolemische Konturierung. Marten= sen ging, mit ein paar scharfen Sätzen, zum Angriff gegen die ge= samte zeitgenössische Philosophie über, soweit diese, wie er glaubte, in Rationalismus und Pantheismus beharrte. Und das hieß Hegel und Goethe gemeinsam, gesehen über Franz von Baader. „Die Philosophie der modernen Zeit, das alte credam ut intelligam aufgebend und mit Cartesius ihren Ausgangspunkt in Zweifel nehmend, hat ihr Cogito ergo sum, diese Selbstposition des menschlichen Geistes, in seiner Ab= straction vom Schöpfer,[117] in Hegel vollendet, und die verschiedenen

Formen des philosophischen Rationalismus sind in den Hegelschen Pantheismus als Momente aufgenommen worden. Schon ist aber von mehreren Seiten die Stimme laut geworden, daß die Surrogate des Pantheismus dem speculativen Geiste keine wahre Befriedigung geben, und daß der die Wahrheit suchende Geist diese nur in seinem Schöpfer finden könne. Der dem Zweifel und dem abstracten Denken anheim= gefallene Geist sucht jetzt das Leben und die Versöhnung in dem lebendigen Gott, und der erste Schritt hiezu ist das Bekennen seiner Creatürlichkeit. *Das ganze Streben der modernen Philosophie war in seinem innersten Wesen ein Faustisches.*"[118]

Die Verselbständigung eines derart lapidar gesetzten „Faustischen", in ihm mit großer Geste das ganze Zeitalter kritisch umfassend und einschränkend, wurde von dem Dänen Martensen sprachlich noch einen Schritt über Rosenkranz und Carus hinausgeführt. Jenes so und so definierte „Faustische" eines menschlichen Typus („Natur"), das in der erstzitierten Anwendung durch Martensen noch mitschwang, wurde erweitert (oder auch: konkreter eingeschränkt) zu einem Sammelwort für das gegenwärtige Zeitalter und dessen innerstes, aber fragwürdiges Wollen. Die „Moderne", verkörpert im Hegelschen „Rationalismus" und „Pantheismus" (und in Goethes heidnischer Faustdichtung), wurde von diesem jungen Theologen, aus gesicherter Position des Glaubens, als „faustisch" abgelehnt und in ihre Grenzen gewiesen. Die Aufleh= nung gegen den Schöpfergott, die menschliche Abstraktion vom Schöp= fer, der Zweifel und die Verzweiflung des sich selbst setzenden ratio= nalen Denkens, die „Verseichterung" in spekulativen Surrogaten, der Rückzug auf das Ich und das Selbstbewußtsein, Grund„freiheiten" also des 18. und 19. Jahrhunderts, wurden mit diesem Wort „faustisch" abgetan, das, sieht man genau hin, bei Martensen seine Wurzel nicht in Goethes ‚Faust' hat, denn dieser fiel selbst unter den Bannspruch, sondern in der „christlichen Idee" der sogenannten Faustsage, des Volksromans, der frühen Verkörperung des sich empörenden und dem Zweifel, schließlich der Hölle erliegenden „modernen" Menschen. In dem Satz: „Das ganze Streben der modernen Philosophie war in seinem innersten Wesen ein Faustisches", formuliert in Wien, ein Jahr nach den ‚Faust'=Briefen des Carus, vereinigte sich der gesamte damalige theologische Widerspruch beider Konfessionen gegen die in der Goe=

theschen Dichtung dargestellten Zeitströmungen und gegen den darin gestalteten modernen Typus.[119]

Was bei Rosenkranz ein Wortbegriff dieses modernen Selbstbewußt=
seins, bei Carus ein Ausdruck höchsten, sich läuternden Menschentums war, bei Kühne andeutungsweise ein kritisches Hohnwort gegen das deutsche metaphysische „Unheil", wurde bei Martensen, in weitestem Bezug, zur Bezeichnung der neuzeitlichen, ihm längst als gescheitert geltenden Auflehnung gegen „das Grundmysterium und Wunder allen Lebens". So können Geschichte und Geschick des deutschen Geistes kurz nach Goethes Tod an diesem „neuen" Wort abgelesen werden; dessen innere Schichtung öffnet sich der sprachlichen Analyse; die beiderseitigen ideologischen Frontversteifungen und Wortübertreibungen sind voraus=
zuspüren.

*

Auch angesichts der Schrift Martensens muß, wie nach der um ein Jahr älteren des Carus, wiederholt werden, daß gegenüber solchen grundsätzlichen Definitionen andere Verwendungen von „faustisch" in diesen Jahren flach und zufällig wirken. Ebenfalls 1836 erschien das Buch des in Weimar geborenen damaligen Direktors der Bremer Ge=
lehrtenschule, Wilhelm Ernst Weber (1790—1850): ‚Goethe's Faust. Übersichtliche Beleuchtung beyder Theile zu Erleichterung des Ver=
ständnisses',[120] in dem er Goethes Dichtung als den „Widerstreit zwi=
schen Glauben und Wissen" darzustellen versuchte. Weber benutzte „faustisch" nur einmal, am Anfang seiner Schrift; er sprach dort von den „Elementen des Faustischen Mythus", als den Elementen der Volks=
sage von D. Faust.[121] Die possessive Bedeutung ist zunächst klar, auch noch zeitgemäß. Aber durch die nähere Beschreibung dieses „Mythus" erfuhr das Adjektiv eine Ausweitung, die eher wieder ins Negative gewendet erscheint; denn hier wurde den Lesern der Volkssagenheld durchaus in seiner „halbheidnischen Frivolität" und Lüsternheit vor=
geführt. So wenig ein solcher Beleg überbetont zu werden braucht, auffällig bleibt dennoch, selbst wenn nur possessive Bedeutung anzu=
nehmen ist, daß Weber dieses gerade erst in der wissenschaftlichen Literatur sich durchsetzende Beiwort allein in ein rein „negatives" Feld stellte und damit, sicherlich unbewußt, ältere Tradition fortführte.

Ähnlich lag der Fall bei dem Leipziger Philosophen Christian Her=

mann Weiße (1801–1866), dem Dichter=Enkel, der 1837 seine ‚Kritik und Erläuterung des Goethe'schen Faust. Nebst einem Anhange zur sittlichen Beurtheilung Goethe's'[122] veröffentlichte, damals und auf Jahrzehnte hin eine bedeutende ‚Faust'=Untersuchung, weil Weiße zum erstenmal kritisch=philologisch vorzugehen bemüht war, also ‚Faust' als Dichtung besprach und mit diesem Verfahren gegen die bis dahin allein üblichen philosophisch=allegorischen Ausdeutungen anging. Er bestritt auch den oft behaupteten Theodicee=Charakter des Gedichtes; er selbst kennzeichnete es als ein nie abzuschließendes Fragment, wes= halb ‚Faust II' eine ganz neue Dichtung gegenüber dem ersten Teil sei. Das Adjektiv „faustisch" benutzte Weiße mehrfach in bekannter possessiver Art, wie „„Faustische Sage"[123] als Sage von Faust, „Fausti= sches Studierzimmer",[124] „Faustisches Schloß"[125] als Studierzimmer und Schloß des Faust; desgleichen prädikativ: Weiße lehnte den Selbstmord= versuch Fausts bei Goethe ab und fand dessen Darstellung psychologisch mißglückt und übersteigert — „eine Ekstase der Art..., wie diese Fau= stische, wird von dem Vorwurfe entschiedener Unnatur schwerlich je befreit werden können."[126] Auszuweiten versuchte Weiße die Worte „Faust, faustisch" erst an einer Stelle, wo er über Byron als Vorbild für Euphorion sprach. Byron sei, „möchten wir sagen, ein wirklicher, geschichtlicher Faust", freilich mehr im Sinn der „Sage" als der Dichtung Goethes. „Der tiefste, innerste Sinn der Sage hat vielleicht noch in keiner bekannten geschichtlichen Erscheinung sich so vollständig be= thätigt, wie in diesem gewaltigen, aber eben so unseligen, als gewal= tigen Geiste." Beides habe Goethe freilich nicht in ganzer Tiefe erfaßt. So konnte Weiße die Behandlung Byrons durch Goethe parallel zu dessen Behandlung der „Faustischen Sage" (so zweimal an dieser Stelle) setzen, „in der seine milde und verklärende Poesie das Böse, Verruchte und Dämonische gleichfalls nur als ein Excentrisches darstellt".[127] Auch hier glitt „faustisch", wiederum von der Faustsage ausgehend, in eine Art Sammelbegriff über, der einen allgemein in der Menschheit vor= kommenden, dämonisch=verruchten Typus kennzeichnen und beschrei= ben könnte. Der Schritt zu der (möglichen) Formulierung, Byron sei demnach der Prototyp dieses unseligen „faustischen" Menschen, war nicht mehr groß.[128]

Exemplarisch für das langsame Eindringen dieses Adjektivs in die

Umgangssprache, dabei wieder ohne jeden Zweifel in negativer Ge=
läufigkeit, erscheint mir ein Zeugnis, das gerade wegen seiner privaten
Form und scheinbaren Zufälligkeit gewichtig ist: ein Brief des recht
literaturfremden Vaters von Karl Marx, Heinrich (Herschel) Marx,
vom 2. März 1837 an den in Berlin studierenden Sohn, besorgt um
dessen gegenwärtiges und künftiges Lebensschicksal. „Ob Dein Herz
Deinem Kopfe, Deinen Anlagen entspricht? —", fragte sich und ihn der
Vater. „Ob es Raum hat für die irdischen, aber sanftern Gefühle, die
in diesem Jammertale dem fühlenden Menschen so wesentlich trost=
reich sind? Ob, da dasselbe offenbar durch einen nicht allen Menschen
verliehenen Dämon belebt und beherrscht wird, dieser Dämon himm=
lischer oder faustischer Natur ist?"[129] Diese Antithese wirkt, für unser
heutiges Sprachempfinden, erschreckend vereinfacht; „faustisch" rückte
hier beinahe oder ganz anstelle von „höllisch, teuflisch", als sollte da,
spiegelverkehrt, eigentlich „mephistophelisch" stehen. Jedenfalls wurde
der „faustische" dem himmlischen „Dämon" diametral gegenüberge=
setzt: wieder das Unselige, Verruchte, das Verkehrte und Verderbliche,
das einem großen Teil der Zeitgenossen ausschließlich in diesem Wort
aufklang. „Natur" steht hier selbstverständlich als lässige Umschrei=
bung für „Art und Weise". Jede Annäherung an die „Faustische Natur"
des Carus, zwei Jahre vordem öffentlich beschrieben, ist ausgeschlossen,
wie auch, mit größter Wahrscheinlichkeit, jede Andeutung eines kämp=
ferisch=zwiespältigen, ringenden, strebenden Prozesses. Dieser „Dä=
mon ... faustischer Natur" meinte den dunklen, den Gegendämon
zu den himmlischen Mächten, denen allein Vater Marx den dämonisch
gefährdeten Sohn überlassen möchte. Eine solche Briefstelle, aus der
Intimsphäre zweier sich nahe stehender Menschen stammend, vermag
vielleicht eindringlicher als mancher gedruckte Satz aufzuzeigen, wie
in diesen Jahrzehnten hinter „faustisch" meist noch das Abgründig=
Vernichtende stand, der unselige D. Faust des alten Teufelsbundes mit
seinem „geschwinden Kopf", von jeder himmlischen Hoffnung ver=
lassen.[130]

Am Ende dieses ersten Untersuchungsabschnittes, der Jahre um Goe=
thes Todesdatum, stand schon einer jener banalisierenden Vereinfacher
des „Faustischen", die in späteren Jahrzehnten dieses Wort zur täglichen
Kleinmünze ihres großsprecherischen Pathos abnutzten, der verkrachte

Erlanger Privatdozent Johann Leutbecher (1801—1870).[131] Seine ebenso umfangreiche wie unselbständig zusammengeschriebene, ihrerzeit je= doch häufig zitierte Arbeit 'Ueber den Faust von Göthe. Eine Schrift zum Verständniß dieser Dichtung nach ihren beiden Theilen für alle Freunde und Verehrer des großen Dichters', 1838 zu Nürnberg er= schienen, wurde für die Durchbildung eines „Faustischen Wesens" und „Faustischen Strebens" wichtig, trotz ihrer schwammigen Ausdrucks= weise. Oft ist bei Leutbechers Prägungen nicht mehr zu unterscheiden, ob er „faustisch" possessiv oder schon in einem weithin verallgemeinern= den Sinn gebraucht. Wenn er in einem Kapitel über die „Malerkunst" von der „geistreichen Auffassung des Faustischen Lebens"[132] durch deutsche Künstler sprach, war gewiß einzig das Leben Fausts selbst, nach der Dichtung Goethes, gemeint. Viele andere Stellen aber, wo er „faustisch" verwendete, glitten über solchen konkreten Bezug hinaus, gemäß Leutbechers Leitsatz: „... weil *jeder Mensch eine Art Faust ist"*,[133] oder: „Faust ist ein Typus, wovon jeder eine mehr oder minder gelungene Kopie ist".[134] Von solcher Voraussetzung her gewann schließlich das „Faustische Wesen" seine Allgemeinverbindlichkeit. Es wurde zwar bei Leutbecher noch nicht überall eindeutig von Goethes Dichtung isoliert;[135] es meinte wohl immer noch „des Faust" mit, aber ebenfalls schon „Jedermann", der „strebt" und der darum „faustisch" genannt werden könnte, und also faustisch „ist". Dieser Verselbstän= digungsprozeß, das Ablösen vom konkreten Ausgang, blieb bei fast allen Verwendungen Leutbechers genau spürbar.

„Faust war und ist ein Name und eine Idee",[136] „die Geschichte vom Faust, die Geschichte der Menschheit und jedes einzelen menschlichen Individuums, enthält das Urevangelium der Menschheit"[137] — diese und ähnliche sogenannten Definitionen mußten von selbst, war erst das Wort „faustisch" als dafür geeignet befunden worden, zu einer ebenso leeren Verabsolutierung drängen. Im Übergang zu ihr hieß es bei= spielsweise bei einem Vergleich antiker und christlicher Dichtkunst und beider verschiedengearteter „gottinnigen Weltansicht": „So ist das Prometheische Wesen etwas ganz Anderes als das Faustische; gleich= wohl ist beides *eigentlich ein Höchstwesentliches*, jenes des Griechen= thums, dieses des Christenthums"[138] (wobei hier die angenommene Faustsage, nicht etwa Goethes Dichtung gemeint war). Oder: „Da es indessen von hohem Interesse ist, zu erfahren, wie *das Faustische Wesen* von dem Geiste des katholischen Spaniers aufgefaßt worden ist . . .",[139] gab Leutbecher, um seine Seiten zu strecken, von dem Ma=gus=Spiel Calderons eine ausführliche Inhaltsangabe.. Dieses Faustische Wesen, „eigentlich ein Höchstwesentliches", ist fast schon selbständiger Begriff geworden. Wo Leutbecher Don Juan und Faust zusammen be=sprach (Grabbe), wurde diese Verselbständigung eindeutiger; Don Juan „nähert sich", hieß es, „. . . dem speculirenden Character des Faust, allein gleichwohl sitzt das Faustische Wesen ihm doch nicht so tief, daß es ihn hätte verzweifeln lassen . . .".[140] Hier gebrauchte Leut=becher Faust und „Faustisches Wesen" schon nebeneinander, wobei letzteres den Oberbegriff abgibt. Noch deutlicher wird dieser Übergang an einer Stelle, wo von der „sinnvoll angelegten" Allegorie der Goethe=schen Dichtung gesprochen wurde: „Der Grundgedanke der Dichtung fordert also ein Fortstreben des Faustischen Geistes, und dieser For=derung genügt der Dichter in dem zweiten Theile der Dichtung." Könnte man bei solcher Zusammenstellung immer noch zweifeln, ob damit nicht doch nur, konkret, der Geist „des" Faust gemeint war, nur pompös ausgedrückt, so wird dieser Zweifel eine Seite später behoben, wo die generalisierende Formulierung schon selbstverständlich, mit großer Geste, eingesetzt wurde. „Was *der Faustische Geist*, was Göthe und jeder [!] geistig thätige Mensch . . . in seiner Jugend erlebt, thut und duldet, im Kampfe mit dem Wesen des Mephistopheles, das ist nur geeignet, die Grundwahrheit der Dichtung nach ihrer ersten Hälfte darzustellen . . ." (die andere Hälfte dieser Wahrheit ist Faust der Mann und Greis: auch der sei Goethe selbst, „oder *jeder Mensch als Faust*" in seinem rastlosen Streben).[141]

Der Faustische Geist war zum Attribut *jedes* tätigen, „rastlos" stre=benden Menschen gemacht worden — ein großes Wort, ein leeres Wort. Diese entwertende Vereinfachung ging so weit, daß Leutbecher endlich behauptete, Goethe, als er den Sagenhelden Faust zum „Beweis" solcher Grundwahrheiten wählte, halte sich im Verfolg der Sage nur „an das Faustische Streben" und habe allein solche Stücke daraus genommen, die zu diesem Faustischen Streben paßten.[142] Sicherlich: der konkrete Wortanstoß ist bei Leutbecher immer noch mitzuhören, aber ebenso deutlich vernehmbar wird der Übergang zu generalisierenden, faktisch jedoch leeren und nur „groß" klingenden Wortgesten wie „Faustisches Wesen", „Faustischer Geist", „Faustisches Streben", die in ihrer Koppelung mit „jeder tätige", „jeder geistige", „jeder strebende" Mensch solches Faustisch „grundlos" verabsolutierten und beliebig ins „Unendliche", ins Vage ausweiteten. Da Faust, als „Repräsentant aller geistig sich bethätigenden Individuen der Menschheit",[143] vollkommen in sich sei, geradezu „eine Theodicee", gleich dem Leben jedes Einzelmenschen,[144] sollte auch das abgeleitete und verselbständigte Adjektiv einen solchen äußersten Wert menschlicher „Größe" bezeichnen.

Trat zu solcher Wertsetzung noch der Zusatz „in dieser *ächt deutschen* Tragödie",[145] war der nationalen Ideologisierung Tor und Tür geöffnet. Eine Generation später war diese Zusammenfügung nahtlos vollzogen.—

So wurde von der Mitte der zwanziger Jahre bis etwa 1840 sowohl die Position als auch die Negation des „Faustischen" zum erstenmal deutlich umrissen. Rosenkranz, Carus, Leutbecher (wahrscheinlich auch Düntzer) versuchten diesem Begriff, als Beiwort und selbständig gewordenem Hauptwort, einen „Hochsinn" zu geben, freilich mit durchaus verschiedener Wertbetonung; dagegen stellten Göschel, Falk, Kühne, Martensen dasselbe Wort ebenso eindeutig in ein negatives Feld. Auf beiden Seiten ist die unmittelbare Bezogenheit auf die eigene Zeitsituation und deren geistige Auseinandersetzung ohne weiteres einsichtig — es wurde mit diesem Abkürzungswort jeweils mehr gemeint, als die Dichtung, von der es stammte, selbst auszusagen gestattete. Die eine Seite, bei Horn, Hinrichs, Düntzer deutlich angelegt, steigerte es schon zu einem Begriff der Auszeichnung deutschen Wesens; die deutsch-faustische Sonderaufgabe bildete sich heraus. Der anderen Seite galt es, theologisch stark betont, als das moderne Verhängnis, das faustische Verhängnis der modernen Welt. Auszeichnungswort und Verhängniswort — „Faustisch" wurde, wenn auch terminologisch meist noch unbewußt, hüben und drüben ein polemisches Wort.

V

DOPPELLÄUFIGE ENTWICKLUNG
ZWISCHEN 1840 UND 1870

Überblickt man in der Perspektive dieser Wortgeschichte die folgen=
den dreißig Jahre, bis zur Reichsgründung von 1870/71, fallen zwei
Beobachtungen überraschend auf. Einmal: mit Ausnahme einer ein=
zigen, abgelegenen, wenn auch für die spätere Entwicklung wahrschein=
lich gewichtigen Stelle, wurde während dieses Zeitraumes die positive
Bedeutung des „Faustischen" in keiner wesentlichen Veröffentlichung,
unmittelbar vom Wort her, weiterentwickelt; dieses Wort, soweit ich
sehe, scheint auch dort nirgends benutzt worden zu sein, wo man
Goethes Dichtung besonders zustimmend behandelte und mit großen
Gesten pries, nicht einmal in ausgesprochen „ideologischen Texten",
die jetzt schon häufiger vorkommen.[1] Dagegen findet man in diesem
Zeitabschnitt an mindestens drei auffallenden Stellen, bei drei der
Öffentlichkeit bekannten Schriftstellern (Gervinus, Köstlin, Spielhagen),
die negative Bedeutung von „faustisch" fast programmatisch vorge=
tragen. Alle drei kamen nicht aus der konfessionellen Polemik, wie
vordem die Theologen Göschel oder Martensen, wo man dies noch am
ehesten erwarten konnte. Denn — und das ist das zweite: trotz vielen
zustimmenden Äußerungen und Abhandlungen über Goethes ‚Faust'=
Dichtung wuchs gerade in diesen drei Jahrzehnten die theologische
Ablehnung beider Konfessionen kräftig an, oft in schärfster Kontro=
verse vorgetragen, — und sie setzte sich nach 1870/71 ungemindert
scharf fort, dann allerdings „öffentlich" zurückgedrängt. Umgekehrt
wurde die positive Ideologisierung des „Faustischen" bis zu einem
idealischen nationalen Hochwort tatsächlich erst ab 1870/71 durchge=
prägt. „Faustisch" in diesem Sinne wurde zu einem imperialen Glanz=
wort des „Reiches". Die eigentliche faustische Ideologie entwickelte sich
erst zwischen 1870 und 1918, zwischen Aufgang und Untergang des
zweiten deutschen Kaiserreiches, in dessen propagandistisches Vokabu=
lar sie gehörte und an dessen Schicksal dieser besondere Wort= und

Begriffsklang des „Faustischen" gebunden blieb. In den Jahrzehnten vor 1870 jedoch wurde, im ganzen gesehen, „faustisch" oder, da dieses Beiwort meist nicht ausdrücklich formuliert wurde, „Faust" eher zu einem *Gegenwort* des erwünschten und ersehnten nationalen Fort=schrittes oder zu einem Gegenwort der zu bewahrenden religiösen und sittlichen Bildung. —

1839 hatte Friedrich Theodor Vischer seine berühmt gewordene erste kritische Sichtung der bis dahin erschienenen ‚Faust'=Literatur in den ‚Hallischen Jahrbüchern' gegeben und damit die erste Periode der ‚Faust'=Auseinandersetzung um 1840 abgeschlossen.[2] Vischer war durch eine Goethe=Vorlesung, die er, fünfundzwanzigjährig, im Winterse=mester 1832/33 bei dem Hegelschüler Heinrich Gustav Hotho in Berlin gehört hatte, zu eingehenderer Beschäftigung mit Goethes Werken an=geregt worden.[3] Bereits 1834 hielt er im Tübinger Stift eine eigene ‚Faust'=Vorlesung, ein Thema, das ihn von da an sein Leben lang be=schäftigte. Merkwürdig, daß trotzdem auch er anfangs die damalige „faustische" Mode mitmachte. In dem 1836 von Eduard Mörike und Wilhelm Zimmermann herausgegebenen ‚Jahrbuch schwäbischer Dichter und Novellisten' veröffentlichte er unter dem Pseudonym A. Treuburg u. a. drei Gedichte (‚Klage', ‚Kein Ende', ‚Der Schlaf'), die er gemeinsam als ‚Faust'sche Stimmen' ausgab.[4] Vischer setzte noch nicht das voll aus=gebildete Adjektiv ein, wie sein schwäbischer Landsmann Gustav Pfizer fünf Jahre vordem mit den ‚Faustischen Scenen'. Gemeint war bei Vischer ein „Faustisch" eigener Erfindung: düsterste Stimmung mo=dischen Weltschmerzes, Mischung aus Faust=Monolog, Klingers Ro=man, Byron und Lenau, ein verwegen zusammengeschneidertes Kostüm, das dem Stifts=Repetenten schlecht anstand und am Ende komisch wirkte. Wenn „die Weltposaune" zum Jüngsten Gericht dröhnen und Gott von seinem Stuhl sich erheben wird, „Und aller Menschen Herzen brechen, / Wenn Todesangst die Welt durchbebt, / Und laut erkracht des Himmels Krone — / Dann ringsum Schweigen fürchterlich — / Dann will ich steh'n vor seinem Throne, / Und fragen: Warum schufst du mich?" Das also wäre „Faust'sche Klage". Oder: „warum denn soll ich leben . . .?" Alles ist „Nichts", die Liebe „Gift", überall nur Qual und Schmerz. „In tollem Schwanken / Wahnsinnig dreht die Welt um mich. / Kein Ende haben die Gedanken, / Und das, und das ist fürchterlich"!

Schließlich bittet er den Tod, „die wilden Gedanken, / Die wahnsinni=
gen, todeskranken" auszulöschen — endloser Schlaf sei das Beste. So
diese schlecht gemachte Pseudodämonie des jungen Vischer.[5] Immerhin:
auch er verstand das mögliche Adjektiv „Faust'sche" damals nur als
dunkle Negation und paßte sich damit zeitgenössischem Gebrauch und
Gehabe an.

Doch schon drei Jahre später legte der Tübinger Professor das sach=
liche Ergebnis seiner ‚Faust'=Studien in den ‚Hallischen Jahrbüchern'
vor. Scharf polemisch und ironisch ging er gegen die zeitüblich ge=
wordenen spekulativen (hegelisierenden)[6] und allegorisierenden Aus=
legungen an, trat aber für eine berechtigte ästhetische Kritik ein, die
sich ihm, bis an sein Lebensende und oft genug ohne rechtes Maß, am
Zweiten Teil entzündete. 1844 veröffentlichte Vischer seinen Literatur=
bericht nochmals in Buchform und gab eine „Vorrede" hinzu;[7] dort
entwickelte er zum erstenmal seine Vorstellungen über einen „politi=
schen" Schlußteil der ‚Faust'=Dichtung, der ihr allein angemessen wäre.
„Goethe gedachte im zweiten Teil seinen Helden in höhere, bedeutendere
Sphären zu führen, aber er hat es schlecht genug angegriffen."[8] Denn
— so behauptete Vischer ganz „jungdeutsch" (und der Vorwurf ging
immer gegen den alten Dichter, den „Allegorientrödler")[9] — Goethe
habe kein Verständnis für die politischen Erfordernisse seiner Zeit ge=
habt, zumal nicht für ihren fundamentalen Umbruch in der französi=
schen Revolution, der „Umschaffung des objektiven Lebens, des Staa=
tes". In einen solchen, oder einen ähnlichen, „Drang nach neuem Leben"
hätte Faust nach Abschluß des Ersten Teiles gestellt werden müssen,
als ein Befreier seines Volkes aus absolutistischen und kirchlichen Fes=
seln. „Wollte man Faust in die geforderte politische Lage bringen, ohne
die Einheit der Zeit zu sehr zu verletzen, so ließe sich hiezu der *Bauern=
krieg* benützen . . .";[10] im Scheitern dieses (nationalen) Krieges, so be=
hauptete Vischer „vormarxistisch", seien alle Ideen der späteren großen
Revolution schon enthalten gewesen. Faust müsse Züge des Ulrich von
Hutten tragen.[11]

Das Aperçu vom „Bauernkrieg" breitete Vischer später weiter und
weiter aus. In diesem Milieu konnte Faust zu einem nationalen Heros
im Sinne eines demokratischen Volksführers verwandelt werden, der
am Ende nur noch der Einheit und wahren Größe Deutschlands dienen

wollte. Faust sei, hieß es in der Vorrede, „der strebende Geist in der großen Krise des achtzehnten Jahrhunderts", aber „in der besonderen Bestimmung des deutschen Naturells". Durch sein Mithandeln im Bauernkrieg bleibe er dem französischen Charakter weit genug ange= nähert, der zwar immer rasch und entschlossen zugreife, doch meist überstürzt und ohne reife Frucht zu tragen. „Es würde in Aussicht gestellt, daß vielleicht das deutsche Volk, das so lange in politischem Schlummer begraben nur in den Bergwerken der inneren Bildung arbeitete, *einst* noch beweisen werde, daß es auch handeln kann, daß aber seine Handlung reiner und fruchtbarer sein wird, weil eine lange, gründliche, tiefe Bildung des Denkens dieser Handlung vorangieng. So wäre dieser Faust und dieser Schluß *ein Vorbild und Zeichen unserer Hoffnungen und Zukunft.*"[12] Das Wort „faustisch" fiel hier nicht. Aber diese politische, fast schon imperiale Umschreibung wies direkt auf die Reichsgründung voraus, war schon (mit umgekehrten Zeichen wie bei dem gleichzeitig veröffentlichenden Gervinus) ein Aufruf zum rechten, aber notwendigen politischen Tun, im Zeichen des richtigen „faustischen" Handelns — „ein Handeln mit männlicher Besonnenheit, mit Anerken= nung der Grenze und des Maßes", ein gereinigtes Handeln.[13] Faust war unversehens aus dem 16. ins 19. Jahrhundert gewechselt. (Folgerichtig trat bei Vischer 1875 einmal das Leitwort „Faustisch" im nationalen, „reichischen" Zusammenhang auf.)[14]

Doch vorher nahm Vischer nochmals und ausführlicher den „Bauern= krieg"=Plan als den einzig möglichen Abschluß auf — in einer weiteren ‚Faust'=Abhandlung von 1861.[15] Faust könne, das blieb bei Vischer stehende Behauptung, nach dem Ersten Teil nur politisch weiterhan= deln, in höchster Steigerung: im „Vorkämpfen für Freiheit an der Spitze des Volkes", als „Revolutionär", als Streiter für „ewige, allge= meine Menschen= und Volksrechte".[16] (Mephisto vertrete dabei die Reaktion.) Für eine solche Rolle Fausts sei allein der Bauernkrieg ge= eignet, die Krisenzeit, in der Reformation, Humanismus und politischer Kampf gegen Leibeigenschaft und für die Einigung Deutschlands zu= sammenfielen. Vischer malte in dieser späteren Schrift den Gang seiner hypothetischen Bauernkriegshandlung breiter aus.[17] Faust wurde, das Drama Gerhart Hauptmanns vorwegnehmend, geradezu mit Florian Geyer und dessen reinem Rechtsbewußtsein parallel gesetzt[18]: er besinnt sich auf seine Zugehörigkeit zum „Volk", das er vergessen hatte, und will als Bauer, als Arbeiter, als Proletarier leben und mit diesem (deutschen) Volk nun „entbehren, leiden, arbeiten" und kämpfen. „Dieß Leiden und Arbeiten mit dem Volk [möge] als Sühne hinge= nommen werden für die alte, schwere Schuld, an einer Tochter des Volks begangen [Gretchen]".[19] Als Bauernführer strebt er den „Rechts= staat" an, frei von Kirche und fürstlicher Obrigkeit. In diesem Kriege würde also die künftige soziale Auferstehung vorweggenommen, der liberale Faust spricht „eine Ahnung der modernen Revolution" aus. Durch Mephisto in neue Greuel und Untaten des Krieges verwickelt, stirbt er schließlich den freien Sühne= und Heldentod! Am Ende grüßt ihn Gretchens Geistermund, ein zweites Klärchen, „mit der Botschaft der Verzeihung, . . . als Märtyrer der ringenden Menschheit" (Gretchen spricht nicht mehr als die Verführte, sondern jetzt als „der Genius seines Volkes"). Faust blickt in dieser geweihten Todesstunde entzückt „in die ferne Zukunft", in der „die Eiche der Freiheit" und eine humane Religion hoch aufwachsen werden, schaut vor allem aber die „Einheit und Größe seines Volkes" prophetisch voraus.[20] (Mit dieser Lösung wurde auch Goethes „gotischer", rein transzendenter Epilog, der ko= mische „kindische Christtagshimmel", abgelehnt und an seiner Stelle ein „sparsamer, so zu sagen protestantischer Mythus" gefordert.)[21]

Diese Politisierung und nationale Heroisierung der Faust=„Idee" im Sinne eines deutsch=volksmäßigen, demokratischen, liberalen Freiheits= willens des 19. Jahrhunderts, die Goethes Zweiten Teil und dessen poetische Lösung strikt ablehnte, war, innerhalb von knapp zwanzig Jahren durch Vischer zweimal vorgetragen, einer der stärksten Aus= drücke der inneren Ideologisierung jener „Idee", mochte Vischer dies auch, im Gesamtzusammenhang seiner ästhetischen Kritik, nicht so „provozierend" gemeint haben.[22] Doch wies dieser andere „Faust II" als Führer und Held des Bauernkrieges zweifelsohne auf eine politische Sendung, die Vischer, im Zeichen eines gereinigten Faust, vom deut= schen Volk erfüllt zu sehen wünschte. Er war, seltene Ausnahme, bei dieser ideologischen Umformung ehrlich genug, sich radikal von Goe= thes eigenem Zweiten Teil loszusagen. So verband sich bei Vischer ästhetische Kritik mit politischem Wunschbild.[23] Da man die Aktion selbst scheute, legte man's in — Faust. Das blieb lange das ironische

Schicksal der gesamten Ideologie des Faustischen. Erst später maskier=
ten sich die eigentlichen Täter mit ihr. —

Andere Äußerungen zum gleichen Thema während dieses Zeitraumes
klangen zunächst bescheidener. A. F. C. Vilmar, der streitbare hessische
Theologe, Politiker und Germanist, entwickelte in seiner damals an=
erkannten Literaturgeschichte (1845)[24] zwar auch die Tat und nur die
Tat als den einzig möglichen Sinn des zweiten ‚Faust‘=Teiles, nachdem
Wissen und Genuß durchgekostet seien, fand aber ebenfalls „das alle=
gorische Gewand des zweiten Theils so eng", daß weder die Figuren
noch die Taten darein paßten. (Sein Sohn Otto drückte später die
grundsätzliche, ablehnende protestantische Kritik schärfer aus.) —
C. T. L. Lucas (1840/46),[25] wieder aus mehr liberaler christlicher Sicht,
sprach wohl kritische Worte gegen Fausts ursprünglichen selbstsüchti=
gen „Standpunkt schroffer, abgeschlossener Männlichkeit" und seinen
„thöricht gewordenen mächtigen Willen", sah am Ende in ihm aber
doch das „Symbol der tief erregten, emporstrebenden neuern Zeit",
auch eine Ansicht höherer christlicher Weltanschauung in ihm vorbe=
reitet. Denn mit Fausts Wirken für das Volk werde die höhere Liebe
in ihm frei und die Starrheit seiner Eigensucht überwunden; er findet
endlich „höchste Befriedigung nur in jener Erweiterung des eigenen
Selbst auf die Brüder . . ." — so konnte man von Volk zu christlicher
Bruderschaft übergleiten, wenn die (positive) Deutung es wünschens=
wert erscheinen ließ.[26]

Joseph Hillebrand gab in seiner ebenfalls 1845 erschienenen Litera=
turgeschichte[27] eine breite, bewundernde, noch starr in hegelisierender
Sprache gefaßte Paraphrase des ersten ‚Faust‘=Teiles — „das genialste
und berühmteste Nationalgedicht". Dieses „Drama der Aufklärung des
achtzehnten Jahrhunderts gegenüber den veralteten Formen im Glauben
und Wissen, das Drama der Befreiung der Wissenschaft von der Schul=
fessel . . ." sei, wie es schon der andere Hegel=Schüler Hinrichs behauptet
hatte, besonders dem Schicksal der deutschen Nation angemessen, die, vor
allen anderen Völkern, „hauptsächlich in der Wissenschaft und in dem
Streben nach der Idee von der Höhe der Wissenschaft" sich ausdrücke.
Doch diese Bewunderung und nationale Zustimmung galt wiederum
nur dem Ersten Teil. In der Fortsetzung falle Faust „gänzlich aus seiner
Rolle und Persönlichkeit": wir würden dort durch „allerlei phantasma=

gorisches Gaukelspiel" geleitet und müßten gar miterleben, „wie sich der verwegene Streiter der Menschheit allgemach vor unsern Augen ab=lebt und zu gemeiner bedächtig=bürgerlicher Thätigkeit herabläßt. Faust wird aus einem genialen Kämpfer für die Idee . . . ein Kameralist und Nationalökonom, aus einem Stürmer des Himmels ein gewöhnlicher Philister; und man hat sich nur zu wundern, wie er auf diesem Wege jenem seinen höllischen Begleiter entkommt . . ."[28] So ende der Zweite Teil, höchst enttäuschend, wieder „mittelalterlich=kirchlich", nachdem der Prolog des Ersten Teiles so geradehin „rationalistisch=ironisch" einge=setzt hatte. In Hillebrand protestierte nochmals die Hegelsche „Idee" ge=gen ihre banausische Verwirklichung in der realen „Tätigkeit" Fausts.[29]

Auch Victor Hehn sprach in seinen ebenfalls arg hegelisierenden, zu Lebzeiten unveröffentlichten Dorpater ‚Faust'=Vorlesungen (1850/51)[30] zwar von der „innigsten unverfälschten Incarnation des nationalen Genius" in dieser Dichtung („und nicht blos dies, sondern die ganze Genesis der modernen Bildung aus dem Mittelalter heraus liegt . . . in ihr verkörpert . . .") — „man kann sagen, daß die Fausttragödie, wie das Epos uralter Zeiten der Arbeit des Volksgeistes selbst übergeben worden ist, der sie in seine Werkstatt, in den Schooß seiner schaffenden Kräfte auf= oder zurückgenommen hat": aber Hehn meinte mit dieser hochgestimmten Charakterisierung gar nur das Fragment von 1790. Schon die „Zusätze" von ‚Faust I' wirkten nur noch mühsam und alters=schwach; erst recht ‚Faust II' sei — hier stimmte er mit Vischer, Ger=vinus, Hettner, Hillebrand und mit vielen anderen zeitgenössischen Kritikern überein — ein „poetisch ganz ohnmächtiges und unbedeutendes Werk", mit dem der greise Goethe von sich selbst abfalle. Nicht ‚Faust', sondern ‚Wilhelm Meister', nicht das Tragische, sondern das Epische bestimmten Hehns Goethebild.[31]

*

Indessen aber hatte, der folgenreichste Schritt in diesen Jahrzehnten, die junge germanistische Wissenschaft selbst die enge Verbindung zwischen der Faustgestalt und dem „Genius" des deutschen Volkes, mit dessen „Mythus", nachzuweisen versucht. Der Oberschlesier Emil Sommer (1819–1846), seit 1844 Privatdozent und erster Vertreter des Faches Deutsche Sprache und Literatur in Halle, dort früh verstorben, unternahm diese Verschmelzung in Anschluß an Jacob Grimms ‚Deutsche Mythologie' (1835), die soeben — 1844 — in zweiter Auflage, mit neuem Vorwort, erschienen war. Die poetisierende Erklärung des Fouqué=Freundes Franz Horn (1820), die angebliche Faustsage stelle einen „durchaus vaterländischen Mythus" dar,[31a] wurde jetzt in den Rang einer wissenschaftlich begründeten Aussage gehoben.

Die Brüder Grimm hatten Sommer in Berlin, nach seiner Promotion zu Halle, noch selbst auf germanistischem und volkskundlichem Gebiet ausgebildet. Seine Hypothesen legte er 1845 in einem breiten Artikel in Ersch=Grubers ‚Allgemeiner Encyklopädie' nieder;[32] er gewann, schon als Nachruf, sogleich die öffentliche Zustimmung Heinrich Düntzers[33] und die Aufmerksamkeit Hoffmanns von Fallersleben.[34] „... hätte Goethe seine Tragödie auch nicht geschrieben, diese Sage ist als eine der tiefsten und großartigsten unter allen teutschen Sagen, die noch bis in die Gegenwart sich forterhalten haben, als die, an welche die reichsten Überlieferungen des Mittelalters, die mannigfaltigsten Reste des teutschen Heidenthums sich knüpfen, unsterblich". Sie lebe ver= wurzelt im Herzen des Volkes weiter, das sich in ihr „an den Resten seiner ältesten Religion", eben jenen des „teutschen Heidenthums", er= freue. Was dies, Mitte des 19. Jahrhunderts, heißen sollte, blieb offen — bis heute hin. Verhängnisvoller wurde Sommers Verwechslung des Sagenbegriffs der Brüder Grimm („aller Sage Grund ist nun Mythus, d. h. Götterglaube, wie er von Volk zu Volk in unendlicher Abstufung wurzelt")[35] mit dem im „Volksroman" von 1587 fixierten Fauststoff des 16. Jahrhunderts, der sich zwittrig als „Volksbuch" gab, vielmehr als solches später interpretiert wurde, in Wirklichkeit eine gelehrte Schöpfung war, die zudem im Dienst konfessioneller Propaganda stand. Die „Faustsage", zumal eine germanisch=mittelalterliche, war und ist eine Fiktion, eine hypothetische Konstruktion, ungeleugnet der Tat= sache, daß um den historischen „Romanhelden" oft uralte Zauber=, Teufel= und Empörergeschichten gerankt wurden.[36] Auch das Urteil des 18. Jahrhunderts und der Jungdeutschen sollte in diesem dennoch un= zeitgemäßen romantischen Umkehrungsprozeß Sommers und seiner Nachschreiber neuerdings von Grund aus aufgehoben werden.[37]

Denn — und diese Behauptung Sommers erwies sich für die Folge= zeit als wahrhaft revolutionär — die schriftlich und mündlich aufbewahr=

ten Erzählungen über Fausts Leben und Taten stellten tatsächlich „nur umgestaltete teutsche Götter= und Elfenmythen" dar; „dies war, obwol es noch von Niemandem ausgesprochen ist, nach dem Erscheinen von Grimm's teutscher Mythologie leicht zu erkennen . . .". Da in dieser „Sage" gleichzeitig die tiefsten Fragen der Philosophie und Theologie angerührt würden, konnte auch der Dichter sie aufnehmen und ihre mythologischen Bestandteile weiterbilden. Sommer selbst versuchte, die angebliche Sammelsage, die durch Fausts Namen zusammengehalten werde, in vielen Einzelheiten auf „alte teutsche Mythen" zurückzu= führen, die er Grimms Sammlung entnahm — oft recht verwegene Analogien, nirgends gründlich überprüft.[38] Noch 46 Jahre nach Som= mers Tod entrüstete sich der damalige Herausgeber der ‚Zeitschrift für Volkskunde', Edmund Veckenstedt, mit harten Worten darüber, daß Sommer „Pseudogestalten in die Wissenschaft eingeführt" habe.[39] Eine solche „Pseudogestalt" war und ist Faust im Wodansmantel. Leider war er nicht nur in die Wissenschaft eingeführt worden; bald beunruhigte und bewegte er auch das öffentliche Denken.

Um ein Beispiel einzufügen — der neunundzwanzigjährige, damals noch national=idealistisch gesonnene Wilhelm Raabe gab 1860 folgen= den Kommentar: „Ich denke, das ganze neunzehnte Jahrhundert wird wohl noch über die Wehen, welche das deutsche Volk ins Licht der Welt gebären sollen, hingehen." „Die Berge sind den Göttern heilig; — hebe das Haupt, . . . und blicke auf aus der dumpfigen Luft, aus den schweren Nebeln, welche über der Gegenwart hängen, auf zu den drei deutschen Gipfeln, welche alle Alpen überragen, auf zum alten Brocken, auf welchem deutscher Geist dem bildlosen Wodan opferte, auf welchen deutscher Geist den Faust im ewigen Streben nach der Lösung der Rätsel der Menschheit führt; — blicke auf zur Wartburg, wo das alte Geistesrüstzeug, die ‚gute Wehr und Waffen' unseres Volkes, neu ge= schmiedet wurde; — blicke auf zum Kyffhäuser, in welchem die große Zukunft der Stunde harrt, in welcher die Raben nicht mehr fliegen werden, der Stunde, wo ‚ein Volk geboren wird'. Welch eine andere Nation kann solche Bergesgipfel aufweisen?"[40]

Blieben vereinfachende Aussagen wie die Emil Sommers, die sowohl an der poetischen Wirklichkeit als auch am historischen Tatbestand völlig vorbeisahen, immerhin noch im Bereich möglicher fachlicher

Diskussion, so wurden bald bedenklichere Folgerungen, auch für Goe=
thes Faustgestalt selbst und deren Verhältnis zum deutschen Volksgeist,
gezogen: Faust wurde zum Wiedergänger Siegfrieds erklärt. Beide ver=
körperten sie die Kernwerte deutschen Wesens, nur zu verschiedener
Zeit und auf anderer historischer Ebene. Ein anonymer Rezensent F. B.
(das ist Ferdinand Brockerhoff) faßte solche Überlegungen bereits 1853
programmatisch zusammen: „Faust hat unseres Erachtens für die neuere,
mit der Reformation anhebende Epoche der deutschen Bildungsgeschichte
eben dieselbe Bedeutung, welche Siegfried, der Held des Nibelungen=
liedes, für eine frühere Periode derselben in Anspruch nehmen darf.
Der Eine wie der Andere ist ein treuer und scharfer Ausdruck des spezi=
fisch deutschen Volksgeistes; in beiden ist das ihn beseelende Prinzip
der freien, unendlichen Persönlichkeit in verschiedenen Formen ausge=
prägt worden. *Faust ist im Wesentlichen nichts als eine höhere Potenz
des Siegfried;* was dieser für die Sphäre der sinnlichen Unmittelbarkeit,
ist jener für die des denkenden Geistes; der tiefere Grund, die eigent=
liche Wurzel des deutschen Wesens, das Gemüth mit seinem unend=
lichen Inhalte und dem nimmer rastenden Schöpfungsdrange, ist beiden
gemeinsam. Es scheint uns nicht zweifelhaft, daß eine Darstellung,
welche die Sagen von Siegfried und Faust in allen ihren wechselnden
Formen umfaßte und den ganzen Reichthum der sich an sie anknüpfen=
den Anschauungen und Gedanken aufnähme, den wesentlichen Gehalt
der historischen Entwicklung des deutschen Geistes ziemlich vollständig
zu Tage legen würde."[41]

Auch ohne daß hier das Wort „faustisch" vorkam: das nationale
faustische Programm war in diesen Sätzen eindeutig vorgebildet. Ge=
rade auch, obwohl F. B. abschließend meinte, die Epoche, „als deren
Symbol oder Personification [Faust] zu betrachten ist", sei gegenwärtig
abgelaufen; denn die Kette (Wodan)—Siegfried—Faust müsse einer
neuen Personifikation weitergereicht werden. Kein Wunder, daß der
königlich=kaiserliche Ministerialrat Gustav von Loeper genau 1871
diese Hinweise Brockerhoffs im Vorwort seiner Faustausgabe aufnahm
und sie dem *„Faustischen Geiste"* gleichsetzte, der das Mittelalter mit
der Reformation und der Gegenwart als dem *„wesentlichen Gehalt der
historischen Entwicklung des deutschen [Volks]Geistes"* verbinde.[42]
Auf solchen Wegen, zunächst Nebenwegen, näherte sich das „Fau=

stische" schon seit der Jahrhundertmitte dem kommenden „reichischen" Denken und floß schließlich mit ihm zusammen.

Diesen Bereich des „Faustischen Geistes" kann man als ein explosives Konglomerat aus nachromantischem, pseudoromantischem Denken, aus diffusem romantisierendem, mythisierendem „falschem Bewußtsein" und konservativ=imperialem „Reichsdenken" zumeist preußisch=hohenzolle= rischer („wilhelminischer") Konvenienz definieren. Die Herkunft eines guten Teiles dieses ideologischen Gemenges aus der deutsch=roman= tischen Opposition „gegen die Zeit", aus der immer noch „volkhaft", in Volksindividuen schwärmenden Spätromantik („Jedwedem Volke scheint es *von Natur* eingeflößt sich abzuschließen und von fremden Bestandtheilen unangerührt zu erhalten"),[43] auch aus der Historischen Schule dieser Romantik, kann, nach den Qellen, kaum geleugnet wer= den — das Fort= und Weiterwirken einer mumifizierten Romantik in ein Zeitalter hinein, dessen politischer, ökonomischer, „existentieller" Realismus längst alles andere als „romantisch" war. Hier, als einer Nachwirkung der „Deutschen Bewegung", begann die eigentümliche Zwiespältigkeit des deutschen politischen Denkens, angefüllt mit Resten der Romantik, „anderseits realistisch bis zum Zynismus", die Troeltsch vermerkt hatte.[44] Dies mag und braucht für die liebenswerten und im Raum ihrer gelehrten Forschung verehrungswürdigen Brüder Jacob und Wilhelm Grimm nicht zu gelten. Ihre Mitbeteiligung, vielfach ihr Anstoß zu dieser Entwicklung war darum nicht geringer. Allein schon die Titelsetzung Jacob Grimms, ‚Deutsche Mythologie', (wenn auch deutsch eigentlich heidnisch=germanisch meinte, „germanische Volk= heit", wie in seiner ‚Deutschen Grammatik', den ‚Deutschen Rechts= altertümern') bleibt trotz allem verhängnisvoll genug, bedenkt man genau und in jeder Konsequenz, was eine solche Behauptung, es gebe so etwas wie „deutsche Mythologie", bedeutete und was sich dahinter im vierten und fünften Jahrzehnt des 19. Jahrhunderts an Protest und, im eigentlichen Wortsinn, an Reaktion verbarg. 1835: Büchner schrieb ‚Dantons Tod' und mußte nach Straßburg fliehen. 1844, Geburtsjahr Nietzsches, das Jahr des schlesischen Weberaufstandes: Karl Marx be= gann in der Kritik der Hegelschen Rechtsphilosophie seinen dialek= tischen Materialismus herauszuarbeiten, Kierkegaard protestierte gegen das idealisierte, romantisierte Bürgerchristentum mit den Schriften

‚Furcht und Zittern' und ‚Der Begriff der Angst', Hebbels ‚Maria Magdalene', Heines deutsches ‚Wintermärchen' erschienen — durch solche Daten werden einige Konturen des Zeitalters deutlich, wird ebenso deutlich die Differenz der deutsch=romantischen Opposition („Deutsche Mythologie") zu diesem Zeitalter, die in dem Augenblick „zynisch" werden mußte, als sie zur ideologischen Maskierung realer politischer Ziele verwendet wurde. Jacob Grimms Deutsche Mythologie: „Wir stehen bei den Müttern"!

Ohne seiner selbst und unserer Situation spotten zu wollen, behauptete dies noch 1953, in ungemindert „faustischem" Vokabular und in Vertauschung der poetischen mit einer historischen Situation, Hermann August Korff — „der romantische Gang zu den Müttern des deutsches Geistes".[45] Faust im Wodansmantel, Faust im Siegfriedsgewand: das waren die ersten „faustischen" Hypostasen der in einer „deutschen Mythologie" bereitliegenden ideologischen Potentialität, Pseudogestalten aus dem romantischen Müttergang deutschen „Geistes". Die „Faustsage" enthüllte sich als ein politisch=ideologisches Instrumentarium. —

Heinrich Düntzers deutsch=nationale Untermalung des ‚Faust' von 1850 und den folgenden Jahren ist zitiert worden: deutsche Gemütlichkeit, deutscher Tiefsinn, deutsche Spekulation, deutsches Erfassen der Schönheit, deutsche Begeisterung, deutsche Ausdauer und Tatkraft.[46] Der spätere Gymnasial=Direktor August Spieß folgte ihm 1854 in diesen großen Spuren: in ‚Faust' finden wir „höchst charakteristische Zeichnungen des deutschen Volkslebens, wir sehen in einer tragischen Liebe die innersten Tiefen eines ächt deutschen weiblichen Gemüthes sich enthüllen, und begegnen vor Allem jenem idealen Drang, jenem Streben nach dem Hohen und Wahren, welches *dem Deutschen vor den anderen Nationen eigen ist...*", wie auch die Faustsage selbst „aus ächt deutschem Geiste entsprungen" sei. „Deshalb zieht es auch immer wie mit magischer Gewalt unsre strebende Jugend und ernste Männerwelt zu den voll und unversiegbar strömenden Lebensbächen dieser tiefsten und reichsten, dieser deutschesten Dichtung Göthe's hin".[47] Schon war jene unleidlich verflachte und platte Sprache erreicht, wie sie dem „deutschen Bürgerhaus" eine Generation später ins gold=geschnittene Stammbuch geschrieben wurde.

Auch der Gymnasial=Oberlehrer Karl Friedrich Rinne versuchte in seiner eigenwilligen Schrift ‚Speculation und Glauben. Die Faustsage nach ihrer Entstehung, Gestaltung und dichterischen Fortbildung insbesondere durch Göthe', 1859 in Zeitz erschienen, eine Art deutscher Faust=Sendung zu formulieren — gegen Goethe. Allerdings blieb bei ihm das Wort „faustisch" selbst von diesen Konstruktionen noch ausgeschlossen; dessen direkte Anwendungen waren vielmehr durchweg possessivisch gemeint.[48] Die nationale Ausweitung wurde allein mit und in dem Namen Faust vorgenommen.

Der Gedankengang Rinnes baute auf zwei Hypothesen auf. Erstens: nur das Volksbuch, die angebliche „Sage" also, stellt das Symbol des „speculativen deutschen Geistes" rein heraus (hierin stand Rinne den Gedanken Sommers nahe); zweitens: Goethe hat den ursprünglichen Sinn dieses Sagenkernes nicht erfaßt und daher Faust seiner Nation entfremdet. So ergab sich die eigenartige (aber nicht einmalige) Konstellation, daß ein Autor durchaus eine nationale „faustische" Sendung konstruieren wollte, diese aber allein auf dem „Volksbuch" anzusetzen versuchte, während er die Goethesche Faust=Gestalt scharf negativ, geradezu als einen verbrecherischen Titanen, ablehnte. Das Christentum mit dem denkenden Bewußtsein, also Glauben und Spekulation, zu versöhnen, behauptete Rinne, sei die höchste künftige Weltaufgabe und allein der deutschen Nation eigentümlich zugewiesen. Insofern ist Faust, im Volksbuch, „der symbolische Ausdruck des speculativen deutschen Geistes"[49] (der sündige, sinnliche Teufelsbündner sei dort eine unorganische Zutat!), denn das „eigentliche Wesen der Faustfabel" bestehe „in der Ermittlung und Darstellung eines richtigen Verhältnisses der Speculation zu dem Christenthume".[50] Kern und Sinn der alten Fabel ist demnach „das speculative Streben Fausts",[51] alles andere nur spätere Verkleinerung. In seinem tragisch=erhabenen Erkenntnisdrang und in seiner Auseinandersetzung mit der christlichen Religion vereinige Faust ähnlich geartete („faustische") Sagenkreise in sich, bis zurück zur Zeitenwende (Klingsor, Theophilus, Vergil, Simon Magus); doch allein in ihm, dem Deutschen, kulminiere dieser jahrtausendalte abendländische Kampf.[52] „Im Faust spiegelt sich … die ganze geistige Natur des Deutschen, und *die ganze weltgeschichtliche Bedeutung und Bestimmung desselben* liegt in ihm wie in einem Pflan=

zenkeime beschlossen."[53] Hier könnte die erwünschte Definition der besonderen „faustischen" Bestimmung der deutschen Nation erreicht sein, falls dieses Wort bei Rinne nicht schon durch eine andere, die possessive Bedeutung besetzt gewesen wäre. Dem Faust=Deutschen bleibe es vorbehalten, die ihm zugewiesene welthistorische Aufgabe, den Konflikt zwischen Spekulation und Glauben auszutragen und endgültig zu lösen — so wie Faust im Grunde kein Verruchter war, sondern ein Mann des lauteren Wagnisses,[54] trotz seinen verfehlten Mitteln. An= dere müßten daher heutigentags, „mit anderen Mitteln", sein Ziel zu erreichen versuchen,[55] gleichsam — und das war entscheidend — die bleibende Faust=Aufgabe für den Deutschen.

So dieses christlich=nationale, dieses chiliastisch=utopische Programm im Namen Fausts — und gegen Goethes Dichtung! Denn dessen ‚Faust' erfülle diese (national=faustische) Aufgabe keineswegs, sondern sei „nichts weiter als eine poetisch=eingeschmuggelte Verherrlichung des titanischen Strebens in all' seiner Einseitigkeit und ethischen Unwahr= heit . . .".[56] Die „Nation im Ganzen" werde durch die Dichtung nirgends im Eigensten und Höchsten angesprochen. Seitdem gehe Faust „wie ein gespenstischer Geist durch die Hallen des deutschen Geistes in dessen Entwickelung zur freien oder speculativen Auffassung des christ= lichen Dogma's . . .".[57] Der Kampf der beiden Elemente sei gegen= wärtig stärker denn je entbrannt. Der rechte Dichter einer Faustgestalt, die beide endgültig versöhne, stehe noch aus (dies wurde damals aus allen Lagern behauptet). „Des sind wir aber sicher", schloß Rinne, die Zeit dieses ersehnten Dichters wird, „wenn wir uns nicht ganz untreu werden, dereinst für unser Vaterland kommen"; er wird den Zwiespalt der geistigen Welt endgültig zur Ruhe bringen.[58] Trotz der schroffen Gegnerschaft zu Goethe — das deutsche Sendungsbewußtsein im Zeichen Fausts, des Volksbuch=Fausts, konnte kaum höher ange= setzt werden: Weltbefriedigung durch den kommenden deutschen Faust=Dichter!

Zwei Jahre jedoch nach der Schrift von Rinne (die angedeutete einzige Stelle während der drei Jahrzehnte) wurde für diese künftige deutsche Faust=Aufgabe, höchst folgerichtig und ebenso folgenreich, das Wort „faustisch" eingesetzt: in dem bekannten konservativen ‚Staats= und Gesellschafts=Lexikon', das, „in Verbindung mit deutschen Gelehrten und Staatsmännern", seit 1858 der damalige Königl. Preuss. Justizrath Herrmann Wagener (1815–1889) zu Berlin herausgab, der Begründer und erste Führer der konservativen Partei in Preußen, der Begründer und erste Leiter der ‚Neuen Preußischen Zeitung' (der „Kreuzzeitung"), der „soziale" Mitarbeiter Bismarcks. Der ‚Faust'=Artikel im 7. Band (1861) des Staatslexikons schlug die Verbindung von den pseudo= mythologischen Bemerkungen Emil Sommers (1845)[59] über Ferdinand Brockerhoffs Siegfried=Vergleich (1853) zu Gustav von Loeper (1871): der Weg des „Faustischen" aus nachromantischen Spekulationen in den germanisch=deutschen Reichsgedanken.

Auf diesem Wege, nach 1870 für Jahrzehnte der Hauptweg, wandelte sich das Faustische zu einem Kapitel deutscher Sonderromantik. Son= derromantik bedeutet, hier wie immer, die Verlängerung einer echten geschichtlichen Lage über ihre Wirklichkeit hinaus in geschichtliche Un= wirklichkeit, ein („ideologisches") Zurückbleiben in leeren Gehäusen. Ursprüngliche Wahrheit des Wortes wurde Blindheit des Wortes. Die Vernunft der Poesie, die in Goethes Tragödie als Weisheit waltete, überantwortete man dem schwärmerischen Versehen. Spengler war keine Ausnahme; er gab mit seinem Buch die äußerst mögliche Be= stätigung.

„Die Faustidee ist uralt", wiederholte der anonyme Lexikon=Schrei= ber.[60] Sie sei schon bei Juden und Heiden anzutreffen: der Sturz der Engel, Luzifer, die Titanen, Prometheus — „in allen diesen Mythen und phantastisch=poetischen Gebilden lebt bereits *der faustische Grund= gedanke, welcher sodann in der Person des Faust zu einem germanisch= nationalen Geisteseigenthum wurde*". Der „faustische Grundgedanke", selbständig gewordener Sammelbegriff, wurde jetzt entschieden für eine bestimmte Geisteshaltung und für ein bestimmtes Schicksal bean= sprucht; über Faust als Person erhob man diesen Grundgedanken zum alleinigen „germanisch=nationalen Geisteseigentum" — daher denn „die eigentliche Faustsage rein deutschen Urpsrungs" sei. Die weitere Fol= gerung, später von Loeper ebenfalls fast wörtlich übernommen: „wie denn auch der Goethe'sche Faust nur von einem Deutschen ganz zu fassen, zu schätzen und zu genießen ist". Gegenüber Rosenkranz, ge= genüber Carus, von den negativen Definitionen ganz zu schweigen, begannen nun Wort und Begriff „faustisch" national eingeengt zu

werden, in dieser mythischen Verengung aber einen eigenen, explo=
siven Weltausgriff zu entwickeln.

Kein Wunder, daß man sich auch hier mit Goethes Lösung in
‚Faust II' nicht uneingeschränkt einverstanden erklären konnte, trotz
Fausts werktätiger Wandlung; doch blieb die Kritik zurückhaltend und
maßvoll. Der zusammenfassende Satz versuchte Goethe zu belassen,
was ihm zukam, wies aber die eigentliche, die noch ausstehende, die
rechte Faust=Lösung dem deutschen Volk wieder als zukünftige Aufgabe
für „Sinn und Tat" zu: „Darin aber besteht das unsterbliche Verdienst
seiner [Goethes] genialen und wundersamsten Schöpfung, daß sie die
Lebensfrage der Menschheit in der Fassung, in welcher *unser Volk und
unsere Zeit sie wohl noch geraume Zeit zu bearbeiten*, oder, wenn
man lieber will, in Sinn und That ihrer Lösung näher zu führen hat,
nicht ... in der Form des allgemeinen Gedankens, sondern auf der
Basis des unmittelbaren Lebens in Gestalten von Fleisch und Bein ...
vorführt."[61]

Den „faustischen Grundgedanken" tätig seiner Lösung näher zu
führen: das war, obgleich es sich scheinbar nur um einen literarischen
Lexikon=Artikel handelte, der in seiner Weise klug und gewissenhaft
referierte, ein deutliches politisches Programm, das sich zudem gegen
anderslautende Prognosen (Gervinus!) unmißverständlich absetzte.
Weitere Folgerungen wurden noch nicht gezogen oder ausgesprochen.
Das blieb einzelnen Lesern überlassen. Doch der faustische Anspruch
als nationale Aufgabe, wieder als Ergebnis einer „mythischen" Faust=
sage, wurde, ohne jeden Zweifel, bejaht; Kritik wurde allein gegen
Goethes abschließende Formung dieses „Grundgedankens" laut. Schon
erhob sich das Faustische über Goethes Dichtung, wenngleich hier erst
angedeutet.[62]

Offensichtlicher war die deutsch=nationale Ausweitung der ‚Faust'=
Dichtung in den 1866 zu Berlin veröffentlichten ‚Vorlesungen über
Goethe's Faust' des aus Ostpreußen stammenden, lange Jahre in
Frankfurt am Main als Schuldirektor wirkenden Friedrich Kreyßig
(1812—1879).[63] „Das Gedicht ist keine mystisch=symbolische Schicksals=
tragödie ... Es ist im Gegentheil ein ächt modernes und ächt deutsches
Drama der sittlichen Freiheit",[64] so die anfängliche Umschreibung, die
sich zu einem Hymnus auf „die Verherrlichung des rastlos fortschrei=

tenden Lebens, der befreienden, überwindenden, rettenden That" des menschlichen Genies steigerte; Kernsatz der gesamten ‚Faust'=Dichtung ist daher „Nur rastlos bethätigt sich der Mann". Goethe lasse, „als ein nicht ungünstiges Zeichen", „sein größestes, umfassendstes Werk, sein dichterisch=sittliches Glaubensbekenntniß, in dem Cultus der That gipfeln . . ., nicht [– hier scheinen Formulierungen des Staats=Lexikons aufgenommen worden zu sein –] in dem des Traumes und des Gedankens".[65] Daher gelte Fausts letzter Wunsch der „Befriedigung des Gefühls, welches uns mit der Gottheit verbindet: der Freude an dem zu Anderer Wohlfahrt glücklich vollbrachten Werke".[66] ‚Faust' stellt demnach geradezu eine Art Allegorie deutschen Tatstrebens dar, einen Aufruf zu rechtem nationalem Wirken, wie es seitdem zu oft und unüberlegt wiederholt wurde. Möge daher „auch die *deutsche That* nicht mehr als symbolischer Schemen, sondern in schöner, lebensfreudiger Wirklichkeit neben dem deutschen Gedanken und dem deutschen Gefühle *einst* ihre Stelle und ihre Verherrlichung" finden![67] In solchem Hochgefühl auf die nationale Zukunft hin schlossen die Goethe=Vorlesungen des national=liberalen Bismarckverehrers. Die Notwendigkeit zukünftiger realer (politischer) Tat, statt Traum, Gefühl, Gedanke: so las und interpretierte man jetzt in diesen Kreisen die Dichtung.

Man sollte meinen, hier hätte sich das Stichwort „faustisch" zur Umschreibung dieser Tatgesinnung, wie späterhin bis zum Überdruß, von selbst angeboten. Doch auch Kreyßig verwandte für seine programmatischen Forderungen das zusammenfassende Adjektiv nicht, wie ebenso Rinne vordem nicht für seine weltgeschichtliche Sendung des Faust=Deutschen. Wo Kreyßig einen sammelnden Allgemeinbegriff dieses Wortfeldes anwenden wollte, formte er den Ausdruck „Faust= stimmung" oder benutzte den verallgemeinernden Plural („so mancher Faust").[68] Das Adjektiv „faustisch" hatte für ihn noch keinen selbständigen, gar positiven Aussagewert. Einmal erscheint es als reiner personaler Genitiv — „Entwicklungsstufe des Goethe=Faustischen Bildungsganges"[69] —, ohne daß daraus Weiterbildungen entstanden. Nur an einer einzigen Stelle, am Anfang, wo Kreyßig das Prometheus= Fragment Goethes besprach, als dem ‚Faust' am nächsten verwandt, findet sich das sonst durchweg fehlende Stichwort: doch war es hier überraschenderweise eher negativ gemeint, zumindest deutlich abgesetzt von der „Verherrlichung . . . der befreienden, überwindenden, rettenden That" der ‚Faust'=Dichtung des männlich gewordenen Dichters. „Ver= wegenern Jugendtrotz sprach wohl nie ein Dichter aus als jenes Schluß= wort, welches Prometheus dem Herrscher Zeus in's Gesicht schleudert", behauptete Kreyßig; „es ist der pathetischste Ausdruck, welchen uns das leidenschaftlich gesteigerte Künstlerbewußtsein jener gährenden Zeit hinterlassen hat, *der Faustische Übermuth* in seiner ganzen unge= brochenen Kraft."[70] Jetzt wird klar, warum Kreyßig dieses allzu trotzig= verwegen klingende Beiwort in seiner anschließenden Darstellung der Dichtung, des „ächt deutschen Dramas der sittlichen Freiheit", nicht mehr gebrauchen konnte. Es war „besetzt", von der „überlieferten Fauststimmung", wie er sagte, die in den „kraftgenialischen Genossen" des jungen Goethe und in ihm selbst (s. Prometheus) einen wilden Ausdruck des Übermutes, des „faustischen Übermutes", gefunden hatte, der zu der späteren Dichtung von dem „in seinem dunkeln Drange des rechten Weges sich wohl bewußten menschlichen Genie's" nicht mehr paßte. „Faustisch" blieb auch bei diesem nationalen Ausdeuter der Dichtung auf der mehr negativen Seite zurück; das Wort gehörte für ihn noch nicht in den Bereich der „Tat"=Dichtung.

Kreyßig hielt sich, trotz der nationalen Vorbildlichkeit des ‚Faust' für ihn, an eine negative Sprachverwendung, die, nach ihrer Vorprägung bei Göschel, Falk, Martensen u. a., gerade zwischen 1840 und 1870 nochmals deutlich profiliert wurde. Die Jahrzehnte vor der Reichsgrün= dung waren, im Untersuchungsbereich dieser Wortgeschichte, durch heftige negative Reaktionen auf das ausgesprochene oder unausge= sprochene „Faustische" charakterisiert. Der Eindruck dieser Gegen= stimmung, jeden Zufall zugestanden, schien stark genug gewesen zu sein, daß selbst solche überschwenglichen, wenn auch gegensätzlichen Faust=Hymniker wie Rinne und Kreyßig (sie dürfen exemplarisch für eine größere Zahl stehen) eine positive Verwendung von „faustisch", zur Umschreibung ihrer Faust=„Idee", nicht wagten. Der, auch bei ihnen schon zu beobachtende, Ideologisierungsprozeß im Namen Fausts voll= zog sich (mit Ausnahme des Wagenerschen Staatslexikons) noch außer= halb des Wortbereichs des „Faustischen"; er setzte vorerst direkt an einer ‚Faust'=Deutung an, die mit oder gegen Goethe die nationale Tat statt des poetischen Gedankens herausstrich: eine noch zu leistende

nationale Tat. In dieser Forderung stimmten sie mit vielen Faust=
Gegnern überein; nur Faust als Leitbild, gar als nationales Leitbild,
wurde von der Gegenseite bestritten. Denn trotz Vischer, Sommer,
Rinne, dem Staatslexikon, Kreyßig und anderen „Zustimmenden" lag
das Gewicht in diesem Zeitraum eindeutig bei den „Ablehnenden"
jeder Schattierung.

*

Fünf Jahre nach Martensens Lenau=Schrift, 1841, hatte der in Göt=
tingen abgesetzte Professor für Geschichte, Georg Gottfried Gervinus
(1805–1871), seine ‚Geschichte der poetischen National=Literatur der
Deutschen' beendet, die (vor Villmar und Hillebrand) von 1835 bis
1842, in fünf Bänden, erschien. Gervinus war es vor allen anderen
gewesen, der in rigoroser und rhetorisch schwungvoller Einseitigkeit
die aktive, die politische Tat als einzig der Nation noch angemessen
pries, ähnlich lautende Stimmen und Stimmungen früherer Jahrzehnte
zusammenfaßte und sie weit ins Jahrhundert rief. Er hatte, von den
eigentlichen künstlerischen Problemen kaum berührt, in seiner natio=
nalen Literaturgeschichte die innere Entwicklung Deutschlands vorzu=
führen versucht, wie diese nach dem zweiten Weltsieg des deutschen
Genius, der Klassik (der erste wäre die Reformation gewesen), nun in
einem „wunderbar naturgemäßen [!] Verlauf in den letzten Jahr=
hunderten von religiöser zu geistiger, von ihr zu politischer Neubil=
dung"[71] fortgeschritten war. Wie vor und neben ihm die Jungdeutschen,
wie später Langbehn, noch später Spengler, forderte Gervinus, daß
das deutsche Volk, nach Abschluß und Vollendung seiner literarischen
Epoche in Goethe und Schiller, sich nunmehr vom Nur=Ästhetischen,
Nur=Spekulativen, Nur=Geistigen wegwenden und allein dem Staat
und dem politischen Handeln sich verschreiben müsse. Das ästhetische
Zeitalter sei beendet (wie schon Heine festgestellt hatte); das politische
beginne.[72] Literatur trat in den Dienst politischer Zweckmäßigkeit und
„naturgemäßer" Notwendigkeit.[73]

Alle diese Gedanken schlugen sich in seiner breiten, dreißig Seiten
langen ‚Faust'=Darstellung nieder und präzisierten sie.[74] Bei Anerken=
nung einzelner Handlungsstücke, besonders des Ersten Teiles, kam es
auf eine grandiose Ablehnung, auf eine Abwehr der Goetheschen

Dichtung hinaus. Was Gervinus als politische Tat forderte, die Ein=
richtung des deutschen Staates, hatte mit Fausts Tatstreben nicht das
geringste zu tun. Im Rahmen dieser Abwehr aus politischem Realismus
und um der Zukunft des Staates willen fiel auch das charakterisierende
Beiwort „faustisch". Es wurde von Gervinus geradezu exemplarisch
negativ gesetzt.

Goethes Dichtung wurde zunächst aus den leitenden Zeitideen des
Sturm= und Drang=Jahrzehntes und aus ihrer eigenen inneren Ent=
wicklung erläutert. Die „Totalität des Lebens" sei in ihr angelegt, sei
wenigstens beabsichtigt gewesen. Diese Totalität bedeutete für Gervinus
die „Versöhnung der Bildung und des Naturstandes", die Friedens=
stiftung zwischen Wissen und Leben, Natur und Kultur, vor allem das
Ende der unseligen, andauernden Vereinzelung der Kräfte. Denn
allein auf dieses (politische) Ziel sei „der Bildungsgang der Nation"
gerichtet, damals wie „heute". „Es leuchtet ein, daß Faust diesen Durch=
bruch und die titanische Bewältigung dieser Hemmungen darstellt, daß
er, noch zum Opfer dieses Ganges unserer Entwicklung geschickt, das
schreckliche Gesetz zu überwinden von dem Dichter ausersehen war,
obgleich er von ihm nicht bis zu diesem Ziele geführt ward. Hierin
liegt die eingreifende Verzweigung dieses Gedichtes in die höchsten
Ideen der Zeit. Es lebt mit diesen fort, es ward als ihr Kanon angesehen,
als eine Weltbibel erklärt, als das System einer Lebensweisheit und
Strebensregel bewundert . . .". Doch diese oberste Aufgabe, der not=
wendige Versöhnungsakt im Fortgang der nationalen Neubildung, sei
von Goethe nicht erfüllt worden. Denn, behauptete Gervinus, „wie
vielfach auch diese Dichtung auf jene reine Seite der Jugend gewirkt
hat, mit der diese gerne den Gegensatz schlichter Natur gegen das
mechanische Leben und die todte Wissenschaft, gegen die profane
Amtswelt und gegen die Last der Conventionen bildet, so wirkte sie
doch nirgends in dem Sinne der Ausgleichung dieser feindlichen Ge=
walten, sondern sie nährte den Skepticismus des Verstandes, sprach zu
dem Libertinismus des Geistes, und schmeichelte den menschenfeind=
lichen Stimmungen, in denen die ideale Jugend die gemeine Wirklich=
keit der Welt betrachtet; sie fand keine männlichen Kreise Herange=
reifter, sondern sie erndtete den zweideutigen Dank der Werdenden . . .
Sie änderte nicht so sehr, als sie vielmehr die Jugend bestärkte in dem

excentrischen Wechsel zwischen angespannten geistigen Trieben und erfrischter Thierheit, zwischen dem Vollkommenheitssinn, dem Gott= ähnlichkeitsstreben und der erdekriechenden Natur des Menschen; sie lehrte sie seltner Leben, Staat, Amt und Sitte zu reinigen und zu veredeln, als zu verachten und niederzutreten; . . . sie lehrte ein Ideal der rohen Begierde, die mit ihrer Ungemessenheit schmeichelt und irgend ein Großes hinter sich träumen läßt."[76]

Das war schon eindeutig. Doch Gervinus bohrte weiter. Wie konnte es dazu kommen, „daß die Wirkungen des Gedichtes nicht zu der versöhnenden Ansicht der Dinge führten, die das Gedicht in Aussicht nahm?" Es lag daran, daß dieser Prozeß auf halbem Wege abgebrochen wurde, daß er, nach dem Ersten Teil, unvollendet zurückblieb; als Goethe dessen Fortsetzung endlich vorlegte, war er in die falsche Richtung gegangen.[77] Er hatte die „große Belehrung aus dem Ganzen für die Gattung" aus den Augen verloren; nur ein „bestimmtes Indi= viduum" war schließlich geschildert worden.[78] Dem Anfangsteil der Dichtung mit der wiedergewonnenen Erneuerung jener Versöhnung und seinem Ruf „zum Leben und Wirken" könne ungemindert zuge= stimmt werden. Aber die Weiterführung — — hier hätten Schillers Ratschläge befolgt werden sollen![79] Dann wäre der „folgerichtige" Anschluß gefunden und Faust, wie es notwendig ist, zu Männlichkeit ins wirkende, handelnde Leben geführt worden, „zu der Uneigen= nützigkeit des Gefühls und der Thätigkeit im Ganzen . . ., das uns nach allen Abschweifungen der Ideale uns selber wiedergibt". „Allein an dieser Stelle stand Göthe fest, wo er seinen Helden fest stehen ließ; er hatte keinen Sinn für das handelnde Leben und die Willenskräfte des Menschen; und Schiller, der diesen Sinn in hohem Grade besaß, mußte ihm erst den Begriff der normalen menschlichen Entwicklung angeben, zu dessen Erfassung Göthe trotz allen Reflexionen über die Epochen der Menschen nie gelangte." Freilich war dieser Stillstand nicht die Schuld Goethes allein; das Vaterland selbst hatte und hat die Kluft zwischen denkendem und aktivem Leben noch nicht überschritten. So verpflanzte Goethe schließlich sein Werk „aus dem weiten Gebiete des öffentlichen Lebens auf das seines individuellen" — „wo aber das Gewächs aus der Art schlagen mußte"!

Damit war das Verdikt über ‚Faust II' gefällt. Dieser Dichtungsteil gehöre nicht der Nation; er sei ein Privatissimum. Einzig Schiller habe dem Volk noch jene politischen Ideen zu geben vermocht, die es für seine „lebensthätige Bildung" so dringend brauche. „Wer auf diese politischen und nationalen Entwicklungen bei uns hofft und für sie Sinn und Interesse zeigt, der hält sich auch gern zu Schiller, und läßt die Göthische Dichtung ruhiger auf sich wirken; wer dafür blinder ist, oder wer daran verzweifelt, der drängt sich zu Göthe, unruhiger erwartend, welch' ein Heil aus dem geistigen Leben für das wirkliche ersprießen . . . möchte."[80]

Gervinus zog das Resümee: demnach komme alles darauf an, den Staat endlich in rechter Weise einzurichten und aufzubauen, denn nur in ihm könne die wahre „Blüthe des Geistes und des Charakters" entfaltet werden, nur in einer staatlich geformten Nation werde der Mensch „wahrhaft stark und groß sich entwickel[n]". Doch mit dieser entscheidenden Notwendigkeit deutscher Zukunft hat ‚Faust' gar nichts zu schaffen. Somit — Gervinus gab das genau treffende Stichwort — ist es „bei diesen Verhältnissen . . ., nach unserer Überzeugung, viel richtiger, daß wir mit aller Macht streben, diese leidigen Hindernisse unserer nationalen Fortbildung zu brechen, als daß wir *jene Faustischen Probleme* immer wiederholen, die *wie ein Geier an dem Herzen unsrer Jugend nagen*. Und statt *jenen Brand dunkler Leidenschaftlichkeit* in uns zu nähren, sorgen wir doch lieber, uns zu klarer Ergreifung und Behandlung der wirklichen Verhältnisse zu erheben."[81]

Diese Sätze „faustischer Negation" wurden in allen fünf Auflagen von 1841 bis 1874 wiederholt, ausgesprochen von einem Mann, dessen Stimme bedeutendes nationales Gewicht hatte, schon allein durch sein Schicksal mit den Göttinger Sieben. Wenn man von dem Anwachsen der faustischen Ideologie durch das 19. Jahrhundert spricht — und an dem ist nicht zu zweifeln —, darf man, um historisch nicht einseitig zu rekonstruieren, solche entschiedenen nationalen Gegenstimmen keineswegs überhören. Das war hier nicht die Stimme eines, womöglich abseitig schreibenden Theologen oder Philosophen, die allenfalls in beschränktem Kreise bleiben konnte. Die Verkehrtheit des „Faustischen", wie sie z. B. Göschel und Martensen formuliert hatten, wurde nun in die nationale Aufgabe selbst hineingenommen, als ein Wort fundamental gemeinter Kritik an den geistigen und politischen Zuständen der Gegenwart, einer Kritik, die bis an die Staatsformung von 1871 und darüber hinaus reichte. „Gervinus stand immer dort, wo sich die weiteste Fernsicht auftat. Jede Frage prüfte er am Wertmesser des Gesamtvolkes. Er suchte Gemeinüberzeugungen zu schaffen" (Josef Nadler).[82] Diese Kritik entzündete sich an dem Hauptwerk der Epoche und nahm von ihm das angreifende „Schlagwort". So wie Goethes Dichtung selbst abgeirrt sei, so auch gehörten die durch sie aufge= worfenen „Faustischen Probleme" zu dem schleichenden Wundbrand des Zeitalters. Sie mögen zwar als Erinnerung an die „allgemeine deutsche Periode der Naturgenien" erhalten bleiben,[83] aber dieser „fressende Gram des Prometheus und Faust", diese „starkgeistigen Selbstpeinigungen" dürften bestenfalls „nur eine kurze Periode des Jünglingsalters ergreifen, nicht die Jahre der Männlichkeit zernagen" — so nahm Gervinus ausdrücklich am Ende seiner Literaturgeschichte noch einmal das Bild von dem „Geier" auf,[84] um die antifaustische Unter= stimme unüberhörbar auch in die starken politischen Schlußakkorde eintönen zu lassen.

Wolfgang Menzel, Friedrich Theodor Vischer, Georg Gottfried Ger= vinus, dazu könnten noch der ‚Grenzboten'[85]=Redakteur Julian Schmidt, der ebenso einflußreiche spätere Redakteur der ‚Blätter für literarische Unterhaltung' Rudolf Gottschall, auch der Berliner Professor und frühere Feuilletonleiter der ‚Preußischen Staatszeitung' Otto Friedrich Gruppe treten: sie alle, wenn auch offensichtlich in verschiedener Ab= sicht und Richtung, protestierten aus nationalen, aus national=liberalen Gründen gegen Goethes ‚Faust', vor allem gegen die Lösung im zweiten Dichtungsteil. Die Erziehung zur politischen Tat und zu staatlichem Denken stellte man sich in diesem Umkreis grundanders vor als das „Tat"handeln Fausts in den Goetheschen Altersversen; diese legte man letztlich als Quietismus aus und lehnte sie ab. Indem man mehr oder minder massiv gegen Goethe oder einen Teil seines Werkes anging, wollte man die Nation vor den an ihrem Selbstbewußtsein nagenden „Faustischen Problemen" abschirmen, die, zwar allerort zu beobachten, in Goethes Dichtung ihre deutlichste Ausgestaltung gefunden hatten; insofern wollte dieses „Faustisch" eine allgemeine geistige Situation treffen: bei Gervinus waren es die unschöpferisch und schwärmerisch gewordenen irrationalen („romantischen") Mächte, die sich dem auf=

kommenden Zeitalter des politischen Realismus „selbstpeinigend" in den Weg stellten. Gerade das *negative* „faustisch" drückte in diesem Kreis das nationale Selbstbewußtsein aus.[86]

Man muß den 1841 erschienenen Moderoman ‚Gräfin Faustine' der Ida Gräfin Hahn=Hahn (2. Auflage schon 1842) gelesen haben, um nachspüren zu können, gegen welche gerade im Namen Fausts vorge= tragene Problematik diese Männer sich wehrten; denn in diesem Buch, Prototyp für zahlreiche gleichartige jener Jahrzehnte,[87] zerstörte tat= sächlich der „Brand dunkler Leidenschaftlichkeit" jedes geordnete Wir= ken und Handeln, jede maßvoll gefügte menschliche Beziehung. Durch= aus mittelmäßig und ohne eigentlich originellen Einfall beschrieben, waren in diesem gräflichen Salonroman doch alle vorhanden: die spät= romantisch=byronesken „Zerrissenen", die jungdeutschen „Zweifler" und „Epigonen", die durch das ganze Jahrhundert schwirrenden „pro= blematischen Naturen", in barocken Draperien schon Makartschen Stiles — konzentriert in dem schuldig=unschuldigen, emanzipierten Wesen Faustine, die ihren Namen nach Goethes ‚Faust' trug, „fein= geistige Vampyrnatur", dämonischer „Racheengel"[88] mißbrauchten Weibtums am Mann. „Ich habe nun einmal eine Seele, deren Normal= zustand ein fiebernder ist", behauptete sie von sich selbst.[89] Und doch wurde diese „glutvolle Unersättlichkeit" umschrieben mit der tönenden „faustischen" Vokabel „aufwärtsstreben"[90] („es giebt keinen Stillstand für mich, dachte sie, rastlos muß ich vorwärts — und ist das nicht eins und dasselbe mit aufwärts?").[91]

Von ihrem Vater, der den Goetheschen ‚Faust' überaus verehrte, hatte sie, als dauernde Erinnerung, den Namen Faustine erhalten. Sie identi= fizierte sich schließlich mit ihrem „Taufpathen": „Ich wollte immer mein eigenes Schicksal in diesem rastlosen Fortstreben, in diesem Dursten und Schmachten nach Befriedigung finden — aber der zweite Theil hat mir das unmöglich gemacht. Ich denke, es schreibt wol jeder von uns seinen eigenen zweiten Theil zum Faust, der Göthesche ist allzu individuel."[92] Das war gut „jungdeutsch" formuliert. Die darauf folgende Inhaltsbeschreibung von ‚Faust II', von einer anderen Person vorgetragen, mußte den Eindruck der „Lauheit" dieses Dichtungsteiles nur bestärken. Mit solchem „seelenmatten" Faust wollte die „ringende Feuerseele" Faustines nichts zu tun haben. Also tatsächlich einen

eigenen, neuen Zweiten Teil schreiben, Vorschlag so vieler zeitgenös=
sischer Literaten? „Nein, ich lebe ihn lieber", verkündete die dämonisch
frisierte Gräfin.[93] Das Ergebnis dieses ‚Faust Anderer Teil' war die
leidenschaftliche Selbstauslöschung, dazu die Vernichtung aller Männer,
die Faustine begegneten, war die selbst=süchtige Zerstörung jeder „wirk=
lichen Verhältnisse". Ein solches schwatzhaftes, mit ‚Faust' parfü=
miertes, geistes= wie kulturgeschichtlich jedoch höchst aufschlußreiches
Buch muß man im Zusammenhang mit der ‚Faust'=Verurteilung der
Menzel, Gervinus, Schmidt u. a. sehen, um die zeitgenössische Aktuali=
tät ihres Protestes auch nach dieser Seite hin recht zu verstehen.

Julian Schmidt (1818–1886) hatte sich schon 1848 in seinem Früh=
werk mit dem aggressiven Titel ‚Geschichte der Romantik in dem Zeit=
alter der Reformation und der Revolution'[94] entschieden gegen ‚Faust'
ausgesprochen, durchaus in Gedankengängen von Gervinus: das
„Traumwesen der Dichtung" könne nicht Wesen und Aufgabe der
„Menschheit" in sich enthalten;[95] „das Reich der Poesie [ist] vorüber",
jetzt verlangten Wissenschaft und Staat ihr Recht;[96] im „Gericht" der
Geschichte „ist das geniale Sein des reinen Dichters gewogen und zu
leicht befunden" worden[97] — und mit ihm sein Geschöpf, dieser „roman=
tische Wüstling", der sich selbst doppelt genießt, der „geniale Egoist",
der mit selbst gespielten Tragödien sich aufreizt, um seinen ästhetischen
Sinn zu befriedigen[98] (fast glaubt man, Roquairol und Kierkegaard
vereint zu hören). Faust rede die Sprache der Romantiker, „die sich
in ein doppeltes Bewußtsein zerspalten, die sich verachten wie die Welt,
und in dem siechen Gefühl dieses Bruchs schwelgen".[99] Fausts angeblich
geniale Größe liege allein in der Vollendung jeder Gemeinheit. Der
„große Sinn des Faust", seine Lehre, sei vielmehr — dies gegen Schelling
und alle „genialen Scholastiker unsrer Tage" gesprochen —, „daß die
innerliche Entzweiung des Menschen poetisch nicht aufgehoben werden
kann . . .".[100] Und die Schluß=Tat, freies Volk, rastlose Tätigkeit? „Eitle
Phrase!", nur ein anderes Aushängeschild des „egoistischen Willens,
sich selbst zu befriedigen", eine Art „Übertäubung des inneren Kamp=
fes", der zuletzt, „da die Blüthe des schönen Egoismus vergangen, zur
siechen Gespensterfurcht" werde.[101] Am Ende wird „dieser bis in seine
letzten Tiefen ausgehöhlte Geist" durch einen „Taschenspielerstreich"
in den Himmel aufgenommen, wo er sich „unendlicher *geschichtloser*

Dauer" erfreuen kann. „Die Poesie ist zu einer Zauberformel geworden, wie in einem andern Zeitalter die Religion."[102] Mit diesem Gerichts=spruch über ‚Faust‘, ihrer genialsten und subjektivsten Ausprägung, sei über die gesamte („romantische") Poesie das Urteil durch die Geschichte selbst gefällt worden.

Die gleichen Gedanken, wenn auch sachlicher und ruhiger geworden, übernahm Julian Schmidt fünf Jahre später in seine ‚Geschichte der deutschen Nationalliteratur im 19. Jahrhundert‘,[103] in der er konkreter auf ‚Faust‘ zu sprechen kam. Der Einfluß von Gervinus blieb unge=mindert. „Alles Einzelne im Faust, wenn man ihn eben als Fragment betrachtet, ist bewundernswürdig schön und im höchsten Sinne wahr. Fassen wir ihn aber im Zusammenhang, so werden alle Verhältnisse und Perspectiven verwirrt..." Schon im Ersten Teil sei der Held „ein Mann mit greisenhaften Reflexionen"; die „schöpferische Jugend" ver=liere sich an „altkluge Bedenklichkeit" — das gelte vom Prolog bis in den Zweiten Teil. „Die Irrfahrten des überspannten Idealismus haben denselben Ausgang, wie die des überspannten Materialismus." ‚Faust II‘ mit der angeblich „symbolischen" Versöhnung sei nur ein „Schattenbild von Gedanken": „dieser Mangel an Realismus erstreckt sich auf alle einzelnen Scenen, ja auf die Sprache selbst...". Das wirkliche Leben werde nicht mehr erfaßt; die Kunst fliehe vor der politischen Wirklich=keit in ein „stilles Asyl". „Faust hatte seinen Bildungskreis nicht voll=endet, er hatte weder in seinem Denken noch in seinem Gefühl den Schritt gethan, den die Zeit thun mußte, um sich zu erlösen, daß nur in einem Gattungsleben die Seligkeit sei, daß nur in einem bestimmten gegliederten Ganzen der Einzelne dem Dasein gerecht wird. Faust war beim Cultus des individuellen Lebens stehen geblieben", worüber auch die „rationalistische Idee der Perfectibilität" ad infinitum nicht hinweg=täuschen könne. So der Aufstand des geschichtlichen, genauer: des real=politischen Denkens gegen ‚Faust‘ bei Julian Schmidt.

Unmittelbarer und kräftig=deutlicher knüpfte Rudolf Gottschall (1823—1909) in seiner Literaturgeschichte von 1855[104] an die „meister=hafte" Schilderung von Gervinus an, wobei er noch manche drastische Erinnerung an seinen schlesischen Landsmann Wolfgang Menzel hin=zuzog. Faust, „der alle Welt= und Lebenskräfte nur in seinem eigenen Dienst absorbirt und die Aufopferung für irgend etwas außer oder über sich nicht kennt": das blieb auch hier der Grund, auf dem die polemisch scharfe ‚Faust'=Darstellung Gottschalls, parallel zu der Julian Schmidts, sich aufbaute. „Der ‚Faust' ist dieser mit grandiosen Zügen in's Uni= versum hingezeichnete Egoist, der seinen Riesenschatten über jedes fremde Glück wirft, das ihm nicht dienstbar werden will oder ausge= dient hat."[105] Unter Mephistos Händen schrumpfe der Titane freilich „zu einem ganz gewöhnlichen Liebhaber zusammen, der eigentlich für den Standpunkt der bürgerlichen Moral gemeine Streiche begeht",[106] die sich „über das Triviale nur durch das Verbrecherische erheben",[107] wie schließlich noch das Zerstören der Philemon=Baucis=Hütte zeige, „ein Frevel, der wieder in bedenklicher Weise an die Gemeinheit streift".[108] Dramatisch folgerichtig motiviert sei in dieser Dichtung nichts — zumal der Zweite Teil bleibe „so hölzern, so ungenießbar, so schwülstig", „daß der gesunde Sinn der Nation [— damit sind wir beim Thema —] ihn, trotz aller kritischen Marktschreierei, bei Seite liegen ließ".[109]

Diesen gesunden Sinn der Nation zu kräftigen und gerade darum vor Faust und seinen egoistischen („faustischen") Abwegen zu warnen, war, mit Menzel, mit Vischer, mit Gervinus, ebenfalls die Absicht Gott= schalls. Besonders gegen den Dichtungsschluß „himmlischer Cabinets= justiz", den „Epilog von seraphisch=katholischer Mystik", dieses „ge= schmacklose Conglomerat, diese babylonische Verwirrung aller Kunst= formen", wetterte er kräftig. „Wer den zweiten Theil des ‚Faust' ge= lesen, und wem bei dem Durcheinander der darin angeschlagenen Töne nicht zu Muthe ist, als hätte er eine Katze über die Claviertasten laufen hören: den beneiden wir nicht um seinen felsenfesten Autoritätsglau= ben!" Fausts vielzitiertes Titanentum versickere geradezu trivial im Sande. Denn das war der Hauptvorwurf vom „gesunden Sinn der Nation" aus: obgleich Faust sich am Ende im Bereich der Tätigkeit bewegen und bewähren solle, erhebe er sich dort nirgends zu einer rechten Tat. „Sein ganzes Treiben ist magisch und komödienhaft. Er bleibt der schöne Egoist, mit jener göttlichen, contemplativen Faulheit, die sich zu verlieren fürchtet, wenn sie sich im Ernst der Wirklichkeit hingiebt"[110] — kurz: ihm fehle alle „sittliche Kraft und Energie".[111] Wieder dieselben Vorwürfe: Faust verstößt gegen die eigentlichen Inter= essen der Nation und lenkt sie von der „Wirklichkeit" des Handelns ab, welche die Zeitstunde erforderte.[112] —

Zwischen dieser nationalen Forderung und der poetischen Wirklich=
keit zu vermitteln suchte 1860 der Tübinger Professor für Philosophie
und Ästhetik Karl Köstlin (1819–1894, ein Schüler Vischers) in seiner
Schrift ‚Göthe's Faust, seine Kritiker und Ausleger'.[113] Köstlin wandte
sich darin sowohl gegen die nur spekulativen Kritiker (Vischer) als
auch gegen die reinen Kommentatoren (Düntzer); er selbst wollte das
eigene poetische Gesetz des Dichters gültig machen. Zu diesem Zweck
versuchte er, eine „ursprüngliche Faustidee" von der späteren Fassung
abzusetzen, in der perfektibilistischen Richtung, daß eine „ältere Bear=
beitung mit vorherrschend trübem Charakter" (resignierter Selbstmord
Fausts wie Werther!) durch eine zweite abgelöst wurde, die „eine durch=
greifend männliche Haltung und eine heitere versöhnte Wendung"
zeigte.[114] So konnte der Schluß von ‚Faust II' wieder im Sinn einer
bürgerlich beruhigten Streberidee, also gegen Menzel, gegen Gervinus,
auch gegen den Lehrer Vischer, gerettet werden. Hochsinnig hieß es:
„Frei von den Erbärmlichkeiten der Welt mit aller Kraft für einen
großen begeisternden Zweck zu wirken, stets belohnt durch das Ge=
lingen und doch nie stillestehend, sondern immer weiter und weiter
strebend: das ist es, worin Faust endlich eine ihm angemessene Lebens=
sphäre findet . . ."; „. . . er zerscheitert nicht, sondern scheidet beruhigt,
nachdem er das Seine gethan, für das Ganze fruchtbar gewirkt und
gestrebt hat" und er „sich immer mehr beschwichtigt und zusammen=
nimmt", sich abklärt und läutert.[115]

Köstlin vermochte trotzdem nicht ganz an den inzwischen erhobenen
politischen Einwänden und Bedenken vorbeizusehen, zumal nicht nach
Vischers „Bauernkriegshypothese". Auch er gestand zu, daß Goethe
eigentlich einen passenden politischen Wirkungskreis für Faust hätte
schaffen müssen und er ihn „den Ruhm eines deutschen Patrioten, eines
deutschen Befreiers und Einigers" hätte erwerben lassen sollen. Der
„Meeresstrand" am Ende dürfe, in solcher Perspektive, erst nach öffent=
lichem Undank für seinen hochgreifenden politischen Einsatz als ein
resignierendes Sich=Zurückziehen gewertet werden. „Nach der Anlage
des Faustgedichts . . . war dieß der einzig mögliche Weg einer politischen
Wirksamkeit Faust's".[116] Das Gesamtwerk hätte, dabei blieb Köstlin
ebenfalls, an Gewicht gewonnen, wenn das Staatsleben positiver vor=
geführt worden wäre. Dieser allgemeinen zeitgenössischen Feststellung

wagte auch Köstlin nicht direkt zu widersprechen. Doch, und damit steuerte er wieder in den eigenen Gedankengang, Faust sei eben keine politische Natur gewesen; für die „Einheit und Wahrheit des Gedichtes" sei das auch nicht notwendig. Denn Goethe wolle durchaus keine allge= meine Idee darstellen, sondern tatsächlich einen bestimmten Einzel= charakter, einen nur individuell interessanten Menschen.[117] Das letzte Ergebnis der ‚Faust'=Dichtung bleibe die „rettende und versöhnende Rückkehr zum wahrhaft Menschlichen".[118] Indem Faust lerne, daß „ein in die Beschränkung sich treu und willig fügendes Streben das Wahre ist",[119] sei auch (die Formel des Gervinus wurde diametral umgedreht) der deutsche Geist der Neuzeit zu gesunder Tätigkeit gebracht worden.[120]

Das war ein reichlich simples Ergebnis des Ästhetikers Köstlin, haus= backene Bürgerkost. Die nachdrücklich vorgetragenen Einwände Vischers oder Gervinus' waren damit schon gar nicht zum Stillschweigen zu bringen. Köstlin wollte, was bereits vor ihm und dann nach ihm immer eifriger geübt wurde, das Nationale mit ‚Faust II' und dessen 5. Akt zur Deckung bringen. Das konnte nicht ohne Gewaltsamkeit nach der nationalen oder nach der poetischen Seite hin abgehen. Köstlin brachte beides zugleich fertig — auch darin typisch.

Doch in unserem Zusammenhang interessiert mehr seine im Grunde nur possessive Verwendung des Beiwortes „faustisch", das dreimal vorkommt — und überraschenderweise wieder nirgends dort, wo Köst= lin von der abgeklärten Mäßigung, dem versöhnlichen Ergebnis des Gedichtes sprach. Gerade dieses Ergebnis bezeichnete er nicht mit „fau= stisch". Vielmehr erschien das Adjektiv eher beiläufig, an Stellen, die jedesmal, im Sinn der Köstlinschen Interpretation, einen negativen Umschlag andeuteten. Das Gewicht des negativen Klanges dieses Ad= jektivs mußte, sicherlich unbewußt, auch für Köstlin noch so stark ge= wesen sein, daß er, ähnlich wie Kreyßig, es nicht zur Charakterisierung eines gesunden Tätigkeitssinnes des deutschen Geistes einsetzte, sondern wo er Gegenteiliges beschrieb. Die negative Setzung ist in den Jahr= zehnten zwischen Gervinus und Spielhagen zeittypischer als die positive Anwendung.

Am Anfang sprach Köstlin davon, daß man nicht mehr erkennen könne, wie die älteste Komposition, jene angenommene Selbstmord= handlung, nach der Wagnerszene des ersten Monologes im einzelnen

hätte weitergehen sollen. Doch „schon damals ... sollte Faust's unbe=
friedigte Stimmung ... sich steigern zu dem *verzweifelt vermessenen,*
aber eben darin *ächt Faustischen* (von Weiße und Vischer ohne Grund
angefochtenen) *Entschluß,* durch eigene rasche That alle Hemmungen
und Hinderungen von sich zu schleudern ..."[121] Diese ursprüngliche
Konzeption der „trüben" Grundstimmung habe Goethe dann angeb=
lich aufgegeben. Die verzweifelte „Faustische" Vermessenheit — parallel
zu Kreyßigs prometheischem „Faustischen Übermuth" und zurück=
erinnernd an Göschels „verkehrtes ... Faustisches Unternehmen" und
Falks „verzweifelnden, faustischen Unmuth" — bilde daher nicht den
wahren Ausdruck der Dichtung. Der Faust der endgültigen Fassung
sei vielmehr, in dem von Köstlin gebrauchten Wortsinn, nicht „fau=
stisch". — Ähnlich an einer zweiten Stelle, dort, wo Köstlin den auch
ihm bedauerlichen Mangel politischer Handlung in ‚Faust II', das Fehlen
einer echten staatsmännischen Leistung Fausts zugab und er, gleichsam
zur „Entschuldigung" Goethes, behauptete, daß Faust gar nicht als
politische Natur, nicht als Staatsmann entworfen sei. „Es liegt vielmehr
jedenfalls *etwas ächt Faustisches* in der Abneigung gegen die große
Welt, die ihn treibt die Einsamkeit zu suchen und da ganz nach eignem
Ermessen ein neues Land, einen neuen Staat erst zu schaffen. *Diese
Rousseau'sche Verstimmung* gegen die Civilisation ist ganz in Faust's
Charakter ..."[122] Wiederum wurde „faustisch", hier sogar als sub=
stantiviertes Abstraktum, in Zusammenklang mit Verstimmung und
Abneigung gebracht: leider stehe Faust in diesem Handlungsstück der=
art „verstimmt" und „abseits" da, der Dichter habe es leider nicht
anders gewollt; besser wäre ein „positives" Mitwirken im allgemeinen
Staatsleben gewesen. Auch dieses „faustisch" hatte mit der idealischen
Schlußversöhnung wenig zu tun. — Zum drittenmal kam „faustisch"
bei einer kurzen Beschreibung der Hegelschen ‚Faust'=Deutung in dessen
‚Phänomenologie' vor, „eine Deutung", wie Köstlin meinte, „die aller=
dings nicht in Allem zutraf, aber den tragischen Umschlag des fausti=
schen Eigenwillens in die Unfreiheit der Begierde und in das Unglück
aus eigener Schuld sehr richtig hervorhob".[123] Das galt jedoch, nach
Köstlin, nur für das Fragment, äußerstenfalls für den Ersten Teil. Aber
Faust „zerscheitert" nicht, er scheidet beruhigt, abgeklärt, geläutert —
nicht „faustisch", nicht mehr eigenwillig unfrei, nicht mehr schuldig.

Faust, der „Nichtfaustische": so könnte und müßte man nach Köstlins Sprachgebrauch ebenfalls formulieren — nichtfaustisch im Sinn einer negativen, abwertenden Wortbedeutung, die für Köstlin (und andere Zeitgenossen) ohne Gegenfrage allein sinnvoll zu sein schien. Dieses Wort wurde von ihm nur dort angewendet, wo zum positiv herausge= arbeiteten „Ergebnis" der Gesamtdichtung das „faustische" Gegen= bild auftauchte, sei es als eine ihrer Frühstufen, sei es als eine bedauer= liche Abweichung von der erwünschten Norm solchen exemplarischen (deutschen) Lebensganges. Das stimmte dann doch wieder mit Gervinus überein.

Die „faustische Negation" war demnach auch bei Köstlin zu finden; doch wurde sie von ihm nur als dunkle Folie gegen das helle Auf= strahlen der eigentlichen Faust=Lösung gesetzt, während Gervinus sie, warnend, in die Problematik der ‚Faust'=Dichtung selbst hinein= nahm — jeder auf seine Weise bemüht, den deutschen Geist in rechtes Handeln zu bringen.

Doch Köstlin und Kreyßig stellten nur das Zwischenspiel. Gervinus' Formulierungen und die seiner Mitstreiter waren zunächst durchschla= gender; sie beherrschten das Feld. Ein Jahr nach Köstlin, im Jahr des Wagenerschen Staatslexikons, 1861, und dann nochmals, theoretisch begründend, 1866, zog Friedrich Spielhagen die Summe dieser Jahr= zehnte vor 1870/71. Seine Sprachgebung schien „faustisch" endgültig zu einem negativen Charakterisierungswort zu prägen. Noch wider= sprach niemand öffentlich. Die Zeit forderte, sich *nicht* „faustisch" zu verhalten. Das war, dreißig Jahre lang, der nationale Tenor von Ger= vinus bis zu Spielhagen, trotz dem Staats= und Gesellschafts=Lexikon und trotz dem Sommerschen Vorspiel.

In Spielhagen dauerte der jungdeutsche Geist bis ans Ende des Jahr= hunderts fort. Sein mehrbändiger Doppelroman ‚Problematische Na= turen' (1861) und, als Fortsetzung, ‚Durch Nacht zum Licht' (1862) führte noch einmal den jungdeutschen zeitkritischen Roman, weit über Laube, Mundt, Gutzkow hinaus, auf die Höhe der Epoche. Es war auch die Erfolgshöhe Spielhagens selbst, der damals 32 Jahre alt war. „Spielhagen bedeutete — was heute fast vergessen ist — lange Zeit eine geistige Macht, und durch ihn hat das junge Deutschland, wenn auch in etwas abgeschwächter Form, seine eigentlichen Siege errungen — post

festum" (Ernst Alker).[124] Wenn von dieser geistigen Tagesmacht in dem
eigentlichen, noch bis ins 20. Jahrhundert immer von neuem aufgelegten
Erfolgswerk das Wort „faustisch" bewußt in engsten Zusammenhang
mit dem darin entwickelten Hauptproblem gebracht wurde, darf man
von einer für diese Jahre (1861–1867) entscheidenden und beispiel=
gebenden Prägung sprechen. Und wenn diese Formulierungen, wahr=
scheinlich bewußt, zudem noch an Gervinus (1842 ff.) anknüpften, hatte
sich in dieser „faustischen Negation" der jungdeutsche antigoethesche
Komplex auf Jahrzehnte hin öffentlich durchgesetzt. Das Wort „fau=
stisch" war jetzt völlig emanzipiert. Es meinte, längst weit über Goethes
Dichtung hinaus, schließlich einen bestimmten geistigen Bereich, eine
eigentümliche geistige Situation, eine „Weltanschauung". Aber es war
in dieser selbständigen Ausdrucksweise abwehrend, verurteilend, nega=
tiv geworden — genau so wie schon Martensen 1836 das „ganze
Streben" des modernen Zeitgeistes, ebenso warnend, ebenso abwehrend,
„ein Faustisches" genannt hatte.

Bekanntlich stammte der Ausdruck „Problematische Naturen" von
Goethe selbst;[125] seine Definition wurde von Spielhagen wörtlich über=
nommen. Mit ihr kennzeichnete er nicht nur die Hauptpersonen seines
Romans, sondern eine krankhaft=„romantische" Unterströmung des
ganzen Jahrhunderts, die dieses, so hatte es bereits Gervinus, Schmidt
u. a. beschrieben, nicht zu rechtem Handeln und Wirken kommen
ließ.[126] „Was nennen Sie problematische Naturen?" fragt Oswald
Stein den Baron Oldenburg, beide die Hauptvertreter dieses Typus in
dem Roman, nur daß der eine, Stein, darin untergeht, der andere
„diesen Dämon" überwinden kann.[127] „Es ist ein Goethe'scher Ausdruck
und kommt in einer Stelle vor, die mir viel zu denken gegeben hat. Es
gibt problematische Naturen, sagt Goethe, die keiner Lage gewachsen
sind, in der sie sich befinden, und denen keine genug tut. Daraus, fügt
er hinzu, entsteht der ungeheure Widerstreit, in dem sich das Leben
ohne Genuß verzehrt. — Es ist ein grausiges Wort, denn es spricht in
olympischer Ruhe das Todesurteil über eine, besonders in unseren
Tagen, weit verbreitete Gattung guter Menschen und schlechter Musi=
kanten."[128] Die Verachtung der Vernunft und eine nur sich selbst
bebrütende, „romantische" Schwärmerei sind weitere Kennzeichen dieses
illusionären Zustandes, in dem (wiederum mit Gervinus) der Mensch

lieber „Idealen", die nur in seinem Gehirn existieren, nachjagt,[129] als daß er auch nur einmal aus sich selbst herauszutreten vermöchte und für „Andere", in der „Solidarität aller menschlichen Interessen",[130] zu handeln bereit wäre. Ein „Schlemihltum" sondergleichen treibt diese „problematischen" Menschen ruhelos und unbefriedigt umher, gezwun= gen von ihrem „wilden Herzen" und „unersättlichem Wissensdurst",[131] ohne daß sie irgendwo den Ort bescheidener Einordnung und einer Alltagspflicht fänden, auch nur finden wollten (man erinnere sich an die Faustine der Ida Hahn=Hahn). Jeder Mensch, der sich ihnen unge= festigt nähert, wird von ihnen mitzerstört — gebrochene Charaktere mit verzweifeltem Lebensekel, die schließlich auf irgendwelchen Barri= kaden enden.[132] Sie verkörperten am auffälligsten „die schwere Not einer Zeit", „die beinahe nur noch problematische Naturen hervor= bringt".[133]

Diese solchermaßen charakterisierten, problematischen Menschen heißen und sind nun, anders ausgedrückt, auch „faustisch" (wobei Spielhagens eigene Faustauffassung noch mitgesprochen haben mochte, die Faust aufs engste mit Mephisto verband und diesen den eigent= lichen „Sieger" des Doppelwesens sein ließ). Zweimal, in jedem der beiden Romanteile, wurde diese überraschende, aber folgerichtige Glei= chung aufgestellt. Der Arzt Dr. Braun, der sich zu einem der ent= schiedensten Antagonisten gegenüber den „Problematischen" entwickelt, weil er die Welt als humanen Kosmos begreifen lernt,[134] analysiert in einem Gespräch den Hauslehrer Oswald Stein: „... ich habe Ihnen in der letzten Zeit ein eingehendes Studium gewidmet, und gefunden, daß Sie eines der vortrefflichsten Exemplare einer in unseren Tagen ziemlich weit verbreiteten Species generis humani sind, Nachkommen des wei= land vom Teufel geholten Doktor Faustus, Faustuli posthumi, so zu sagen, die den langen Dozentenbart abgeschnitten, auch nicht im ro= mantischen Rittercostüm, sondern einfach im modernen Frack einher= spazieren; im Übrigen aber *auf gut faustisch* von Begierde zum Genuß taumeln, und im Genuß nach Begierde verschmachten. — Problematische Naturen, nennt sie der Baron Odlenburg, bemerkte Oswald. — Eine sehr gute Bezeichnung, sagte der Doctor."[135] Volksbuch, Goethes Dich= tung, die „schwere Not" der Gegenwart: dies alles wird in dem proble= matischen „faustisch" zusammengefaßt, als ein durchgehender Zug von

jener weiland Teufelsbündnerei über das hemmungslose Taumeln zwi=
schen Begierde und Genuß des Mädchenverführers Faust bis zu den
modernen Faustulis im Frack,[136] die in der „verderblichen Sucht" der
Selbstbespiegelung und des Selbstgenusses leben und dadurch „in eine
ganz schiefe Stellung zur Welt geraten", schon weil sie niemandem
„nützen".[137] „Gut faustisch" — mochte dieser ironische Ausdruck noch
von Goethes Handlung abgenommen sein: er meinte dennoch den ge=
samten Komplex der „problematischen Naturen" des 19. Jahrhunderts,
nicht etwa seiner hochstrebenden und sozial tätig handelnden Geister.
„Faustisch" und „problematisch", beides gehört gleichsinnig in die
„lange schmachvolle Nacht", von der der „geheilte" Oldenburg im
Schlußwort des Romanes spricht und dort zugleich das Gegenbild
rechten ethischen Tuns pathetisch aufstellt: „Wir sollen schaffen und
wirken in dem heißen Staub der Alltäglichkeit, rastlos, ruhelos, denn
nimmer schläft die Tyrannei. Wir sollen arbeiten und schaffen, daß die
Nacht nicht wieder hereinbreche, in welcher es dem Braven unheimlich
und nur dem Schlechten heimlich war; die Nacht, durch deren dunkle
Schatten so viel romantische Larven und phantastische Gespenster
huschten; die Nacht, die so arm war an gesunden Menschen und so
reich an problematischen Naturen — die lange schmachvolle Nacht, aus
welcher nur der Donnersturm der Revolution durch blutige Morgenröte
hinüberführt zur Freiheit und zum Licht."[138]

Der „faustische" Mensch ist nicht der gesunde, er ist der kranke
Mensch, eine „romantische Larve", „phantastisches Gespenst", der den
Sinn des Schaffens und Wirkens („rastlos, ruhelos" dennoch!) in der
Alltäglichkeit nicht erfaßt hat und die politische Forderung der Stunde
nicht begriffen. Immer noch waren es — zwanzig Jahre lagen dazwischen
— „jene Faustischen Probleme . . ., die wie ein Geier an dem Herzen
unsrer Jugend nagen" und sie in dem „Brand dunkler Leidenschaftlich=
keit" nicht zum Erkennen der „wirklichen Verhältnisse" kommen lassen,
wie es Gervinus vorgesprochen hatte. Es war dieselbe Sorge und die=
selbe Abwehr, die von Gervinus und von Spielhagen mit dem Wort
„faustisch" ausgedrückt wurde; dessen destruktive Problematik
wünschte man von der politischen Gegenwart ausdrücklich fernzuhalten.

Im zweiten Romanteil wurde die „faustische" Charakterisierung des
Dr. Stein nochmals kurz bestätigt. Die Braut jenes Arztes nimmt das

Kennwort auf und moduliert es weiter. Sie beschreibt den Hauslehrer als „eine lebendige Vereinigung von lauter Gegensätzen, welche auf mich, die ich das leicht Verständliche, Klare, Einfache liebe, offen ge= standen, einen peinlichen Eindruck gemacht hat". „Er schien alles nur wie ein leeres Spiel zu betrachten." „Franz hatte mir gesagt, daß er etwas Faustisches in seinem Wesen habe; mir ist er wie ein rechter Mephisto vorgekommen." „Ich mußte wahrlich an das: Es steht ihm an der Stirn geschrieben, daß er nicht mag eine Seele lieben, oder wie es heißt, denken."[139] „Etwas Faustisches": das substantivierte und generalisierende Abstraktum schien jetzt geläufig und selbstverständ= lich geworden zu sein. Spielhagen koppelte es wiederum eng an mephi= stophelische Charakterzüge, auch an die Liebesunfähigkeit und das Unverbindlich=Spielerische der „problematischen Naturen". Das Nega= tive dieses Ausdrucks wurde dadurch nur noch stärker bekräftigt. Die einfachen und klaren Menschen, die Tätigen und Handelnden, wollen mit diesem „Faustischen" gar nichts zu schaffen haben und wenden sich schaudernd, wie von diabolischer Verführung, von ihm ab.[140]

Am 13. Dezember 1866 hielt Spielhagen einen Vortrag über ‚Faust und Nathan', der ein Jahr später gedruckt vorlag (nochmals wiederholt 1903!).[141] Faust der „Schwärmer" und Nathan der „Weise" — damit wurden die in dem Roman entwickelten Antithesen von neuem auf= genommen. „Im ‚Faust' wird das Räthsel aufgegeben, im ‚Nathan' wird es gelöst."[142] Faust werfe „niemals ein[en] Blick in das große historische Leben, auf das überall die Perspective im Nathan so herzerquickend deutet…"[143] — der alte jungdeutsche, der alte und bleibende „natio= nale" Vorwurf. In der Welt des Lessingschen Orients „gedeihen Faust= sche Träumer nicht. Unter den Saladin's treiben die Fauste [— man hört geradezu Spengler voraus —] Finanzwissenschaft und Staatsökonomie, oder gürten das Schwert um…"[144] Noch wich Spielhagen zögernd dem Stichwort „faustisch" aus und bildete Zwischenformen: „Faustsche", „die Fauste", dazu später noch „das Fausthun", „Phase des Faust= seins".[145] Das unmittelbar geformte Beiwort bewahrte er sich, bewußt, für den entscheidenden Stoß. Der zielte wieder, analog dem Roman, gegen einen bestimmten Bereich der öffentlichen deutschen „Misère", deren „Mißverhältnisse" offenbar lägen. Dadurch prägte Spielhagen „faustisch" zu einem generalisierenden, einem negativ generalisieren=

den Charakterisierungswort deutscher, nationaler „Unseligkeit". „Die Incongruenz unseres Wollens und unseres Vermögens, der Überschuß von Regungen, Strebungen, Kräften, die nie zum Ziele, nie zur Ver= werthung kommen, die Leichtigkeit, mit der die Gedanken beisam= men wohnen, und die Schwere, mit der die Sachen im Raume einander stoßen, die Unbedingtheit der Phantasie und die scharfe Begrenzung der Wirklichkeit — *alle diese Mißverhältnisse*, welche in dem Haushalt der Menschheit ihre Erklärung und somit ihre Berechtigung finden — erzeugen in dem Individuum, momentan oder dauernd, jene Stimmung, die wir, nachdem der ‚Faust' einmal geschrieben ist, *ein für allemal als faustisch bezeichnen.*"[146]

„Ein für allemal" — das könnte tatsächlich den bewußt gemeinten Abschluß einer Bedeutungsentwicklung vermuten lassen. Jedenfalls wurde hier das Wort gezielt und absichtlich eingesetzt, wie sicherlich vorher in dem Roman auch schon. Spielhagen umschrieb diese „fau= stische" Stimmung weiterhin mit „Weltschmerz", der zwar modern, doch so „unselig" sei, daß er selbst schon die Hölle darstelle und daher neben Faust immer und unausweichbar Mephisto auftauchen müsse; denn ein „beruhigter" Faust, Wunschbild vieler Interpreten, sei eine contradictio in adjecto.[147] Faust ohne den unseligen Höllenpakt, zur Selbstbesinnung gekommen in der Vollkraft seines Lebens, ausgestattet mit einer großen und edlen Seele: das eben sei — Nathan.[148]

Von diesem Gegensatz aus verwies Spielhagen noch einmal „fau= stisch" auf die negative Seite, während hell der Pflicht=Imperativ hoch= stieg. Nathans Einwilligung in Gottes Ratschluß, nach dem Mord an seiner Familie, wurde recht gewaltsam kantisch interpretiert: „das ist der einzig untrügliche Schlüssel zu dem großen Räthsel des Seins! Der kategorische Imperativ der Pflicht, vor dem alle faustischen him= melstürmenden Aspirationen, alle subtilen mephistophelischen Wenn und Aber in Nichts verschwinden wie die Nebel vor den Strahlen der Sonne! Ich will!"[149] „Fausts gramesdüstere Augen", der unselige faustische Weltschmerz, wurden zum Gegenpol und damit zugleich „faustisch" zum Gegenwort von Pflicht und rechtem Menschentum. Das Nationale und das Humane stehen gemeinsam gegen „faustisch"; dieses selbst wurde, in schärfstem Ausschlag, zu einem Ausdruck des „Chaos" und des „Abgrundes" erklärt.[150] —

So standen, mit vorerst wenigen sichtbaren Ausnahmen, die Zeichen zwischen 1840 und 1870. Im Zusammenspiel vor allem zwischen Gervinus und Spielhagen (ein bewußtes Anknüpfen ist zu vermuten) wurde „faustisch" zu einem Gegenwort der erwünschten nationalen Entwicklung. In ihm, dem negativ charakterisierenden Beiwort, schlugen sich nicht nur alle Ressentiments einer Generation gegen Goethe, den alten Goethe nieder, gegen ‚Faust', den Zweiten Teil des ‚Faust', son= dern mit diesem Wort wurde abzuwehren versucht, was als schädlich erkannt worden, und wurde aufzustellen versucht, in negativer Folie, was im Einklang mit dem Zeitalter von der Nation zu fordern war. Dieser Zeitgeist forderte, das sei wiederholt, sich nicht „faustisch" zu verhalten, vielmehr diesen Wundbrand energisch auszuschneiden, das faule Glied zu amputieren, damit der Volkskörper, antifaustisch, ge= sunde.

*

Dieser Tenor wurde durch eine auffallend große Zahl von Schriften verstärkt, in denen zwar das Wort „faustisch" nicht direkt verwandt und diskutiert wurde, aber die einig waren in der Abwehr des Goethe= schen Faust=Geistes und gelegentlich bis zu bissigster Polemik aus= holten. Meist stammten diese Veröffentlichungen aus theologischem oder doch aus bewußt konfessionellem Lager beider Kirchen. Die Theologen waren wieder die Stimmführer dieser Gruppe. Alle hatten sie mit der Richtung Gervinus/Spielhagen gemein, mit der sie im übrigen keines= wegs harmonierten, daß auch sie den Faust=Geist für schädlich, für schändlich, für verdammenswert hielten. Sie leiteten die scharfe kon= fessionelle Kritik aus dem ersten Jahrhundertdrittel in gleicher, eher verstärkter Tonlage weiter und gaben sie an die zunehmend sich ver= schärfende Polemik im letzten Drittel des Jahrhunderts hinüber, wo diese, was in der Jahrhundertmitte noch fehlte, in härteste Auseinander= setzung mit der nunmehr voll ausgebildeten (positiven) faustischen Ideologie geriet. Längst wurde nicht mehr über ‚Faust' als Dichtung gesprochen; ‚Faust' war zum Prüfstein der richtigen oder unrichtigen Weltanschauung, zum Prüfstein des richtigen oder unrichtigen Han= delns geworden.

Aus vielen möglichen Beispielen seien wenige herausgegriffen.[151] Joseph Görres, zurückhaltend, das Maß wahrend, nicht ohne Bewun=

derung für den Dichter, jedoch eindeutig den eigenen Abstand und den seiner Kirche zu ‚Faust' beschreibend, stellte zunächst 1840 im 3. Band der ‚Christlichen Mystik',[152] im Kapitel über die Zaubersagen, die Genesis der Faustsage bis zu dem „teutschen Dichter" dar; über Goethes Werk selbst sagte er: „Die Dichtung ist ein großartiger Versuch, den Zauberglauben aller Zeiten in der Weise, wie ihn die gegenwärtige Zeit versteht, zur poetischen Anschauung zu bringen; weil aber dies Verständniß nur ein zeitlich beschränktes ist, und es beim Ignoriren und gänzlichen Ausschließen des Gegensatzes, ohnmöglich zu einem irgend befriedigenden Ende gebracht werden konnte; darum ist sie immer nur ein Sang des großen Zauberliedes: der Sang des achtzehnten critisch= und speculativ=poetischen Jahrhunderts." Zauber, allenfalls poetischer Zauber, doch nicht Wahrheit! „An allem diesem wird der Sinn, von dem Spiele poetischer Kräfte ergötzlich angesprochen . . . in seiner Weise sich erfreuen. Aber kein Einsichtiger wird darin historische Wahrheit suchen . . ." — historische, das heißt begründete, ursprüng= liche, in die Zeit geoffenbarte Wahrheit. Das wollte dem Dichter be= lassen, was des Dichters ist, leugnete nur durchaus die ihm gern zuge= wiesene Fähigkeit, in seinem Werk ein modernes „Evangelium" an= bieten zu können.

Deutlicher, bei gleichem maßhaltenden Ton, wurde Görres 1845, drei Jahre vor seinem Tod, in der polemischen Schrift ‚Die Wallfahrt nach Trier'.[153] Goethe, hieß es dort, wo Görres auf die dichterische Symbolik zu sprechen kam, sei der größte Sprach= und Dichtmeister der Deut= schen; diese Gabe habe er unmittelbar „aus dem Naturbecher" sich angetrunken, aber — wieder wurde der Trennungsstrich gezogen — „den Kelch des höheren Lebens über der Natur verschmäht". Aller= dings habe Goethe, reiner Natursymboliker, sich mit „Mäßigung" vor dem „verhüllten Mysterium" der Kirche verhalten; daher es geschehen konnte, „daß sein größtes Werk in eine wenn auch schadhafte Symbolik, zum Schrecken der Zeitgenossen, umgeschlagen". „Zur Aufgabe hatte er sich gestellt, im Faust an der Geschichte des Theiles seines Volkes, der dem Geiste der Verneinung sich verschrieben, nachzuweisen, was Gott der Herr Anbeginns schon vorgesehen: Ein guter Mensch, wenn auch von diesem Geiste von seinem Urquell abgezogen, ist sich des rechten Weges wohl bewußt, und der Böse kann ihn nicht erfassen. Da folgt er nun dem Irrstern auf allen seinen regellosen Bahnen ..., in allen gleich maaßlos und verworren nach dem Absurden strebend", am Ende „ein mit allen mechanischen Kräften ausgerüsteter Titan". Me= phisto mußte schließlich der rechtmäßige Sieger bleiben. Goethe nähere sich zwar im Epilog der katholischen Ordnung und halte ihre Stufung etwa ein. „So hat aller heidnische Apparat zuletzt nur zu einer Huldi= gung der Wahrheit hingeführt ... Aber mehr Licht! mögten wir für den Dichter mit ihm rufen. Wie Luther durch den Glauben, so hat er durch die Liebe die Rechtfertigung zu erwirken geglaubt, aber dabei die ewige Gerechtigkeit verletzt." Wohl hatte er „seinen triumphiren= den Auszug aus den Pforten der Negation angetreten", ein „Blick ins Land der Verheißung" war ihm gestattet, aber er hätte einsehen müssen, „daß *der Faust,* und *also der Theil der in ihm personificirten Nation,* nicht ohne Kirche zum Ende komme". Dies war versöhnlicher und auch menschlich gerechter ausgedrückt als die früheren katholischen Pole= miken. Im Grunde aber kam es auf dasselbe hinaus. Eine Brücke der Aussöhnung zwischen den beiden Lagern gab es nicht. Die Abwehr= geste blieb eindeutig genug. Görres, angerührt von der Großartigkeit des Faust=Stoffes und seiner poetischen Möglichkeiten, konnte — über= raschend — schließen: „Der wahre Faust bleibt aber doch immer einem Katholischen zu schreiben über." Er schien nicht, wie der Däne Marten= sen, überzeugt zu sein, dies wäre schon in Lenaus ‚Faust' geleistet worden.[154]

Scheinbar einen solchen Brückenschlag[155] versucht hatte ein Jahr vor= dem, 1844, ein anderer, streitbar gewordener Katholik, der Kovertit Wilhelm von Schütz (1776–1847),[156] der Goethe noch mehrfach per= sönlich begegnet war und Briefe mit ihm gewechselt hatte.[157] Freilich mußte Schütz groteske polemische Verzeichnungen anwenden; seine Brücke geriet nicht tragfähig. Wie die moderne Weltzerrüttung durch den Protestantismus entstanden sei,[158] so auch sei Faust, „der abge= fallene Katholik",[159] durch den protestantischen Ungeist in Gestalt des Mephisto (!) verführt und verderbt worden; denn Mephisto stelle durch= aus den „Geist des Protestantismus" vor, „als einer bis zu Kain hinauf zu verfolgenden Urnegation des wahren Lebens ...".[160] Goethe be= handele daher im ‚Faust' „sein Verhältniß zum Protestantismus wie ein Bündniß mit dem Verführer durch Mephitopheles ...[161]". Die Dich=

tung arbeite sich aber gegen Ende (daher der Epilog von der protestan=
tischen Kritik so heftig geschmälert)[162] immer mehr ins katholische
Christentum und erfasse sein tiefstes Geheimnis, die marianische Weib=
lichkeit, die er als Realität, als „Ereignis", beschrieben habe, leitende
Idee der ganzen ‚Faust'=Dichtung, bestätigt schon durch die Gretchen=
Handlung.[163] Goethe gelange über den dürftigen protestantischen Geist
hinaus (sein Faust verschreibe sich nur aus Abscheu vor der verdorbenen
Wissenschaft protestantischer Freigeisterei dem Teufel!).[164] Goethe
fand, als er den ihm unbekannten Katholizismus suchte, auf demselben
Weg wie der Konvertit Winckelmann, zunächst das heidnische Alter=
tum;[165] daher die Einschaltung der Helena=Handlung. Faust werde
durch das klassische Altertum auf das katholische Christentum hin ge=
läutert. Goethe sei zwar kein „eigentlicher Katholik" geworden, aber
er habe, unbewußt, aus dem Brunnen des Katholizismus geschöpft und
allein dadurch seine Dichtung der einzigen Realität genähert.

Wie die meisten Schriften von Schütz war auch diese ein unhaltbarer,
mißlungener Versuch, der, voll allzu persönlicher Ressentiments, mehr
gegen den Protestantismus zielte, als Goethes Dichtung auch nur an=
nähernd in ihren rechten Maßen erkennen wollte. Görres' Scheidung
war genauer, ehrlicher, in der Gesinnung sauberer, wenn auch manchem
Eiferer im eigenen Lager zu maßvoll und verbindlich.[166]

Auch Joseph von Eichendorff griff in die Debatte dieser Jahrzehnte,
führte die Kritik seines verehrten Lehrers und Freundes Görres sicher
und vornehm weiter, aber schärfte dort die Einwände, wo er annehmen
mußte, daß Görres zu zurückhaltend gewesen war. Beide, Görres wie
Eichendorff, waren noch um Einigung von Katholizität und National=
dichtung bemüht, gerade auch in ihrer öffentlichen Behandlung Goethes
und seines Werkes. Nach ihnen wich diese ausgleichende Haltung auf
Jahrzehnte hin immer schärfer einem polemischen, apologetisch aggres=
siven Ton; Höhepunkt dieser unversöhnlichen katholischen Abkehr, die
nochmals an die frühe katholische Kritik um 1830 anknüpfte, wurde
das vierbändige Goethe=Werk des Jesuitenpaters Alexander Baumgart=
ner, das 1879, während des „Kulturkampfes", zu erscheinen begann.

Als literaturkritisch hervorragender Mitarbeiter der vielgelesenen,
kämpferischen ‚Historisch=Politischen Blätter für das katholische
Deutschland',[167] herausgegeben damals noch von Georg Phillips und

Guido Görres, schrieb Eichendorff 1846 seine Artikelreihe ‚Zur Ge=
schichte der neuern romantischen Poesie in Deutschland',[168] die im
nächsten Jahr, erweitert, als eigenes Bändchen unter dem Titel ‚Über
die ethische und religiöse Bedeutung der neueren romantischen Poesie
in Deutschland' herauskam.[169] Beide Male kam er eingangs, mit gleichem
Text, auf Goethe zu sprechen. Wieder wurde, wie bei Görres, der
„Natur"=Dichter gerühmt, seine Grenzen jedoch an der Transzendenz
gemessen. Goethe habe seine Sache ganz auf die Natur gestellt. „Seine
Poesie war und blieb eine Naturpoesie im höheren Sinne." „Aber sie
gibt auch nicht mehr" als Natur — das ist ihre Stärke und Schwäche
zugleich. Sie „wächst … unbekümmert in steigender Metamorphose
bis zur natürlichen Symbolik des Höchsten, vor dem sie scheu ver=
stummt". Von dieser Position her warf Eichendorff einen kurzen Blick
auf ‚Faust'. „Allein die Natur ist in ihrem Wesen auch mystisch, als ein
verhülltes Ringen nach dem Unsichtbaren über ihr. Das fühlte er
[Goethe], wie er sich auch sträubte, und so beschloß er, wie die Natur
ihr Tagewerk mit Symbolik, so das seinige im zweiten Theil des Faust
mit einer unzulänglichen Allegorie der Kirche."[170] Goethe habe die
Grenze zur eigentlichen Poesie christlicher Symbolik nicht überschreiten
können. Das war, im ganzen, Fortführung der Görres'schen Bemer=
kungen, im gleichen achtenden, gemäßigten Ton. Diese Abschnitte
gingen auch in Eichendorffs spätere, abschließende ‚Geschichte der poe=
tischen Literatur Deutschlands' 1857 über,[171] in alle Auflagen bis zur
Jahrhundertwende. Aber dort, wie schon vorher in der Schrift ‚Zur
Geschichte des Dramas' 1854,[172] wurde ‚Faust' eingehender behandelt
und wesentlich härter in Kritik genommen. ‚Faust' erschien nun als die
Summe der (protestantischen) Moderne, nicht mehr nur als ein in sich
begrenztes „Naturgedicht", und wurde als solche, aus der damaligen
kämpferischen Situation des süddeutschen=österreichischen Katholizis=
mus, nachdrücklicher zurückgewiesen.

Das Vertrauen auf die Natur, auf das Goethe auch seine Humanitäts=
idee aufbaue, schließe, hieß es jetzt, jedes echte Verhältnis zur positiven
Religion aus. Es bleibt bei einer „Selbsterziehung des menschlichen
Geistes, der allein sich selbst Gesetz sein sollte". „‚Lebe, und du wirst
leben', ist das Hauptdogma dieser Religion." Diesem „Evangelium"
entsprechend habe Goethe seine Poesie eingerichtet.[173] So die Ein=

leitung der Faustbetrachtung beider Schriften von 1854 und 1857. In der ‚Geschichte des Dramas' folgte weiter:[174] die Faust=Fabel, vom Volksbuch bis zur Goetheschen Dichtung, sei „durchaus ein protestan= tisches Erzeugniß". Vom alten Glauben bleibe darin nur das „Wort" übrig und der dieses Wort subjektiv ausdeutende Menschengeist. Am Ende seines Deutelns und Grübelns stünden Ratlosigkeit und Skep= tizismus — „so scheitert auch der Goethe'sche Faust gleich anfangs an dem Wort" (logos = Wort, woran Faust zweifelt). Faust, sich selbst die einzige Autorität, durch Hochmut und natürliche Gier gezeichnet, wolle sich „ganz selbständig und ‚reinmenschlich'" ausbilden. Damit schon beginne die „innerliche Höllenfahrt" Fausts zu dem bekannten Ende. Der zweite Dichtungsteil, „obgleich altersschwach", bleibe jedoch „vollkommen consequent". Fausts Aufgabe werde dort durchaus ge= löst, fuhr Eichendorff sarkastischer fort: nämlich „das Menschliche in ihm sich innerlich zu einem harmonischen Kunstwerk zu gestalten, oder mit andern Worten: seine dämonischen Kräfte und Anlagen zum mög= lichst ungehinderten Selbstgenuß zu befähigen. Auf eine Hand voll Todsünden kann es hierbei nicht ankommen nach dem Naturevangelium Goethe's . . .". Gott, der zwar auch nur ein Natursymbol sei, nehme „diesen aristokratisch gebildeten Faust zu Gnaden auf", „während seinen plebejischen Namens= und Sagenvetter ohne Weiteres der Teufel holt". Noch entschiedener über Görres hinausgehend, nannte Eichen= dorff es geradezu anomal und einen „völlig verunglückte[n] Versuch, diese wesentlich antike Naturreligion romantisch=allegorisch christiani= siren zu wollen". Mit einem abwägenden, aber abwehrenden Satz be= endete Eichendorff seine ‚Faust'=Betrachtung: „Können wir uns dem= nach mit dem eigentlichen Thema der Goethe'schen Dichtung überhaupt auf keine Weise befreunden, so müssen wir doch anerkennen, daß er in dieser vom Christenthum abgewandten humanistischen Richtung seines Jahrhunderts das Größte und Vortrefflichste geleistet, dadurch aber wider Wissen und Willen eben nur dargethan hat, daß die schönste Poesie noch keine Religion, und Religion nicht eitel Poesie sei."

Zumal diese letzte Aussage könnte als banal oder allzu selbstver= ständlich und daher billig gelten und eines dichtungskundigen Kritikers unwürdig. Doch man muß sie in Zusammenhang mit anderen zeit= genössischen Äußerungen sehen, die in immer neuen Versionen die

Behauptung aufstellten, Goethes ‚Faust‘ sei das moderne Evangelium, in diesem poetischen Werk gestalte sich eine neue, die entscheidende Stufe humaner Religion. Als nur ein Zeuge dieser Art mag wieder Karl Rosenkranz aus den Goethe=Vorlesungen von 1847 (also ein Jahr nach den ersten Aufsätzen Eichendorffs in den ‚Blättern‘) zitiert sein, dessen Name im ganzen geistigen Deutschland Rang und Klang hatte. „Faust ist der Repräsentant des modernen Sündenfalls", „Faust stellt uns die Tragödie des Geistes selber dar"[175] — solche hegelisierende Sätze waren damals Allgemeinplätze aller weltanschaulichen Lager. Doch der „Doctor der Theologie und ordentlicher Professor der Philosophie an der Universität zu Königsberg" verstieg sich im Fortgang seiner ‚Faust‘=Betrachtung zu weit maßloseren Behauptungen. Diese lauteten etwa: „Göthe's Eigentümlichkeit liegt ... ganz darin, daß er Faust als Totalität weder einseitig theoretisch, noch einseitig praktisch nahm, sondern ihn zum Repräsentanten der menschlichen Gattung machte. Er verkündigte in seinem Drama das Evangelium des neuen Christenthums, d. h. desjenigen, welches den in Christi Leben angeschaueten Proceß der Weltüberwindung in die Seele eines Jeden versenkt, daß er ein Gleiches thue und durch solchen Ernst der Versöhnung, durch solche Macht der Innerlichkeit *Herr des Schicksals* werde."[176] Oder noch verwegener: die neue Religion, die im Faustgedicht sich darstellte, „ist das ewige Christenthum selber, nur in einem neuen Stadium seiner welthistorischen Entwickelung. Alle besseren Bestrebungen unserer Zeit wurzeln darin, und selbst die schlechte Sentimentalität, auf die wir jetzt so oft in der Auffassung und Behandlung des Bösen stoßen, ist doch am Ende nur eine Carricatur der erhabenen Tendenz des Christenthums, die Sünde zu hassen und die Sünder zu lieben." Und also wurde, zustimmend, für Rosenkranz Faust „der moderne Titan, der um die Gottgleichheit seines Wesens kämpft".[177]

Solche über alle Grenzen der Dichtung hinausgehenden Deutungen und Bemerkungen, öffentlich vorgetragen, in viel gelesenen Büchern verbreitet, mußten die „Gegenseite", die Verteidiger des „positiven Christentums", in Harnisch bringen und forderten zu apologetischen Entgegnungen heraus, die oft nicht minder ohne Maß und Grenze des Gegenstandes waren. Selbst ein konzilianter Geist wie Eichendorff schärfte seinen Ton mehr und mehr, sobald er auf ‚Faust‘ zu sprechen

kam. Seine Äußerungen zwischen 1846 (‚Historisch=Politische Blätter'),
1854 (‚Zur Geschichte des Dramas') und 1857 (‚Geschichte der poeti=
schen Literatur') lassen diese polemische, wenn auch nicht gehässige
Steigerung gut erkennen. 1857, in dem ersten Band seiner Literatur=
geschichte Deutschlands, schrieb er als Schluß und Höhe ihres letzten
Kapitels, mit der charakteristischen Überschrift ‚Die Poesie der moder=
nen Religionsphilosophie', seine endgültigen Sätze über ‚Faust' nieder,
die vollständig wiedergegeben seien, weil nur in ihrem ganzen Zu=
sammenhang das beabsichtigte Gleichgewicht von Abwehr und Ver=
ehrung, von Abscheu und Bewunderung offenbar wird: „So ist Goethe
der eigentliche Führer der modernen Cultur. Dafür hat er aber auch alle
Höhen und alle Schauer und Abgründe dieser Bildung tief erkannt,
und in seinem ‚Faust' unsterblich gemacht. Faust ist ohne Zweifel nicht
nur das größte Gedicht unserer Literatur, sondern zugleich die wahr=
hafte Tragödie der neuen Zeit; wie da der Titane das ewig Unergründ=
liche erforschen will und in hochmüthiger Ungeduld an der verschlos=
senen Pforte des geheimnißvollen Jenseits rüttelt, der Teufel aber dabei
mit seinen entsetzlichen klugen Geisteraugen ihm beständig hohn=
lächelnd über die Achsel sieht und ihm von Gottgleichheit und über=
schwänglicher Weltlust zuflüstert, und doch nichts zu geben vermag als
immer neuen Hunger und Überdruß und Verzweiflung. Und doch, aus
solchen schauerlichen Höhen, im zweiten Theil wieder der nüchterne
Rückfall in die alte Humanitätskrankheit. Faust, den doch offenbar
schon längst der Teufel geholt, erscheint hier auf einmal als völlig
courfähiger Cavalier am himmlischen Hofe, Gott, dem himmlischen
Hofstaate und dem vor lauter Respect ganz dummgewordenen Teufel
mit seiner eminenten Weltbildung imponirend — eine opernartige Hei=
ligsprechung dieser Bildung, die auf den Unbefangenen fast den Ein=
druck macht, wie eine vornehme Umschreibung des trivialen Volks=
textes: Lustig gelebt und selig gestorben.

Wir haben im Vorstehenden unumwunden den Grundirrthum der
Goethe'schen Poesie nachzuweisen versucht. Demungeachtet aber be=
haupten wir, daß er in *der* Richtung, welche die allgemeine Bildung der
Zeit seit der Reformation genommen, unser größter Dichter ist. Goethe
hat ohne Zweifel am besten erreicht, was diese vom positiven Christen=
thum abgewandte Poesie aus sich selbst erreichen konnte: die vollendete

Selbstvergötterung des emancipirten Subjects und der verhüllten irdi=
schen Schönheit. Es ist durchaus ungerecht, die Virtuosität und durch=
sichtige Klarheit, so wie die proteusartige Mannigfaltigkeit seiner Dar=
stellung als bloßen Luxus, nur als zufälligen Schmuck betrachten zu
wollen. Denn wo nun einmal durch die Ungunst der Zeiten der rechte
Inhalt abhanden gekommen, tritt nothwendig die *Form* als Hauptsache
ein. Und das ist eben Goethe's unübertroffene Meisterschaft, daß er
uns in seinen Dichtungen ein edles, köstliches Gefäß hinterlassen hat,
für immer würdig des größten Inhalts, den ihm künftige Geschlechter
wieder geben möchten."[178]

In „ungünstiger Zeit" der beste Dichter, und in ihr wiederum ‚Faust'
die höchstmögliche Erfüllung dieser modernen „abgefallenen" Poesie:
das war eine Formel, welche die Bewunderung der dichterischen Größe
Goethes ebenso umfassen konnte wie die eigene unverrückbare kon=
fessionelle Position. Es war der Versuch eines Ausgleiches, der bei
gegenseitiger Achtung doch ebenso klar die gegensätzliche Haltung
präzisierte und darauf gründete. In dem Augenblick, wo das kirchliche
Element stärker betont und endlich nur noch als einzig zugelassener
kritischer Maßstab gelten durfte, mußte auch dieser Ausgleichversuch
„schwächlich" erscheinen, und er wurde aufgegeben. „Nicht das ästhe=
tisch Hochstehende und ethisch Wertvolle an sich kann den vollen An=
spruch machen, katholisch zu sein, die Bindung mit dem spezifisch
Kirchlichen bringt erst die letzte Erfüllung."[179] In den ‚Historisch=Poli=
tischen Blättern' wurde Eichendorff durch den jüngeren Martin Deu=
tinger (1815–1864) abgelöst,[180] der auch öffentlich, in den ihrerzeit
berühmten, rhetorisch glänzend vorgetragenen Odeonsvorlesungen
über das Verhältnis der Poesie zur Religion, 1861, Goethe und dessen
‚Faust' wieder viel schroffer ablehnte: „In ihm hat die Weltschmerz=
und Verzweiflungspoesie ihren entschiedensten Ausdruck gefunden";
der Inhalt dieser Dichtung sei „Gott gegenüber Empörung des Willens
gegen den höchsten Willen, und dem Leben gegenüber Verzweiflung
an sich und an der Welt."[181] Diese radikalisierte Entwicklung fand
endlich ihren neuerlichen und eindeutigen Ausdruck in Wilhelm Moli=
tors Faustbuch von 1869, der, hochgestellter Priester, mit den
Münchner katholischen Kreisen, dem damaligen „Waffenplatz der
römischen Kirche in Deutschland",[182] in enger Beziehung stand.

Doch vorher, 1860, kurz nach der letzten Schrift Eichendorffs und fast gleichzeitig mit Spielhagens Roman, wurde von der so heftig apostrophierten protestantischen Seite selbst diese christliche ‚Faust'=Kritik in gleich scharfer, in gleich unpoetischer Form aufgenommen und fortgesetzt, betont noch durch den gewichtigen Namen, der als Her=ausgeber dahinter stand. Diese apologetische Kritik war auf weiten Strecken geradezu maßlos, als sollte jeder behauptete Zusammenhang zwischen der Dichtung Goethes und dem Protestantismus ein für alle=mal ad absurdum geführt werden: so die stark nachwirkenden, noch bis 1900 wiederholt aufgelegten Faust=Vorträge des Hanauer Gym=nasiallehrers Otto Vilmar, der im April 1860, erst 32 Jahre alt, dar=über verstarb. Die breit ausholenden Vorträge, die mitten in der Inter=pretation der Gretchen=Handlung abbrachen, wurden postum von seinem Vater A. F. C. Vilmar, damals schon Theologie=Professor in Marburg, sogleich in den Druck gegeben und durch dessen Autorität nachdrücklich unterstützt.[183]

Auch Otto Vilmar konnte sich, wie Eichendorff, „mit dem eigent=lichen Thema der Goethe'schen Dichtung überhaupt auf keine Weise befreunden". Während jedoch bei den katholischen Schriftstellern und Kritikern um Görres und Eichendorff das Wort „Natur" als die ver=meintliche Position Goethes immerhin noch einigen Glanz behielt, stand bei Vilmar der allein seligmachenden Gnade am Ende „das eiskalte Wort" Natur gegenüber,[184] mit dem er die eigentliche Tragödie Fausts definieren zu können glaubte. Im einzelnen wurden schon be=kannte Einwände wiederholt und breit ausgeführt: Goethe habe den furchtbaren Ernst der alten Faust=Sage verkannt und aus ihr alle christ=lichen Züge getilgt; ein Gefühl entschiedenen Mangels bestimme daher die Lektüre beider Dichtungsteile. Im Prolog betrete Goethe ihm durch=aus fremdes Gebiet; er gipfele denn auch in „Redensarten" und „Phra=sen" wie Klarheit, streben, irren, Urquell, rechter Weg.[185] Faust müsse „jämmerlich" umkommen, das allein verlange der Stoff; jeder andere Schluß bleibe eine unorganische „Abschwächung" („wir werden deshalb den zweiten Teil nicht bedürfen, um den ersten zu verstehn . . ."!).[186] „Doch nehmen wir dise Spreu die der Dichter uns bietet, weil er das Brot des Lebens nicht kante, hin mit der Entschuldigung für ihn, daß er nicht mehr geben konte . . ."[187] Derart wurde im Stil einer schlechten

Predigt fortgefahren, wobei Vilmar überall Goethe und Fausts falschen, hochmütigen Strebensweg von der christlichen Hoffnung her „ergänzte".

,Faust' wurde, gegen des Dichters Willen, zur Tragödie des Gegen= wartsmenschen ohne Gott.[188] Goethes paradigmatischer Faust=Mensch, der den „ungemeßenen Wißenshunger der modernen Welt" verkör= pere,[189] müsse jederzeit zur Hölle fahren, denn er endet „bei der Warheit des Nichts".[190] Faust könne daher tatsächlich, wie man es behauptete, als Sinnbild menschlichen Daseins gelten: aber als eine „Warnung", als eine „Mahnung" an Jedermann! Faust, der erbärmliche Mensch vor Satan — „ein Bild unser selbst"![191] Der „Nutzen" der Tra= gödie liege in diesem, dem Dichter unbewußten Hinweis auf den einzig rechten Gegenweg. Denn Faust gehe schließlich durch eigene, persön= liche Schuld unter, da er die Osterbotschaft zwar vernommen, sich aber von ihr ausdrücklich weggewandt habe.[192] Der Satan, von Vilmar in grellen Farben geschildert, lauere überall auf Faust und überwinde ihn Zug um Zug; das ganze Drama führe „Fausts allmäligen Untergang" vor.[193] Ebenso stehe über der gesamten Gretchen=Handlung nur das hoffnungslose „Zu spät".[194] Hier erst, als er das deutsch=christliche Mädchen, dieses Kind, verführte, zeige Faust, „der Verworfene", sich in seiner wildesten Begier, scheußlicher als der Satan selbst. „Wer einmal eine so gemeine Gesinnung geäußert hat, wie Faust in diser Scene [Gespräch Faust—Mephisto nach der ersten Begegnung mit Gretchen], der kann sich nicht wider aus dem Schlamm erheben, in den er ver= sunken ist: er wird seine Gemeinheit höchstens übertünchen, aber nicht ablegen können",[195] lautete Vilmars hartes Urteil, das die Dichtung in ihrem Sinn umkehrte. Er fügte an dieses Urteil eine Folgerung, die nochmals sehr genau die eigentümliche „Faust=Stimmung" dieser Jahrzehnte wiedergab; sie stellte alles andere als humane oder nationale Hochgestimmtheit dar. Denn auch Vilmar negierte gerade den „Tat"= Schluß von ,Faust II'. „Wer dise Scene [s. o.] im Sinne hat, dem wird der ganze zweite Teil des Faust, in dem Göthe seinen Helden als eine Art Volksbeglücker hat auftreten laßen, höchst seltsam vorkommen: eine solch nidrige Gesinnung paßt dazu schlecht...", zumal da eine Umkehr oder Reinigung Fausts bis zum Schluß des Dramas nirgends zu sehen sei. So setze überall die heidnische „Natur" sich gegen das „Himmelreich" in Faust durch.[196] Er ist für alle Ewigkeit verloren.

Wieder ein „faustisches" Anti=Bild, das in protestantischen Kreisen gut 40 Jahre lang und darüber hinaus seine autoritative Geltung be= hielt! Gervinus und Spielhagen hatten ihr Bild mit anderen Farben und mit anderer pädagogischer Absicht gezeichnet. Aber die scharfe Gegen= wendung wurde bei allen diesen Schriftstellern jeder Richtung kraß deutlich: Faust ist kein Vorbild — weder für den handelnden politischen Menschen (so die einen), noch für den gläubigen Christen (so die an= deren). Beide Seiten stimmten darin überein, daß die Nation anderer Sinnzeichen bedürfe.

Die damals seit Jahrzehnten führende und polemisch immer heftig zankende, streng orthodoxe ‚Evangelische Kirchen=Zeitung', in Berlin von E. W. Hengstenberg herausgegeben, nahm 1863 in einem anonymen Artikel die Gedanken Otto Vilmars ausdrücklich auf,[197] verstärkte und vergröberte sie nach ihren Maßen und ging, so gerüstet, zum Gegen= angriff gegen die katholische Kritik über, die ‚Faust' dem Protestantis= mus in die Schuhe schieben wollte. Das besondere Charakteristikum Fausts, auch Goethes selbst, sei die Selbsterlösung. Der ganze zweite Teil „ist seinem Grundgedanken nach weiter nichts als eine in Scene gesetzte Erlösung ohne Erlöser, ein Heilsweg von menschlicher Er= findung, ein Weg zum Himmel auf eigne Hand". Das banale „Geheim= nis" dieser Erlösung enthülle sich am Schluß in dem „unendlich nichts= sagende[n], trostlose[n], von den Faust's Seele zum Himmel empor= tragenden Engeln ausgesprochene[n]: ‚Wer immer strebend sich be= müht, den können wir erlösen'", wie dies Vilmar auch behauptet hatte (der Gipfel der „Redensarten"). Zwei Wesenszüge wurden an dem Epilog des ‚Faust' als besonders ablehnungswürdig und abscheulich herausgestellt: der angebliche Tatheilsweg und das Römisch=Katholische. So konnten zwei Streiche mit einem Schlag geführt werden. „Es ist dieser zweite Teil des Faust eine absichtliche, bewußte Beseitigung und Verleugnung Christi . . .", Goethes höchsteigene Erfindung „eines neuen, jedes christlich=evangelische Bewußtsein völlig ins Angesicht schlagenden Heilsweges, bestehend in unablässiger Thätigkeit und unermüdlichem Wirken . . .". Das war, ohne einen Zweifel offen zu lassen, die Ablehnung des modernen (nationalen) Arbeitsmenschen im Namen des Täters und Kolonisators Faust — des „Volksbeglückers", wie ihn Vilmar sarkastisch genannt hatte. Und der Schlag gegen die katholische Kirche setzte am Gegenpol an, dem „Ewig=Weiblichen", wieder also an jener „Natur", die hier, allerdings als rein sexuelles Moment, der anderen Konfession zugewiesen wurde. „Es ist gewissermaßen eine Apologie des römischen Mariencultus, die aber unter das Urteil fällt, was dieses von Rom erfundene Institut vom evangelischen Standpuncte aus längst über sich empfangen hat: Rom, das pelagianische, sinnliche, irdisch gesinte Rom hat hier wie auch anderswo das Verdienst des alleinigen Mitlers Jesu Christi geschmälert, eine Sünde, die sich jeder teilhaftig macht, welcher ihr irgendwie, sei es in Poesie oder Prosa, zuneigt." Am Ende war nicht nur Faust, sondern wieder Goethe selbst der Sünder, der Verführer, der Irrlehrer.

Noch vor der Evangelischen Kirchen=Zeitung, 1861, hatte in ähnlicher Weise schon ein anderer bekannter protestantischer Theologe, Julius Disselhoff (1827–1896), ab 1865 Leiter der Kaiserswerther Anstalten, den Faden Vilmars weitergesponnen;[198] er stellte allerdings der ‚Faust'-Dichtung, „das Schibboleth aller Zweifler und Ungläubigen", in rechtem Schwarz=Weiß eine christlich aufgemachte ‚Iphigenie' gegenüber, anscheinend ohne Anstoß daran zu nehmen, daß beide Werke von demselben Mann geschrieben worden waren. Faust, „der ungläubige Geist", „ein Repräsentant derer, die nach Zerreißung des Bandes zwischen Gott und sich, mit eignem Licht in die verschleierten Tiefen der Erkenntniß dringen, und durch eigne Kraft den Weg zum heilenden, helfenden Handeln sich bahnen wollen": dies der monotone Tenor solcher Prediger=Schriften. „Der von Gott losgerissene gigantische Geist, der die selbstgeschaffene eigene Pein nicht tragen konnte, der nichts vollbracht hat, als daß er sich verderbt und Unschuldige mit in's Elend gerissen hat...", also kann Fausts Geschichte jedermann lehren, „was er meiden, und wohin er sich wenden muß". Die Vortragsmanuskripte dieser Theologen ähnelten sich auffällig. Die Kritik selbst blieb flach, aber hartnäckig. Die Dichtung ‚Faust' als eine „dürre Philosophie" zu entlarven, den zweiten Teil als „verunglücktes" Unternehmen hinzustellen, war ihre einzige Absicht.[199]

Auch der Leipziger Theologieprofessor und „Domherr des Hochstifts Meißen" Karl Friedrich August Kahnis (er hat Nietzsche immatrikuliert) versuchte in seiner Analyse der Faust=Gestalt (1865 u. a.) dieser zwar als einer typischen und darin auch zu bewundernden Erscheinung der modernen Subjektivität und Reflexion, der Ich=Philosophie des 18. Jahrhunderts, historisch gerecht zu werden, die selbst „protestantische Lebensmotive" in sich enthalte, endete aber wiederum bei dem Vor= wurf der mangelnden sittlichen Erneuerung Fausts wie ebenso der Ver= ständnislosigkeit Goethes für die sittliche Verderbnis seiner poetischen Darstellung. „Faust's blutige Handschrift konnte nur durch Christi Blut getilgt werden", nicht durch Elfentau. Mochte das oft zitierte „rastlose Streben" Fausts nach Wahrheit immerhin ein solches Erbstück prote= stantischen Geistes sein (hierin wurde Vilmar korrigiert), so hatte Faust (und Goethe) „von dem Inhalt des protestantischen Glaubens nur die Form der Subjektivität" begriffen, nicht auch dessen Heils= prinzip, die „Heilsgemeinschaft des einzelnen mit Gott durch Christum". Die eigene Faustlösung und damit seine Kritik deutete der Theologe in dem Satz an: „Die aus dem Vaterhause des protestantischen Glaubens in die weite Welt verirrte Subjectivität findet, was sie in der Welt ver= gebens gesucht hat, im Vaterhause wieder." Denn für das in Faust sich absolut setzende Ich war der protestantische Glauben „zu einer Bot= schaft geworden, für die er keinen Glauben [– mehr –] hat". Kahnis wollte mit dieser protestantischen Korrektur den Kern der Dichtung treffen, die er gerade darum die „großartigste aller Dichtungen der Neuzeit" nennen konnte, deren Prototypen sich in Hamlet und Faust verkörpert hätten.[200]

In solcher, wenig variierten, geradezu monotonen Weise gab sich die konfessionelle „antifaustische" Kritik beider Lager, mochten sie auch das poetische Produkt selbst sich einander bissig als Wechselbalg zu= schieben. Den Abschluß dieser polemischen Gruppe zwischen 1840 und 1870, die nirgends „faustisch" als ein Positivum verteidigte oder neu fand, bildete das erwähnte Werk von Wilhelm Molitor ‚Ueber Göthe's Faust'.

Dieses Buch, 1869 in Mainz erschienen, enthielt zwei Vorlesungen, geordnet nach ‚Faust' I und II, die vor katholischen Zuhörern, und wieder in München, gehalten worden waren. Wie wichtig und exem= plarisch die Vorträge Molitors innerhalb dieses Kreises genommen wurden, geht daraus hervor, daß nach seinem Tode (1880) eine fran= zösische Übersetzung in Paris herauskam (1881),[201] mit einer gründ= lichen biographischen Einführung, und daß noch zwanzig Jahre danach,

1902, ein wörtlicher Abdruck des ganzen Buches als Dankgabe für För=
derer eines katholischen Kirchenbaues in Nürnberg herausgegeben
wurde.[202] Molitor gehörte zu den bekanntesten süddeutschen Erschei=
nungen des damaligen kämpferischen Katholizismus: 1819 in Zwei=
brücken geboren, war er ursprünglich Jurist und ging in den Staats=
dienst, wurde dann jedoch, nach einem Theologiestudium, Priester
(1851); achtzehn Jahre lang war er Sekretär (und Kanonikus) des sehr
aktiven Bischofs von Speyer, Dr. Nikolas Weis; 1864 erhielt er von
Pius IX. den Titel eines Doktors der Theologie, nahm am Vatikanischen
Konzil teil und wurde später, von Franken gewählt, Abgeordneter im
bayerischen Parlament. Mit dem Münchner Kreis stand er in naher
Beziehung. Ab etwa 1845 trat er als Schriftsteller hervor, Gedichte, Er=
zählungen, Dramen, Studien über das Theater, mehrere Bände über
kanonische Rechtsfragen und Politik, ein Führer durch Rom und die
Campagna. Nirgends erhob er sich über ein durchschnittliches Niveau
üblichen konfessionellen Schrifttums, aber sein Name war, wie der
Görres', Eichendorffs, Deutingers, Phillips, Jarkes, ein Programm und
hatte öffentliches Gewicht genug, sich Gehör zu verschaffen.[203] Seine
Faust=Vorträge zogen den Schlußstrich unter die katholische Polemik
dieser Jahrzehnte gegen Goethes Gedicht. Die scharfe Kritik Eichen=
dorffs wurde ausdrücklich und in ausführlicher wörtlicher Wiedergabe
aufgenommen,[204] das Urteil von Görres ('Wallfahrt nach Trier') eher
als zu milde befunden, doch als „nicht weniger ernst" ebenfalls wieder=
holt.[205]

Die poetische Meisterschaft Goethes, des „Vaters unserer modernen
deutschen Cultur", ihr „Urbild", wurde auch von Molitor nicht ge=
leugnet, beinahe wehmütig bewundernd von ihr gesprochen. Aber allein
schon um der Jugend willen, „die sich gerade in den reizenden Irrgär=
ten der Poesie so gerne verliert", müsse die rechte Würdigung Goethes
und seines höchsten Werkes gewagt und gefunden werden.[206] So wurde
denn Faust nochmals, mit schwungvollem rhetorischem Nachdruck, vor=
geführt als der „natürliche" Mensch unseres Zeitalters auf ihrer
„Schwindelhöhe", als „das Vorbild des modernen Geschlechtes . . .,
welches sich vergöttert, um in den brutalen Materialismus zu ver=
sinken".[207] „Göthe's Faust steht wie ein Wegweiser im Labyrinthe
unseres Jahrhunderts; er weist auf das Ziel desselben hin, wenn dieses

auch kein erfreuliches ist; *Göthe's Faust ist das Wahrzeichen unserer Zeit,* ihr ganzes Verderben und ihre heiligsten Hoffnungen werden uns in dieser Dichtung klar."[208] Faust ist, darin faßte sich das Urteil wieder und wieder zusammen, der moderne Prototyp des „Menschen ohne Gott"[209] und wird dadurch, so hatte auch Eichendorff formuliert, wahr= haft zur Tragödie dieser neueren Zeit, „ohne daß es der Dichter selbst in diesem Sinne wollte". Aus dem „wunderbaren Zauberspiegel Göthe's" schaue uns „warnend" das wohlbekannte, „von Gott abge= kehrte Menschengeschlecht unserer Tage" entgegen.[210]

So klang der bittere Grundton dieser ‚Faust'=Kritik, der alle weiteren Einwände durchzog. Goethe wurde durch Fausts „Glaubensbekenntnis" vor Gretchen zum „Chorführer aller jener verschwommenen Gefühls= religion, welche sich aus dem vorigen Jahrhundert in breitem, seichtem Strome in das unserige ergoß, und — um im Bilde fortzufahren — nichts anderes in den stagnirenden Niederungen zurückgelassen hat, als faule Pfützen". Doch ein solcher selbst erfundener „All=Gott" könne den Frevler und „Verbrecher" Faust nicht erretten; wo Goethe uns dies vortäusche, werde die Dichtung zu einem „hohlen, trügerischen Traum= gebilde", in dem Faust als „armseliger Schemen" herumwanke.[211] Darin liege auch der poetische Hauptfehler der Dichtung (Molitor verwandte für diesen Nachweis breiten Raum): daß nämlich der Teufel als „bloßes Gedankenspiel" benutzt werde und somit jede Realität verliere.[212] Der Teufel wird zwar zitiert, aber weder Goethe noch Faust glaubten an ihn. Im Verschweigen und Leugnen des Teufels als „des persönlichen bösen Princips" zeige sich zugleich die tiefe Unwahrheit und die poe= tische Schwäche dieses „Riesenwerkes". Faust hätte den Teufel real nehmen müssen, dann wäre Umkehr möglich gewesen[213] und Goethe hätte uns „die trostlose Unzulänglichkeit" seines Handlungsschlusses ersparen können,[214] in dem jetzt Faust „prosaisch nüchtern, seicht und trocken" ende, alles andere als ein Titan und „Halbgott".[215] „Mit kaum verhohlenem Mißbehagen", „tief erschüttert über solche Irrwege eines großen Genius", müsse man sein Gedicht aus der Hand legen.[216] „Der verlorene Sohn" auf dem Rückweg zum Vaterhause — das hätte die „Lösung des großen vielverschlungenen Ganzen" bringen können, „reich an erhabener poetischer Wirkung", behauptete Molitor[217] (kaum anders als gleichzeitig der Protestant Kahnis). Des breiteren wies Mo=

litor auf die „reinen" Gegenbilder des alten Theophilus=Spieles und des Calderonschen wundertätigen Magus hin.[218] Doch da „die vornehme Aesthetik des neunzehnten Jahrhunderts ein für alle Male" Wort und Begriff der Sünde „aus der Poesie gestrichen wissen will, und [ihn] höchstens als pädagogisches Mittel in dem Katechismus der Volksschule duldet",[219] mußte das höchste Dichtwerk der Deutschen scheitern. „Wer an die Gnade nicht glaubt, kann den Faust zu dichten zwar beginnen, aber vollenden wird er ihn nicht. [Den wahren Faust zu schreiben, bleibe einem Katholischen vorbehalten, hatte Görres behauptet.] Göthe hat dafür wider Willen den Beweis geliefert, ein neuer Ikarus, der mit wächsernem Fittig sich nach der Sonne gewagt hat."[220] Und „feierlich" protestierte Molitor gegen Goethes „Blasphemie", Maria ohne den Mittler, ohne Christus, im Himmel erscheinen zu lassen, denn das heiße, sie als Göttin zu proklamieren.

Am Schluß seiner Vorträge zog Molitor, „in wehmuthsvollem Sinnen", die Folgerungen für das deutsche Volk, das zu oft schon mit dieser Faust=Gestalt identifiziert worden war. Auch hinter diesem theo= logischen Gericht über ‚Faust' stand die nationale Warnung. „Wie vor einem alten unvollendeten deutschen Dome" (so hatte bereits Carus den ‚Faust' verglichen) stünden wir vor diesem Werk, den der „bequeme Weltsinn" späterer, nüchternerer Zeiten verdorben habe, „so daß die Herrlichkeit des großen Baugedankens der Ahnen fast unkenntlich ge= worden ist durch das kleinliche Machwerk der Epigonen". Im Grunde sei seine Erscheinung tragisch: „tragisch dem dichterischen Stoffe nach, hochtragisch für des Dichters Leben selbst, *fast noch tragischer für das Volk*, welches einen solchen Dichter den Seinen nennt und trauernd erkennen muß, daß er, zum Höchsten berufen, es für sich und für sein Volk nicht erreichen konnte."[221]

Nicht beglückend, nicht aufheiternd, nicht vorbildlich: *tragisch für unser Volk* wurde die Dichtung Goethes genannt. Beide großen Lager, das „jungdeutsche"=areligiöse, das sich immer noch durchsetzte und die Aufklärung des 18. Jahrhunderts weiter reichte, und die christlichen Konfessionen, stimmten in den letzten Jahren vor der Reichsgründung und ihres „faustischen" Umschwungs in diesem dunkelen Urteilsspruch überein. Spielhagen 1867 (der die Folgerungen mindestens seit Ger= vinus zog) und Molitor 1869 (der nochmals stellvertretend für die ge=

samte katholische Polemik mindestens seit Goethes Tod sprach) for=
mulierten fast gleichzeitig exemplarisch ihre bedingungslose Ablehnung,
beide im Namen einer höheren Verantwortung. Spielhagen führte dabei
das umstrittene Wort „faustisch" selbst in diese Aburteilung ein und
wollte es „ein für allemal" als der modernen Zeitlage unwürdig und
unangemessen gedeutet wissen. Die konfessionellen Kritiker, von Görres
bis Molitor, dazu die protestantische Gruppe, knüpften an dieses pole=
mische Stichwort zwar nicht an, meinten aber mit ihren Äußerungen
strukturell genau dasselbe: der unselige Faust, wie Goethe ihn gestaltet
hat, mochte allenfalls gewisse Züge der modernen Existenz poetisch
unheimlich genau widerspiegeln; aber gerade darum war er kein Vor=
bild der Epoche und ihrer Zukunft, schon gar nicht der nationalen Zu=
kunft. Wäre das Wort „faustisch" auch bei diesen Kritikern gefallen,
es klänge ebenso negativ wie bei Göschel, bei Martensen, wie bei Ger=
vinus und Spielhagen.

Wenn Julius Petersen in seiner Untersuchung der nachgoetheschen
Faustdichtungen glaubte feststellen zu dürfen,[222] daß um die Jahrhun=
dertmitte der Zeitwille *für* die Rettung des Helden in diesen epigonalen
Faust=Nachahmungen gesprochen habe, „den man als sinnbildhaften
Vertreter der deutschen Seele erkannte", so muß dem, zumal dieser
letzten, typisch ideologischen Behauptung, nach dem vorliegenden Un=
tersuchungsmaterial, mit wenigen und meist banalen Ausnahmen, wi=
dersprochen werden. Auch Petersen konnte diese Feststellung von den
untersuchten Faust=Nachdichtungen her nur durch gewisse chronolo=
gische Manipulationen glaubhaft machen. Noch weniger wurde, wie
Petersen weiter behauptete, den Zeitgenossen sichtbar, wenn wir den
hauptsächlichen Quellen trauen dürfen, „in welchem Maße der alte
Dichter der kommenden Zeit vorausgedacht hatte". Nein — gerade
dieses sinnbildhafte „Vorausdenken" wurde damals, selbst von wohl=
wollenden Kritikern und Deutern, meist geleugnet. Goethes Dichtungs=
schluß wurde beinahe durchweg abgelehnt, sei es aus politischen, sei es
aus religiösen Gründen. Petersen hatte vom Jahrhundertende her ge=
sehen; da verändern sich die Perspektiven allerdings gründlich, wenig=
stens von einem bestimmten Standpunkt aus.[223]

VI

IDEOLOGISCHE AUFHÖHUNG SEIT 1870

Sicherlich wäre es reizvoll und nicht ohne Berechtigung, an diesen breiten Strom ablehnender kritischer Stimmen und Urteile zu ‚Faust' zwischen 1840 und 1870, einschließlich des daraus entwickelten nega= tiven „Faustischen", sofort die ebenso breite, ebenso heftige Fortfüh= rung dieser Polemik gegen ‚Faust' und das „Faustische" nach 1870 anzufügen. Man könnte darin den Anschluß bis an die unmittelbare Gegenwart und ihrer Kritik am „Faustischen" gewinnen. Die Aktualität einer solchen historischen Perspektive ist einleuchtend. Doch das hieße die Gewichte falsch setzen. Denn trotz diesem ungeminderten Fort= laufen kritischer Warnung lag während der folgenden Jahrzehnte — und das gilt noch bis in die dreißiger Jahre des 20. Jahrhunderts — der öffentliche Nachdruck zu deutlich auf der positiven Bewertung, ja Verherrlichung des ‚Faust' und damit, wo das Wort gebraucht wurde, auch des „Faustischen". Führende germanistische und philosophische Lehrkanzeln übernahmen diese „perfektibilistische" Version; viele öffentlichen Verlautbarungen schlossen sich ihr an. Das imperiale Reichsdenken hatte von ‚Faust' Besitz ergriffen. Der nationale Auf= schwung und Ausgriff wurde „faustisch" interpretiert — und umge= kehrt: „faustisch" wurde ein „visionäres" Leitwort nationalen Selbst= bewußtseins und ideologischer Selbstberuhigung und Selbstverherrli= chung, bis in die Schützengräben des Ersten Weltkrieges, bis in die nationalen Manifeste der Weimarer Zeit und noch in die des National= sozialismus. Die Reichsgründung von 1871 verteilte jene Gewichte neu, wenigstens nach „außen". Die weiterhin kritischen, ablehnenden, ver= urteilenden Stimmen wurden zurückgedrängt, sie hielten sich nur am Rande der offiziellen „faustischen" Hochstimmung. Diese setzte sich jetzt mehr und mehr durch, in ihr erzog man die kommenden Gene= rationen. Der interpretatorische Stimmungswechsel war zu auffällig, er kam zu plötzlich, als daß er nur auf neuen ästhetischen und philolo=

gischen Einsichten beruhen sollte. Die nationale Ideologie hatte das heimlich vorbereitet stehende Fahrzeug des „Faustischen" gekapert und segelte in ihm mit breit geschwellten Segeln auf dem scheinbar so glatten Meer geschichtlicher Zukunft und Sendung dahin. Kein Zufall, daß gerade Nietzsche diese Faust=Hochstimmung früh verdächtig war.[1]

Just zur rechten Zeit und am rechtem Ort, in Berlin 1871, erschien daher, im Rahmen von Hempels Klassiker=Ausgaben, die von Gustav von Loeper herausgegebene und kommentierte ‚Faust'=Ausgabe beider Teile, jeweils mit einer langen Einleitung versehen.[2] Der Jurist von Loeper (1822—1897), aus Pommern gebürtig, gehörte schon seit 1854 dem königlich=preußischen Hausministerium an und brachte es dort, seit 1865 Ministerialrat, bis zum Direktor des Hausarchivs (1876) und Wirkl. Geheim=Rat; jahrzehntelang führte er für das preußische Kö= nigshaus die verwickeltsten Prozesse. Daneben war er, schon seit seiner Jünglingszeit, ein begeisterter Goethe=Freund und Goethe=Sammler, der bald zu den ersten Kennern von Goethes Werk und Leben zählte und schließlich Vorsitzender der Weimarer „Goethe=Gesellschaft" wurde. Er auch veranlaßte, nach dem Freiwerden der Goetheschen Werke (1867), die erste zureichende, kritisch erläuterte Gesamtausgabe, eben bei Gu= stav Hempel in Berlin, bei der er selbst für mehrere Bände als förder= licher Herausgeber sorgte[3] — u. a. für die beiden ‚Faust'=Bände, die eine Generation lang neu aufgelegt wurden und maßgebend blieben. Für die hervorragende Mitarbeit an der Goethe=Ausgabe verlieh ihm die Ber= liner Universität den Ehrendoktor. In seinen ‚Faust'=Einleitungen ver= bündete sich der gründliche Goethe=Kenner mit dem königlich=preußi= schen Ministerialrat, ein gelehrter Dilettant im Schimmer ideologischer Wehr. Loeper sprach aus dem Zentrum dieser hohenzollernschen, der reichischen Ideologie. Das Bündnis Weimar—Potsdam schien endgültig im Zeichen Fausts geschlossen zu sein.[4] Diese viel gelesene, viel zitierte, viel empfohlene, übrigens gründliche und ihrerzeit durchaus fortschritt= liche ‚Faust'=Ausgabe wurde, willentlich und unwillentlich, zum Spiegel nationalen Glanzes. Eines kommentierte das andere: das neue Reich den ‚Faust', und die Dichtung wiederum die nationale Einigungstat. Die Gervinus/Spielhagenschen Warnungen, von den christlichen zu schwei= gen, waren zum alten Eisen gelegt worden. ‚Faust' wurde jetzt der Staatsnation auf den Leib zugeschnitten. Das „Problematische", das

Verzweifelte, das Verkehrte, das Tragische in ihm übersah man, oder es wurde in andere Bereiche gewiesen. Die beiden Einleitungen Loepers (geschrieben schon 1870) schufen das Arsenal der nationalen, der germanischen, der abendländischen Ideologie des „Faustischen" — bis zu Spengler, bis zu den völkischen Phantasien des Nationalsozialismus.

Nicht zufällig knüpfte daher auch Loeper an die frühe germanistische Forschung an, die den Versuch gemacht hatte (Emil Sommer), eine Verbindung von Goethes Dichtung zur germanischen Mythen- und Sagenwelt herzustellen, Jacob Grimms Sammlungen nutzend,[5] und die in dem angeführten Anonymus F. B. und seiner unbekümmerten Vertauschung von Siegfried und Faust schon Gefahren und Grenzen dieser Methode aufgezeigt hatte. Natürlich kannte Loeper den ‚Faust'-Artikel in Wageners Staats-Lexikon genau. Grimms ‚Deutscher Mythologie' hätten wir die Einsicht zu verdanken, behauptete also auch er, „daß die alte nordische Religion, Mythe und Dichtung (Edda) sich, wenn auch in verkümmerter oder verwandelter Gestalt, in die Faustsage gerettet hat". Diese mythologische Grundlage müsse ständig bei der Deutung des ‚Faust' beachtet bleiben! „Denn die ganze Faustsage und Faustdichtung ist aus dem ungeschlichteten Widerstreit heidnischen und christlichen Glaubens, aus dem Konflikte verschiedner Götterordnungen und damit verschiedner menschlicher Weltanschauungen hervorgegangen." Die Kirche habe die alten Götter „sammt und sonders" in die christliche Hölle verbannt; von dorther drängten sie jedoch immer wieder auf die Oberwelt zurück, freilich „verdorben", als Hexenspuk und Zauberwesen. Im Zeitalter der Reformation seien diese altheidnischen Erinnerungen, wenn auch als „Wahnvorstellungen", noch lebendig gewesen. Loeper faßte zusammen: „Die Faustsage, welche gleich der Karlssage und der *dem Faustischen Geiste des Mittelalters* ganz entsprechenden Alexandersage diese Erinnerungen in sich aufnahm, gewann jetzt eine dergestalt *erhöhte nationale Bedeutung*, daß sie, wie schon oft bemerkt worden ist, die folgenden Jahrhunderte in Sage und Dichtung mit einer Ausschließlichkeit beherrschte, wie die früheren Jahrhunderte nur je die *Siegfriedsage*."[6] Nur also durch vergleichende Mythologie und vergleichende Religionswissenschaft, diese „modernen Disciplinen", könne die Dichtung zu ihrem ganzen Recht kommen.

Hier war es der schon ohne weiteres Bedenken formulierte „Faustische

Geist des Mittelalters",[7] der — bezeichnenderweise — die Siegfriedsage mit der Faustsage, die Frühzeit mit der Reformation verband. Doch nicht nur in dieser Weise typisch national, auch typisch protestantisch sei die Faustlegende gewesen, „weil das protestantische Gewissen den Kampf mit dem Bösen nicht wie das katholische der Kirche überlassen konnte". Unter solchen Voraussetzungen habe auch Goethe den „Stoff von so hervorragender nationaler und geistiger Bedeutung" ergriffen (man beachte die Reihenfolge: national, geistig).[8] Denn der nationale Inhalt der Sage, vor allem anderen, sei es gewesen, der jene „ältesten Vorstellungen unsrer germanischen Vorzeit" mit der Reformation,[9] diese mit der Zeit Goethes verbunden habe. So konnte Faust schon vorweg, analog zu Götz, als „Vertreter der Selbsthilfe und Selbstbe= freiung auf geistigem, nicht blos auf religiösem Gebiet" eingeführt werden. Durchaus unabhängig von „religiösen Voraussetzungen", zeichne gerade die „rein menschliche Weise" Goethes ‚Faust' im „Pro= blem der Seelen=Errettung und =Erlösung" so sehr aus.[10] Das Nationale und das „Rein=Menschliche", das Nationale und das „Geistige" wurden jetzt im Zeichen Fausts in Deckung zu bringen versucht. Loeper konnte für Goethes Dichtung schließlich folgern: „Aus einem Zeitwerke ist ein Werk für die Jahrhunderte, aus einem nur poetischen ein Werk von *kulturhistorischer Mission* geworden."[11] Welche Mission gemeint war, wurde alsbald in der Einleitung zu ‚Faust II' entwickelt — natürlich eine „faustische" Mission, und das bedeutete eine germanische, eine „abend= ländische" Mission.

Wohin genauer dies zielte, dafür gab Loeper bereits im ersten Ein= leitungsteil eine bezeichnende Probe, verblüffend durch die naive Selbst= verständlichkeit, mit der sie vorgebracht wurde. Wo er von den alten Göttern sprach, die aus der christlichen Hölle hervordrängen und noch zur Reformationszeit erinnert worden seien, verglich er Mephisto u. a. mit Loki[12] (daneben mit Vulkan, aber auch weiteren deutschen Sagen= vorstellungen).[13] Doch diese Erinnerung Mephisto=Loki schien etwas „Artfremdes" hervorzurufen. Denn, hieß es später und durch Anmer= kung „belegt", zur Charakteristik Mephistos „machen wir darauf auf= merksam, wie auch nationell im enthusiastischen Faust der Deutsche, im skeptischen und ironischen Mephisto stets ein Fremder und uns Fremdbleibender, und zwar vorwiegend der Wälsche verkörpert ist.

Mephisto ist eine höhere Potenz von Lessing's Marinelli ...". „Das *ganz germanische Element des Faust* macht ihn romanischen Nationen gerade in Dem, worin er uns theuer ist, unverständlich. Im Mephisto= pheles empfinden Italiener und Franzosen dagegen selbst die Verwandt= schaft, und sie reklamiren ihn für sich."[14] Die kulturhistorische Mission — das ganz germanische Element: die „faustische" Gleichung begann sich zu runden.[15]

Loeper ließ sich auf die beliebten Diskussionen der Philosophen, Philologen und Poeten um die Berechtigung von Goethes Dichtungs= fortsetzung kaum ein. Für die deutsche Nation sei Goethes Zweiter Teil die einzige legitime Fortsetzung: „indem Goethe diese Züge der Sage festhielt, gewann er den symbolisirten *historischen* Inhalt selbst, und er dichtete nur, was war, was ist und was sein wird — denn mit seinem Schlusse deutet er weit vor in die Zukunft, wie es einem Dichter und Propheten geziemte."[16] Was meinte Loeper mit diesen geheimnisvollen „historischen" Andeutungen? Er meinte genau das, was er unter „fau= stischem" Problem und „faustischer" Idee verstand; er meinte die zu= künftige „faustische" Mission.

Goethe habe konkret=individuell, nicht theoretisch=allgemein ge= staltet, eben als dramatischer Dichter, nicht als Philosoph; daher gebe er in seinem Gedicht eine relative, keine absolute Wahrheit. „Die Lösung des *Faustischen Problems* in einer für die Menschheit über= haupt giltigen Formel oder in einem ewigen Symbol kann der Dicht= kunst nicht zugemuthet werden, und wenn sie sich daran wagte, würde sie aufhören, Dichtkunst zu sein." So weit, so gut, wenngleich merk= würdig, daß es trotz dieser scheinbaren ästhetischen Einschränkung ein „Faustisches Problem" über die Dichtung hinaus geben sollte. Könnte man also immerhin noch meinen, „Faustisch" beziehe sich hier auf die „individuelle" dramatische Figur Goethes, klärt der folgende Satz so= gleich und unmißverständlich auf, was unter „individuell" und was als „faustisches Problem" verstanden werden soll. Loeper erläuterte: „Das Problem [das Faustische Problem] ist ein individuelles der neueren Zeit und des germanischen Abendlandes, und ebenso individuell kann auch nur die Lösung ausfallen ...". Das faustische Problem bezieht sich nicht auf das poetische Individuum Faust, sondern ist eines der neueren, nachreformatorischen germanischen Geschichte. Ihr allein galt die

Goethesche Lösung. Andere Lösungen wären denkbar, da die Grund=
bedingungen der menschlichen Seele überall und zu jeder Zeit dieselben
bleiben und also „sich eine Analogie zu den Faustischen Ideen unter
allen entwickelteren Völkern finden muß".[17] Doch Goethe gab die „indi=
viduelle" Lösung des „Faustischen Problems" allein für das germanische
Abendland. Individuum bedeutete Volksindividuum, bedeutete die ger=
manische Volkheit.

„Faustisch" war bei Loeper nicht nur zu einem selbstverständlichen
und hochwertigen Allgemeinbegriff geworden, wie er, bewußt oder
unbewußt und trotz allen Gegenstimmen, ohnehin schon entwickelt
worden war; sondern er wurde innerhalb dieser generalisierenden
Allgemeinheit, welche die konkrete Dichtungsfigur „aufhob", überdies
höchst charakteristisch eingeschränkt („individualisiert"); mit ihm
wurde eine genau umgrenzte „rassische" oder „völkische" Gruppe be=
zeichnet, genauer: ausgezeichnet. „Faustisch" begann ein auszeich=
nendes Schicksalswort zu werden, dessen innere Problematik (einschließ=
lich der „Faustischen Tragik") einem bestimmten Geschichtsraum und
Kulturkreis zur Einlösung vorbehalten blieb — dem germanischen
Abendland (womit jedoch meist verschämt „Deutschland", in welcher
Form immer, umschrieben wurde). Erinnern wir uns, wie Gervinus (er
starb 1871)[18] knapp dreißig Jahre vordem dieselben „Faustischen Pro=
bleme", die Loeper jetzt aufnahm und wahrscheinlich ebenso zitierte
wie im gleichen Jahr 1870 Nietzsche,[19] als den Brand dunkler Leiden=
schaftlichkeit gekennzeichnet hatte, der das Herz der deutschen Jugend
zerstöre und sie von der „klaren Ergreifung" der Wirklichkeit abhalte.
Erinnern wir uns, wie eben noch Spielhagen (1861—1867, unmittelbar
vor Loeper) seine „problematischen Naturen" als „faustisch" charakteri=
siert hatte, Nacht=Larven, die die politische Realität nicht zu meistern
verstehen, und wie er dieses „faustisch" als Sammelwort für alle deut=
schen Mißverhältnisse „ein für allemal" vorbehalten wissen wollte:
dann erscheint die Umkehrung, die jetzt, wenn auch nicht unvermittelt,
mit dem Begriff der „Faustischen Probleme", der „Faustischen Idee",
vorgenommen wurde, fundamental deutlich. Aus einem Sammelwort
fragwürdiger, mißlicher (nationaler) Problematik war ein Sammelwort
der (nationalen) Auszeichnung und Berufung geworden. Das „Problem"
wurde zu einem nationalen Programm entwickelt.

Loeper deutete allerdings doch eine andere mögliche Lösung für den ‚Faust'=Schluß an; er näherte sich mit ihr F. Th. Vischer, ließ sich aber so bezeichnender= wie verkehrterweise von ‚Wilhelm Meister' leiten, aus dem er abzulesen vorgab, daß der Weg Fausts durch die Antike keineswegs kanonisch von Goethe gemeint gewesen sei. Vielmehr: „Die innere Läuterung Faust's hätte, wie in mehreren Personen jenes Romans, dessen Grundthema [!] die Regeneration Deutschlands durch Nord=Amerika und die Wechselwirkung beider Länder bildet, von Amerika aus, und zwar hier durch Theilnahme an den Entdeckungs= und Eroberungsfahrten der Reformationszeit, ohne Verletzung der Ge= schichte herbeigeführt werden können." Was jedoch bei Vischers Rück= griff auf das Reformationszeitalter, aus altliberalem Geist, als revolu= tionärer Kampf für die innere und äußere Volksbefreiung (Leitbild Hutten) gemeint war, wurde bei Loepers Zitierung derselben Reforma= tionszeit zur weit ausgreifenden imperialistischen Geste (Leitbild Cor= tez): Faust, der germanische Welteroberer![20] Der Schritt bis zu Sombarts „Faust der Militarist" in den Schützengräben des Ersten Weltkrieges war tatsächlich nur ein kleiner.

Als Ergebnis seiner Textdurchforschung hielt Loeper unbeirrt fest: „Die beiden Theile verhalten sich zu einander wie Frage und Antwort, wie Aufstellung und Lösung des Problems...";[21] ‚Faust I' stelle die aufsteigende Linie der Schuld, ‚Faust II' die absteigende der Buße dar. Doch dürfe man diese Begriffe „Schuld" und „Buße" in gar keiner Weise moralisch nehmen! Fausts Schuld sei kein „gewolltes Böses", seine „Verbrechen" seien eher „Äußerungen eines tieferen Leidens". So mußte Loeper zu dem dialektischen Schluß kommen: „Faust's *wahre Schuld* und *zugleich seine Größe* liegt in dem Ankämpfen gegen die Schranken der menschlichen Natur...".[22]

Von diesem kleinen Einschub her: „und zugleich seine Größe", der die Schuld Fausts aufhob, vielmehr sie heroisierte, begann die radikale Umwertung der „faustischen Werte" — eine Umwertung unter national=imperialen Vorzeichen, die bis 1918, bis 1933 und weiter in den verschiedensten Abwandlungen fortwirkte, die nicht nur unsere Geistesgeschichte, sondern im selben starken Maße auch unsere poli= tische Geschichte beeinflußt hat, verhängnisvoll beeinflußt hat. Erst unter diesem Aspekt erhielt die zitierte Charakterisierung Herman

Grimms: „ein tragisches Schicksal", die in jener Stunde nicht nur für Gervinus galt, ihre rechte, ihre ungeheuere Dimension. Was damals öffentlich mehr oder minder mundtot gemacht wurde, war anderes als nur eine abweichende Gelehrtenmeinung zur ‚Faust'=Interpretation. Es war das Verschweigen der Schuld Fausts, die Goethe selbst, als Tragödie, vorgeführt hatte. Es war das bewußte Umdeuten dieser Schuld in eine nationale (germanische) Sendung; es war das Aufnehmen dieser Schuld in das imperiale Programm. Aus Schuld wurde Größe. Die deutsche faustische Aufgabe war eine Aufgabe heroischer Größe. Diese „Um= wertung der Werte" hatte durchaus nicht Nietzsche vorgenommen, wie es noch Spengler anzudeuten versuchte. Sie wurde von „reichisch" ge= sinnten Gelehrten aus gutem nationalen Gewissen vollzogen; zu ihnen zählte der aus Pommern stammende „Preuße" Loeper ebenso wie der aus Kassel kommende „Weimaraner" Herman Grimm, zu ihnen ge= sellten sich die Professoren F. Th. Vischer, Karl Köstlin, Kuno Fischer und Heinrich von Treitschke, gesellte sich die ganze „Berliner Schule": Wilhelm Scherer, Erich Schmidt und ihre zahlreichen Schüler, zu ihnen stießen Männer wie D. F. Strauß, Karl Goedeke, Franz Dingelstedt, Moeller van den Bruck, um nur die gewichtigsten zu nennen. Auch kann man nach diesen Namen kaum von einer besonderen oder gar aus= schließlichen preußischen Affinität zur „faustischen Größe" sprechen. Auffallend war eher eine „altpreußische" liberale Fronde dagegen, was Loeper so schmerzlich bedauerte:[23] etwa Otto Friedrich Gruppe aus Danzig; Julian Schmidt aus Marienwerder, der in Königsberg studiert hatte; Rudolf Gottschall aus Breslau, der ebenfalls in Königsberg stu= dierte; dazu später der Berliner Eduard von Hartmann.

Jedenfalls gewann dieser Umwertungsprozeß bei Loeper weit über den unmittelbaren Anlaß hinaus exemplarische Bedeutung, gleichgültig allen Anteiles seiner Gesinnungsvorgänger und =zeitgenossen daran. „... und zugleich seine Größe ...": mit solchem Hebel wurde das Gefüge der Interpretation auf eine andere Werteebene gebracht. Denn, fuhr Loeper in jenem Satz fort, „wenn Jean Paul schon im Jahr 1810 meinte,[24] die Tragödie sei *gegen* die Titanenfrechheit geschrieben, so kann man den Satz auch umkehren und sagen, die Tragödie schildere die *Berechtigung* titanischen Strebens". Im Grunde — macht man sich den Gedankengang deutlich klar — ein ungeheuerlicher, ein unerhörter

Vorgang: mit zwei Adverbia, „zugleich" und „auch", wurde aus dem Satz sein Gegensatz, aus schuldhafter Titanenfrechheit berechtigtes Titanenstreben gemacht. Die Anrufung Jean Pauls blieb dadurch eine Farce.[25] Was auch bei Loeper bisher noch im Wort= und Wertfeld von „Schuld und Buße" zu liegen schien, erstand nach umgekehrtem Satz als Streben, Sieg, Triumph und Größe. Es war der germanische Frei= heitsgesang der „Faustischen Idee".

Loeper erläuterte das näher, indem er zugleich den Bogen zu der germanischen Mission zurückschlug. Er erinnerte daran, daß angeblich schon im Volksbuch von 1587 Faust mit den Titanen verglichen worden war, ein Hinweis, den die Forschung alsbald auszuarbeiten und zu be= stätigen begann — und damit auf einen Holzweg geriet.[26] Im Volks= buch würden Philosophie und Wissenschaft mit dem Aufruhr gegen (den kirchlichen) Gott gleichgesetzt. Auf Goethes Dichtung angewandt, das pervertierte Jean Paul=Zitat mit dem Volksbuch=„Titanen" kombi= niert, hieß das dann: „Der Titanismus ist ein ganz bestimmter, weil vom Gedanken ausgehender Versuch, das Absolute, die Idee, in den Schranken des endlichen Daseins zu realisiren. Der erste Theil schildert diesen Aufruhr, den Titanismus, in seiner nur zerstörenden, negativen Seite; der zweite versucht die tragische Lösung, die darin besteht, daß Faust's Sache in gewissem Sinne triumphirt, das Individuum jedoch, als zu klein für die Größe dieser Sache, unterliegt. Dies Unterliegen ist allgemeine Menschentragik. Das Besondere des Goethe'schen Schlusses liegt in der Art der Ausgleichung. *Die Faustische Idee* trägt den Sieg davon, aber nicht der übermenschliche, sondern *der mensch= liche Titanismus*. Das Erstürmen des Himmels weicht dem Erstürmen der Erde, das Häufen ‚aller edlen Qualitäten' und ‚aller Schätze des Menschengeistes' auf den Einzelnen dem Wirken für die Gattung, die Verjenseitigung der *Verdiesseitigung des Lebens*, der einseitige Idealis= mus, der Quietismus und das persönliche Genießen dem Thun, dem Wirken und Schaffen [1879: Schaffen und Kämpfen], einem *Realismus* der Liebe und der Freiheit. Die Idee triumphiert nur. Das Reich der Liebe und That bleibt auch nach diesem Schlusse ein ewig unerreichtes, aber, weil ewig in der Realisirung begriffenes, auch ewig zu erstre= bendes ... Carriere nennt diesen Schluß den Freiheitsgesang der Menschheit.[27] *Es ist ein ächt germanischer Gesang.* Die höchsten Kultur=

ideen, welche unsre philosophische und poetische große Epoche in ihrem Schooße getragen, Leibnitz', Herder's, Schiller's und Goethe's eigne innersten Gedanken fanden in diesen dichterischen Bildern den ent=sprechenden Ausdruck."[28]

Das Besondere, das „Individuelle" der Goetheschen Lösung also ist der Sieg der „Faustischen Idee" — das heißt auch: der berechtigte und anzustrebende Sieg des „menschlichen Titanismus". Fausts personales Unterliegen spielt die zweite Rolle neben dem Triumph der „Sache". Diese aber, mit allgemeinstem Begriff umschrieben als „Faustische Idee", fordere das „Erstürmen der Erde", das Wirken für die „Gattung" (nicht mehr für die Menschheit!), die „Verdiesseitigung des Lebens", Tätig=keit, kurz: einen „auf Erden weilenden Realismus" des Wirkens und Schaffens.[29] Der „Freiheitsgesang der Menschheit", den Moriz Carriere mit Carus im ‚Faust'=Schluß noch empfand, wurde von Loeper „umge=artet" zu einem „ächt germanischen Gesang". „Unsere" Kulturideen seien es, die sich in diesem Triumph zu Bild und Forderung verdichteten. In der „Faustischen Idee" triumphiert der Freiheits= und Schaffens=Realismus der germanischen Völker. Solcher „faustische" Titanismus wurde zum höchstmöglichen menschlichen Leitbild erklärt.

Als ob Loeper den „rassischen" Gesichtspunkt (der „Gattung") nicht genug betonen konnte, fügte er dem eine Anmerkung zu, um zu ver=deutlichen, was ihm die „höchsten Kulturideen" und „innersten Ge=danken" unserer großen Epoche besagten: „Hierunter verstehen wir vorzugsweise den Gedanken der *Entwicklung* des menschlichen Geistes, in welchem der ganze zweite Theil des ‚Faust' gedichtet ist. Dieser ist als *das eigentliche Lebensprinzip der germanischen,* wenn man will, *der west=arischen Völkerfamilie* anzusehn. Dies Prinzip, durch welches erst die Welt dem Menschen gewonnen ist, war den Alten und Shake=speare, wie dem jüdischen und katholischen Bekenntnisse unbekannt." Nun versteht man, warum „Menschheit" durch „Gattung" ersetzt wer=den mußte. Die „Faustische Idee", der Freiheitsgesang des titanischen Menschen, gehört allein den „west=arischen" Völkern als ihr innerster Wesensausdruck zu (über den besonderen Bedeutungsklang von „arisch" konnte nach Gobineaus ‚Essai sur l'inégalité des races humaines' und Richard Wagners Schriften kein Zweifel bestehen: die arische Über=legenheit wurde dort seit langem dekretiert).[30]

Der Bogen war geschlossen. Die „Faustische Idee", darf man folgern, bedeutet in der „neueren Zeit" die kulturhistorische, in die Zukunft weisende Mission der germanischen Völker. In ihr findet ein Titanismus seine Berechtigung, der, wie Loeper meinte, in dem „heroischen" Aus= spruch „Die Tat ist alles" sich am mächtigsten bezeugt. Zustimmend fügte er hier das kräftigende Zitat aus den Faust=Vorlesungen von Kreyßig an: „Einstweilen aber möchten wir es als ein nicht ungünstiges Zeichen deuten, daß der unsern Charakter [. . .] am Reinsten und Voll= ständigsten vertretende Genius unsrer großen Literaturepoche sein größestes, umfassendstes Werk, sein dichterisch=sittliches Glaubensbe= kenntniß in dem *Kultus der That* gipfeln läßt, nicht in dem des Traumes und des Gedankens."[31]

Von hier aus konnte und mußte, sollte der letzte Zweck erreicht wer= den, die gesamte Faust=Opposition der Menzel, Gervinus, Gottschall, Spielhagen usw. aus den Angeln gehoben werden, mit Hilfe derselben „dialektischen" Technik der Positionsverkehrung, mit der schon Jean Paul zum „Zeugen" des berechtigten Titanismus gemacht worden war. Goethe, immer „den thätigen Mächten des Daseins", „den Interessen der Gegenwart" und dem „lebendigen Geiste seiner Nation" hinge= geben, predige im ‚Faust'=Schluß weder quietistische Weltentsagung noch pessimistische Lebensvernichtung, sondern durchaus „die Hoff= nung auf eine unendliche Fortentwicklung auf der Grundlage [hier wurde der nationale ‚Götz'=Faden wieder eingesponnen] der Selbst= thätigkeit und der Selbstbestimmung". Das wohlbekannte Vokabu= larium, das bisher auf der Seite des Vorwurfs gegen Faust stand, wurde nun auf die andere der eigentlichen heroischen Leistung Fausts „umge= setzt" (wenig später nach Loeper hieß es: der tragisch=heroischen Leistung). Im selben Vorgang wurde auch der in der öffentlichen Diskussion bis dahin meist eindeutig negativ klingende Begriff des „Faustischen" zu positiver Vorbildlichkeit gewendet. Denn, behauptete nunmehr Loeper, gerade Goethes ‚Faust' „setzte die krankhafte, alt= und neu=romantische Sehnsucht der Zeit, die mystischen, katholisirenden und alterthümelnden Tendenzen, die Geisterseherein der Hoffmann und J. Kerner, Lenau's Weltschmerz, den oberflächlichen Skepticismus und Nihilismus, und an welche Erscheinungen der jüngst vergangenen Literaturperiode sonst gedacht werden möge, um in das gesunde Streben nach einem würdigen Dasein, in den Glauben an die Wirklichkeit des Lebens und an den Werth des Menschen..."[32] (1879 setzte Loeper noch einen zusammenfassenden Satz hintennach: „Das Werk reagirt gegen die Herabsetzung praktischen, sittlichen Thuns Seitens des ro= mantischen Geistes und versucht die pessimistische Lebensauffassung zu einer optimistischen zu läutern").[33] Mochte daran einiges Richtige sein: die Methode dieser Korrektur blieb gewaltsam, bedenkenlos, „ideologisch" verkürzt.

Tatsächlich — hier wurde „Heroismus durch Heroismus kurirt"! So faßte Loeper das Ergebnis der Begegnung von Faust und der Heroine Helena, des germanischen und antiken Geistes, zusammen.[34] Religiöse Begriffe wie Sünde, Schuld, Buße, dazu alle „Äußerungen des mora= lischen Gewissens", müßten auch bei solcher heroischen „Heilung" des Faust ganz und gar zurücktreten, wie Loeper dies schon für die Elfen= Heilung zu Beginn des zweiten Teiles ausgeführt hatte. Fausts „Krank= heit" und Fausts „Heilung" seien rein „intellektuell", total „auf das Innerste des Geistes gerichtet"; da dürften alle religiösen und mora= lischen Bedenken wegfallen. Es folgte der geradezu vermessene, aber ideologisch alsbald auswertbare Satz: „wir interessiren uns für ihn nur wegen des Heroismus seines Geistes, und seinem Heroismus würde es nicht entsprechen, in Empfindungen der Reue hinzuschmelzen."[35]

Der nationale Faust=Heros, antik=germanisch („west=arisch") legiti= miert, war geschaffen. Gewiß, dieser Heroismus jenseits von Religion und Moral war nur „intellektuell", nur „geistig" gemeint. Aber die „realistische" Richtung auf die tätige Bezwingung des Diesseits, das „Erstürmen der Erde", wurde ihm, als „ewige" Aufgabe, unüberhör= bar mitgegeben.[36] Was nutzte es, wenn Loeper gegen Ende mäßigendere Umschreibungen einsetzte? Der amoralische Titanismus Fausts war, als „Faustische Idee", zur nationalen Mission erklärt worden. Loeper öffnete seine Methode in einem viel tieferen Sinn, als er selbst meinte, wenn er am Schluß feststellte: „Wir verzichten darauf, die allgemeine Idee des Faustgedichts zu formuliren, da wir nach dem Vorhergesagten glauben, daß dasselbe nur konkret aus bestimmten nationalen und historischen Voraussetzungen zu erklären ist."[37] Und, dürfen wir hin= zufügen, auch das „Faustische" selbst wurde jetzt allein durch diese nationalen und historischen „Voraussetzungen" konkret definiert.

Die Herausbildung eines solchen „positiven", gar nationalen Fau=
stischen als eines generalisierenden Begriffes war im 19. Jahrhundert
auf bedeutende, gegnerische Hemmungen gestoßen. Sieht man von
Nebensächlichem ab (dessen Wirksamkeit allerdings nie unterschätzt
werden darf), waren es bis zu Loeper, das Staats=Lexikon eingerechnet,
eigentlich nur zwei bedeutende Stimmen gewesen, die hierfür ein=
drucksvolle Umschreibungen zu geben versucht hatten: Rosenkranz und
Carus. Beide aber kannten die nationale oder die historische Einschrän=
kung nirgends. Bei Rosenkranz umschrieb „faustisch" hochgestimmt
die Idee des modernen Selbstbewußtseins, des im Wissen sich selbst
frei setzenden Subjekts. Bei Carus bezeichnete dasselbe Wort das Ge=
heimnis höchstvollendeten Menschentums, den Weg der Läuterung des
„in die Natur eingebornen Göttlichen", ein Maßwort echten Seelen=
lebens. Freilich folgten bald darauf die gehäuften Simplifizierungen
und „krausen Narreteien des Erlanger Weltweisen Leutbecher",[38] dessen
unbedeutende Schrift allzuviel gelesen und benutzt worden zu sein
scheint. Doch sein „Faustischer Geist", „Faustisches Wesen", „Fausti=
sches Streben" waren zu leerer Drusch, als daß sie vorerst (1838)
tieferen Eindruck hätten hinterlassen können. Die nationalistische Ein=
färbung in den Faustdarstellungen vollzog sich daher meist außerhalb
des Wortbereiches von „faustisch" — hier allerdings unaufhaltsam,
wenn auch lange durch warnende Gegenstimmen eingegrenzt. Bei
Loeper, zu günstiger Geschichtsstunde, floß beides zusammen: diese
langsame nationalistische Zubereitung und das indessen als Hochwort
formulierte „faustisch".[39] Was Rosenkranz und Carus mit ihm zu um=
schreiben versucht hatten, war bei Loeper kaum noch wiederzufinden.
Doch seine Sinnprägung und Wortführung, sein „Wortfeld", in das er
„faustisch" fügte, erwiesen sich für Jahrzehnte, noch bis weit über den
Ersten Weltkrieg hinaus,[40] als die stärkeren.

„Faustisch" war ein Leitwort nationaler Selbsthilfe und Selbstbe=
freiung, nationalen Selbstbewußtseins, Hochmutes und Missionseifers
geworden, einschließlich der Berechtigung „titanischen" Ausgriffes —
und wurde gleichermaßen zum Kennwort eines germanisch bestimmten
Abendlandes gemacht, dessen geistiger Hochsinn allein diesen Völkern
zustünde. Goethes ‚Faust' war tatsächlich zum „großen Grundbuch des
germanischen Menschen" gemacht worden (Th. A. Meyer). —

Was Wunder — um nur einige Beispiele dieses Jahrzehntes heraus=
zugreifen — wenn jetzt selbst der alte David Friedrich Strauß zwei
Jahre vor seinem Tod in der scharf antichristlichen, vielaufgelegten
Spätschrift ,Der alte und der neue Glaube', 1872, ,Faust' recht super=
lativistisch als „unser deutsches Centralgedicht" erklärte, „erwachsen
aus der innersten Eigenthümlichkeit des germanischen Geistes, der
großartigste und gelungenste Versuch, das Welt= und Lebensräthsel
poetisch zu lösen, eine Dichtung, deren gleichen, an Tiefsinn und Ideen=
fülle,... keine andre Nation aufzuweisen hat". Er fand in ,Faust'
dieselbe Lösung des Welt= und Lebensrätsels deutsch=poetisch ausge=
drückt, die er in seinem Buch als radikalen pantheistischen Monismus
vorführte.[41]

Oder wenn Karl Goedeke (1814–1887), berühmt durch seinen
Grundriß (ab 1856) und eben Professor in Göttingen geworden, 1874
in seiner Goethe=Biographie zusammenfaßte: „Goethe traf im Faust
das nationale Element so glücklich, wie selbst nicht in Hermann und
Dorothea, und er behandelte den Stoff mit Mitteln, die durchaus
der deutschen Natur angemessen waren. Die alte Zwiespältigkeit der
deutschen Natur, die übersinnliche sinnliche Anlage, hat hier Gestalt
gewonnen und gleichsam alle früheren Versuche, dieselbe zu erfassen,
in sich aufgenommen. Die Form aber, nicht streng geschlossen und doch
fest genug, um nicht auseinander zu fallen... Alles das war deutsche
Art und Kunst, die hier ihren höchsten Grad betreten hat, wie die
unbedingte Theilnahme der Nation, vom subtilsten Philosophen bis
zum Naturmenschen, der sich im Theater des Teufelspuks erfreut, hin=
länglich bestätigt."[42] So wurde Faust nachgerade zu einer deutsch=na=
tionalen Angelegenheit.

Im März 1876 entwickelte der politisch längst zahm gewordene,
frisch zum Burgtheaterdirektor ernannte Franz Dingelstedt, einst jung=
deutscher Demokrat und liberaler Märtyrer, in Wiener Vorträgen sein
„Programm einer nationalen Faustaufführung in den ersten, unsicheren
Zügen" (die er auf seiner Bühne auch einrichtete). Dabei wurde die
Goethesche Dichtung als „die zweite Bibel unserer Nation", als „die
zweite deutsche Bibel" glorifiziert, als „das Allerheiligste unseres natio=
nalen Schriftthums"! Dieser nationale Faust brauche daher auch nicht
„durch Kraft des Glaubens" gerettet zu werden — die „Kraft des reinen

Menschengeistes" leiste diese Rettung ebenso gründlich. „Arbeit und Entsagung" sei die „Moral" des Werkes, „die tiefsinnigste, gewich= tigste, welche jemals gepredigt worden". Wie sollte Faust, so trefflich ausgestattet, nicht auf die „erhabenste" Höhe der Menschheit gelangen, wie Dingelstedt sie damals verstand, der im selben Jahr zum „Frei= herrn von" geadelt wurde: „so führt der Dichter seinen Helden", be= merkte er tiefsinnig, „in der letzten Phase auf die erhabenste Stufe des Menschendaseins: Faust wird Souverän." Wahrhaftig — höher hin= auf ging's nimmer! In Wien gesprochen, in Berlin gedruckt[43]: das war schon Ausdruck einer allerhöchsten, offiziösen ‚Faust'=Anschauung.

Heinrich von Treitschke konnte in solchem Chorus nicht fehlen. Er machte, 1879, ‚Faust I' zu einem nationalen Schicksalswink und Er= hebungsfanal vor aller Welt — Faust trat als preußischer Freiheits= kämpfer auf (die anders lautenden zeitgenössischen Quellen hatte Treitschke großzügig übersehen): „Die bange Frage, ob es denn wirk= lich aus sei mit dem alten Deutschland, lag auf Aller Lippen; und nun, mitten im Niedergange der Nation, plötzlich dies Werk — ohne jeden Vergleich die Krone der gesammten modernen Dichtung Europas — und die beglückende Gewißheit, daß nur ein Deutscher so schreiben konnte, daß dieser Dichter unser war und seine Gestalten von unserem Fleisch und Blut! Es war wie ein Wink des Schicksals, daß die Gesittung der Welt unser doch nicht entbehren könne, und Gott noch Großes vor= habe mit diesem Volke."[44]

Der aus Preßburg stammende protestantische Österreicher Karl Julius Schröer (1825—1900), seit 1867 Professor für deutsche Literatur an der Wiener Technischen Hochschule, hochverdient um die Wiener Goethe= Gemeinde, echote in seiner ‚Faust'=Ausgabe von 1881 großdeutsch zurück: die Faust=Dichtung zeige den Erdenkampf des Idealismus mit den die Menschen niederziehenden Mächten, Faust also „der Held des unbesieglichen Idealismus" — „das ist ja am Ende Deutschland"![45]

Dies sind nur einige Nebenstimmen. Die Hauptstimmen waren an= dringender und formten die Tonlage Loepers kräftiger durch. So Her= man Grimm (1828—1901), legitimer Nach=Weimaraner, seit 1873 Professor für Kunstgeschichte an der Berliner Universität, wo er im Wintersemester 1874/75 und dem folgenden Sommersemester seine berühmten Goethe=Vorlesungen hielt, ein geistiges Ereignis für Berlin;

sie wurden 1876 (mit Datum 1877) veröffentlicht.[46] „Grimm ist der Literarhistoriker der Reichsausdehnung, des großen Wirtschaftauf= schwunges, des Berlins der Gründerjahre" (Ernst Beutler).[47] So visierte er Faust über Bismarck und Sedan, im „Hochgefühl des Sieges". Er stellte sich ausdrücklich neben den ihm befreundeten Loeper und dessen sibyllinische Zukunfts=Visionen.[48]

Trotz einigen, nur leichthin angedeuteten Zweifeln an der Authen= tizität der abschließenden Gestaltung von ‚Faust II'[49] galt auch für Grimm, der damals am nachdrücklichsten die Einheit des Gesamtwerkes betonte, die Lösung des Dramas „als das Evangelium der Erlösung des Menschen durch Tätigkeit". Das war damals bereits stehende Redensart geworden,[50] mit der man sich das „Wirtschaftswunder" des zweiten Reiches nur zu gern — „faustisch" — bestätigte. Goethe habe in diese ihm von Anfang an vorschwebende Lösung, und zur Nacheiferung, sein „unverwüstliches Selbstvertrauen" hineingelegt. „Die höchste Verherr= lichung menschlicher schaffender Tätigkeit, die denkbar ist, sehen wir in Fausts Lebensausgange vor uns."[51]

Solche Superlative, die zu leicht in nationale umschlagen können, scheinen zu diesen Deutungen zu gehören. Sie erhalten für uns einen grausig=vertrauten Klang, wenn Grimm seinen Lobpreis der Dichtung „über alles in der Welt" nicht genug steigern konnte: „Dadurch, daß wir Faust und Gretchen besitzen, stehen die Deutschen in der Dicht= kunst aller Zeiten und Nationen an erster Stelle."[52] Oder: „Die Lauf= bahn dieses größten Werkes des größten Dichters aller Völker und Zeiten hat erst begonnen . . .".[53] Imperiale Gesten eines unserer fein= sinnigsten Ästheten im 19. Jahrhundert! Kann es verwundern, wenn von solcher Hochsicht her „das irdisch Schicksalsmäßige" des „unbe= dingt" durchs Leben stürmenden „Dämons" Faust, also die konkrete Faust=Handlung in allen Stationen, ihm nur als eine „bloß zufällige Nebensache" erschien und sie aus seiner Darstellung gestrichen wurde? Das „Böse" Fausts wurde mit leichter Geste zu einem „Phantom" er= klärt, zu nur „irdischem Wust", das bei dessen Tode „in nichts" zu= sammenfalle.[54]

Dieser ‚Faust' stelle für die Deutschen das „poetische Werk an sich" dar; er sei „der Herrscher unter den übrigen Figuren der gesamten europäischen Dichtung" geworden. „Fausts Person erscheint uns heute als ein natürliches, unentbehrliches Produkt des deutschen Lebens." Er umgreife Geschichte und Phantasie unseres Volkes so vollständig, verkörpere es so ausschließlich, daß neben ihm auch die größten „Un= sterblichen" verblaßten — Karl der Große, Otto der Große, Friedrich der Hohenstaufe, Friedrich der Große, auch Schiller, Lessing und — Goethe selbst![55] Mit solcher kathederpathetischen Einleitung hub Grimm an, eine uns Heutigen schier unglaubliche Szene aufzubauen, die aber damals, drei, vier Jahre nach der Reichsgründung, als genauester Prüf= stein der ‚Faust'=Dichtung gegolten haben dürfte, die jedenfalls einen kaum mehr zu überbietenden Höhepunkt nationaler Faust=Selbstver= herrlichung und nationalen Faust=Selbstbewußtseins darstellte: Faust (zusammen mit Mephisto!) auf der Tribüne des Bismarckischen Reichs= tages. „Ich habe diesen Vergleich gewählt", erläuterte Grimm, „weil man, wo es sich darum handelt, die Realität [!] einer Erscheinung fest= zustellen, die allerschärfsten Proben anstellen muß." Diesen Auftritt des deutschen Herrscher=Heros Faust, vorbereitet durch Vischers Bauern= krieg=Visionen, muß man ganz lesen: „Denken Sie, in die Versammlung der unnachsichtig urteilenden Kritiker, welche Deutschland auswählt, um in seinem Namen zu kontrollieren, was als die höchsten Interessen des Volkes erscheint, träte auch irgendeine jener Gestalten ein, welche Phantasie und Geschichte hervorgebracht haben: ob nicht sofort sich zeigen müßte, daß ihre Sprache nicht die unsere, ihr Gedankengang veraltet, ihr Auftreten unbehilflich sei. Was würden Achill oder Cäsar oder selbst Friedrich der Große heute zu sagen haben, das, ohne ihnen oder uns Gewalt anzutun, aus ganz natürlichem Verständnis der Welt= lage hervorzugehen schiene? Und nun ließen wir auch Faust erscheinen, mit Mephisto neben sich: ob diese beiden nicht sofort überblickten, um was es sich im Moment handelte, und den richtigen Augenblick er= spähten, um sich mit ein paar durchschlagenden Gedanken aufmerk= same Zuhörer zu verschaffen."[56] Welch eine ahnungslose Parodie der Kaiserhof=Szenen im 1. Akt des zweiten ‚Faust'=Teiles! Welch ein schrecklich ahnungsloses, nationales ‚Faust'=Pathos „mit Mephisto ne= ben sich"![57] („Der Teufel aber dabei mit seinen entsetzlichen klugen Geisteraugen ihm beständig hohnlächelnd über die Achsel sieht", Eichen= dorff 1857.) „Ich zweifle nicht", hieß es gegen Schluß, „daß eine Zeit kommen wird, wo Aufführungen des zweiten Teiles des ‚Faust', ver=

eint mit dem ersten, sich zu wirklichen dramatischen Volksfesten ge= stalten könnten."[58]

Das Wort „faustisch" fiel nicht, das eben Loeper so dramatisch de= finiert hatte und das im selben Jahr (1875) noch Vischer aufnahm. Doch die Vorlesungen Grimms verstärkten das „faustische" Arsenal Loepers aufs willkommenste. Man möchte das Modewort „Hybris" vermeiden. Aber hier ist es unabweisbar am Platze, gerade weil diese ministerialen und professoralen Euphorien so töricht waren. Im Rausch des nationalen Pathos ist jedoch der Schritt von der Torheit zum handelnden „Titanis= mus" (um diese faustische Ideologie noch gelinde zu umschreiben) nicht weit.

Ernst Beutler gab die Grundstimmung richtig an: „Wir befinden uns in der Hochblüte der deutschen politischen und wirtschaftlichen Erfolge kurz nach der Reichsgründung und nähern uns den Tagen des Übermenschen. Es gibt ein Faustbild der Gründerjahre, der ersten deutschen Epoche ohne Weltanschauung, jedenfalls ohne führende Weltanschauung; das Reich war geschaffen, in dem man leben konnte, aber nach dem Zerfall der Hegelschen Philosophie war kein Kosmos mehr da, keine Weltordnung, in der dieses Reich stand. Das damals geprägte Faustbild hat teilweise bis zum Weltkrieg Geltung gehabt."[59] Ich füge hinzu: mit diesem Faustbild und diesem faustischen Leitbild sollte die fehlende „deutsche Ideologie", die fehlende „Weltanschauung" des neuen deutschen Staates, bis zum Ersten Weltkrieg, ersetzt werden — zusammen mit anderen solcher Leitbilder.

Friedrich Theodor Vischer, jetzt fast siebzig Jahre alt, konnte sich begreiflicherweise zu solchen uneingeschränkten Hochgesängen auf die Gesamtdichtung Goethes nicht hinreißen lassen. Er grollte weiter gegen Goethe, daß er aus mangelnder politischer Einsicht (dabei berief Vischer sich jetzt ausdrücklich auf Gervinus) und aus ästhetischer Verfälschung der eigenen genialen Jugenddichtung den Zweiten Teil, im ganzen ge= nommen, abstrus und absurd verbogen habe. Nochmals legte Vischer, doch schon gemildert gegenüber den früheren Veröffentlichungen, seine eigenen Ideen zu ‚Faust' in einem dicken Buch, 1875, nieder und fügte dem einige Jahre später Verteidigungsschriften an.[60] Hätte Goethe nur „etwas vom Feuer eines Hutten"[61] in sich gehabt — Vischer kam vom Bauernkrieg nicht los —, wäre die Dichtung zu der politischen Höhe gereift, die ihr „eigentlich" zukäme. Das blieb auch jetzt Vischers Grundmeinung.

Nachdem aber die nationalen Wünsche Vischers, die er ungestüm in seinen früheren ‚Faust'=Schriften vorgetragen hatte, mit der Reichs= gründung erfüllt zu sein schienen, verlegte er seine Kritik mehr ins Stilistische und Allgemein=Philosophische; daher war er eher zu einigen (nationalen) Zugeständnissen für die Anlage des Gesamtwerkes ge= neigt, wenngleich er, in deutlichem Gegensatz zu Loeper, Grimm u. a., es nach wie vor bedauerte („man mag vor Leid kaum daran denken"), daß nationale Hochtat und höchste deutsche Dichtung nicht überein= stimmten. Denn auch darauf beharrte Vischer bis an sein Lebensende: Goethes Altersstil, und damit sein ‚Faust II', sei ohne Natur — natur= widrig, ledern allegorisch, opernhaft; die „classische Stylwelt" habe ihn den eigenen feurigen Jugendstil, einen „geistdurchdrungenen ger= manischen Realismus", verachten und darin auch sein Naturgefühl zer= stören lassen.[62] Schon deshalb sei eine „würdige Fortsetzung des Faust" unmöglich gewesen; die poetischen Schönheiten lägen nur im Ersten Teil, in dem es Goethe allerdings gelungen sei — hier sprach der liberale (Hegel=)Idealist der 30er, 40er Jahre —, den „wilden, frechen, dumpftrotzigen Abfall der Sage" ahnungsvoll zu verwandeln „zum Bilde des ungeheuern Strebens der erwachten Menschheit, frei von sich selbst aus zur Wahrheit und zum wirklich Guten und zum wahren Gute durchzudringen".[63] In dieser, alle Menschheit umfassenden, opti= mistischen Perfektibilität, wie sie universal im „Prolog" ausgesprochen sei, könnte Vischer sich immerhin mit Goethe treffen, hätte dieser nicht am Ende, durch den „gotischen" Rettungseingriff des Herrn, die ins Unendliche strebende Linie vom Jenseits her durchschnitten. Auch hier hat Goethe als Dichter versagt, da er anscheinend sich nicht richtig habe ausdrücken können. Denn, Vischer korrigierte gern, dieses angeb= liche Jenseits, wenn es überhaupt einen Sinn haben sollte, ist doch gerade „die zeitlose innere Wahrheit des Diesseits, der Himmel ist ewig gegenwärtig im Innern, im Geistesleben der strebenden Menschheit. Dies schaut und fühlt der Dichter und der Leser als den wahren Sinn der gewaltsamen Durchschneidung . . ."![64]

Natürlich habe Faust gefehlt, und Goethe habe ihn überdies viel zu leichten Kaufes davonkommen lassen;[65] Faust sei ohne Geduld, maß=

166

los, überheblich, aber sein Frevel, gegen alle Schranken der Selbst=
erkenntnis und des Wissens anzurasen, sei eben doch ein „heiliges
Unglück", ein „stolzes Unglück".[66] So wurde auch von Vischer „der
Hochgang des Faustischen Willens im Anprall an die Wirklichkeit"[67]
in die unanfechtbare Perfektibilität zurückgenommen. Faust bleibt der
„Repräsentant der kühn und gefährlich ins Unendliche strebenden
Menschheit".[68] Man sieht, „Reichsluft" ließ Formulierungen erfinden,
die nicht ganz mehr mit der reinen Idealität des Strebens überein=
stimmten. Von daher vermochte Vischer allenfalls Goethes Handlungs=
schluß zu verstehen, das heißt, jene Übereinstimmung von Dichtung und
nationaler Aufgabe doch noch — perfektibilistisch — herauszuholen, die
allen diesen Männern notwendig schien. 1881 kam er daher zu dem
halb zögernden („dennoch") Eingeständnis: „Der großartige Wurf, den
Goethe mit dem Schluß=Motiv gethan hat: Faust als Herrscher eines
mannhaft sich aufringenden Volkes, darin können wir ungesucht auch
eine entfernte Art von Divination der Zukunft Deutschlands finden,
ihm symbolisch diese Beziehung geben, sofern wir nur jeden Begriff
von bewußter Symbolik ferne halten."[69] Das heißt doch auch: Goethes
bewußte poetische Symbolik wußte von solcher nationalen Divination
nichts — aber der Deuter darf sie, „ungesucht", finden.

Derart völkisch=generalisierend, also „politisch", war auch eine wei=
tere Verwendung von „faustisch" gemeint, die Vischer dort anbrachte,
wo er beiläufig auf Napoleon und die preußische Niederlage von Jena
und Auerstedt zu sprechen kam: Napoleon, der welsche Feind, mit der
Rolle Mephistos verglichen, der wider Willen Gutes schaffe. „Er hat
unser deutsches Reich heilsam aufgerüttelt." Und also konnte „Preußens
Erfahrung" von 1806 „ächt Faustisch" genannt werden — „es war er=
schlafft in der ‚unbedingten Ruhe' . . ." („mit mephistophelischer Ironie
sah die Weltgeschichte zu . . .").[70] Wieder wurde „faustisch", wie bei
Loeper fünf Jahre vorher, in den Bereich der Geschichte zurückgezogen
und in die nationale Perspektive von Aufbruch, Erhebung, Kampf und
Sieg gebracht. Beiläufig, ohne jede sonderliche Betonung — aber im Ge=
samtprozeß der „faustischen" Umwertung und Fixierung während
dieses Jahrzehntes als ein kleines Teilstück höchst charakteristisch. Auch
Vischer, durch seine früheren Schriften längst darauf angelegt, entzog
sich diesem Prozeß nicht.

Wie sehr der Loepersche Anstoß in die Breite Schule gemacht hatte, soll, an Vischer anschließend, ein Beispiel aus einem seinerzeit be= kannten kunstgeschichtlichen Werk zeigen, das im selben Maße die ebenso breit ansetzende Verflachung des Wortgebrauches von „fau= stisch" aufzuweisen vermag — ein frühes Beispiel dieser Art, noch aus den 70er Jahren des 19. Jahrhunderts, dessen Tonlage aber Gültigkeit bis weit nach 1918 behielt und das daher für viele andere Belege eines halben Jahrhunderts „ein für allemal" stehen kann. Moriz Thausing, böhmischer Herkunft, seit 1873 Professor für Kunstgeschichte in Wien, gab in seinem Dürer=Buch von 1876 eine ausführliche Beschreibung der drei großen Kupferstiche ‚Melancholia', ‚Hieronymus im Gehäus' und ‚Ritter, Tod und Teufel'. Alle drei wurden mit ‚Faust'=Versen bedacht — der Reiter selbstverständlich mit den Prolog=Zeilen „Ein guter Mensch in seinem dunklen Drange . . .". Vor die Einzelbeschreibungen setzte Thausing einen zusammenfassenden Abschnitt, der die Grundstimmung dieser Dürer=Blätter anschlagen sollte; er lehrt uns, die zeitgenössische Umsetzung des Wortes „faustisch" in eine grundlose Stimmungmache, in ein falsches Pathos nebuloser Unbestimmtheit, in ein unsachliches Hochgeschwärme recht zu verstehen. Auf solche Weise wurde schließ= lich jede Grenzüberschreitung möglich. Thausing schrieb[71]: „Was, ab= gesehen von den höchsten künstlerischen Qualitäten, jene Blätter popu= lär macht, ist die tiefe nationale, die noch tiefere allgemein menschliche Empfindung, in der sie empfangen, aus der sie heraus erzeugt sind . . . Sie athmen etwas von dem Gewissenskampfe, den das deutsche Volk eben durchzumachen sich anschickte, der seitdem keinem von uns er= spart blieb. Und diese Stimmung ist allerdings eine durchaus moderne; zumal dieselbe durch die vornehmste Dichtung unserer Literatur ver= ewigt worden ist. Es ist das faustische Element jener Zeit, das uns aus diesen Darstellungen . . . entgegenweht und uns unwiderstehlich an= zieht." Erich Schmidt gab sechs Jahre später gerade dieser „faustischen" Beschrebung der Dürer=Blätter seine volle Zustimmung.[72] —

Die ersten zusammenfassenden Folgerungen aus der neuen „fau= stischen" Entwicklung zog der aus protestantisch=preußischem Pfarr= haus in Schlesien stammende Philosoph Kuno Fischer (1824—1907), der nach der Reichsgründung, 1872, auf den philosophischen Lehrstuhl in Heidelberg berufen worden war, von dem man ihn 1853, auf Be=

treiben der protestantischen Kirche, wegen „pantheistischer" Neigungen schon einmal entlassen hatte, nachdem damals der erste Teil seiner ‚Geschichte der neueren Philosophie' erschienen war. 1877 hielt er, Herman Grimm nacheifernd, in Frankfurt öffentliche ‚Faust'=Vorträge, die 1878 in Buchform herauskamen, vorabgedruckt wieder in Julius Rodenbergs ‚Deutscher Rundschau';[73] bis zu Fischers Tod erschienen vier weitere, immer neu umgearbeitete und ergänzte Auflagen.[74] Es war das glänzendste und wirksamste Faustbuch dieses Jahrzehnts.

Bekanntlich vertrat Fischer, mit vielen Vorgängern, die Meinung und verfocht sie leidenschaftlich, daß, schon aus genetischen Gründen, Goethes ‚Faust'=Dichtung keine ideelle und künstlerische Einheit dar= stelle, *eine* Idee des Ganzen gebe es nicht, daß vielmehr zwei sich durch= aus widersprechende „Grundideen" und „Grundstimmungen" in ihr zusammengefügt worden seien. Die „alte" Dichtung umfasse demnach etwa die mit dem Fragment von 1790 erreichte Stufe, die „neue" setze mit Konzeption und Niederschrift des „Prologs" ein. Der Grundgedanke der alten Dichtung kann umschrieben werden als der „tragische Lebens= gang des genialen Weltstürmers"; die neue Dichtung dagegen, mit der Idee des absoluten Strebens, stellt Versuchung und Prüfung, Läuterung und Rettung des sich selbst bewußten „großen" Menschen dar. Eine Einheit der Dichtung liege allein „in der Person und Entwicklungsge= schichte des Dichters" selbst.[75] Aus der Entstehungsgeschichte versuchte Fischer, diese Behauptungen nachzuweisen.

Seine Thesen brauchen hier nicht von neuem diskutiert zu werden; sie sind, wie die damit verbundene Erdgeist=Hypothese, seit Genera= tionen von allen Seiten pro und contra beleuchtet und geprüft worden. Düntzer und Grimm hatten schon vordem die Einheit des Ganzen ebenso leidenschaftlich verfochten. Die entschiedenste Gegenposition — „Die dramatische Einheit der Dichtung" — entwickelte schließlich Fischers späterer Lehrstuhlnachfolger (seit 1915), der aus Danzig ge= bürtige Heinrich Rickert in seinem nicht weniger glänzenden ‚Faust'= Buch von 1932. Uns braucht die hypothetische Zweiteilung der Dichtung schon darum nicht näher zu beschäftigen, als bezeichnenderweise von der Fragestellung nach dem „Faustischen" her bei Fischer dieser Gegen= satz der Grundideen und Grundstimmungen sich weitgehend aufhebt; es scheint geradezu, als liege in diesem Zuge die heimliche Klammer des Gedichtes dennoch vor, in der fortschreitenden Entdiabolisierung des Magier=Titanen Faust zur Selbstläuterung und Selbsterlösung des Streber=Titanen, des erhabenen Menschen. Wenigstens der poetische Zusammenhang beider Teile, den z. B. auch F. Th. Vischer bis ins hohe Alter leugnete, wurde auf diese Weise, wenn auch unausgesprochen, wieder hergestellt.

Zugestanden, daß Kuno Fischer als Philosoph wieder mehr von der Menschheit und ihrer Repräsentation durch Faust sprach, von der all= gemeinen Menschennatur in ihm. Doch, wie um alle Zweifel dennoch und grundsätzlich auszuschließen, setzte er seinen Gleichungen den be= stimmenden nationalen Generalnenner voraus: das „Thema" der ‚Faust'= Dichtung „ist rein deutsch". In ihr spiegele sich, neben Goethes Genie und Leben, deutscher Volksgeist („deutsche Gemütsart") und der Geist des neuen Zeitalters am eindrucksvollsten ab, hier besitze „der deutsche Geist ... eine Urkunde seiner innersten Eigenthümlichkeit".[76] Wir kennen diese Gleichung bereits zur Genüge von Loeper und anderen. Loeper hatte sie gröber und unmißverständlicher ausgedrückt, Fischer legte sie eleganter an. Aber ihre Lösungen brachten dasselbe Resultat.

Schon aus der „Volkssage" und aus dem Faustbuch von 1587 wurden die „erhabenen" Züge herausgeholt: neben dem Diabolischen erscheint gleichwertig das Titanisch=Prometheische, auch das Tragische (den Fort= schritt vom Mittelalter über Reformation zur Renaissance ausdrückend) als ihr eigentliches Wesensmerkmal, „Rohmaterial" für die spätere Dichtung Goethes.[77] „Er nahm Adlersflügel an sich ..." und „es war ihm wie den Riesen" — dreimal brachte Fischer diese fragwürdigen Volksbuch=Zitate als Beweis für den seit der Renaissance lebendigen Erkenntnistitanismus, die schon Loeper, ebenso fragwürdig, als Binde= glied genutzt hatte.[78] An diese titanisch=prometheischen Züge, an diesen „Adlersflügel"=Geist, habe bereits Lessing angeknüpft und sich in ihm wiedergefunden. „Das ist Geist von deinem Geist, Leben von deinem Leben! ... Das Feuer, das diesen Faust durchglüht, ist göttlicher Ab= kunft! Das Prometheische ist nicht diabolisch!", hätte er sich zurufen können. Von dorther bis zu Goethes „Ein guter Mensch in seinem dunklen Drange ..." führe ein direkter Weg.[79] Prometheus=Faust: das war der ursprüngliche Plan Goethes;[80] der mußte allerdings in Wider= spruch geraten zu der „Prolog"=Konzeption.

Jedoch dieser Widerspruch hob sich in der Beschwörung des neu=
zeitlichen, aus eigener Kraft hochstrebenden Menschentums auf, bzw.
er wurde mit dem *„eigentlich Faustischen"* überbrückt, das gleicher=
maßen sowohl in Magus=Sage wie in „Prolog"=Idee, in dem leiden=
schaftlichen Weltstürmer wie in der aufwärts gerichteten Menschennatur
sich manifestiere. Denn, folgerte Fischer in großem Gedankenbogen, als
er die „neue Idee" Goethes entwickelte, „schon in dem Helden unsrer
volksthümlichsten Magussage war ein bedeutsamer Zug hervorgetreten,
den das älteste Faustbuch wie das Volksschauspiel empfunden und in
seiner Großheit ausgeprägt hatte: der Drang nach Erkenntniß, das
Streben aus eigenster Kraft nach dem höchsten geistigen Ziel, die
Hingebung an die Magie und deren Mächte aus unbefriedigtem Wis=
sensdurst. ‚Er nahm Adlersflügel an sich und wollte alle Gründe im
Himmel und auf Erden erforschen!' Je heller die Zeiten werden, um so
mehr erleuchtet sich in dem Sagengebilde des Faust dieser Zug, diese
angeborene Höhenrichtung seiner Kraft, sie erscheint als das eigentlich
Faustische, als die Signatur eines erhabenen Menschen. Wissensdurst
ist auch Weltdurst. Eine solche Natur muß die Welt erleben, sie geht
den Weg mächtiger Leidenschaften, ... sie kann fallen, aber kraft ihrer
Höhenrichtung nicht sinken ... Eine erhabene und aufwärts gerichtete
Menschennatur ist gut ... Es stand schon bei Lessing fest, daß die Teufel
nicht siegen sollen. *Das Faustische ist unzerstörbar, unverderblich!* Von
diesem Grundgedanken aus hat Goethe seine neue Dichtung gestaltet."[81]
Und gleich darauf wurde dieses entdiabolisierte „Faustische" noch ein=
mal angerufen: „Das Streben nach dem Höchsten ist von Gott und nicht
vom Satan, es findet durch den Wald der Verirrungen den Weg zum
Licht: darin erfüllt eine erhabene Menschennatur, wie die faustische,
das Gesetz ihrer Entwicklung."[82]

„Das Faustische", frei herausgelöster Allgemeinbegriff geworden und
bewußt als solcher verwendet, erreichte bei Kuno Fischer die Höhe
einer bedenkenlosen Fortschritts=Perfektibilität, einseitig positiv aus=
geleuchtet, optimistisch simplifiziert, poetisch spannungslos. Das „ein
für allemal" Spielhagens war, knapp zehn Jahre später, in seinen Ge=
gensinn verkehrt worden. Am nächsten schien der Umschreibung
Fischers noch die von Rosenkranz zu stehen (beide aus Hegels Schule
kommend), aber jetzt wurde sie bewußter tendenziös eingerichtet, ohne

Vorsicht gesteigert bis ans „Titanische", die deutlichen nationalen Vor=
zeichen nicht zu vergessen. Das „Faustische" galt von nun tatsächlich
in weiten Kreisen der Gelehrten und Dilettanten, der Zeitungsschreiber
und Volksbildner Klein= und Großdeutschlands als die unwiderruflich
dem — deutschen — Menschen „angeborene Höhenrichtung", unzer=
störbar und unverderblich, die dem Streben aus eigenster Kraft geradezu
die Gottwohlgefälligkeit garantierte und die sich schließlich bis zu einem
eigenen „Faustischen Glauben" (Korff) steigerte. „Adlersflügel" schie=
nen nun jedermann, angeblich im Geist der Dichtung, aufwärts zu
tragen. Ideologie setzte sich anstelle der Poesie. Die Destruktion der
Dichtung durch das „Faustische" schien endgültig. Erst in Böhms Pro=
vokation ‚Faust der Nichtfaustische' wurde sie öffentlich rückgängig zu
machen versucht.

Die weiteren Ausführungen Fischers sollen hier nur kurz so weit
beachtet werden, als sie sein „eigentlich Faustisches", das aus der Sage
immer leuchtender bis in Goethes „neue" Dichtung vorgedrungen sei,
näher zu definieren vermögen — Definitionen, die schließlich zur Selbst=
enthüllung der Bodenlosigkeit dieser faustischen „Streber=Idee" führen
mußten. Fausts Ende, im beglückenden Vorgenuß und Vorgefühl seiner
Arbeitsernte, also die „bestandene Lebensprobe", dürfe nur „ein Wohl=
gefallen für Götter, kein Triumph für den Teufel" sein. „Es gibt nichts
Größeres!" Faust hat sich „Unsterblichkeit errungen als die Frucht seines
Strebens . . .".[83] Dieses vollziehe sich allein aus „eigenster Kraft", nach
einem notwendigen Entwicklungsgesetz, durch das auch die Menschheit
zu einer göttlichen Weltaufgabe berufen sei.[84] „Der Fall und die
Läuterung des Menschen" ist also das Thema der Dichtung geworden.[85]
Aber der Ton blieb bei Fischer zu einseitig auf Läuterung stehen, auf
„Entwicklung", „Fortschritt", „Höhenweg"; das waren jetzt die mo=
dernen, „naturgemäßen" Schlagworte, an denen sich sein Pathos ent=
zündete. Die „Entwicklungsstufen einer bedeutenden Menschennatur
[sind] zugleich Läuterungsstufen . . ."; solche „Idee fortschreitender
Läuterung" bestimme die einzelnen Akte des zweiten Dichtungsteiles,
gipfelnd auf der letzten Stufe von Arbeit, Tat und — Entsagung um
des Triumphes kommender „strebender Geschlechter" willen.[86] Den
„Fall" milderte Fischer zu „Versuchung", schließlich zu „Lebensprobe"
ab.[87] „Das Leben hat die Bedeutung einer Prüfung, die durch fort=

schreitende Läuterung bestanden sein will: das ist der religiöse Grund=
gedanke" des ‚Faust'=Themas.[88]

Wie aber: könnte, ja muß ein solcher strebender Mensch „irren"?
„Es irrt der Mensch, solang' er strebt", hatte Goethe selbst in dem von
Fischer so sehr herausgestrichenen Prolog behauptet. Auch F. Th. Vischer
hatte diesen Gedanken nachdrücklich betont. Also solle im mensch=
lichen Leben und Streben Irrtum nie ausgeschlossen sein? fragte Kuno
Fischer dagegen; immer sei nur eine deus=ex=machina=Lösung möglich?[89]
Nein — entschied Fischer ex cathedra: Faust irrt nicht! Fausts Ent=
wicklung, jenes „Gesetz", ist eine „naturgemäße"; seine Läuterung eine
notwendige Frucht dieser „naturgemäßen Entwicklung", nicht etwa
eine „Verklärung von außen herein, keine Transfiguration, die dem
Faust mit Wolken unter die Arme greift". Das „irrt" des Prologs
vermag diese „naturgemäße Läuterung" (!) nicht aufzuheben.[90] „Läute=
rung ist nicht Unfehlbarkeit. Es gibt eine erreichte Läuterung, die das
Streben und den Irrthum nicht von sich ausschließt, wohl aber den Fall
in das Netz des Versuchers . . ." „Es wäre schlimm, wenn dem nicht so
wäre, wenn es nicht eine sittliche Höhe gäbe, die erreicht werden soll
und kann, nicht frei von Irrthum, aber unantastbar für die Versuchung,
nicht unfehlbar, aber unverführbar, eine Charakterhöhe, die sich aus
dem Strudel der Welt emporgerungen hat und in deren Genüsse nie
wieder untertaucht . . . Um eine solche Läuterung handelt es sich in der
Tragödie des Faust."[91] Diesen „Höhenweg" habe Faust am Ende un=
abdingbar erreicht — „und zwar ohne himmlische Zuthat". Oder mit
früheren Worten: „aus eigenster Kraft". Das übertreffe noch Dantes
Commedia, stellte Fischer befriedigt fest.

Die Definition des „eigentlich Faustischen" gipfelte auch bei Kuno
Fischer, wie bei Loeper, in der Autonomie=Erklärung menschlicher
„Selbsthilfe und Selbstbefreiung". Die „Adlersflügel" schließen — „na=
turgemäß" — Gottes Zutat aus. Goethe wurde im Namen dieses un=
verderblichen Faustischen ad absurdum geführt, die autonome fau=
stische „Idee des absoluten Strebens" als vorbildlich und rechtmäßig
gesetzt. „Sein Thema ist rein deutsch", es hat sich im Geist des deut=
schen Volkes fortschreitend entwickelt und in Goethe vollendet, sein
Gedicht ist „unsere Divina commedia" — sollten die Hörer und Leser
diese nationale Voraussetzung dauernd mitempfinden? Es muß ange=

nommen werden, daß Kuno Fischer dies gewollt hat. In dem von ihm beschriebenen „Faustischen" sollte der deutsche Geist „seine innerste Eigenthümlichkeit", das heißt, er sollte seine Aufgabe erkennen. —

Ein Jahr nach Fischers ‚Faust'=Buch begann Wilhelm Scherers ‚Ge= schichte der deutschen Litteratur' zu erscheinen, die 1883 in Berlin voll= endet vorlag. Auch diese Literaturgeschichte (bis 1886 noch zweimal aufgelegt) schloß, wie bei Gervinus, mit der Darstellung von Goethes ‚Faust' ab. Wilhelm Scherer (1841—1886),[92] Niederösterreicher fränki= scher Abstammung, hatte sich schon während seiner Gymnasialzeit an Gervinus begeistert und aus Julian Schmidts und Gustav Freytags ‚Grenzboten' seine politische Überzeugung geholt. Sein späteres Stu= dium in Berlin bestärkte ihm den Führungsanspruch Preußens bei der Einigung Deutschlands nur noch mehr. 1872 erhielt er, nach seinem Wiener Ordinariat, gerade dreißigjährig die erste germanistische Professur an der eben gegründeten Straßburger Reichsuniversität und wurde von dort im Herbst 1877 auf den für ihn neu eingerichteten Lehrstuhl nach Berlin berufen. Scherer formte bekanntlich den Begriff der „Goethe=Philologie",[93] die er, wie jede historische Wissenschaft, analog der naturwissenschaftlichen Methode streng kausal=empirisch zu betreiben vorschrieb; er selbst bemühte sich exakt darum,[94] kam glücklicherweise aber in seinen besten Werken, wozu auch die Litera= turgeschichte gehörte, darüber hinaus.

Gemeinnützige Tat, Arbeit für das Gemeinwohl: das blieb auch für Scherer Sinn und „Erlösungs"lehre von Goethes ‚Faust'.[95] „... dieser Faust, der aus Helenas Armen zu gemeinnützigen Thaten eilt, war Goethes Vermächtnis an sein Volk".[96] Wieder wurde Faust zum Bruder Wilhelm Meisters erklärt und fast mit Worten des verstorbenen Ger= vinus vorbildlich gemacht, nur daß Faust selbst inzwischen mit aller Entschiedenheit von der negativen auf die positive Seite geholt worden war — „das sind die Helden", so nahm Scherer beide Figuren zusammen, „die vom empfindenden, grübelnden, betrachtenden, forschenden, ästhe= tischen Leben unter dem spornenden Einflusse verneinender Geister [Mephisto] und idealer Vorbilder [Helena] zum thätigen, nützlichen, wirkenden Dasein übergehen".[97] Der forschende und grübelnde Mensch fiel mit unter das Verdikt des Unnützen. Das „Volk der Dichter und Denker" wurde vom höchsten zuständigen Lehrstuhl aus, selbstver=

leugnend, auf nützlichere Tätigkeit gewiesen. „Der größte Vertreter unserer Poesie, ein vielseitiger und glücklicher Forscher, beugt sich vor dem thätigen Leben"; er stelle „gemeinnützige Thätigkeit über die ästhetischen und gelehrten Interessen". „Der Mensch ein Kämpfer" — das sei Fausts Überzeugung, darin sei auch Goethe mit Schiller sich einig gewesen; Freiherr vom Stein war der vierte in diesem Bunde. Die Dichtung ‚Faust' habe symbolisch „in einer thatenarmen Zeit die Sehnsucht nach Thaten" ausgedrückt. Hierfür wurde der Eidhelfer Stein angerufen, der seinerzeit schon, „in kräftigen Worten", das „Übergewicht der Metaphysik und der speculativen Wissenschaften in Deutschland" und das „müßige Hinbrüten" der Nation beklagt habe. Denn nur selten habe die moderne deutsche Dichtung, schloß Scherer an, „den *starken unbändigen Willen* verherrlicht, der in den Männern von sicherer Thatkraft wohnt". Unter der Führung des Freiherrn vom Stein sei der Umschwung eingetreten. Und „Goethe forderte, was sich schon bei seinen Lebzeiten zu erfüllen begann und vor unseren Augen immer noch mehr und vielleicht schon zu viel erfüllt."[98]

Wiederum und in kräftigen Strichen war Faust zu einem Leitbild der geschichtlich handelnden Nation umgeprägt worden, im Endstück der damals modernsten deutschen Literaturgeschichte. Scherers weitere ‚Faust'=Deutungen standen ganz im Zeichen dieser „schaffenden That= kraft", die er als das durchhaltende Motiv beider Teile nachwies.[99] Doch muß ihm, als er 1883 sein Werk beendete, selbst nicht mehr ganz geheuer gewesen sein bei so viel einseitiger Betonung von Tatkraft und Arbeit im Namen des „im edelsten Sinne vollkommen herrischen" Faust.[100] Schon oben deutete das Satzende „... und vielleicht schon zu viel erfüllt" diese Sorge an, die nicht nur die Scherers war. So schloß er, unvermutet, im Grunde sich selbst widersprechend, sein Buch mit einer deutlichen Warnung vor der deutschen Einseitigkeit des Schaffens und Raffens jener „Gründer"=Jahre ab, freilich mit dem nicht minder merkwürdigen Einfall, Fausts Dichtungs= und Lebenswandel als nur vorbereitende „Umwege" zu betonen: „Zur gemeinnützigen praktischen Thätigkeit, die Faust erst nach langen Umwegen ergreift, sind heute viele Deutsche von vornherein gestimmt, und günstige Winde schwellen ihre Segel; während diejenigen, die nach Goethes Beispiel leben und Poesie für eine heilige Angelegenheit unseres Volkes halten, gegen

Wind und Wetter kämpfen und doppelte Thatkraft einsetzen müs=
sen."[101]

Der Meisterschüler aus der großen Schülerschar Scherers, Erich
Schmidt (1853—1913), gab die ‚Faust'=Auffassung seines Lehrers jahr=
zehntelang fast unverändert weiter, bald vom selben Lehrstuhl aus.
Schmidt war schon 1877 der Nachfolger Scherers in Straßburg geworden,
erhielt danach das Ordinariat in Wien und kam, nach kurzem Zwischen=
spiel in Weimar als Direktor des Goethe=Schiller=Archivs, 1887 nach
dem plötzlichen Tod Scherers wieder als sein Nachfolger nach Berlin.
Er schuf, ebenso für Jahrzehnte, die gesicherten kritischen ‚Faust'=Aus=
gaben: 1887/88 in der Weimarer Ausgabe, 1903/06 in der Cottaschen
Jubiläumsausgabe. Dort in der Vorrede zum Zweiten Teil (1906) hieß
es, fast gleich noch den Sätzen Scherers von 1883: „Der germanische
Geist schließt mit der heroischen Schönheit Griechenlands einen Bund
und geht aus dieser Ehe nicht als ein elegisch rückwärts schauender
Epimetheus, sondern gleich Prometheus davon durchdrungen, des ech=
ten Mannes wahre Feier sei die Tat, dem neuen werkkräftigen Leben
entgegen."[102] Das war nicht mehr neu; es wurde seit Loeper, seit
Grimm, seit Scherer von allen, die „reichisch" etwas auf sich hielten,
in den verschiedensten Variationen verkündet — und nun gar vom
Berliner Lehrstuhl aus.[103] Genau in diesem Sinn konnte Faust zur
„symbolischesten Gestalt der ganzen germanischen Poesie" erhöht
werden, die wieder die alten „Adlerflügel" zu tragen hatte,[104] obwohl
Erich Schmidt es indessen besser wissen mußte und es auch wußte.

„Faustisch" war von Loeper und Kuno Fischer in die Richtung des
nationalen Fortschritt=Pathos gebracht worden. Erich Schmidt ver=
breitete diese Basis ins Geläufige, bzw. sein Sprachgebrauch zeigte an,
wie umfassend „faustisch" damals im Sinn dieser pathetischen Ideologie
schon verwendet wurde. Schmidt vermittelte zwischen dem Pathos von
1870/71 und dem Pathos von 1914/18; er schlug die Brücke von Loeper
zu Spengler und durfte bei dieser Weitergabe schon viele kleinere Hel=
fer neben sich wissen.

Noch unter den Augen des Lehrers, einen seiner Gedanken weiter=
führend, erschien von Schmidt 1882 der häufig zitierte Aufsatz über
‚Faust und das sechzehnte Jahrhundert'.[105] Aus dem Geiste Loepers
und Scherers zog er hier für den Umkreis des „Faustischen" jene ver=

breiternden Folgerungen. Faust, Typus der „modernen Zeit", gab der
neueren Geistesentwicklung seit dem 16. Jahrhundert ihren eigentüm=
lich charakterisierenden Beinamen: „faustisch". „Überall fallen Schran=
ken, denn das neue — *wir dürfen hinzufügen: faustische* — Bildungs=
ideal heißt Universalismus."[106] Durch diese „Hinzufügung" war „fau=
stisch" endgültig in den Rang eines epochalen geistigen Begriffes ge=
setzt worden, eingefärbt auf das moderne voluntaristische Selbstbe=
wußtsein. „Die Menschen können von sich aus alles, sobald sie wollen",
dieser Ausspruch des Italieners Leon Battista Alberti, von Schmidt an=
geführt, zeigt die Wegrichtung nur zu deutlich an.[107] „Universalismus"
— das war eine verschämte Umschreibung für den geläufigeren „Titanis=
mus"; Schmidt selbst schwenkte bald auf dieses Wort hin ein: „die sym=
bolische Gestalt des Forschertitanen Faust", „Forschertitanismus der
Renaissance".[108] Es zeuge geradezu von der Größe und der Vertiefung
des deutschen Geisteslebens im 16. Jahrhundert, daß, im Volksbuch,
„die Idee des Forschertitanismus gedacht werden konnte" — noch nicht
poetisch gestaltet: dies geschah erstmalig durch Marlowe, „selbst eine
ungestüme, in Wissensdurst wie Genußsucht faustisch maßlose Natur";
er erst gewann diesen germanischen Helden für die germanische
Bühne.[109] Unbedenklich konnten im Sinn dieses Forschertitanismus,
gleich Marlowe, nun auch Reuchlin, Hutten, Paracelsus als „faustische
Gestalten" bezeichnet werden.[110] Dürers Melancholia, die schon Carus zur
Erklärung seiner „Faustischen Natur" herangezogen hatte, wurde eben=
falls, unter vollauf zustimmender Berufung auf den Wiener Kollegen
Moriz Thausing, hier eingereiht, als ein Sinnbild der „faustischen
Pein"[111] und „faustischen Tragik", die immer neben dem Wissensstolz
und Wissenstrotz auftritt, aus dem schalen Gefühl heraus, „daß wir
nichts wissen können".[112] Das Adjektiv „faustisch" war als epochales
Zeichen endlich frei verfügbar geworden; von Goethes Dichtung war
dabei nicht mehr die Rede.

Luther und Faust erschienen als die zwei großen entgegengesetzten
Vertreter ihres Jahrhunderts, die einander jedoch bedingten,[113] wie dies
ebenfalls Scherer vorgesprochen hatte. Das Volksbuch von 1587 sei
weithin, aus lutherischem Geist, tendenziös gegen den eigentlichen
(modernen) Forschertitanismus eingestellt gewesen; ohne Sympathie
habe sein „Bearbeiter", sicherlich ein lutherischer Pastor strengster

Observanz, die Gestalt Fausts behandelt, eher „Fausts strenger Zucht=
meister",[114] selbst „ohne einen Tropfen *faustischen Blutes* im Leibe",
den erst Marlowe besessen habe. Die abgezogene Verallgemeinerung
„faustisch" wandte Schmidt damit sogar gegen das Faustbuch und
dessen Verfasser. „Faustisch" reichte weiter als sein Ursprung; es
umgriff, so hatte es Loeper vorgesprochen, die gesamte moderne ger=
manische Geisteskultur.[114a] Nur die Stellen von den Adlerflügeln und
den Giganten ließen angeblich den echten „faustischen" Geist, wider
Willen, durchschimmern; Marlowe, Schmidts Kronzeuge, habe ihn er=
kannt,[115] während das lutherische 16. Jahrhundert von den titanischen
Zügen des Volksbuches durchaus noch nicht angezogen worden sei.[116]
„Das dürre Holz unserer deutschen Historia" begann erst bei dem
Engländer auf Goethes Frucht hin zu blühen.[117] Trotzdem — oder besser:
im Sinn seiner „faustischen Ideologie" kam Schmidt zu dem Schluß:
„Die Idee des Volksbuchs aber, ein Edelstein in bleierner Fassung,
lautet: Der Forschertitanismus der Renaissance vermählt sich mit der
Formschönheit der Antike; ihrem Bund entsprießt ein allwissender
Sohn!"[118] Das war allenfalls ,Faust II', genauer Scherers Deutung des
,Faust II', konnte aber bei weitestem philologischem Gewissen, das
auch bei Schmidt allen „Spekulationen" abhold gewesen sein soll,[119]
wahrlich nicht aus dem knappen Helena=Kapitel im Faustbuch, auch
nicht aus den fünf Erfurter Zusätzen von 1590, herausgelesen werden.
Der „Edelstein" war das „Faustische"; ihn allein suchte Schmidt in
dem bleiernen, lutherischen Buche — und fand ihn. Der oben zitierte
Satz aus der ein Vierteljahrhundert später niedergeschriebenen Vorrede
zu ,Faust II' von 1906 lautete wörtlich ähnlich, sinngemäß genau so.
Der „Forschertitanismus" war zum „germanischen Geist" erweitert wor=
den, die „Formschönheit" erhielt das zeitgemäßere Beiwort „heroisch"
hinzu, und der allwissende Sohn wurde zu Faust=Prometheus, der das
der Nation notwendige, werkkräftige Tatleben vorlebte. Das etwa waren
die Stufen der Metamorphose Fausts von einer poetischen Gestalt zu
einem nationalen Siegesdenkmal.

Spengler brauchte ein Jahrzehnt später[120] aus dieser deutsch=germani=
schen Faustik von Loeper bis Schmidt nur die letzten Konsequenzen zu
ziehen, um zu seiner Behauptung zu kommen, „Faust ist das Porträt
einer ganzen Kultur", der abendländischen seit dem 10. Jahrhundert.

Daher in der abendländischen Dichtung, folgerecht, „der faustische Mensch *zuerst* als Parzival und Tristan, dann ... verwandelt als Hamlet, als Don Quijote, in einer letzten zeitgemäßen Verwandlung als Faust und Werther und dann als Held des modernen weltstädtischen Romans ... auftritt". Faust wurde zum Vor= und Abbild der „faustischen", der „maßlosen, willensstarken, in alle Fernen schweifenden Seele", deren „Leib" diese abendländische Kultur sei. Spengler ging die vorgewiesenen Bahnen bis zum äußersten Punkt (und hier vereinigten sich plötzlich Gervinus und Loeper), wenn er nach seinem großen faustischen Aufriß gegen Ende des ersten Bandes Anschluß an Goethes Dichtung suchte: „So ruft der Faust des ersten Teils der Tragödie, der leidenschaftliche Forscher in einsamen Mitternächten, folgerichtig den des zweiten Teils und des neuen Jahrhunderts hervor, den Typus einer rein praktischen, weitschauenden, nach außen gerichteten Tätigkeit. Hier hat Goethe psychologisch die ganze Zukunft Westeuropas vorweggenommen. Das ist Zivilisation an Stelle von Kultur, der äußere Mechanismus statt des innern Organismus, der Intellekt als das seelische Petrefakt an Stelle der erloschenen Seele selbst."[121] Und: „Das faustische Weltgefühl der *Tat*, wie es von den Staufen und Welfen bis auf Friedrich den Großen, Goethe und Napoleon in jedem großen Menschen wirksam war, ver= flachte zu einer Philosophie der *Arbeit* ..."[122] usw. Natürlich wären die Loeper, Grimm, Fischer, Scherer, Schmidt entrüstet und betroffen gewe= sen über diese rücksichtslose Perspektive (oder ahnte Scherer sie?), aber Spengler hatte den eigensinnigen Mut, ihren Begriff des deutsch=germa= nischen „Faustischen" bis zu Ende zu denken, das heißt, ihn auf die größtmögliche Höhe zu bringen, als äußerste metaphysische Umschrei= bung für den gesamten abendländischen Kulturkreis, und ihn zugleich, im Sinne dieser Kulturkreislehre, in der eigenen Erstarrung untergehen zu lassen. „Der Untergang des Abendlandes" bedeutete für Spengler auch den Untergang des „Faustischen". Das haben die meisten seiner Nach= beter nur nicht für wahr haben wollen. So vegetierte das „Faustische" seit Spengler als lebender Leichnam noch gut zwei Jahrzehnte weiter.

Erich Schmidt selbst (1896) mußte noch von dem Nachweis höherer titanischer Spuren im Volksbuch=Faust, den er von Loeper und Scherer übernommen hatte, abrücken und, unter dem Eindruck der Arbeiten Szamatólskis und Milchsacks, den Irrtum hinsichtlich der „Adler"= und

„Giganten"=Stellen eingestehen.[123] Danach blieb ihm im Faustbuch nur noch der Geist strengen Luthertums übrig, „bar aller Sympathie für hohen Geistesflug". Man sollte meinen, daß damit auch alle Folgerungen abgetan seien, die Schmidt, wie viele andere Gelehrte, aus den zwei „titanischen" Zitaten gezogen hatte. Dennoch tauchten 1903, wie schon angeführt, die „Adlerflügel" des alten Buches wieder bei ‚Faust' auf. Goethes ‚Faust' mußte nun den abhandengekommenen Titanismus des frühen Faust=Romanes übernehmen und damit auch dessen vordem so beredt geschilderte Symbolrolle des „Faustischen". —

Die blieb ihm für eine weitere Generation angemessen, trotz vielen Gegenstimmen. Den Nachweis dafür in allen Einzelheiten zu führen, bis zu Spengler, bis zu Böhm, bis zu Thomas Mann, ist unnötig. Hier mögen, diese pro=„faustische" Linie abschließend, nur einige Stimmen der beiden Jahrzehnte um die Jahrhundertwende folgen, um den einge=schlagenen Weg der bedenkenlosen Popularisierung Fausts und des „Faustischen" wenigstens anzudeuten.

Selbst der neue Sturm und Drang des anhebenden Naturalismus ge=bärdete sich in einem seiner frühen Wortführer, Hermann Conradi, ge=legentlich „faustisch"=revolutionär. In seinem Vorwort zu der Antho=logie ‚Moderne Dichter=Charaktere', 1884, sprach auch er in bekannten Phrasen von der neuen Zeit als dem „Geist wiedererwachter Nationali=tät" und „germanischen Wesens". Dieser Geist sei selbst so reich, tief, tongewaltig und ursprünglich, daß er keines fremden Flitters und Tandes bedürfe. Wenn er wieder zu klingen anfange, „dann werden wir endlich aufhören, lose, leichte, leichtsinnige Schelmenlieder und un=wahre Spielmannsweisen zum besten zu geben — dann wird jener selig=unselige, menschlich=göttliche, gewaltige faustische Drang wieder über uns kommen, der uns all den nichtigen Plunder vergessen läßt, der uns wieder sehgewaltig, welt= und menschengläubig macht..." und so fort.[124] War dieser „Drang" neuen Dichtertums hier noch deutsch=ger=manisch und national drapiert, so gab es in Conradis ‚Lieder eines Sün=ders' (1887) auch eine sinnlich=faunische Variante (der „faustische Drang" als „brunsttrunkene" Lebensglut), bei der allerdings nur fest=stellenswert bleibt, wie maßlos dieser immer wieder zitierte „faustische Drang" bereits zu einer stehenden, banalisierten, jederzeit und für jeden Inhalt anwendbaren Redensart geworden war.[125]

Hermann Sudermann nahm das „Modewort" in seinem Drama ,So=
doms Ende' (1890) auf, doch um die gemachte Schwülstigkeit in Art
Conradis deutlich zu ironisieren. „. . . Ist das eine tolle Welt!", bramar=
basiert der „Held", „wenn man nur satt würde! . . . Wenn man nur satt
würde! . . . Aber das ist ja zum Verrücktwerden . . . Je mehr du hast,
desto mehr willst du haben . . . Und im Genuß verschmacht' ich nach
Begierde, sagt Faust . . . Das ist doch echt faustisch, was? —". Glück=
licherweise antwortet die angesprochene Person: „Na, weißt du — Fau=
stisches hab' ich noch nicht viel an dir verspürt — aber verbummelt bist
du!"[126] Faustisch gleich verbummelt: Sudermann schien seinen lebens=
lang verehrten Lehrmeister Spielhagen gut im Kopf zu haben, und er
hatte, was „faustisch" anbetraf, gegenüber Conradi und gleichlautenden
Äußerungen nur zu recht.

Der junge Balte Carl Alt, Mitarbeiter an der Weimarer Goethe=Aus=
gabe, der 1902 in den ,Preußischen Jahrbüchern' über den ,Gedanken
der Theodicee in Goethes Faust' handelte, schien besser beraten, als er
Erich Schmidts Ausführungen zu Volksbuch und Dichtung weiterspann
und daher wieder Marlowe zum „faustischen Geist" erklärte, der als
erster den Stoff „begriffen" habe, und schließlich ,Faust' selbst zum
„Hohelied des Goethischen Optimismus" machte, den keine Disso=
nanz zu erschüttern vermöge. Die faustische Perfektibilität — Faust
immer sittlicher, immer reiner, immer edler — hatte nunmehr das Pro=
blem des Bösen in sich aufgelöst.[127]

Der Wiener Raoul Richter (1871—1912), später in Leipzig Philoso=
phie=Professor, veröffentlichte 1892, gerade zwanzigjährig (ein „Jüng=
ling norddeutscher Geistesbildung", wie Hofmannsthal ihn genannt
hat), einen Vortrag ,Zur Lösung des Faustproblems',[128] der nicht weniger
rigoros dieses Problem in die Streber=Idee aufnahm und es noch über
Kuno Fischer hinausführte. Auch für Richter kehrte Faust, dessen „Maß=
losigkeit durch das Symbol der Schönheit (Helena) gebrochen" worden
war, zum Maß zurück. Fausts Ideal der Tat, „männliche Thätigkeit in
höchstem Styl", bezeuge schließlich seine Selbstbeschränkung auf das
Erreichbare und seine Abwendung vom Unendlichen. „Faust's Leben ist
eine Reihe ethischer Stufen, ein Läuterungsproceß, dessen Ende aber
auf dieser Welt nie erreicht wird."[129] Doch dieses scheinbar pessimi=
stische Resultat hebe sich — optimistisch — im Streben als solchem auf,

„an den Motiven im größten Styl". Und dieses Streben werde bei Faust nirgends durch Schuld und Verirrung gebrochen oder eingedämmt (wie es schon Loeper bezeugt hatte). Im Gegenteil — es erweise sich, „daß vielmehr *die größten Verbrechen das Streben verstärken, verfeinern,* den moralischen Standpunkt heben"![130] Wahrer Lebensmut und wahres Glück eröffneten Faust sich endlich allein in „des Volkes breiten Voll= gewinn". Wer also „auf das Streben den Werth legt, wird die Lösung optimistisch nennen" — denn: „auch das Gute ist keine Thatsache, son= dern ein Gesichtspunkt".[131]

Das immer einseitigere Betonen der Tat (für das Volk, das Gemein= wohl, die Menschheit) und das Aufheben jeder Wert= und Sinnfrage in diesem (strebenden) Tätigsein wurde ein schon monotones Kennzeichen aller dieser ‚Faust'=Deutungen und „faustischen" Prognosen. Dabei muß man bedenken, daß dieses ganze Kathedergerede, das so rücksichtlos (und pseudo=nietzschisch) mit „Verbrechen" und dem „Guten" herum= manövrierte, als wären es leere Worte, von durchaus feinsinnigen und humanen Charakteren, wie gerade im Falle Raoul Richters,[132] ausging; und das galt schließlich auch von Loeper, Grimm, Scherer, Fischer, Schmidt und so fort. Hier eröffnen sich die bösartigsten Wirkungen eines ideologischen Mahlstromes. Er zieht anscheinend auch beste Geister in den Strudel seiner Übertreibung und blendet sie. Das Schlag= wort, das tönende Leerwort, das pathetische Rauschwort setzt sich dann anstelle des geprüften Wortes. Aber jedes ideologische Schlagwort ist ohne Verantwortung. Umgesetzt in die alltägliche Kleinmünze (ein Prozeß, der eine gesonderte pathologische Untersuchung verlangte), wirkt es als Gift des Geistes und damit, auf welcher Ebene immer, tödlich. —

So trieb man es mit ‚Faust', wie es einem beliebte. Man legte hinein, was man herauszuhören wünschte. Ein anderer Balte, der christlich= konservative Jeannot Emil Freiherr von Grotthuß (1865—1920), der 1898 seinen ‚Türmer' („Monatsschrift für Gemüt und Geist") erscheinen ließ und darin bald der sogenannten deutschen „Heimatkunst" einen Sammelplatz bot, brachte zur selben Zeit einen Band literarischer Studien heraus.[133] Im ersten Kapitel, „Alte und neue Ideale" über= schrieben, kam er auf ‚Faust' zu sprechen. Er sah in dieser Figur wieder den Überwinder des modernen christfeindlichen, nationalen, egoisti=

schen, also autonomen Individualismus; Faust habe sich den beschrän=
kenden Mächten der Religion, Autorität und Sitte gefügt — „ein wahr=
hafter Herrenmensch", Verkörperung der „alten Ideale", im Gegensatz
zu den neuen der „Moderne". In Helena, der „Schönheit", erfahre er
die „freiwillige Ordnung": „dieses Gesetz mußte Faust im Innersten
begreifen, um Vertrauen zu neuen Thaten zu gewinnen, zu ihrer Dauer
und zu ihrer Übereinstimmung mit dem [ewigen] Gesetz", bis er, am
Ende aller selbstsüchtigen Wünsche sich entäußernd, „in der Arbeit für
das Wohl der Gesamtheit" sein „individuelles Glück" fand. Es paßte,
im Zeichen Fausts, alles in einen Topf. Denn dieses Lebensergebnis sei
nichts anderes als das christliche Gebot der Nächstenliebe! Ohne Christus
könne ‚Faust' nicht verstanden werden, zurück zu Christus sei seine
Mahnung, christliche Einordnung des Individuums in die Gesellschaft
seine Lehre. Der christlich=konservative Faust, anti=modern, anti=nietz=
schisch, und durchaus auch anti=titanisch. Trotzdem war dieser baltische
Freiherr großzügig genug zuzugestehen, daß die Auslöschung von Phi=
lemon und Baucis, zwar bedauerlich, doch nur „größeren Zwecken"
diene, „denen sich das Recht des Einzelnen beugen muß"! Reue kann
man dort nicht empfinden, „Schuld" muß umkehren, wo „das Wohl des
Ganzen vom Einzelnen Opfer erheischt". Diese Fratze des „Faustischen"
(Grotthuß verwandte das Wort nicht) blickte damals aus vielen Usur=
pationen des Goetheschen ‚Faust' zu eigenen Zwecken.

Man wußte es natürlich auch umgekehrt, wobei die Ergebnisse sich
trotzdem merkwürdig ähnelten. Karl Bleibtreu, einer der ersten Wort=
führer der gerade von Grotthuß angegriffenen „Moderne" und ihrer
„neuen Ideale", der jedoch mit seiner alleskönnenden Vielschreiberei
bald dieser Moderne nachhinkte, veröffentlichte, ausgerechnet im Haupt=
mann=Jahr 1889, eine Tragödie mit dem bombastisch=tautologischen Titel
‚Ein Faust der That'. Das Motto „Im Anfang war die That" fehlte nicht.
Aber es ging um Cromwell und Karl I. Der Titel war nur „symbolisch"
gemeint; Cromwell war dieser Tat=Faust. Entsprechende Sentenzen
würzten die tragische Luft. „... verlaß Dich möglichst nur auf Dich
selbst — und so wirst Du zu großen Dingen fähig werden"; „wahrlich,
ich sage Euch: Eine Zeit des Bluts muß kommen vor der Zeit des Heils";
„wer die Hand legt an das Rad der Zeit, darf nimmer hinter sich
schauen"; „nicht der Kampf heißt Gott versuchen, sondern kämpfen

ohne Glauben"; „sei ein guter Hasser! Der Rose Duftgebet ist vor dem Thron des Höchsten nicht lieblicher wie das Blut der Söhne Belials. Schwach sein ist das einzige Elend": „Das war eine Eingebung", be= stätigt Cromwell.[134] Konnte man solche blutrünstigen Phrasen mit Faust überschreiben? Man tat es, guten Gewissens.

Arthur Moeller van den Bruck (1876–1925) faßte schließlich 1907, in seinem ‚Goethe'=Buch („Der deutschen Jugend gewidmet"),[135] das Deutsch=Germanische der Faust=Ideologie des 19. Jahrhunderts zusam= men. Moeller van den Bruck, der 1923 das Stichwort vom „Dritten Reich" neuerlich gab, kam aus demselben konservativen Lager wie z. B. Grotthuß, nur verband er diesen Konservativismus mit aggressivem revolutionärem Impuls und schärfstem antichristlichem Affekt; dies kam unmittelbar aus seiner Schulung durch die ‚Deutschen Schriften' (1878) des Paul de Lagarde und das Rembrandt=Buch Langbehns (1890). (Daß Moeller van den Bruck, im Grunde seines Wesens „Ästhet", selbst an seinem Pathos scheiterte, steht auf einem anderen Blatt.) Auch für ihn galt nur der Goethe vor und nach der Italienreise; den „kopierenden" klassizistischen Dichter lehnte er rundweg ab. Deutsches Leben uns vor= zuleben und deustche Kunstwerke zu schaffen, sei die zugewiesene Auf= gabe Goethes gewesen. Den Goethe der italienischen Reise sollten wir daher endlich abtun; dort habe er nur Unkunst, Mißstil und Halbkultur angeboten.[136] „Wo Goethe jenseits der Antike schuf, da erhoben sich Monumente",[137] die eigene deutsche Kultur vorzubilden imstande wa= ren. „*Ganz faustisch*" wurde erst der nachklassizistische Dichter und Naturforscher, und damit — die Gleichung war zu einleuchtend — ganz deutsch.[138] Griechisches Maß oder germanische Drastik: diese Alter= native sei Goethes ästhetischer Kampf gewesen. Mit der Endfassung des ‚Faust' habe er sich endgültig für Gotik und „Drastik" entschieden.[139]

Auf diesen Voraussetzungen baute Moeller van den Bruck sein Bild von Faust, der ihm, wie Goethe selbst, zum „Ausdruck unseres Na= tionalwesens überhaupt" wurde und dessen Entwicklung daher Ziel jedes einzelnen Deutschen sein müsse. Demgemäß, Untersuchungs= methode und =absicht aufdeckend, die Behauptung, daß die Entstehungs= geschichte des ‚Faust' „nicht nur das vollendete Gleichnis von Goethes eigener Lebensgeschichte, sondern von unserer ganzen Nationalge= schichte" vorstelle.[140] Nationalgeschichte, das meinte deutsch=germa=

nische Zukunft. Also blieben drei Bereiche der Dichtung in dieser Per=
spektive aufzuklären notwendig: Kunst, Antike, Christentum.

In ‚Faust' verband Goethe zwei Grundmöglichkeiten menschlichen
Daseins miteinander: den Weg der Kunst und den Weg der Sittlich=
keit, der Tätigkeit, der Kulturarbeit. Daraus die rein utopische Fol=
gerung: „So gehen auch in unserem Volke die einen den Weg der
Kunst, die anderen den Weg der Arbeit, und vielleicht wird es dereinst
die Vollendung unserer Kultur sein, daß wir den Weg der Arbeit —
künstlerisch zu gehen vermögen. Es war unser Wesen nicht nur, es war
auch unsere Zukunft, die Goethe hier aussprach."[141] Doch schien selbst
für Moeller van den Bruck diese ästhetische Utopie zu weit gegriffen.
Also die Antike: den Griechen galt Kunst als das letzte — was Goethe,
der nachklassische Goethe, zu geben hatte, war mehr als Kunst. Die
„griechischen" Partien in ‚Faust II' stellten nur „ein Beispiel" dar, kei=
nen Wesensausdruck, nur „eine herrliche Erinnerung, einen Gruß des
Germanentums hinüber zu den Gräbern jenes Griechentums, auf dem
vor uns die Pflicht der Welt gelegen hat".[142] *Die Pflicht der Welt, im
Namen Fausts vom germanisch=deutschen Volk zu übernehmen:* das
genau war das Ziel, an dem alle diese Faust=Ideologen seit 1870, seit
Wageners Staats=Lexikon gearbeitet hatten.[143] Goethes ‚Faust' zeige
daher die rechte Gesinnung, mit der wir, über alles Künstlerische und
über alle antikischen Gräber hinaus, „als Volk im Ganzen und jeder
Einzelne von uns", unser Werk zu leisten hätten; Goethes Gedicht
handele exemplarisch von „den Kämpfen, die wir bestehen müssen,
um uns diese Gesinnung zu erringen".[144] Fausts letzte Einsicht sei das
Sich=Zurückziehen auf das eigene Wirken. Darin auch ist die Schuld=
frage aufgehoben — wer wirklich davon durchdrungen sei, „verpflichtet
zu sein auf ein tätiges Leben, dem kann die Schuld nichts mehr an=
haben . . .".[145] Die „Pflicht der Welt" eliminiert jede Schuld: nicht nur
„auch" ein Ergebnis der Faust=Philologie, sondern ein Kern der fausti=
schen Ideologie, wo diese als Programm künftigen nationalen Handelns
propagiert **wurde.**

Schließlich das Christentum, das im Epilog zu Worte komme: dieses
sei ebenfalls nur ein „Beispiel", gleich der Antike in den ersten Akten,
nicht mehr; denn wir — auf denen die Pflicht der Welt ruhe — müßten
auch unsere Religion einst aus eigenem Gehalt schöpfen. „. . . was hier

das Christentum einer nordischeren Welt als derjenigen, aus der es selbst zu uns kam, noch nicht geben konnte, das wird das Germanen= tum hinzufügen müssen, auf daß die Menschen endlich das bekommen, was sie bis heute noch nicht besessen haben: eine Wirklichkeits= religion."[146] So wurden, folgerichtig in der ideologischen Entwicklung des 19. Jahrhunderts, durch Moeller van den Bruck aus ‚Faust' die Kom= plexe Kunst, Antike, Christentum gestrichen, um allein eine kämpfe= risch=tätige Gesinnung herauslesen zu können, einen germanisch=goti= schen Aufbruchswillen, hier mit „Wirklichkeitsreligion" umschrieben, den zehn Jahre später Spengler auf seine Art nochmals formulierte. „Ganz faustisch" war der Dichter, der diese Entscheidung getroffen hatte. Und „Goethe ist Deutschland". Die „faustische" Gleichung, ohne Schuld und Irrtum, war endgültig geschlossen.

„Deutschland ist die Brutstätte des historischen Optimismus gewor= den: daran mag Hegel mit schuld sein. Aber durch nichts hat die deutsche Kultur verhängnisvoller gewirkt" — diese Bemerkung Nietz= sches gehört, wenn irgendwohin, hierher.[147]

*

Wir können die Einzelinterpretation abbrechen. Die eine Kurve, die von 1870 bis 1914/18 reichte, durch die Namen Wagener/Loeper, Moel= ler van den Bruck und Spengler abgesteckt (ebenso zutreffend könnten andere eingesetzt werden),[148] diese eine Kurve ist in Tendenz, Verlauf und Breite genügend charakterisiert worden. Natürlich lief sie weiter, zunächst scheinbar ungemindert und ungehindert, doch nach dem Ersten Weltkrieg bald eingeschränkt in ihrer Auswirkung. Gewiß griff der Nationalsozialismus und seine Zuträger noch einmal propagandistisch auf diese lang und bequem zubereitete deutsch=germanische Ideologie zurück, deren unzeitgemäßen Romantizismus er ebenso zu nutzen und zu brutalisieren verstand wie die national=imperiale Ausgriffs= und Schicksalsgeste des „faustischen Lebensdranges" und faustischen Täter= tums. Doch neue Nuancen, die nicht schon im 19. Jahrhundert ent= wickelt waren, kamen kaum hinzu. Alfred Rosenberg, Chef=Mythologe und =Ideologe der „Bewegung", sprach im ‚Mythus des 20. Jahrhun= derts' nur noch nach, in der Einfärbung Moeller van den Brucks, was längst vorgesprochen worden war (Hymnus auf menschliche Tätigkeit, Nutzdienst für den Menschen, Befehlsseligkeit; Goethe im ‚Faust' Hüter und Bewahrer des ewigen Wesens und der besonderen Anlage deutscher Art).[149] In diesen Kreisen blieb ‚Faust‘ ein für allemal und stereotyp ein „Mythus vom deutschen Menschen", „ein deutscher Mythus", der wiederum als „Urheber, Symbol und darum Richtzeichen der faustischen Kultur" galt. „Goethe hat mithin aus der Anknüpfung an eine deutsche *Volkssage* einen neuen nordischen *Mythus* gebildet, welcher der neu= zeitlichen Kultur entspricht, ja sie in weitgehendem Maße erst geschaf= fen hat"[150] — so etwa zog man die deutsch=nordisch=faustischen Folge= rungen aus der generationslangen Faustdeutung von Emil Sommer bis Loeper, von Loeper bis Moeller van den Bruck und Spengler und machte sie politisch=ideologisch für die „faustische Tat" nutzbar. Faust, im „Volksbuch" und bei Goethe, mußte nunmehr für die „germanische Kon= tinuität" und deren (gegenchristlichen) Weltauftrag, für „die genuine ‚faustische‘ Art", einstehen („ahnte man nicht schon immer, daß Faust und Odin verwandte Wesen sind...?").[151] Das „Faustische", exempla= rische deutsche Ideologie des 19. Jahrhunderts, wurde in das blutige Handwerk deutscher Geschichte im 20. Jahrhundert geleitet und löste sich in deren Verhängnis auf. Im Grunde aber, des letzten konkreten Inhalts beraubt, war dieses „Faustische", die sogenannte faustische Tradition und Kontinuität, nur noch als eine Maske verwendet worden, hinter der die Akteure und Täter sich verbargen.

Wollte man einige genauere Konstruktionspunkte dieser einen „faustischen" Kurve um und nach dem Ersten Weltkrieg noch angeben, könnte man erinnern an Bruno Willes seinerzeit aufregenden „Fau= stischen Monismus" (1908) und dessen Zubereitung weiterer faustischer Vokabeln,[152] an die eingangs erwähnten Arbeiten von Oskar Walzel und Robert Petsch,[153] an Ausdeutungen und Fortführung der Positionen Spenglers durch Ludwig Jacobskötter (1924) und deren Dämonisierung durch Hermann Ammon (1932),[154] an die Auseinandersetzung von Karl Justus Obenauer mit dem „Faustischen Menschen" in dessen gleichbetiteltem Buch von 1922, das, im ganzen schillernd und unbe= stimmt bleibend, diesen „faustischen Menschen" gegen Spengler und für Goethe zu retten versucht hatte, unter kräftiger Mithilfe Rudolf Steiners;[155] müßte man erinnern sowohl an Fritz Strichs lebenslangen, idealistisch=humanen Rettungsversuch wahren Faust=Deutschtums gegen alle „nordische", auch dämonische Chaotik,[156] als aber auch an die

ebenso lebenslang variierte, penetrante faustische „trotz alledem"=
Heroik Hermann August Korffs, die er „Humanismus" nannte und
„Faustischer Glaube", dessen „übermoralischer Idealismus" alle Frag=
würdigkeiten Fausts und des faustisch lebensgläubigen Menschen auf=
höben[157] — angefangen bei Korffs frühem Aufsatz ‚Entwicklung der
Faustidee' (1922)[158] über die einzelnen Teilbände seines Hauptwerkes
‚Geist der Goethezeit' (1923—1953)[159] bis zu ‚Faustischer Glaube' von
1938 und dem jüngsten Elaborat vom „faustischen Sinn" (1956)[160]:
Korffs Leipziger Lehrstuhl war einer der Hauptumschlagsorte der „Fau=
stik" während entscheidender politischer Jahrzehnte.

Die seit zwei Generationen vollzogene, unmittelbare Gleichsetzung
eines hochidealisierten, „entschuldeten" Faust der Tat mit einem ebenso
hochidealisierten germanischen Deutschtum und dessen „faustischer"
Weltsendung hatte, nach dem ersten verlorenen Krieg, Eugen Kühne=
mann (1868—1946) in seinem 1930 durch den Insel=Verlag weit ver=
breiteten ‚Goethe' nochmals paradigmatisch zusammengefaßt und als
bleibenden, zukunftsweisenden politischen Auftrag formuliert, stell=
vertretend für weite Kreise des deutsch=bürgerlichen, blinden Nationalis=
mus. Es versteht sich, daß auch Kühnemanns Sinndeutung des Wortes
„faustisch" allein aus dem ideologischen, nicht aus dem poetischen Be=
reich stammte: Faust — „bis zum Ende das rechte Wahrzeichen der
Deutschheit".[161] Hinter ihm stehe „die ganze Weltgeschichte des ger=
manischen Geistes".[162] Ein Jahrhundert der Bedeutungsgeschichte zu=
sammenfassend, nahm Kühnemann in seiner breiten Darstellung noch=
mals sämtliche möglichen sprachlichen Abwandlungen von „faustisch"
auf — als possessives Adjektiv, als Negation und selbstverständlich, die
Fülle der Beispiele, als äußerstes, positives Sinnwort deutschen Men=
schentums und deutscher Weltsendung. Die Schlußsätze von Kühne=
manns ‚Goethe' dürfen gleichzeitig als Abschlußsätze des faustischen
Ideologisierungsprozesses seit der Reichsgründung gelten.

Wiederum, trotz veränderter Geschichtsstunde, wurden sie in die
politische Zukunft geworfen, im gleichen ideologischen Versehen dieser
Zukunft; denn Kühnemanns testamentarische „Vision" von 1930 war,
auch in ihrer sprachlichen Wiederholung, tatsächlich nur die Restau=
ration des längst überholten 19. Jahrhunderts. Wiederum sollte die fau=
stische Inkarnation weitergereicht werden, auf eine neue Sendungsstufe,

in eine neue Geschichtserfüllung; wieder und nochmals wurde die „fau=
stische Erfüllung" deutsch=endzeitlich erwartet und gefordert, statt auf
die Dichtung selbst und ihre poetisch erfüllte Gestalt zu blicken. „Goethe
führt das Deutschland der Dichter und Denker in das Deutschland der
Tatkraft hinüber. Wir glaubten diese *faustische Erfüllung* zu sein und
sind doch nur eine Episode gewesen [Anspielung auf 1918]. Wieder
bedeutet Goethes ,Faust' das Buch des Propheten für die deutsche Seele.
Vor uns liegt das Ziel, das der sterbende Faust erschaute. Es ist das
Sehnsuchtsziel jeder wirklich deutschen Seele. ,Faust' ist als der Führer
zur wahren Deutschheit neugeboren. ,Auf freiem Grund mit freiem
Volke stehn.' Die wahre Freiheit umschließt die Liebe, die höchste Bil=
dung, die Gemeinschaft und den Glauben. Der Dichter selber ist der
Faust, aus dessen Geiste das Volk der wahren Freiheit sich erschafft.
Der deutsche Mensch lebt mit seinem Faustgedicht als der Verkündigung
seiner letzten Sehnsucht und seines letzten Willens."[163]

Kein Wunder, daß durch solche Hypertrophie die Selbstbesinnung
der Wissenschaft auf ihr Objekt und auf ihre Aufgabe herausgefordert
wurde. Heinrich Rickerts nachdenkliche Überlegungen zu dem Begriff
„faustisch" und seine eigene vorsichtige, zurückhaltende Verwendung
schon in der Studie von 1925 sind erwähnt worden;[164] später, in seinem
Hauptwerk zu ,Faust' (1932), verzichtete er so gut wie ganz auf die
Anwendung und Definition des „Faustischen". Dieser Begriff schien ihm
bodenlos und wissenschaftlich unbrauchbar geworden zu sein. Konrad
Burdach nahm schon seit 1923, immer schärfer werdend, in seinen
grundlegenden Faustaufsätzen gegen die „moderne" Ausweitung des
„Faustischen" und die ideologische Heroisierung eines „Faustischen
Menschen" Stellung.[165] Wilhelm Böhm zog schließlich die Konsequenz:
er trennte das „Faustische" wieder von der Dichtung ,Faust'. Er erklärte
Faust zum „Nichtfaustischen" und wies mit seinem, die Augen öffnen=
den Paradoxon die gesamte ideologische Diskussion und Propaganda
um das „Faustische" aus dem Raum der Goetheschen Tragödie.[166]

Auf weiteren Nachweis, die schier unübersehbare Fülle von Belegen
für das kräftige Fortleben eines „positiven", also eines national=he=
roischen, eines humanistisch=autonomen, eines titanisch=tragizistischen
„Faustisch" bis 1930, bis 1940, bis 1950 im einzelnen vorzulegen, muß
und darf demnach verzichtet werden. Keine neue Abwandlung dieses

Wortes und Begriffes trat in diesem Umkreis auf, obgleich die verschie=
denen politischen Systeme sich seiner bedienten und noch bedienen.
Doch auch sie konnten nur längst ausgetretene Pfade benutzen.[167] Das
einzige, was spätestens seit 1930/33, deutlich aber schon seit Spenglers
Aufhöhung und Abgesang, die neuere Wortgeschichte von „faustisch"
immer entscheidender bestimmte, war, trotz dem politischen Mißbrauch,
das wachsende Unbehagen, bald das schlechte Gewissen, das endlich zu
einer — oft ebenso radikalen — Umdeutung dieser Phraseologie führte,
an der Wissenschaft, Dichtung und Publizistik vereint beteiligt waren.

Doch war dieser Überdruß, dieses schlechte Gewissen am „Fausti=
schen" viel länger vorbereitet. Von wie weit her dieses Unbehagen tat=
sächlich stammte, haben wir nachgewiesen. Und wenn seit 1870 ein
nicht mehr einzudämmendes Anschwellen der eigentlichen faustischen
Ideologie zu beobachten war, so stand dieser „positiven" Hochflut nicht
weniger hartnäckig und andauernd, als ein Gegendamm, die gerade vor
und bis 1870 kräftig herausgearbeitete faustische „Negation" gegen=
über, wenn auch offiziell nirgends unterstützt, eher abseitig, oft „unter=
irdisch". Wir hießen es die historischen Gewichte falsch verteilen, hätte
man an die Darstellung der auffällig häufigen und wachsenden Ableh=
nung des „Faustischen" und eines angeblich vorbildlichen Faust zwischen
1840 und 1870, zwischen 1820 und 1870, sogleich die Fortsetzung dieses
„negativen" Stranges nach 1870 angeschlossen. Auch gewinnt der Nach=
weis dieser Fortführung erst seine aktuelle Schärfung, kennt man die
indessen vollzogene Nationalisierung und Heroisierung des „Fausti=
schen". In diesen neugestellten Kulissen tönte das Warn= und Zornwort
der Anti=Faustischen dunkler und ernster. Um die Gewichte solcher=
maßen ins historische Gleichgewicht zu bringen, muß an die um 1870
(Spielhagen — Molitor) abgebrochene Darstellung der „faustischen Ge=
genseite" nochmals angeknüpft werden. Ihre Polemik wirkte ungemin=
dert, nur abgedämpft, weiter und konnte endlich, jenseits 1918, über
den Wendepunkt des „Nichtfaustischen" (Böhm), das Feld behaupten.
Geschichtliche Wirklichkeit und wissenschaftliche Besinnung haben die
ideologische Hypertrophie des „Faustischen" überwunden.

VII

KRITISCHE ABWERTUNG SEIT 1870

Der ehemalige preußische Offizier Eduard von Hartmann (1842–1906) aus Berlin, früh berühmt durch ein philosophisches Werk,[1] faßte kurz danach seine Gedanken über ‚Faust' in einem Aufsatz zusammen, den er 1872 — man könnte meinen: unmittelbar als Gegenstoß zu Loeper — in einer der neuen Zeitschriften veröffentlichte.[2] Hartmann verfuhr in seiner Argumentation geschickt; er benutzte anfangs die „neudeutschen" Vokabeln, holte aber, scheinbar zögernd, aus ihnen seine massive Warnung vor Fausts angeblicher Vorbildlichkeit; am Ende setzte er die sechs Jahre zuvor von Spielhagen in seinem Berliner Vortrag ent=wickelten Gedanken konsequent fort. Genau wie dieser übrigens, ver=wandte er dabei noch die alte possessive Genitivbildung „Faust'sche Ver=achtung des eigenen Ich", ging von da zu der verallgemeinernden Typik „Faust'sche Naturen" und schloß seine Darstellung mit dem „moder=nen" Allgemeinbegriff der „faustischen Naturen".[3] An diesem Aufsatz Hartmanns kann man beispielhaft beobachten, daß „faustisch" zwar schon zu allgemeinem Sprachgut geworden war, aber immer noch, als ein neues, „modernes" Wort, sozusagen „von der Wurzel her" nach=vollzogen wurde, zumal gerade die Allgemeinverbindlichkeit der Be=deutung dieses Wortes, im Sinne etwa der soeben erschienenen Aus=führungen Loepers, geleugnet werden sollte und in einer Sinnumprä=gung geradezu die eigentliche Stoßrichtung solcher „antifaustischen" Arbeiten damals wie später lag.

Hartmann sprach also eingangs durchaus noch von der typischen Bedeutung, die Faust „sowohl für das Ringen der ganzen Menschheit, als auch speciell für das der deutschen Volksseele" habe — „ein treuer Spiegel deutscher Verirrungen und Geisteskämpfe und dadurch ein Führer zur tieferen Selbsterkenntniß eigenen Wesens für das deutsche Volk".[4] Welcher Art diese Selbsterkenntnis war, wurde nach und nach aufgeschlossen; man begreift plötzlich, daß der Hauptton hier auf „Ver=

irrungen" liegen sollte. Faust, hieß es zum Beispiel, beginne mit theo=
retischem Streben, gehe durch die sinnliche Realität und die Welt der
Schönheit und ende in praktischer Tätigkeit. Darin, meinte Hartmann,
liege „eine gewisse Zufälligkeit des individuellen Entwicklungsganges";
man könne sich den umgekehrten Weg, „nicht minder naturwahr",[5]
ebensogut vorstellen — aber, gestand er zu und lüftete seine Maske,
„der erstere Weg hat eben deshalb für uns solches Interesse, weil er
typisch für den Entwicklungsgang des deutschen Volksgeistes ist, oder
— hoffen wir, so sagen zu dürfen — war".[6] Die Vorbildlichkeit der
Faust'schen Entwicklung und jeder Ideologie des „Faustischen" wurde,
in unerwarteter Kehrtwendung, geleugnet, und zwar vorzüglich in
jenem Kern, der in diesen Jahrzehnten mit lautem Eifer herausgehoben
und pathetisch verteidigt wurde: der sogenannten „Tätigkeit". Schon in
dem Augenblick, da Faust, bei Einsicht in die Hoffnungslosigkeit
menschlichen Erkenntnisstrebens, nach theoretisch hingeopferter Ju=
gend als gereifter Mann praktisch mit den realen Lebensmächten sich
messen wolle, fehle ihm durchaus eines, was er allenfalls in der Jugend
besessen haben könne: die Naivität. „... das ist *der ewige Fluch der
Faust'schen Naturen*, daß sie nicht umhin können, diesen Kampf durch=
zukämpfen, während ihnen der Glaube an die Illusionen fehlt, welcher
der naturwüchsigen noch von keiner Kritik angefressenen Jugend die
Kraft zu diesem Kampfe verleiht."[7]

Damit war, bis in den Wortlaut, die Thematik von Gervinus und
Spielhagen wieder aufgenommen und fortgesetzt worden; sie wurde
jetzt dem neuen „faustischen" Heros=Ideal entgegengestellt. Die
Faust'sche Natur enthüllte sich von neuem als eine problematische Na=
tur. Aber nicht nur das: nochmals schien das gesamte jungdeutsche
Vokabularium für die neue historische Situation aufgearbeitet zu wer=
den, wenn Faust, zum Beispiel in der Gretchenhandlung, von Hartmann
als egoistisch rücksichtslos und charakterlos leichtsinnig beschrieben
wurde, dessen „schnell verrauchte sinnliche Leidenschaft" „an Gemein=
heit und Lumpenthum grenzt". Nur diese Selbstsucht setze sich schließ=
lich überall durch; von einer moralischen Entwicklung in Fausts Cha=
rakter könne gar nicht die Rede sein. „Die Aufgabe der Selbstbildung
des Charakters und der Übung in Selbstzucht und Selbstbeherrschung
bleibt Faust völlig fremd, — er entbehrt kurz vor seinem Tode (bei der

Expropriation der beiden Alten) noch ebenso sehr jeder Ahnung von dieser Aufgabe des Menschen als bei Beginn der Dichtung."[8]

Nach solcher „charakterologischen" Untersuchung stellte Hartmann am Schluß die Frage nach jenem Kern: ob denn die Tätigkeit Fausts irgendeinen Sinn und Zweck habe, da auch sein abschließendes Tun sich nur als ein zielloses Weiterrennen erweise. Mit dieser für ihn entschei= denden Frage steckte Hartmann nicht nur die Grenze Fausts, sondern auch die „der Goethe'schen Lösung des Faustproblems" ab. Denn ab= gesehen davon, daß diese Lösung Goethes nur individuell berechtigt erscheine, nicht allgemein, übersehe sie, „daß wenn das Weiterschreiten auch für das Volk und die Menschheit ein ziel= und zweckloses Laufen ist, daß dann auch die That des Einzelnen für dieses Weiterschreiten ziel= und zwecklos wird, und dann nur noch als Resultat eines, jeder Überlegung spottenden Thätigkeitsdranges möglich bleibt". Damit hatte (von Goethe abgesehen) Hartmann den Nerv dieses Tätigkeit=Mythus getroffen, der, in seinen extremsten Verkündern, tatsächlich nur noch sich selbst als Ziel gesetzt hatte, Arbeit um der Arbeit, Tätigkeit um der Tätigkeit, Fortschritt um des Fortschrittes willen. Der Widerspruch zwischen der eigentlichen Anlage einer „faustischen Natur" und diesem Ziel, von Goethe angeblich abschließend formuliert als „freies Volk auf freiem Grunde", dünkte Hartmann unüberbrückbar. Innerhalb dieses „freien Volkes" müßten die „faustischen Naturen" (hier die ne= gative pluralische Generalisierung) immerhin auch weiterexistieren. „. . . nach Erreichung dieses Zieles des Thätigsein eines jeden für alle Anderen" werde das „doch nur ein zum Narren haben Aller durch Alle bedeuten . . ., wenn von vornherein jeder weiß, daß jeder für sich auf Glück verzichtet. Man müßte also mindestens den Glauben an eine Vorsehung bei Faust voraussetzen, die mit der Geschichte der Mensch= heit noch etwas anderes jenseit derselben bezweckt".[9] Das waren harte, deutliche Worte im Berlin der Loeper und Grimm. Diese Absage Hart= manns, der damals noch modisch berühmt war, an die beginnende ideolo= gische Überhöhung der „faustischen Natur" zu einem nationalen Tat= Heroismus schien unüberhörbar; doch sie wurde, wie die ihr sich an= schließenden Warnstimmen, von der breiteren Öffentlichkeit nicht mehr angenommen. Auch hatte Hartmann weder Amt noch Lehrstuhl.

Ein anderer Berliner, der noch von Gutzkow in die Journalisten=

laufbahn gebrachte Karl Frenzel (1827–1914), seit 1861 Feuilleton=
redakteur der einflußreichen Berliner ,Nationalzeitung', gab 1876 in der
,Deutschen Rundschau' einen Bericht über ,Faust'=Aufführungen in
Weimar im Mai jenes Jahres.[10] Dabei kam Frenzel, nach Lob der Auf=
führung, auch auf den angeblich christlichen Schluß der Dichtung zu
sprechen und auf den Eindruck, den er auf den (modernen) Zuschauer
mache. Dieser „Himmelsspuk" der letzten Szenen bleibe unbefriedi=
gend. Das sei keine Lösung für ein Trauerspiel. Der abschließende
Kampf um Fausts Seele „ist ebenso kindlich wie kindisch, man sehnt
sich nach dem Schluß der Sage zurück: Faust, der von dem Teufel ge=
holt wird, steht im Zusammenhang mit seinem Jahrhundert und büßt
gerecht seine Thaten; Faust, der nur durch ein Gaukelspiel gerettet und
dem betrogenen Teufel listig entrissen wird, paßt weder in die Zeit der
Reformation noch in die Gegenwart, er ist *durchaus eine problematische
Natur*". Wieder das Spielhagensche, das jungdeutsche Stichwort, das
auch die Ablehnung Hartmanns bestimmt zu haben schien, wenngleich
beide, Hartmann und Frenzel, in ganz verschiedenen Fronten standen.
Doch war dies schon durch das ganze Jahrhundert zu beobachten ge=
wesen: sonst untereinander noch so verfeindete Lager einigten sich in
der Ablehnung Fausts, und oft mit gleichlautenden Vokabeln.

Eine dritte, mehr vermittelnde Variation gab, bei vorsichtiger Ab=
dämpfung, Karl Biedermann (1812–1901), Schriftleiter, Professor und
Abgeordneter in Leipzig (auch dem deutschen Reichstag gehörte er als
Mitglied der Nationalliberalen Partei an). In einem Aufsatz von 1877,[11]
in dem er sich mit der eben veröffentlichten „Schichtentheorie" Julian
Schmidts auseinandersetzte,[12] ihr teils zustimmend, teils sie abwan=
delnd, beschäftigte er sich unter anderem mit dem Verhältnis der „heu=
tigen" Zeit zu der Charakteranlage Fausts. Der letztlich „krankhafte"
Zug in Faust mache ihn für jede bedeutende Tätigkeit unbrauchbar —
so das Ergebnis Biedermanns, der anscheinend die Stimme des Ger=
vinus wieder aufnahm. Nicht das Ideal der „Tätigkeit" als solches
wurde bezweifelt, nur Faust als unreif für dieses Ideal erklärt. Insofern
war Hartmann weiter vorgestoßen.

Im Fragment von 1790 werde die krankhafte Weltverachtung Fausts,
sein „metaphysischer Drang der Unthätigkeit", am deutlichsten sicht=
bar. Von da aus hätte Goethe — immer wieder ist das gefordert wor=

den — Faust in reale Tätigkeit bringen müssen; das aber sei schon darum nicht möglich gewesen, weil seinerzeit die großen weltpolitischen Wandlungen noch fehlten, die dem Dichter als mögliches Vorbild sol=cher allgemeingültigen Wendung zur Kulturtat hätten dienen können. Jedoch: „In einer Zeit wie die unsrige, wo wieder große Interessen das Denken und Thun des Einzelnen ausfüllen, wo ein starker Zug ge=meinnütziger, culturschaffender Thätigkeit durch die ganze Nation geht . . ., in einer solchen Zeit ist *ein Faustischer Charakter und ein Fau=stischer Drang als wirkliche Lebenserscheinung* kaum mehr recht denk=bar, jedenfalls nur eine Seltenheit, während in jener Zeit nationaler Oede und Verkümmerung im vorigen Jahrhundert er eine gewisse bei=nahe typische Berechtigung hatte." Die mögliche Typik also dieses „Faustischen", die auch sprachlich realisiert wurde, bezog sich, eng an die konkrete Figur des Fragmentes gebunden, allein auf die letzten Jahrzehnte des 18. Jahrhunderts. Hundert Jahre danach, wo „große Interessen" die Nation beschäftigten, habe man kaum noch einen Zu=gang zu solcher „faustischen" Charakterhaltung. Auch würde, wegen der zu fordernden Allgemeinverbindlichkeit, wegen des „Typischen" darin, es poetisch wenig Sinn gehabt haben, wenn Goethe nur mit einer individuellen „Abwendung und Entwöhnung von jener überfliegenden Faustschen Geistesrichtung" die Handlung fortgeführt hätte (wie Goethe und Klinger es in ihrem persönlichen Leben taten). „Denn eben, weil jene Faust'sche Geistesrichtung zu ihrer Zeit etwas Typisches, etwas durch allgemeine Zeitverhältnisse, nicht blos durch die Eigenart eines Einzelnen Bedingtes war, so mußte auch die Umkehr davon zu einer entgegengesetzten Richtung sich als ein gleichermaßen Allgemeingül=tiges, durch einen Umschwung des ganzen Zeit= und Volksgeistes mit Nothwendigkeit Herbeigeführtes darstellen."[13]

Wie bei Hartmann ist auch in diesem Aufsatz wieder gut zu beob=achten, daß die selbstverständlich gewordene Allgemeinverbindlichkeit des Beiwortes „faustisch", dessen Abstraktion also, Unbehagen aus=löste; Biedermann war daher bemüht, auch sprachlich in eine ein=schränkende und situationsbedingte Konkretion auszuweichen. So der auffällige „Rückschritt" von „Faustisch" über „Faustsche" zu „Faust'=sche". In der „faustischen" Charakterisierung sollte sich für Bieder=mann nur das Typische einer bestimmten historischen Periode aus=

drücken, die im Fragment, nur in ihm, zum schönsten poetischen Er=
lebnis gebracht worden war. Derart jedenfalls sei die „ursprüngliche"
„Faustsche Natur" angelegt gewesen, die freilich Goethe in ihrer eigenen
Konsequenz nicht mehr „allgemeingültig" fortzuführen vermochte.
Er habe etwas Neues, eine zweite „Faustische Natur" als nachträgliche
Stütze unterschieben müssen, wodurch selbstredend der ganze Bau ver=
ändert wurde: Prolog und Wette. Das alte Motiv der „eigentlichen"
faustischen, tatenlosen Unersättlichkeit sei in ein trocken=moralisieren=
des Programm eingefügt worden. ‚Faust II' versuche die konsequente
Durchführung des neuen Programmes, doch müsse man verwundert
feststellen, daß auch hier, wie im Ersten Teil, das sogenannte „Streben"
nur schlecht sichtbar werde, daß eher die alte unbändige „Faustnatur",
angereizt von Mephisto, von neuem durchbreche. Weder dieses angeb=
liche „Streben" noch die „katholisierende Rettung" überzeugten. Noch
ganz „jungdeutsch" wurde die unmittelbar packende Gewalt der Dich=
tung allein in die „Schicht" des Fragmentes gelegt und gerühmt als
„die klassische Schönheit" des „Faust=Torso", in dem noch das „Krank=
hafte", nicht das zweifelhafte „Tätige" in Faust dargestellt werde. Da=
her lautete der zwar verbindlich klingende, die Dimension des „Fausti=
schen" aber deutlich richtende Satz: „Mögen jene Zustände uns immer=
hin vom höheren culturgeschichtlichen und nationalen Standpunkte aus
als *verbildete*, mag jene Stimmung uns als eine *krankhafte* erscheinen
— dem Werthe der Dichtung ... geschieht damit kein Abbruch ...".
Wieder, wie schon oft in den Jahrzehnten vor 1870, war es gerade
der „höhere ... nationale Standpunkt", der Biedermann die Normal=
gültigkeit Fausts, also ein exemplarisches „Faustisches", bestreiten ließ.
„Will man jedoch dieses unübertrefflich wahrheitsgetreue Zeitbild zu
einem ‚Weltbild' umdeuten", fuhr Biedermann ausdrücklich fort, „un=
ternimmt man es, die Fausttragödie zu einer poetisch=philosophischen
‚Entwicklungsgeschichte des Menschen schlechthin oder der Menschheit',
Faust selbst gleichsam zum *Normalmenschen* zu stempeln (so daß jeder
wahre, ganze Mensch eigentlich ein Faust sein müßte), dann, fürchte
ich, legt man in diese Dichtung Etwas hinein, was der Dichter selbst
mindestens von Haus nicht hineingelegt hat und nicht hineingelegt
wissen wollte."[14] Diese Reduktion auf das Fragment, nur auf ein histo=
risches „Zeitbild", untertreibt sicherlich nicht weniger, als die Gegen=

seite übertrieben hatte. Doch die Ablehnung der zeitgenössischen natio=
nalen Gleichung, jedermann solle wie Faust handeln, jedermann habe
sich „faustisch" zu verhalten, die Ablehnung eines „faustischen Welt=
bildes", konnte bei aller vorsichtigen Zurückhaltung gegenüber der
„offiziellen" Stimmung kaum sarkastischer ausgesprochen werden. Der
Leser wußte, wer gemeint war und wessen Ideologie getroffen werden
sollte. Biedermann kam, aus anderer Richtung, zum gleichen Ergebnis
wie Hartmann.

*

Auch die Konfessionen meldeten sich wieder zu Wort — zunächst die
protestantische, dann, auf der Höhe des Kulturkampfes und unter des=
sen Einfluß, mit energischem, oft haßvollem Nachdruck die katholische.
Da beide Konfessionen selbst sich immer härter gegeneinander abschlos=
sen, wurde diese Kritik weiterhin ebenso getrennt vorgetragen. Immer=
hin war für die Zeitlage die Pause von gut zwölf Jahren charakteristisch,
die im Bereich der Faust=Kritik auf katholischer Seite eingelegt wurde;
nach Molitor, 1869, führte erst 1880 Bischof Haffner die Auseinander=
setzung öffentlich weiter.

1877, im selben Jahr wie Biedermann, veröffentlichte der evangelische
Theologe Willibald Beyschlag (1823—1900), damals Professor in Halle,
einen Vortrag über ‚Göthe's Faust in seinem Verhältniß zum Christen=
tum'.[15] Beyschlag, der in der Preußischen Kirche eine bedeutende Rolle
spielte, hatte 1876 gerade die ‚Deutsch=Evangelischen Blätter' gegründet;
nach Beendigung des Kulturkampfes wurde auf seine Anregung der ein=
flußreiche Evangelische Bund geschaffen (1886). Diese Stimme hatte
also Gewicht.

Beyschlags ‚Faust'=Darstellung muß allerdings als sehr vorsichtig be=
zeichnet werden, ein Verfahren, das jetzt allgemeiner zu beobachten
war. Seine scheinbare Zustimmung, die über die Bejahung der sitt=
lichen Tüchtigkeit und des höheren Strebens Fausts geradezu bis zur
Feststellung seiner „Erlösungsfähigkeit" ging,[16] wurde gleichsam von
innen her wieder zurückgezogen; und das also Zurückgezogene doch
wieder annehmbar gemacht. Diese Unentschiedenheit war wohl nur
Maske, hinter der sich eine viel rigorosere Ablehnung verbarg. Ganz
deutlich durfte Beyschlag darin für ‚Faust I' werden. Wenn in diesem
ersten Teil ein „Allgemein=Menschliches" festzustellen sei, dann nur in

dem „tragischen Grundzug" allen Menschenwesens, dem Bruch mit Gott, der von Faust radikal vollzogen werde. ‚Faust I' ist die „Bahn des verlorenen Sohnes". Sein „pantheistisch=zerfließendes Glaubensbe= kenntniß" verberge hinter dem „unvergleichlichen poetischen Zauber" nur „seine religiös=sittliche Haltlosigkeit".[17]

Dies war der Angelpunkt der Kritik, trotz jenem Zugeständnis der Erlösungsfähigkeit des gewandelten „Thatmenschen". Konnte oder wollte man hier nicht allzu deutlich gegen die kulturfördernde, „uner= schöpfliche praktische Arbeit" Fausts opponieren,[18] so konnte man es unbeschadet gegen Goethe selbst tun; dessen poetische Kraft habe nicht hingereicht, den derart betonten Erlösungsprozeß darzustellen. Es bleibe bei einem poetischen Schattenbild. Denn auch Goethes eigenes „Glau= bensbekenntnis" sei „jenes faustische ‚Nenn's Glück, Herz, Liebe, Gott, — ich habe keinen Namen dafür, Gefühl ist alles'." („Faustisch" war an dieser Stelle selbstverständlich eng possessivisch gemeint.) Dement= sprechend habe auch Goethe im Alter nur (auf diesem „nur" lag die Betonung) „jene practische Religion" des alten Faust gehabt: rastlose Arbeit in Hoffnung auf Unsterblichkeit.[19] Das gab sich verklausuliert genug, wie ebenso am Schluß nochmals, wo Goethe vom christlichen Standpunkt aus halb anerkannt, halb abgelehnt wurde.[20] Es kam, trotz dem zeitgemäßen Entgegenkommen, doch auf eine theologische War= nung vor dem poetischen Zauber des eigentlichen faustischen Glaubens= bekenntnisses heraus, sei dies nun, in ‚Faust I', pantheistisch, oder, in ‚Faust II', als „practische Religion" der Arbeit verbrämt, die mit der christlichen Erlösungshoffnung gar nicht in Übereinstimmung zu brin= gen war.

Massiver gegen das „Faustische" selbst ging, wenn auch nur in einer kurzen Bemerkung, 1879 der Stuttgarter Oberkonsistorialrat Heinrich Merz (1816–1893) an, der in einem Aufsatz über Dürer[21] auf die zu gleicher Zeit üblich gewordene nationalistische und optimistische Aus= deutung des Kupferstiches ‚Ritter, Tod und Teufel' zu sprechen kam. Den Ritter erklärte er rundweg zu einem Raubritter, den, wie man sehen könne, gerade der Teufel hole. Äußerst heftig protestierte er gegen die landläufig gewordene Behauptung: mit diesem Ritter=Stich und der dazu gehörigen Melancholia habe Dürer die besondere Eigenart des deutschen Volkes charakterisieren wollen.[22] Das treffe für keinen dieser Stiche zu.

Dagegen behauptete Merz — und hier zog er Faust zum Vergleich her=
an (wie dies bereits Carus, allerdings in entgegengesetztem Sinn, ge=
tan hatte)[23] —, „die Melancolia Dürer's ist ein Bild des menschlichen
Forschens, das nicht zum Ziele kommen und darüber bei allem Trieb
und Glück schließlich in *Faustische Trübsinnigkeit und Verzweiflung*
sinken kann".

Ein beiläufiger Satz, im Zusammenhang mit einer anderen Thematik,
aber plötzlich zeigte sich, wie die alten Vokabeln aus dem Jahrzehnt
der Falk, Göschel, Martensen unterirdisch lebendig geblieben waren
und nun zu gelegener Zeit wieder auftauchten. Ob „Faustisch" von
Merz eng possessivisch, ob generalisierend gemeint war (ein solcher
Einzelsatz erlaubte damals wie heute die genaue Sinnfestlegung nicht
mehr) — gleichgültig: es war ein deutliches Gegenwort zur offiziellen
Ideologie des „Faustischen" (eine Parallele lief über Dürers ‚Ritter, Tod
und Teufel').[24] Auch Merz opponierte mit dieser Wortverbindung gegen
das breitgetretene „Faustische Streben" und alles „faustische" Hoch=
wesen.

Ein anderer protestantischer Theologe, der estländische Balte Alex=
ander von Oettingen (1827—1906), Professor in Dorpat, hielt dort, wie
Victor Hehn dreißig Jahre früher, Vorlesungen über Goethes ‚Faust'
und gab sie zusammen mit dem Text, als Erklärungen dazu, in Erlangen
heraus.[25] Seine Verfahrensweise ist, nicht nur innerhalb dieser protestan=
tischen Gruppe, besonders auffallend, zudem auch charakteristisch für
den Zwiespalt, in den sich die (seltenen) Apologeten eines christlich
verstandenen Faust durch die Apologeten des titanisch=„faustischen"
Streberheroismus gebracht sahen. Oettingen verfiel auf den Ausweg,
Faust durch Aufpfropfung eines deutsch=reformatorischen Wilhelm Mei=
sters zu veredeln, das „Faustische" jedoch, als mit diesem Faust nicht
übereinstimmend, abzuweisen.

Die umstrittene Einheit des Gesamtwerkes selbst und die von Werk
und Schöpfer liege ausschließlich in der „reformatorisch=christlichen
Geistesbewegung".[26] Bewahrte „Erlösungsfähigkeit", strebend gestei=
gertes „Erlösungsbedürfnis", durch Leid und Arbeit gefestigte Gottes=
begeisterung, das „Verklärungs=Ende" eines „edel denkenden, ... gei=
stig stürmenden ‚Knecht Gottes'": so hießen folgerichtig in dieser
pseudo=theologischen Ausdrucksweise einzelne Entwicklungsphasen

Fausts.[27] Zu „Maß" und „Vernunft" zu kommen, um frei zu werden und der himmlischen Vollendung entgegenzureifen, das hob Oettingen als einen Grundgedanken der Dichtung heraus.[28] Dieser Theologe schwebte schon auf der Höhe einer perfektibilistischen, optimistisch=verklärenden Faustdeutung, auch er unbelastet von jeder beschwerenden Rücksicht auf die konkrete Dichtungsaussage, wenn er schließlich be=hauptete, daß Faust am Ende die drei Ehrfurchten Wilhelm Meisters gewonnen und in sie seine dämonisch drängende Sehnsucht verwandelt habe. Nur von diesen drei Ehrfurchten her, betonte der baltische Inter=pret in recht patriarchalischen Worten, gelinge es, „das im Faust steckende Weltevangelium des Altmeisters auch in seiner sittlich=reli=giösen und christlichen Tiefe zu verstehen ...";[29] erst dadurch werde die Faust=Tragödie zu einer „Art Welt=Evangelium", einer „Weltbibel". Möglich sei dies allein deswegen, weil Goethe, „vielfach unbewußt", „in christlicher Atmosphäre geathmet und tief aus den Quellen der deutsch=reformatorischen Geistesbewegung geschöpft" habe.[30]

Primitiver (aber darum nicht ohne Beifall vieler Zeitgenossen) konnte eine solche deutsch=christliche Rechnung — Heilung durch Maß und soziale bürgerliche Arbeit, Tatfähigkeit, himmlische Vollendung — kaum aufgestellt werden. Hier versuchte die Theologie, über einen unfaustischen ‚Faust' ins zeitübliche Fortschritt=Pathos einzuschwenken, glücklicherweise, muß man nach solcher Simplifikation sagen, ohne ernst zu nehmende Nachfolge.

Um so auffälliger wirkte Oettingens Unbehagen am „Faustischen". Versteckte sich dahinter doch ein Grollen gegen die ideologische Über=steigerungen im Namen Fausts? Sollte Oettingens nicht weniger ab=wegige eigene Deutung, über dem Leisten eines Pseudo=Luthers und Pseudo=Meisters, tatsächlich den „gut" gemeinten Versuch darstellen, Faust aus der Umklammerung des „Faustischen" zu befreien? Jedenfalls schrieb Oettingen, als er von den Ehrfurchten und Goethes darin aus=gesprochenen Warnungen vor jeder rastlosen Sehnsucht sprach: „Ohne diese Ehrfurcht und maßhaltende Bescheidenheit [die Oettingen in Faust verwirklicht sah] ist das Sehnen selbst ein faustisches Unternehmen und wird zu verhängnißvoller Begehrlichkeit. Die ehrfurchtlose Sehnsucht ist gleichsam die Gefahr aller Faustischen Gemüther ...".[31] Merk=würdig, wie dicht Oettingen in dieser Bemerkung, hinter dem Schwall

seines eigenen Faust=Aufbaues, an den Kern der Frage kam. Doch ge=
rade diese Frage zu diskutieren, lehnte er ausdrücklich mit dem Wort
„faustisch" ab — damit aber auch die heroische Verklärung des Mode=
wortes selbst. Er nahm es schon so unbestritten als einen gängigen All=
gemeinbegriff, ohne jeden sprachlogischen Zusammenhang mit der von
ihm selbst gegebenen Dichtungsdarstellung, daß ihm nicht einmal das
seltsame Zirkelspiel aufgefallen zu sein scheint, das in seinem „anti=
faustischen" Faustischen lag. Man darf ein solches Beispiel nicht über=
spannen. Aber sicherlich kam darin wieder das anwachsende Unbehagen
am „Faustischen" (unbewußt?) zum Ausdruck. Oder war es, tiefer
gehend, das Erschrecken vor den anderen, gefährlicheren Maßen der
Dichtung selbst, die man nicht einsehen wollte, denen man auswich und
die man, hüben wie drüben, nach eigenem (ideologischem) Belieben sich
zurechtschnitt?

Doch blieb das, alles in allem, nur ein abwegiger Versuch, ‚Faust' zu
direkt in ein deutsch=reformatorisches Pantheon zu stellen, auch wenn
die theologische Linie Dorpat—Erlangen nicht ohne Nachdruck war. Ge=
nauer und sauberer in der damaligen Konstellation gab ein Vortrag des
Darmstädters Maximilian Rieger den protestantischen Standpunkt wie=
der. Rieger (1828—1909), ein Großneffe von Friedrich Maximilian Klin=
ger, aus der Schule Lachmanns kommend, mehrere Jahre in Gießen und
Basel Privatdozent, war schon seit Jahren führend in der Hessischen
Inneren Mission tätig (1873—1894). Der Synodale, nicht der ehemalige
Germanist, sprach 1881 über ‚Goethes Faust nach seinem religiösen
Gehalte'.[32] Ein solcher religiös=sittlicher Gehalt wurde, nach Darstellung
der verschiedenen Pläne und Schichten der Dichtung, geradewegs ge=
leugnet, zumal für den Zweiten Teil und dessen Schluß. Der gesamte
Epilog sei eine christliche „Selbsttäuschung", da Faust, reuelos, weder
Jenseits noch Gnade begehre. Tatsächlich werde in der Dichtung nur die
Rastlosigkeit irdischen Strebens verherrlicht. Mochte im „alten Plan"
noch eine gewisse Nähe zum Christentum zu bemerken gewesen sein,
in der abgeschlossenen Dichtung gebe es keine Gottesvorstellung mehr;
sie stehe eher „in einem harten Gegensatze zum Christentum". Das
Gewissen komme überall „zu kurz", Goethes Sittlichkeit bleibe „natu=
ralistisch", vor dem Gegensatz von Gut und Böse ziehe er sich in „äs=
thetischen Idealismus" zurück. „Wer Ernst aus dem Christenthum ma=

chen will, kann seine Religion nicht in diesem großen Werke fin=
den . . .": so lautete jetzt wieder der Fundamentalsatz, der von beiden
Konfessionen, wie schon ein Halbjahrhundert vordem, mit verschärften
Argumenten durchgefochten wurde. Mit dieser Argumentation stellten
sie sich, ausgesprochen oder unausgesprochen, gleichfalls quer zu allem
„Faustischen" und den daraus entwickelten Ideologien. In der Tat, kon=
statierte Rieger, konstatierten parallel die katholischen Eiferer und zogen
damit für sich das Resümee dieses „faustischen" Jahrzehntes, „unsre
klassische Literatur und an ihrer Spitze der Faust ist . . . den Gebildeten
der Nation in weitem Umfange zur Grundlage ihres sittlich=religiösen
Standpunktes geworden". Allerorten mache man aus Goethe fälschlich
ein Lebensideal. Das aber sei eine Gefahr für das deutsche Volk; es
lasse sich durch diese falsche Idealisierung vom Christentum abtrennen.
Die nationale Fragestellung schien also auch hier unmittelbar angegan=
gen — nur daß man aus dieser Sicht ‚Faust' als unverträglich mit dem
Heil der Nation hinstellte. Der Riß zwischen Christentum und dem
größten Werk der klassischen Literatur gehe in Wirklichkeit, schloß
Rieger, mitten durch die deutsche Bildungswelt und spalte sie.[33]

Damit war, sicherlich der historischen Realität entsprechend, die
Kehrseite der Medaille aufgedeckt worden. Je mehr das „Faustische", in
allen Spielarten, aufgehöht und zum (nationalen) Vorbild idealisiert
wurde, desto weiter entfernte sich ein anderer Teil der Nation von
diesem Gedicht und seinem Dichter, desto schroffer vertiefte sich die
Kluft zwischen den beiden Lagern der „deutschen Bildungswelt". Die
„offizielle" Lesart von Gustav von Loeper bis Erich Schmidt und dar=
über hinaus darf über diese anwachsende tiefe Verstimmung im Zeichen
Fausts und des „Faustischen" nicht hinwegtäuschen. Die eruptiven Aus=
brüche gegen ‚Faust' schon in diesen Jahrzehnten um die Jahrhundert=
wende, zu schweigen von den späteren, zeigten den Spannnungsdruck
der unterirdisch sich zusammenziehenden Gegenkräfte an.[34] Die
neuen katholischen Wortführer, angereizt durch den Bismarckschen
Kulturkampf, aber auch ein reichsstädtisch, antizentralistisch gesonne=
ner Geist wie Wilhelm Gwinner gaben vor 1900 davon am deutlichsten
Zeugnis. —

Auch das gleichzeitige Satyrspiel der modernen selbstbewußten Auf=
klärung fehlte nicht. Der Berliner Physiologe Emil Du Bois=Reymond

(1818–1896) stellte es auf die Bühne mit seiner berüchtigt gewordenen Berliner Rektoratsrede vom 15. Oktober 1882: ‚Goethe und kein Ende'.[35] Du Bois=Reymond stammte aus der Familie eines Berliner Mini= sterialbeamten, wurde als Vierzigjähriger Nachfolger von Johannes Müller auf dessen Berliner Lehrstuhl und verfocht, weltweit bekannt, aufs schärfste die physikalisch=chemische, mechanistische Physiologie gegen jegliche vitalistische Irrlehre. Sein ‚Ignoramus et Ignorabimus' (1872) bezog sich auf die strikte Einhaltung der empirisch gegebenen Grenzen allen (Natur=)Erkennens. Von daher polterte er auch gegen Goethe an und seine angebliche Abneigung gegen „den physikalischen Versuch und dessen mathematische Behandlung". Zumal den „Begriff der mechanischen Causalität" habe Goethe nie erfaßt, statt dessen „ein bloßes Schauen" anempfohlen; dadurch erklärten sich auch gewisse Mängel seiner Erzählergabe, folgerte also exakt der hochberühmte Red= ner. Goethe fehle eben durchaus „das Organ für theoretische Natur= wissenschaft"; überdies, und damit spielte Du Bois=Reymond seinen stärksten Trumpf aus, sei Goethe „die rein mechanische Weltconstruk= tion, welche heute die Wissenschaft ausmacht", immer verhaßt gewesen. Gerade er habe durch seinen Einfluß die „durch die sogenannte Natur= philosophie schon hinlänglich bethörte deutsche Wissenschaft" seiner= zeit noch mehr auf Abwege geführt. Wäre er nur Dichter geblieben! Aber auch damit hapere es, Ungenauigkeiten seien auch hier nicht zu übersehen, es mangele oft an vernünftiger Kausalität.

So kam Du Bois=Reymond auf Faust, den „Held des modernen deut= schen Nationalgedichtes", zu sprechen, wie er spöttelnd präludierte. Es muß in Berlin, so köstlich komisch im Grunde dieses Eifern eines physi= kalischen Experimentators gegen die poetische Unlogik war, reichlich schockierend gewirkt haben, was der damalige Rektor der Universität und einflußreiche Sekretär der Königlich Preußischen Akademie der Wissenschaften autoritativ über den poetischen Lieblingsheros der Na= tion zu sagen wußte, der eben am selben Ort so sieghaft=wehrhaft ausstaffiert worden war. Betrachten wir diesen schlechten Universitäts= professor Faust und seine Fabel doch nur „mit frischem Blick", rief Du Bois=Reymond seinen Hörern zu. „Gelingt dies, so erstaunt man über deren tiefe psychologische Unwahrheit"! Logische Inkonsequenzen, ethische Ungeheuerlichkeiten wechselten durch die ganze Dichtung mit

Unwahrscheinlichkeiten und Leichtsinn ab. Der „Fehler" liege freilich schon in der Faustsage selbst, die noch aus der Zeit der „tiefen Ernie= drigung der Menschheit", der „Verfinsterung des Menschengeistes" im Mittelalter stamme. Man überlege: ein Universitätsprofessor verschreibt sich dem Teufel! Aber diese beibehaltenen Unwahrheiten und Unwahr= scheinlichkeiten rührten letztlich von jener Abneigung Goethes gegen die exakten Naturwissenschaften her, wie sie dieser Faust selbst mehr= fach ausspreche. Hätte Goethe den National=Helden wenigstens zu einem nüchtern arbeitenden Physiker gemacht . . . nun, wir kennen schon genug Faust=Rezepte des Jahrhunderts, aber dieses des Physio= logen gehört zu den kuriosesten — und spöttischsten; und es war in seiner selbstgefälligen Naivität sicherlich nicht weniger zeitgemäß, nicht weniger „philiströs"[36] als die nationalistisch=imperiale Faust=Geste. Auf jeden Fall war es unwirsch gegen sie gesprochen. „Wie prosaisch es klinge, es ist nicht minder wahr, daß Faust, statt an Hof zu gehen, ungedecktes Papiergeld auszugeben, und zu den Müttern in die vierte Dimension zu steigen, besser gethan hätte, Gretchen zu heirathen, sein Kind ehrlich zu machen und Elektrisirmaschine und Luftpumpe zu er= finden; wofür wir ihm denn an Stelle des Magdeburger Bürgermeisters gebührenden Dank wissen würden."[37] Das war ein eiskalter Guß auf die hellen Flammen „faustischer" Begeisterung. Wieder ging es um die Leugnung der vorbildlichen Idealität Fausts.

So abwegig diese mechanistische Beckmesserei am Gedicht Goethes war, man bleibe sich bewußt, daß sie erst hervorgerufen werden konnte durch den Schwall der Faust=Perfektibilisten, die nicht minder die Gren= zen der Dichtung gesprengt hatten. Das rief den Unwillen nicht nur dieses nüchtern denkenden Naturwissenschafters auf den Plan. An der Dichtung redete er zwar genauso vorbei wie die anderen Pro= und Contra=Deutungen. Aber es ging längst nicht mehr um die Dichtung: Faust war zum Fangball zwischen den geistig sich immer tiefer ent= fremdenden Lagern der Nation geworden. Der Name Fausts wurde zu einem der Feldzeichen des beginnenden deutschen Bürgerkriegs. So ge= sehen, gehört auch „das Faustische" in die hundertjährige Geschichte dieses Bürgerkriegs zwischen 1848 und 1945, der, seit Generationen geistig vorbereitet, nach 1918 schließlich offen geführt wurde und nach 1933 sich total durchsetzte. –

Was bei Du Bois=Reymond aus überlegener Naturwissenschafterhöhe unwirsch=spöttisch gemeint gewesen war, wurde jetzt und wieder für die katholische Kirche zu einer Verteidigung ihrer Existenz im Volks= ganzen gegenüber einem „Weltevangelium", das sich „faustisch" nannte und in dem sich Nationalismus, Liberalismus, Pantheismus, Irreligiosität und antichristliche Affekte in allen denkbaren Schattierun= gen aggressiv zusammengefunden hatten. Die Reizung und Entfesse= lung durch den Kulturkampf ließ zudem die Stimmhöhe heftiger steigen als auf protestantischer Seite, die gehemmter und oft viel weniger konsequent dasselbe Problem anzugehen versuchte.

Der stark im Kulturkampf engagierte, von den Jesuiten erzogene, eigenwillige Mainzer Bischof Dr. Paul Leopold Haffner (1829–1899),[38] von Geburt Württemberger, eröffnete 1880 von neuem den frontalen Angriff gegen die ‚Faust'=Dichtung. Haffner, Mitbegründer der Görres= Gesellschaft (1876), stand seit 1877 als Nachfolger des Bischofs Ketteler (der „die Aktivierung des Katholizismus" in der zweiten Jahrhundert= hälfte vollendet hatte)[39] an so exponierter Stelle, daß seine Stimme un= überhörbar war. In der von ihm herausgegebenen Reihe der ‚Frank= furter zeitgemäßen Broschüren' (1878–1884) hatte er sich ein Instru= ment seines erzieherischen Eifers geschaffen, das auf weite, volkstüm= liche Verbreitung angelegt war. Dort erschienen, in der ‚Neuen Folge' zu Anfang von Bd. 1 und 2, seine beiden (Anti=)Goethe=Schriften: 1880 ‚Goethe's Faust als Wahrzeichen moderner Cultur', 1881 ‚Goethe's Dichtungen auf sittlichen Gehalt geprüft'[40] (was im zweiten Band über ‚Faust' wiederholt wurde, war ganz auf die erste Abhandlung bezogen). Die Tradition der katholischen ‚Faust'=Kritik des frühen 19. Jahrhun= derts wurde durch Haffner mit der Abwehr der modernen nationalen Faust=Ideologie verbunden. Görres, Eichendorff und Molitor wurden als Helfer angerufen.[40a]

Haffner ging sogleich auf der Eingangsseite seiner ‚Faust'=Schrift in medias res. ‚Faust' wurde als der Höhepunkt der neueren deutschen Literatur, als Grundtypus der modernen Poesie überhaupt vorgestellt. Das hieß für die damalige Situation — und der Fehdehandschuh der zeitgenössischen Faust=Aufhöhung wurde angenommen —: „Goethe's Faust [ist] gewissermaßen zum Wahrzeichen der modernen Cultur und der deutschen Bildung insbesondere geworden, zum *Zeichen, in dem*

die Geister sich finden und scheiden". An diesem Resümee der „fausti=
schen" Lage um 1880, auf protestantischer Seite von Maximilian Rieger
alsbald bestätigt, war in nichts zu zweifeln. Ein poetisches Werk war
zur Geistesscheide der Nation geworden. In ‚Faust' fand nicht nur Bi=
schof Haffner den „Geist der neuen Zeit und der modernen Cultur der
deutschen Nation" exemplarisch konzentriert. So konnte man hüben
und drüben formulieren. Aber die Bewertung, die Ausdeutung dieses
Tatbestandes, vollzog sich in diametral entgegengesetzten Richtungen.

Haffner wollte Goethes ‚Faust' nach den religiös=sittlichen Wahr=
heiten beurteilen, wobei er vorausstellte, daß in dieser Dichtung die
eigentliche „Tragödie" des Menschenlebens, das abgedrängt von der
göttlichen Bahn sich im Grenzenlosen verliert, einen ergreifenden Aus=
druck gefunden habe — „das Ringen und Streben wie das Klagen und
Verzweifeln des modernen Geistes".⁴¹ Aber danach wurden die ent=
scheidenden Goetheschen Gelenkstellen Wort für Wort vorgenommen.
Der Prolog: eine „frivole Travestie" auf das Buch Hiob; „der ewig
heilige Gott wird in einen väterlich philosophirenden Pädägogen des
18. Jahrhunderts verwandelt". Zumal an den zentralen „Strebe"=Wor=
ten in Prolog und Epilog wurde die eigentliche Trennung zur christ=
lichen Menschenauffassung vollzogen: bei Goethe bleibe dort alles nur
„Natur". Die Begriffe „der Sünde, wie der Gnade und Erlösung" seien
von vornherein ausgeschlossen — statt ihrer setze Goethe zueinander
„die Naturnothwendigkeit des Irrthums, also die Leugnung der sitt=
lichen Schuld, [und] die naturnothwendige Güte des Menschen, also
das Selbstgenügen des natürlichen Menschen zu Erreichung seines Zie=
les";⁴² und gleichermaßen löse Goethe den Teufel in ein unpersönliches
kosmisches Prinzip auf. In Fausts Religionsbekenntnis werde folge=
richtig „das unübertroffene Symbolum der Religion Goethe's und seiner
Zeit, ebendamit der Religion des modernen Geistes" geschaffen. Der
gesamte „humanistische Pantheismus" der Lessing, Herder, Schleier-
macher, Fichte, Schelling, Hegel galt miteingeschlossen.⁴³ Demgegenüber
stünden die christlichen Reminiszenzen im ‚Faust' nur als Spiel=Bilder
da, nicht aber in Ernst und Glauben. An Gretchen — für Goethe aber
auch nur ein „Bild" unter anderen — könne man in der Kerkerszene
allenfalls die unvergleichliche Gewalt der Gerechtigkeit und Barmher=
zigkeit Gottes ahnen; aber Faust selbst? Warum wisse Goethe nicht

auch ihn dieser Gerechtigkeit und Barmherzigkeit zu übergeben? Das
Gericht bleibe in beiden Teilen aus.[44] So vermochte Goethe nur, „eine
Ruine zu bauen", „welche zunächst ein Denkmal seines gealterten Gei=
stes, zugleich aber auch *ein Zeichen der Ohnmacht moderner Cultur
überhaupt* ist".[45] Damit trug der Mainzer Bischof den Angriff gegen
‚Faust' wieder über die zeitgenössische deutsche Situation hinaus, ähn=
lich wie gut vierzig Jahre vordem der damals aus der Schule Franz Baa=
ders kommende Martensen „das ganze Streben der modernen Philoso=
phie... in seinem innersten Wesen ein Faustisches" abwehrend ge=
nannt hatte. Haffner nahm dieses zeitgemäße Kampfwort selbst nicht
auf. Er nannte die moderne, in ‚Faust' gipfelnde Kultur „eine Ruine".
Mit dieser „ohnmächtigen" Bezeichnung umschloß auch er die gesamte
„naturalistische Humanitäts=Philosophie".

Über die zeitgenössische deutsche Situation hinaus — aber die von
Haffner mit besonderem Nachdruck herausgehobenen Stichworte zielten
dennoch nur zu deutlich, wie am Beispiel des „Strebens", auf die natio=
nalistische Ideologisierung des „Faustischen" ab. So auch das andere
Hochwort: „Tätigkeit". Bedeute Fausts Tätigkeit (II/4. u. 5. Akt) „eine
Sühnung der Schuld durch sittliche Umkehr"? „Keineswegs", antwortete
Haffner; „Faust wird um modern zu sprechen: Director einer Land=
Urbarmachungs=Actien=Gesellschaft. Als solcher — stirbt er..."[46] Das
erschütternde Ergebnis der Tragödie, wie Faust und Mephisto es am
Ende aussprechen, bleibe einzig „der Augenblick und das Ewig=Leere".[47]
Eine sittliche Entscheidung falle darin nicht, vielmehr habe Faust zuletzt
„in rein materieller irdischer Thätigkeit sich verloren". Sein sogenann=
tes Streben enthülle sich als durchweg „eitel".[48]

Auch der abschließende Epilog sei „mehr eine launig fromme", eine
„rein äußerliche Comödie" als eine ernst zu nehmende Darstellung des
göttlichen Geheimnisses. Diese „Erlösung ohne innere Umkehr" könne
Goethe niemals abgenommen werden. Wolle man eine weitere „speci=
fische Eigenthümlichkeit" der Tragödie herausheben, liege sie gerade
in dem Schwanken zwischen dem Erbgut christlich=sittlicher Lebensauf=
fassung (Gretchen) und der naturalistisch=skeptischen des 18. Jahr=
hunderts. So durchziehe die ganze Tragödie (Haffner wurde nicht müde,
diese Benennung genau zu nehmen und sie auf die gesamte Modernität
auszudehnen) der „Schmerzensruf des Menschengeistes", der Erlösung

suche und nicht finde. „Aber es weht uns auch der matte kalte Todes=
athem des Menschen an, der den ihm dargebotenen Becher himmlischer
Gnade von sich gestoßen hat, um in dem Staub eines glaubenslosen
Naturalismus sich geschäftig zu vergraben."[49]

Das entschiedenste gegenfaustische Lager hatte sich von neuem ge=
sammelt. Das kurze Beiwort „geschäftig" am Ende der Schrift deutete
dem zwischen den Worten Lesenden an, wer über Goethe, über ‚Faust'
hinaus getroffen werden sollte: die offizielle Tat= und Streber=Inter=
pretation, die Faust zu einem „titanischen" Sinn= und Anspornbild
nationaler Geschäftigkeit machte. Der Trennungsstrich wurde unmiß=
verständlich gezogen.

Haffners Worte faßten klar und hart zu, ohne Umschweife, doch nicht
ohne eine angemessene Würde des Tones, auch nicht ohne „Wehmut",
wie er am Ende zugestand. Fünf Jahre später veröffentlichte der Würz=
burger Diöcesan=Priester Adam Müller (1841 im mainfränkischen Rot=
tenstein geboren, Priester seit 1864)[50] zum selben Thema ‚Ethischer
Charakter von Göthes Faust'[51] eine handfeste Schmähschrift, die kein
Blatt mehr vor Mund und Wort nahm. Ein „Faustmärchen" gab er als
Anhang; in ihm wurde Faust endlich von der strafenden Gerechtigkeit
erreicht.

Müller übernahm alle Argumente Haffners und breitete sie aus, ver=
vollständigte aber dessen immerhin zurückhaltendes Vokabularium ins
Pamphletische und Monströseste. Es lohnt nicht, dieses im gedank=
lichen Zusammenhang vorzuführen. Der Nachweis der „ethischen Män=
gel", und daher des völligen ästhetischen Ungenügens von Goethes
‚Faust', wurde so starrsinnig durchgeführt, daß in dem Schwarz=Weiß=
Schematismus kein Nachdenken darüber hinaus blieb. Es wurde mit
gröbstem Prügel zugeschlagen, wie es vierzig Jahre vordem Franz von
Spaun nicht besser gekonnt hatte. Wenn irgendwo der Begriff „ultra=
montan" am Platze ist, dann hier.[52] Goethes ‚Faust', lautete abschließend
das Urteil, sei „geeignet, entnervend und vergiftend zu wirken und
enthält eine geheime Strömung nach einem Abgrunde, worüber ein
lockender, künstlicher Regenbogen spielt".[53]

Doch dieses haßvolle Geschimpfe wäre nicht wert, nochmals seiner
Vergessenheit enthoben zu werden, wenn sich nicht deutlich innerhalb
dieses Geflechtes boshafter Invektiven, vielleicht sogar als sein Haupt=

faden, eine Auseinandersetzung mit dem „Faustischen" abspielte, die in unserem Untersuchungszusammenhang genaue Aufmerksamkeit ver= langt. Denn Müller schlug mit gleicher grober Wucht auch auf dieses Lieblingswort der gelehrten National=Ideologen zu. Dabei benutzte er eine überaus nuancenreiche Skala von „faustisch", vom eng possessiven bis zum weit ausholenden generalisierenden Gebrauch, und schob sogar neue Wortbildungen ein.[54] Das war, nachdem dieses Wort im öffent= lichen Sprachgebrauch in etwa schon auf einen ideologischen Allgemein= begriff festgelegt worden war, eigentlich unzeitgemäß. Doch scheint es, daß Müller hinter diesem Schleier eines andauernden Wechsels der Wortbedeutung von „faustisch" um so treffsicherer den Stoß gegen die zeitgenössische Faust=Verherrlichung führen zu können glaubte. Haffner hatte dieses Wort überhaupt nicht benutzt; Müller verwandte es in immer neuen Varianten, bis es von allen nur denkbaren Seiten gründ= lich verhöhnt worden war.

Die Dutzende beiläufiger possessiver Verwendungen brauchen uns nichts mehr anzugehen; es versteht sich, daß auch sie durchweg in nega= tivem Zusammenhang eingesetzt wurden — dies ergab der Ton des ganzen Buches. Hier sollen, um die eigentliche Stoßrichtung aufzuzei= gen, nur einige zentrale Sätze herausgehoben werden; in der Mehrzahl von ihnen bleibt die Wortbedeutung irisierend, schon dadurch, daß Müller, wie angemerkt, statt „faustisch" fast überall „Faustsche" schrieb; doch wurde die scheinbar darin festgehaltene Konkretion meist wieder ins Allgemeinere überschritten. So gleich am Anfang, wo Müller davon sprach, daß bei Faust das Gewissen unterdrückt und die jeder= mann eingeborene ethische Veranlagung nirgends gepflegt werde: „Faust behandelt sie wie eine fremdartige Beimischung, er ignoriert, verachtet, ertötet sie. Im Garten seines Gemütes wird das Unkraut ge= hätschelt und gepflegt ... Die Kunst muß nachhelfend für schöne Außenseite sorgen, so gesellt sich zur Faustschen Natur die Faustsche Kultur und der Gipfel Faustscher Vortrefflichkeit ist erreicht."[55] Selbst= redend war in dieser scharfen Formulierung zunächst Goethes konkrete poetische Gestalt angegriffen — aber ebenso, und das ohne Zweifel, be= denkt man die historische Situation mit, wurden die beliebten Zusam= menstellungen wie „faustische Kultur" und „faustische Vortrefflichkeit" ironisiert. Der eingeweihte Leser konnte die Ironisierung nicht überhören.

Das wurde eindeutig dort, wo die bevorzugten ideologischen Hoch=
worte dieser Jahrzehnte selbst in den Abwertungsprozeß hineingenom=
men wurden: Tat, Fortschritt, Streben, Titanismus, Gemeinwohl. Das
„thätige Leben" ersetzte für Müller keineswegs die zu fordernde innere
Umkehr und echte Läuterung Fausts; und der behauptete „Fortschritt",
dieses modernistische Schlagwort, sei, sehe man nur genau hin, ein
Abwärts Stufe um Stufe. Endgültig offenbare sich in Fausts Alter die
„inkurable Borniertheit und die Verdorbenheit seines Herzens durch die
Gründung seiner Kommune und die Art und Weise, wie er dabei zu
Werke geht". Die christlichen Insassen und Denkmäler werden in die=
sem Territorium beseitigt, um es nur (Müllers Spitze zielte ganz deut=
lich auf den nationalen Heroismus) „dem Völklein bequem zu machen,
das *nach Faustschen Principien leben* soll. Und dieses sterile, nur an
Unkraut fruchtbare Gebiet, wo er der Tyrannei und Sklaverei der
schlimmsten Art Bahn gebrochen hat, nennt er freien Grund, sein trau=
riges Zukunftsproletariat erscheint ihm als ein freies Volk..."[56] In
diesen „Faustschen Principien" verbarg sich, kaum kaschiert, das be=
kannte hochgesteigerte „Faustische". Das „freie Volk auf freiem
Grund", „faustisches" Urbild national=imperialer Gestik, ein „Schwin=
delvölkchen" ohne sittlichen Adel und ohne sittliches Streben zu nennen,
hieß, sich quer gegen den Strom der „faustischen" Zeittendenzen zu
stellen, hieß Provokation bis aufs Blut, und hieß, hinter dieser billig=
bissigen Provokation, Warnung vor Schlagwortverführung. Insofern
muß dieses bedenkliche priesterliche Elaborat ernsthaft in die Ausein=
andersetzung um das „Faustische" und dessen nicht minder maßlose
Ideologisierung einbezogen werden.

Ähnlich wurde der strebende Titanismus hergenommen. Faust sei nur
die Karikatur einer „strebenden Menschheit", vom Dichter grell dazu
aufgeschminkt.[57] Wolle man wissen, was es mit diesem „Faustschen
Streben" (!) auf sich habe, brauche man nur Goethes Prometheus=
Gedicht zu lesen. Solcher erst von Goethe positiv umgeformte „Faust=
sche Titanismus" führe nicht mehr, wie bei den Alten, in den notwen=
digen Untergang, sondern sei nun „der gerade und bequeme Weg zum
Olymp" geworden — „der Faustsche Titanismus ist das Widerspiel des
christlichen Heldenmutes, der sich in Selbstüberwindung bethä=
tigt...".[58] Wie sehr verallgemeinernd Müller seine leicht archaisieren=

den Wortfügungen tatsächlich meinte, bewies der Ausdruck, den er zusammenfassend für dieses „Faustsche Streben" und den „Faustschen Titanismus" prägte: „Faustismus" — ihm würde vom Dichter, ohne sittliche Schranke, alles erlaubt.[59] Mit „Faustismus" sollte die Zeitströ= mung des „Faustischen" in ein abwertendes Gegenschlagwort gefaßt werden (wie immer in solchem Fall mit dem zunächst negativ machen= den =ismus=Suffix); es setzte sich freilich nicht durch, brachte aber in seiner Tendenz die latenten Gegenkräfte zum Ausdruck. Dieselbe Ten= denz wurde u. a. auch in folgendem Satz verdeutlicht (wieder wurde das „Faustsche" doppelsinnig gebraucht): „Die Faustsche Welt scheitert, das wissen wir, und wer sich von ihr verschlingen läßt, scheitert mit ihr"![60] Der scheinbar konkrete Wortgebrauch schlägt im zweiten Halb= satz sogleich in die aggressive Generalisierung um.

Müller wußte genau, um was und wen es ging, wenn er schließlich das Problem des historischen „Fortschrittes" in diesen „Faustismus" einbezog, war doch im Namen Fausts die deutsche geschichtliche Zu= kunft wieder und wieder beschworen worden. Dagegen sah Müller überall nur dort, wo die Geschichte in „Fäulnis" überging, Faust am Werk und spürte nur dort seine „mephitische Luft". In den unzüchtigen Endzeiten Babylons, Athens, Jerusalems, Roms, „da wehte just der Faustsche Hauch und führte nach kurz oder lang eine Katastrophe her= bei; ein Blatt in der Weltgeschichte sank nieder über einer verkomme= nen Generation".[61] So diese grelle Gegen=Prophezeiung, die von der vernichtenden „Faustschen Fäulnis", nicht von dem fortschreitenden „faustischen Streben" sprach. Müller konnte daher — und das beweist endgültig sein Angriffsziel im Komplex des „Faustischen" — nicht anders folgern, als daß Goethes ‚Faust' nicht typisch deutsch sei, wenn= gleich es dieser Dichtung schon gelungen sei, das sittliche Gefühl der Deutschen bedenklich zu untergraben. Goethe habe „im Faust die reli= giöse und sittliche Abgestorbenheit in ihrer modernen Form in deut= scher Sprache dargestellt, allein damit durchaus nicht die Weltan= schauung der Neuzeit und des deutschen Volkes wiedergegeben",[62] lautete der gleiche Urteilsspruch in anderer, geschärfterer Version, die in sich die Zuversicht auf einen durch den Faustschen Fäulnisbazillus noch nicht infizierten Teil der Nation bewahrte, aus anderer Hoffnung als Gervinus und Spielhagen. Daß die regenerative Kraft für Müller einzig in der katholischen „Weltanschauung" lag, braucht nicht eigens betont zu werden.

Aber erst in dem angefügten, über 50 Seiten langen „Faustmärchen" gab der Würzburger Priester seiner antifaustischen Verachtung vollends freien Lauf. Es ist die groteskeste Gegenerfindung in der Geschichte des „Faustischen". Die darwinistische Entwicklungslehre, die angeblich dem Goetheschen Gedicht und dessen Fortschrittsglauben zu Grunde liege, wurde in diesem Anti=Märchen im umgekehrten Sinn einer (kausalen) Rückentwicklung auf Faust selbst angewendet. Die Karikierung über= schritt jede vernünftige Grenze. Selbst Vischers ,Faust III', der u. a. als Vorbild gedient haben mochte, war dagegen harmlos.[63]

Zunächst wurde, über den Leisten des alten Faustbuches geschlagen, das Handlungsschema von ,Faust I und II' nacherzählt. Nach dessen Ablauf, einige Jahre später, erwacht Faust von neuem aus dem „Schein= tod". Auf seinem „freien Grunde" findet er „eine Art Zwerge, die Faustoiden" vor, „der Nachwuchs des Doktors". Diese faustoiden Zwerge erklären ihren Stammvater in einer albernen Zeremonie für unsterblich und vergöttern ihn auf dem Ast eines Lindenbaumes, der „immerdürren Faustlinde".[64] Jetzt beginnt die darwinistische Maschine= rie reversibel zu werden; der „faustische", d. h. der „natürliche" Fort= schrittstitanismus wird, wortwörtlich, bis in den Kot gekehrt. „Unsterb= lich war er [Faust] zwar geworden", berichtete der boshafte Märchen= erzähler, „allein er war dem Rollen der Zeit und den Veränderungen, die sie mit sich bringt, nicht entrückt, und nun begann sich mit ihm ein Wandlungsprozeß zu vollziehen, der so lange fortdauerte, bis *sein innerer Gehalt oder das Faustische* in höchst charakteristischer Form zum Vorscheine kam. — Die Reduktion des Faustischen von titanischer Massivität bis zur Unansehnlichkeit mikroskopischer Pilze geschah sehr langsam; der Entwicklungsprozeß umfaßt Aeonen. Jedes Aeon läßt uns das Faustische in einer neuen bedeutsamen Gestalt erblicken. — Nach dem ersten Aeon sitzt Faust auf dem Baume als Affe."[65] Deutlicher und höhnischer konnte der Angriff nicht vorgetragen werden: Loeper und Du Bois=Reymond wurden sozusagen auf eine Schippe genommen. Die „germanische" Entwicklungskette Wodan=Siegfried=Faust=Rembrandt und so fort wurde zum „Affen" zurückgewendet. Auch was Wort und Begriff des „Faustischen" selbst anbetraf, ließ Müller die Maske fallen und verzichtete auf jede Umschreibung. Der zeitgemäße Wortlaut und Wortsinn wurde aufgenommen und nochmals ausdrücklich „gehaltlich" definiert, um dessen „titanische Massivität" um so drastischer verun= glimpfen zu können — vollzog sich doch diese „Reduktion" im „freien Volk auf freiem Grund"!

Müller ließ in nicht gerade geistreichen Tierallegorien, wobei Goethe selbst immer seinen Teil abbekam, die Verwandlungen Fausts weiter abspulen: Wolf, Lämmergeier, Gimpel, Kröte sind die nächsten Stufen, bis „das Faustische" in der Blattlaus endet und Fausts Streben als Schmarotzertum entlarvt wird. Aus der toten Blattlaus schließlich ent= steht der stinkende Faustnebel, der sich als Schimmelpilze auf Sümpfen und Schlammwassern niederschlägt, die sogenannten „Faustpilze", ge= schätzt besonders von Hexen. Aber auch hier konnte Müller noch keinen Schluß finden: „Bei dieser Daseinsweise war das Bewußtsein Fausts ein schlummerndes; es war wie erloschen, bis die Faustschen Parasiten= organismen auf unüberwindlichen Widerstand stießen. Wo nämlich Reinlichkeit herrschte, da war das Faustische ohne Kraft . . ."[66] In die= sem wiederholten Wechsel von „Faustschen" zu „das Faustische" wur= den die Karten aufgelegt; gemeint war ein allgemeiner „unreinlicher" Zeitzustand, der sich in allen denen offenbarte, die das Wort „faustisch" ideologisch hypostasiert hatten. Die „faustische" Unredlichkeit konnte nur durch die Reinheit der Kirche überwunden werden. — Noch einmal läßt der Priester=Erzähler den „Faustschen Geist" sich „mörderisch" konzentrieren, als Faust, aus seinem parasitären Bewußtseinsschlummer erwacht, diesen „reinen" Widerstand spürt. Er verwandelt sich end= gültig in einen blutsaugenden Vampyr — ein „Monstreparasit", ein „Heucheltier" und „Sumpfvogel". Jetzt endlich greift die Hölle ein; Müller vollzog sein Strafgericht und ließ kraft höchster Märchenphan= tasie die „Bestie" durch Mephisto vernichten: der steckt sie in einen Sack, Faust=Vampyr schreit darin wie ein Schwein, doch er wird der Hölle übergeben. „Den guten Menschen, die Faust, so lange er lebte, belästigt hatte, war es, als wären sie von einem drückenden Alp befreit. Sie lebten neu auf."[67] Soweit diese wütende Abrechnung mit Goethes ‚Faust', in Wirklichkeit mit dem Phantom des „Faustischen", das der Nation seit fünfzehn Jahren als ein Ideal ihres Strebens und Handelns vorgehalten worden war.

Von dem Weltpriester Adam Müller aus Würzburg ist öffentlich nichts weiteres bekannt geworden. Mit dieser einen Schrift aber hatte er, propagandistisch außer Maß und Fug geraten, dennoch ins Zentrum der „faustischen" Diskussion getroffen. Aus seiner Polemik kann ab= gelesen werden, wie weit diese Diskussion damals tatsächlich vorge= drungen war, welche Bedeutung man ihrer öffentlichen Wirkung bei= maß und welche gereizte Heftigkeit die Reaktion gegen „das Faustische" angenommen hatte.

Die, welche es anging, konnten darauf nur mit Schweigen reagieren. In dieser Tonart konnte man nicht mehr diskutieren; die Lager standen zu feindlich entfernt, als daß Verständigung noch möglich war. Nur das Goethe=Jahrbuch gab beiläufig eine kurze scharfe Abfuhr.[68] Beifall und Dank kamen von den katholischen Kampfzeitschriften, den Mün= chener ‚Historisch=Politischen Blättern'[69] und der (älteren) Mainzer Zeitschrift ‚Der Katholik'.[70] Diese deutete den historischen Zusammen= hang richtig und ordnete die Phalanx, wenn sie Adam Müller mit drei anderen Namen zusammenstellte: den „geistreichen" Schriften Molitors und Haffners und dem „eminenten Werke Baumgartners über Göthe".

Ein Jahr nach Müllers Schrift, 1886, erschienen die beiden letzten Lieferungsteile dieser Goethe=Biographie des aus der Schweiz stammen= den Jesuitenpaters Alexander Baumgartner (1841—1910) und schlossen das umfangreiche Werk ab, das bald nach Herman Grimms Vorlesun= gen begonnen worden war.[71] Im selben Jahr lag auch die Buchausgabe, als zweite Auflage, fertig vor. Baumgartner faßte die gesamte katho= lische Goethe=Forschung und Goethe=Aversion des 19. Jahrhunderts endgültig zusammen, führte den Kampf Molitors und Haffners gegen Goethe und ‚Faust' rücksichtslos weiter und reichte dieses generationen= alte Kampfvokabularium bis weit ins 20. Jahrhundert hinein, nach seinem Tode fortgesetzt von seinem Ordensbruder Alois Stockmann. Noch nach dem Ersten Weltkrieg, 1923, erschien die vierte Auflage dieser Bände. Baumgartners Biographie hatte im katholischen Bereich für ein halbes Jahrhundert gewissermaßen kanonische Geltung erlangt und gab die Stimmung an, mit der man sich dort Goethe näherte.[72] Obwohl man heute genauer überschaut, gegen welche Auswüchse und Provokationen diese Front im Jahrzehnt des Kulturkampfes aufgebaut worden war und sich zu wehren hatte,[73] darf man wohl in Objektivität

sagen, daß diese Goethe=Schimpfschriften kein Ruhmesblatt des deut=
schen Katholizismus gewesen sind — oder nicht so einseitig ausgedrückt:
sie waren es genau so wenig und waren vor dem Phänomen Goethe
nicht weniger mit Blindheit geschlagen als die national=faustischen
Ruhmesredner und titanisch=faustischen Abgrund=Beschwörer. Das
Sprichwort vom groben Keil auf den groben Klotz bewährte sich leider
auch hier — zum Schaden Goethes, zum Schaden des Dichterischen über=
haupt. Erst das ‚Goethe'=Buch von Friedrich Gundolf (1916) beendete
diesen Spuk vordergründig=weltanschaulicher Verzerrungen; Gestalt
und Werk Goethes begannen sich wieder in reineren Maßen zu ent=
hüllen.

Was Baumgartner damals wollte, faßte er bereits in seinem Vorwort
von 1882 zusammen[74]: Goethe „nach dem Maßstab [der] christlichen
Bildung... bemessen" und damit gegen die übertriebene Goethe=
Apotheose und den Goethe=Kult angehen. Als Dichter und Künstler
möge Goethe ein Genius gewesen sein. Aber er war weder ein unüber=
trefflicher Idealmensch noch gar dem deutschen Volke ein erhabener
Wohltäter. Vielmehr sei er, teils durch seine Werke, teils durch seine
glaubenslosen Verehrer, „der mächtigste Prophet des modernen Indif=
ferentismus und Naturalismus geworden". Unter der Devise „Goethe"
würden in einer umfangreichen Literatur „nur Unglauben, Darwinis=
mus, Spinozismus, Naturalismus, alle Sorten von Gefühls=, Kunst= und
Naturchristentum" gepredigt; in seinem Namen proklamiere man, da=
mit kam auch Baumgartner zum Hauptthema, ein „Evangelium der That
und Gesinnung", das gegen das christliche „des Wortes und des Glau=
bens" ausgespielt werde. Mit diesem Goethe sei zu einem Teil der
Kulturkampf geführt worden! So entstand in Goethe „eines der mäch=
tigsten Idole der modernen Welt", sein Kultus ist „zu einem wahren
Institut der Verführung gediehen". Er bedrohe dadurch „den höch=
sten Schatz des deutschen Volkes": seinen christlichen Glauben. „Um
etwas Poesie mehr oder weniger die höchsten und ewigen Interessen
der Menschheit gefährden", rief Baumgartner am Schluß seiner frühen
Vorrede aus, „wäre ebensosehr ein Frevel an der Wahrheit als an der
Liebe!" Von dieser Basis aus betrachtete Baumgartner das Gesamtwerk,
in oft recht hämischer Weise auch das Leben des „Heiden" Goethe.

Neue Züge zum indessen festgelegten katholischen ‚Faust'=Bild trug er freilich kaum bei; Baumgartner faßte zusammen und benutzte hierzu geschickt das exakte Material der neuen, „positivistischen" Goethe=Forschung. Eingangs beschäftigte er sich gründlich auch mit der Faust=sage;[75] er hielt ihren Kern für katholisch, als furchtbare Warnung vor jeder Apostasie. Aber schon im Volksbuch habe sie protestantische Züge erhalten. Die Herabsetzung von Vernunft und Forschung stamme erst von Luther.[76] Dem angeblichen „Titanismus" wurde die Schärfe der Vermessenheit genommen: „denn die Lust zu speculiren, die Schwung=kraft der Adlerflügel, die tiefe Sehnsucht, in alle Höhen und Gründe des Weltalls zu dringen, stammt nicht vom Dämon. Dieser charakteri=stische Zug des Genies ist von Gott selbst in jeden hochbegabten Geist gelegt ...";" als Philosoph und Forscher sei Faust durchaus kein Teu=felskind gewesen, darin habe Lessing, gegenüber Luthers Lehre, recht gehabt.[77] Aber Goethe habe diesen kostbaren theologischen Gehalt der Sage nicht begriffen oder, was Baumgartner wahrscheinlicher dünkte, nicht anerkennen wollen, da er längst vom positiven Christentum abge=fallen und „von den verschwommenen Ideen der Revolution be=herrscht" gewesen sei.[78] „Aus der großartigen Magussage ward eine Liebesgeschichte." Dann folgte, Zug um Zug, die schon bekannte Ab=rechnung mit dem faustischen Idol:

Die Behandlung des Allerheiligsten im Prolog nähere sich der Blas=phemie; Faust, ein „wirrer, genußsüchtiger, phantastischer Schwärmer", der vom Dichter einen Freipaß für alle Sünden und Laster erhalten habe und „alle alten ,beschränkten' Sittenbegriffe bei Seite" räume; sein „pomphaftes Gerede" vom „Streben" sei nur Schein, vielmehr habe er sich „dem dunkeln Phrasentum eines ewigen Fortschritts" verschrieben — so lauteten einige Bemerkungen zum Ersten Teil.[79] „Das versprochene Weltgedicht löst sich in ein Liebesdrama auf, das Liebesdrama in eine Kriminalgeschichte. Mag dieser jähe Sturz auch tragisch sein, kein edlerer Charakter, kein höheres Ideal, keine rettende That lichtet das düstere Nachtgemälde."[80] In ‚Faust II' müßten wir uns schließlich „das Widerstreitendste gefallen lassen: daß der phantastische Mädchenfänger und Mörder Faust noch eine glänzende Weltrolle spielt, die Helena citiert und heirathet, als Gouverneur einer Küstenprovinz einen hollän=dischen Waterstaat einrichtet, ein paar arme alte Leutchen aus ihrem kleinen Besitz verjagen und zufällig auch todtschlagen läßt, Ökonomie,

Industrie, Handel und Colonialpolitik treibt, eine Seerepublik grün=
det, und, von den Engeln selbst den Fangarmen des Mephistopheles
entrissen, obwohl trotzig, geizig, stolz und egoistisch bis zum letzten
Augenblick . . . in die ewige Herrlichkeit aufgenommen wird." Goethe
hätte getrost auch den ganzen Blocksberg in den Himmel heben können.
„Etwas, was einer sittlichen Umkehr, Läuterung und Genugthuung
gliche, bietet Faust im Verlaufe des ganzen Stückes nicht." Sicherlich ge=
nauer als der blinde Überschwang der Loeper und Grimm sah Baumgart=
ner: „Mephistopheles geleitet ihn als Freund, Rathgeber, ja als ein zwei=
tes unzertrennliches Ich bis zum Tode. Sie bilden durch das ganze Stück
eine Firma, und das ganze innere und äußere Leben Fausts ruht auf dä=
monischen Helfersdiensten."[81] Die „faustische Tat" wurde zum Teufels=
werk erklärt. Goethe habe am Schluß noch den Mut gehabt, „den wider=
lichen Egoisten, Verführer, Mörder und Brandstifter, den Schwindler
und Charlatan, den Oberhofnarren und den allegorischen Gemahl der
Helena, den lächerlichen General und Handelsminister . . . als sein
eigenes Lebensideal zu glorificiren".[82] Die barocke Häufung der
Schimpfworte zielte allzu deutlich auch auf das heroisch=„faustische"
Lebensideal; kein Wort schien Baumgartner zu stark, um Faust von
dem angemaßten Thron herabzureißen. Die Verführungsmacht dieser
poetischen Illusion, der sich das deutsche Volk zu verschreiben drohte,
sollte gebrochen werden. Gegen sie trat die gesamte katholische Phalanx
geschlossen an.

„Faust als modernes Weltgedicht", in den späteren Auflagen „Goe=
thes Faust als heiliges Buch der modernen Welt", lautete denn auch
die kämpferisch=ironische Überschrift des abschließenden Faust=Kapi=
tels.[83] Nochmals bestritt Baumgartner nachdrücklich, gleich seinen vielen
Vorgängern, daß im Epilog Fausts Sich=Beugen vor der Madonna von
Goethe ernsthaft christlich gemeint gewesen sein könne. „Das Heiden=
thum ließ den Dichter im Stich, als er seinen Faust den dämonischen
Mächten entreißen wollte, und der Protestantismus ließ ihn im Stich,
als er der Rettung eine schöne Darstellung geben wollte": so sei der
Dichter aus Liebe zur Schönheit am Ende „wenigstens ästhetisch katho=
lisch" geworden, spottete der Jesuitenpater. Das aber sei ein gemein=
samer „Grundzug der gesammten modernen Cultur" und ihres
„Menschheitscults": gegen jede natürliche und geoffenbarte Wahrheit

völlig gleichgültig, nütze sie, wie Goethe, „alle Erscheinungen der Menschheit in ihrer bunten Entwicklung vom Fetischismus bis zur höchsten christlichen Cultur... künstlerisch" aus.[84]

Goethes verworrenes Weltgedicht vertrete leider für viele das Evangelium. Doch was tatsächlich im ‚Faust' vorgehe und wodurch er „verführerisch und bethörend" auf die Moderne wirke, sei lediglich ein ästhetisch=reaktionärer Prozeß. „In Göthe's Faust kehrt der Geist des 18. Jahrhunderts, der Geist Voltaire's und der Encyklopädisten, nach langer, unbefriedigender Weltfahrt, zweifelsmüde in die verlasse=nen Kathedralen des Mittelalters zurück, aber nicht um zu beten, nicht um zu glauben, sondern bloß um die dürren Gespenster des Rationalis=mus loszuwerden und für die Ideale natürlicher Ordnung wieder herz=erfreuende Bilder und Gestalten, Töne und Melodien, Poesie und Kunst zu finden."[85] Himmel und Hölle seien dadurch in ihrem Ernst ausge=löscht.

Das war, im ganzen, das Ergebnis der stärksten Gegenpartei aus der „faustischen Aktion" der siebziger und achtziger Jahre. Baumgartner „ist der einzige Literaturhistoriker von wirklich universeller Bildung gewesen, den die deutschen Katholiken je besessen haben", mußte noch 1910 Karl Muth, in dieser Frage zuständig, in seinem Nachruf fest=stellen;[86] allerdings, von dem Goethe=Buch rückte auch er schon ab, freilich nicht ohne trotzdem die grundsätzliche Berechtigung der Ab=sicht Baumgartners hervorzuheben: die Entartung einer bestimmten „Goethephilologie" vor den „Richterstuhl christlicher Lebens= und Welt=auffassung" zu bringen. Die Verdienste dieser Biographie lägen „daher auch nicht sowohl in der Zeichnung von Goethes Charakterbild, das gänzlich verfehlt ist, sondern in der nicht selten geistreich ironischen Zerstörung jenes einseitigen Idealbildes, welches das ‚Goethepfaffen=tum' der achtziger Jahre, nicht zum Vorteil einer wahren Erkenntnis von Goethes Leben, geschaffen hatte". Das „Baumgartnersche Scherben=gericht" habe, so meinte jedenfalls Karl Muth, seinen Teil dazu bei=getragen, die Goetheforschung auf bessere Wege zu führen.

Baumgartner hatte langher Überkommenes zusammengefaßt und, trotz seiner Maßlosigkeit in vielen Einzelzügen, den Bereich der katho=lischen Kritik nochmals gründlich abgesteckt. Nachfolgende Abwand=lungen und weitere Nuancierungen dieser Kritik brauchen uns daher nicht mehr näher zu beschäftigen.[87] Nur die exemplarischen Äußerungen dreier späterer katholischer Schriftsteller seien, den einen „Gegenzug" abschließend, angefügt, um die durch ein Jahrhundert reichende Ein= heitlichkeit dieser „antifaustischen" Abwehr nochmals charakteristisch zusammenzufassen: Romano Guardini, Theodor Haecker und Reinhold Schneider. Von protestantischer Seite fügte sich Karl Kindt beispiel= gebend ein.

Am Ende des Ersten Weltkrieges gab Romano Guardini, ebenfalls von Maria Laach aus, sein berühmt gewordenes Bändchen ,Vom Geist der Liturgie' in Druck.[88] In dem Kapitel mit der sinnweisenden Über= schrift „Der Primat des Logos über das Ethos",[89] einer knappen Über= sicht der geistigen Entwicklung seit dem Mittelalter, kam er auf die zentrale Bedeutung von Goethes ,Faust' für die neuzeitliche Geistes= geschichte zu sprechen, die Guardini durch die Umkehrung jenes christ= lich=katholischen Primats gekennzeichnet erschien, in der analog auch der Gegensatz von „Liturgie" und „Tat" sich ausdrücke. Schon seit dem Mittelalter beginne sich der Wille immer eindeutiger an die Stelle der Erkenntnis zu setzen. Die eigentliche Wende der „unternehmenden, angrifflichen" modernen Wissenschaft, die aus dem „Primat des Wil= lens", nicht dem der Erkenntnis entstanden sei, bilde Kant. Er stellte das Ethos über den Logos. Was jedoch Kant noch „logisch", als „reinen" Willen verstanden habe, sei bei seinen Nachfolgern Fichte, Schopen= hauer, Hartmann, Nietzsche zum „psychologischen Willen" geworden; der verlange nur noch, am Ende als „Wille zur Macht", die Förderung des „Lebens", nicht Erkenntnis der Wahrheit. Auch die Wahrheit er= scheine nur noch als „sittliche", schließlich als „vitale" Tatsache. So herrschten in der Gegenwart einseitig der Wille und Willenswerte. Erfolg, Kraft, Tat, der Wert der Arbeitszeit würden verehrt.

Aufgabe des Katholizismus — und seiner „erinnernden" Liturgie — sei es, diese Vorherrschaft des Willensethos zu bestreiten, „sich dieser Geistesart mit ganzer Macht entgegen" zu stellen. Der Protestantismus bleibe, nach Guardini, im Voluntarismus stecken, er stelle geradezu die „religiöse Ausgestaltung" des neuzeitlichen voluntaristischen Gei= stes Kantischer Prägung dar; in ihm werde Religion, statt bekennbarer Glaube, zur Heiligung irdischer Tätigkeit. Solche Geistesverfassung nannte Guardini ungesund, unwahr, unnatürlich, unlogisch. In dieser

Umkehrung und Abkehr liege „die eigentliche Quelle für die furchtbare Not unserer Zeit". Hier auch sei der Ort Fausts: „Goethe hat wirklich ans Letzte gerührt, als er den zweifelnden Faust an Stelle des Satzes ‚Im Anfang war das Wort' schreiben ließ: ‚Im Anfang war die Tat'." Mit dieser Verkehrung habe sich der Mensch autonom auf sich selbst ge= stellt und die Haltung Gottes angenommen. Aber nicht „das Tun", Fausts Tat, dürfe den gültigen Vorrang im Gesamtbereich des Lebens haben; das „Sein", d. h. der Logos, stehe über dem Ethos, auch über dem faustischen Ethos.

Gegenüber der aufgeregten Maßlosigkeit der katholischen Goethe= Kontroverse während der letzten Jahrzehnte vor dem Ersten Weltkrieg fiel die ruhiger messende Stimme Guardinis um so stärker ins Gewicht. Nicht ob sein Urteil in allem „richtig" war, ist entscheidend. Entschei= dend, schon am Ende des Krieges (1918), war seine Rückverweisung der „faustischen Tat" unter die übergreifende Macht des „Logos". Ob Goethe es ähnlich gemeint haben könne, fragte Guardini hier nicht. Sein Protest ging auch nicht gegen Goethe, dem er vielmehr die Tief= sicht in die Not der Zeit bestätigte. Sein Protest zielte wieder gegen die Verwechslung von Tun und Sein (darf man anfügen: auch gegen die Verwechslung von Poesie und Sein?), aus der Guardinis Meinung nach die moderne Friedlosigkeit, ihre „Gebärde machtloser Gewaltsam= keit" stamme.[90]

Theodor Haeckers ‚Vergil. Vater des Abendlandes' erschien 1931, acht Jahre nach der letzten Auflage des Baumgartner/Stockmannschen Goethe=Buches und nur zwei Jahre vor Böhms „Nichtfaustischem". Es genügt, daraus kommentarlos das bekannte Zitat anzuführen, dessen „Vorgeschichte", einschließlich jener der „faustischen Natur", seit den frühen dreißiger Jahren des 19. Jahrhunderts genügend aufgehellt wor= den ist: „Das Titanische sowohl als auch das Prometheische, das Empö= rerische aus Neid wie aus Sympathie gehört mit zum abendländischen Menschen, aber es ist nur ein Ingrediens, das spontan oder langsam als Unrecht, ja als Sünde erkannt wird, dessen Träger ... bestraft wird. Das ist zu beachten, insbesondere von Deutschen, die das Prometheische sowohl wie das Titanische erneuert haben im Faustischen, vor dem es dem alten Goethe dann doch am Schlusse des Lebens und des Stückes ein bißchen gegraut hat. Der sogenannte faustische Mensch, mit dem

so viel Unfug getrieben wird, dessen Ideologie so viele Jugend, intel=
lektuell wie moralisch, verwüstet, ist nicht etwa ein neuer Mensch, der
ein Recht hätte, sich gleichwertig gegenüberzustellen dem Heiden, dem
Juden und dem Christen..., sondern er ist ein triebhaft hypertro=
phischer sowohl wie ein intellektuell atrophischer Mensch, den es aber
wesentlich im Judentum wie im Heidentum schon gegeben hat. Auf den
höchsten Wegen indes, die das Judentum und das Heidentum gegangen
sind, haben sie den gegen die Gottheit trotzenden Menschen seitwärts
oder schon weit unten liegen gelassen. Hiob begräbt ihn in sich selber,
und die beiden größten Heiden und weltlichen Väter des Abendlandes,
die geschrieben haben, Platon und Vergil ... haben in ihrem Ideal vom
Menschen nicht eine Spur mehr von Trotz gegen Gott gelassen. Es ist
jedoch wahrlich nicht an dem, daß Platon oder Vergil von dem soge=
nannten faustischen Menschen... in seiner wesentlichen Geistesart
oder =unart nichts gewußt hätten, wie eine moderne typenwahnsinnige
Ignoranz meint. Im Gegenteil, in den Platonischen Dialogen steht
schließlich mehr über den faustischen Menschen als bei Spengler, jeden=
falls Wesentlicheres ..., und Vergil, der Sulla und Antonius erlebt hatte,
um sie in der Hölle wiederzufinden, wußte wenigstens im Politischen,
was sogenannte faustische Naturen sind."[91] So war Faust, genauer: nur
die apoetische Erfindung des sogenannten „Faustischen Menschen" hun=
dert Jahre nach Goethes Tod als Gegentyp (nicht mehr als Prototypus)
abendländischer Tradition und Verantwortung erkannt worden, als
eine permanente innere Gefährdung des Abendlandes, die zu über=
winden (was Goethe ebenso wußte und gesagt hatte) dessen dauernde
geistige und geschichtliche Leistung ausmachte.

Karl Kindt ging in der protestantischen Zeitschrift ‚Zeitwende', wie=
derholt in seinem Buch ‚Geisteskampf um Christus. Weckrufe an das
deutsche Gewissen' (1938),[92] als Theologe und Philologe von genauer
Text= und Formauslegung aus, ohne die Scheuklappen der üblichen
(„idealistischen") Faustkommentare,[93] angeregt schon durch die neuere
Faustphilologie (u. a. Burdach, Böhm, H. Herrmann), als er in seiner
„Meditation über die Philemon= und Baucis=Szenen in Goethes ‚Faust'"
die tragische Ironie Goethes im 5. Akt des Zweiten Teiles entdeckte
und angesichts des „urkundlichen Tatbestandes", des Goetheschen Tex=
tes, die „These vom siegenden, ungebrochenen Idealismus" als philo=

logische Schwarmgeisterei erklärte. Die ungeheuerliche Philemon= und Baucis=Episode, die Goethe bewußt an die betonte Stelle des letzten Akteinganges gestellt habe, alle Vorgänge bei der Kolonisation, Ein= deichung und Trockenlegung von Fausts Seestaat, Fausts Blendung durch die Sorge, Arbeiterpressung und Lemurengrab — durch jeden Einzelzug des Schlußaktes erhalte das Drama eine Wendung, „welche der These vom siegenden Tatidealismus und überhaupt der Phrase vom faustischen Menschentum, die nicht nur im Hirne Spenglers ge= spukt hat, jede Beweiskraft entzieht"[94]: „man muß schon lange suchen in der Weltliteratur, bis man eine Szene von ähnlicher Gewalt der tragischen Ironie findet, die sich der letzten Erdenszene im ‚Faust' . . . vergleichen ließe".[95] Die „Wirklichkeit" des Textes am Aktende, vor Fausts Tod, vor dem poetischen Übertritt auf die metaphysische Ebene, zeige vielmehr den, mit Hilfe von Mephistos Teufelsdiensten einge= richteten, angeblichen „Idealstaat" kurz vor seinem Untergang, den „Herrscher dieses Idealstaates in sein eignes Grab torkelnd — so sieht es mit dem Siege des Tatidealismus in Wirklichkeit aus"! Goethe selbst habe im Schlußakt des ‚Faust', tief ironisch, tief bitter, das Schei= tern der „faustischen Tat" vorgeführt. „Der alte Faust — das ist gleich= sam der Prozeß der Selbstverbrennung des sittlichen Idealismus in Reinkultur. Das sittliche Ich triumphiert; das Nicht=Ich hat nur das Recht, sich dem dämonisch=tyrannisch sich ausrasenden Willen des gestaltenden Ich zu unterwerfen."[96] Der genaue Wortlaut und Form= sinn des Textes wurde ins Feld geführt, um den „faustischen Idealis= mus", den man zur deutschen Nationalideologie erklärt hatte, als philo= logische Unredlichkeit zu entlarven. 1938, als dieser mutige Aufsatz Kindts erschien, ging es extrem um Staat und Nation, wo vom Faust= Text und vom faustischen Menschen gesprochen wurde.

Reinhold Schneider schrieb ‚Fausts Rettung' 1944 und veröffentlichte diese wiederum leidenschaftlich=einseitige Kampfschrift zwei Jahre spä= ter, noch vor der „faustischen" Abrechnung Thomas Manns. Übrigens war es geschichtlich nur genau, wenn auch bei Schneider wieder der Name Lenaus fiel[97] und dessen Absage an die Heilung Fausts zitiert wurde; der Bogen zurück bis zu der frühen „Wiener Kritik", ein= schließlich der Martensens, war geschlagen. Auch aus dieser Schrift nur ein paar Sätze, um die Fortsetzung der „Tradition" in ungemin=

derter Schärfe anzuzeigen: „Der ‚Faust' ist in gewissem Grade das heilige Buch eines Jahrhunderts gewesen: ist er es noch?" „Hat der ‚Faust' nicht Geschichte gemacht in den letzten hundert Jahren und vielleicht gerade die Schrecken beschworen, die uns erschüttern?"[98] — so die leitenden Fragen. Faust wisse von Anfang an, daß er scheitern werde: „das Merkwürdige ist nur, daß von einigen Generationen Faust zum Ideal erhoben wurde".[99] „... das große Problem für die Deutschen und für die Welt, für das Zeitalter, dessen Sprecherin Goe= thes Dichtung ist: es ist die Rettung Faustens"[100] (durch den von ihm nicht angenommenen Osterruf „Christ ist erstanden!"). „Das ‚Fau= stische', nach dem wir schon Zeitalter und Kulturkreise benennen woll= ten, bedeutet die schuldbeschwerte Flucht des gescheiterten, nicht be= friedbaren Geistes durch alle Räume der Welt, des Abgrundes, der Geschichte."[101]

Nicht den Dichter und die Dichtung selbst wollte Schneider treffen (das ist gegenwärtig bei ernsthaften Interpreten nirgends mehr zu be= obachten), „sondern den verderblichen Kultus, der dem faustischen Ideale gilt: die Apotheose des scheiternden Verderbers".[102] Schneider selbst schloß mit einer die Dichtung übersteigenden und übersteigern= den Apotheose, die ihrerseits die poetische Welt zerstörte. Erst in der Religion der Gottesmutter „wird das Faustische wirklich bezwungen und gelöst"[103] — Fausts geschichtliche Zeit sei damit abgelaufen.[104] So= weit Reinhold Schneider, späte Stimme der wiederaufgenommenen, nie unterbrochenen Tradition katholischer gegenfaustischer, aber nun nicht mehr antigoethescher Abwehr.

*

War es ein Zufall, daß am Ende des 19. Jahrhunderts die wohl leidenschaftlichste Ablehnung von Fausts vorgeblich reinem Streber= tum und einer exemplarischen Nationalisierung des „Faustischen" eben= falls diesen Bogen zurückschlug bis zur Kritik der Enk, Lenau, Marten= sen und sie also wiederum unter dem Feldzeichen Franz von Baaders stand? Wie damals in den dreißiger Jahren der protestantische Theologe Martensen, aus deutsch=dänischer und also antipreußischer Randlage, die frühen gegenfaustischen Stimmen in seiner Schrift über Lenaus ‚Faust' in prinzipieller Setzung zusammengefaßt hatte,[105] so jetzt 1892 der Protestant (zuletzt Präsident des evangelisch=lutherischen Konsi=

storiums) Wilhelm Gwinner (1825—1917) aus Frankfurt am Main, dessen Vater, seit 1865 Ältester Bürgermeister, die Freiheit der alten Reichsstadt gegen den Bismarckischen Zentralismus verfochten hatte. Der Sohn, Dr. phil. et jur., selbst Stadtgerichtsrat, war nicht weniger gegen den modernen „reichischen" Fortschritts= und Einheitsoptimismus eingestellt.[106] So kombinierte er, ein Halbjahrhundert nach Martensen, zu Franz von Baader (und das hieß auch immer Jakob Böhme) nun Gervinus und dessen Warnung vor Faust hinzu. Diese Konstellation war, wo immer am Ende des Jahrhunderts gegen Faust und das Faustische gesprochen wurde, kein Zufall; in ihr fügten sich die kräftigsten, wenn auch in sich widersprüchlichen Gegenmächte dieses Jahrhunderts ineinander. Gwinner faßte sie 1892 in seinem eigenwilligen Buch ,Goethes Faustidee. Nach der ursprünglichen Conception aufgedeckt nud nachgewiesen'[107] von neuem zusammen und überlieferte ihre Argumentation, von der „offiziellen" Forschung schroff verschwiegen,[108] ins 20. Jahrhundert. Die leidenschaftliche Einseitigkeit auch seiner Gedanken schwelte trotzdem untergründig weiter; sie wurde später bei Günther Müller, Josef Nadler u. a. wieder wirksam.

Gwinner, eng mit Schopenhauer befreundet, sein Testamentsvoll= strecker und erster Biograph (1861, 1901), war in der Tat der „galligste aller Gegner" (Vischer).[109] Er protestierte gegen eine, wie er meinte, falsche ,Faust'=Auffassung, er protestierte gegen eine falsche ,Faust'= Forschung, er protestierte gegen die bedenkenlose Gleichsetzung von Faust und Nation, er protestierte gegen die ebenso bedenkenlose Ver= götzung des Fortschrittes im Zeichen des nationalen Fausts. „In Sachen der ,strebenden' Menschheit nämlich versteht man heutzutage keinen Spaß", hieß es gleich am Anfang des Vorwortes, „und *jenes Faustische Virtuosen= und Heldenthum* ist trotz der Teufelspossen, die man ihm nachsieht, dem selbstgewissen Arbeiter an unserer großen Culturma= schine so wahlverwandt, daß er darin das Palladium seiner Freiheit erblickt, an das ihm Niemand ungestraft rühren darf. Ja er wittert bereits geradezu Gotteslästerung gegen seinen Nationalheros Faust, der gleich ihm das Heiligste mit dem Heillosesten zusammenwirkt, sobald nur daran gedacht wird, daß diesen der Teufel geholt haben könne."[110] Das war das eigentliche Thema des allzu breiten, über 500 Seiten langen Buches, das eine Umkehrung des damaligen modernen ,Faust'=Bildes versuchte und der Nation die Augen öffnen sollte. So lautete denn das zweite Thema, mit dem Gwinner unmittelbar dem falschen Faustideal der Wissenschaft und der Leserschaft entgegenzutreten versuchte: Goe= thes Faustidee „nach der ursprünglichen Conception" herauszuarbeiten — „im Gegensatze zu dieser echten und wahren ‚Faustidee' steht eine in allen möglichen Lichtern schillernde, vom Dichter selbst, hauptsächlich durch den ‚Prolog im Himmel' seinem Werke später angehängte Pseu= doïdee . . .".[111] Kronzeuge für diese Hypothese mußte wieder das Frag= ment von 1790 (dazu der indessen entdeckte „Urfaust") sein, weniger ‚Faust I', durchaus nicht ‚Faust II'. „Faustisch" selbst wurde, neben einigen wahrscheinlich eher possessiv gemeinten Verwendungen,[112] ver= hältnismäßig selten direkt aufgenommen und angegriffen, dort aber in vollem Bewußtsein seiner überhöhten nationalen Ideologie, wie bereits das Eingangszitat zeigt.

Die Streber=Idee („das ‚Streberthum' als Grundtendenz der moder= nen Lebensführung"), diese Pseudo=Faustidee, zu zerstören und sie als unvereinbar mit dem Fauststoff und auch mit Goethes eigener ur= sprünglicher Konzeption nachzuweisen, bedeutete für Gwinner wie für seine Vorgänger und Nachfolger, gleichzeitig die nationale Heroisie= rung als absurd zu erklären und „die landläufige einheimische Faust= verherrlichung" als unverantwortlich hinzustellen. „Denn dieser in seiner Erhabenheit nachgerade lächerlich gewordene Faustcultus ist es, den die Deutschen beharrlich dem Urtheile der anderen Nationen auf= drängen"; durch ihn solle die Mitwelt erstaunt erfahren, „wie herrlich weit es der Mensch in Deutschland im neunzehnten Jahrhundert ge= bracht hat!"[113] Höhnisch spottete Gwinner über den angeblich durch einen „Sündenfall der Sinnesgier" Mephistos geretteten Faust (Dünt= zer): das also sei „der würdige Gegenstand der allgemeinen National= bewunderung der Deutschen! Mit dieser Puppe spielt Alt und Jung, nachdem der Hanswurst weggeworfen ist, zur aufrichtigen Erbauung!"[114]

Gwinner stellte daher an den Anfang eine längere Auseinander= setzung mit einigen Werken der damaligen Faustdeutung (Fr. Th. Vi= scher, J. Schmidt, Biedermann, K. Fischer),[115] setzte in Wirklichkeit diese Polemik aber durch das ganze Buch fort; auch Düntzer, Köstlin, H. Grimm, v. Loeper dienten als heftig kritisierte Beispiele für „die gren= zenlose Zerfahrenheit des Urtheils über unser ‚Nationalgedicht'".[116]

Die seltsamen „Transfigurationen" des ‚Faust' durch diese verherrli=
chenden modernen Interpreten veränderten den ursprünglichen Kern
der Tragödie völlig.[117] Der Fortschritts=Streber habe den tragischen
Frevler Faust nach und nach aus dem Gedächtnis der Nation gebracht.
„Daß diese der alten Dichtung untergeschobene Pseudoïdee des Prologs,
nebst dem ganzen zweiten Theil, als die natürliche Entfaltung der ur=
sprünglichen Conception anerkannt wird, und zwar bei stetigem Wachs=
thum der Zuversicht bis auf den heutigen Tag, so daß dieser Goethische
Faust bei den jüngeren Auslegern geradezu als Normaltypus des ‚wah=
ren und ganzen Menschen', ja der Menschheit in allgemeiner Geltung
steht — dieß ist wohl das stärkste Beispiel der Gewaltherrschaft, die die
Autorität des Genies über die Vorstellungen seiner Landsgenossen zu
üben vermag."[118] So wurde der Dichter des „Prologs" mitverantwortlich
gemacht für die Verwischung des eigentümlichen Antlitzes Fausts. Noch
näher an die zeitgemäße Problematik des „Faustischen" und der darin
einbeschlossenen „rastlosen Thätigkeit" ging eine andere Bemerkung:
„dieser ‚vergeistigte' moderne Faust ist nämlich ein moralischer Sala=
mander, dem das höllische Feuer nichts anhaben kann: je tiefer er in
das Verbrechen hinabtaucht, desto geläuterter und erhobener geht er
daraus hervor!"[119] Gwinner war sich genau bewußt, welche Art von
„Vergeistigung" er in der von ihm immer wieder zitierten Gruppe der
Faustinterpreten angriff. Auch er zielte auf die von ihnen hineingedeu=
tete ideologische Verwechslung von ‚Faust'=Gedicht und National=
ethos.[120]

Zieht man die Gedankengänge Gwinners zusammen, die er in breiter
Ausführlichkeit an den wichtigsten Szenen des ‚Faust' exemplifizierte,
ergibt sich folgender Grundriß: der Teufel, mit Pakt, Hölle und Ver=
nichtung, müsse — im Gegensatz zur zeitgenössischen Forschung —
fundamental ernst genommen werden, wie dies der junge Goethe selbst
getan habe; später, als die entdiabolisierte „Pseudoïdee" eingefügt
wurde, sei der Dichter sich selbst fremd geworden. Fausts Unersättlich=
keit, sein eigentümlicher Drang nach bloßem Haben und Genießen,
sein frevelhaftes Eindringen in das Schöpfungsgeheimnis, sein Wissen=
wollen des Bösen und das Bündnis mit ihm, Fausts „Magie" also und
ihre Folgen, setzten, wie in der Sage, die Realität des Teufels, des ver=
körperten Bösen, voraus. Schon von dieser Realität her ergebe sich der

tragische Grund der Dichtung, der von der Streberidee überlagert werde; an diese allein aber, das blieb entscheidend, halte sich die landläufige Auslegung. Daraus gar einen organisch=notwendigen „Naturproceß" zu machen („naturgemäß", „naturnotwendig") und solche natürliche „Entwicklung" als „Läuterung" zu erklären (gesprochen vor allem gegen Kuno Fischer), heiße die Faustidee auf den Kopf stellen. Kate= gorien des „Pantheismus" oder „Monismus" — das müsse selbst ge= gen Goethes eigene theoretischen Überlegungen gesagt sein — reich= ten zum Verständnis der Dichtung keineswegs aus.[121] Gerade solche „modernen" Vorstellungen vor allem einer naturgesetzlichen Entwick= lung, aber auch des Fortschrittes oder der Arbeit um ihrer selbst willen, hineingenommen in die ‚Faust'=Deutung, empfand Gwinner als be= sonders verhängnisvoll. Die „Idee der Entwicklung" erschien ihm in= haltslos und ethisch indifferent;[122] ein ebensolcher „ethisch leerer Be= griff" sei das „Streben", die Tätigkeit an sich.[123] Das sind moderne Wahnvorstellungen. Für Faust erkläre sich damit nichts.

Die eigentliche „Gleichung der Faustidee" stelle vielmehr der Gegen= satz von Geist und Natur dar[124] — der „Zwiespalt zwischen Zeugung und Zerstörung",[125] das „Verschlungensein des Geistes von der Na= tur".[126] Nicht eine Natur=Offenbarung als „physisch=ästhetischer Natur= genuß" oder als „Entwicklung" charakterisiere die Faustidee, sondern eher eine Natur, wie sie, voll teuflischen Anteiles, sich in der Walpurgis= nacht und dem Kultus auf dem Brockengipfel „offenbare".[127] Auf sol= chen gnostisch=manichäischen Grundvorstellungen erbaute der Schüler Jakob Böhmes und Franz von Baaders schließlich sein eigenes Faust= bild, in dessen Mitte die Magie, die „magische Einbildung", „die ver= suchende Macht der Imagination" stand.[128] Mit Baader[129] behauptete Gwinner den „Zusammenhang des Wissenstriebes mit dem Lust= oder Zeugungstriebe", und das heißt, wie Nadler mystisch umschrieb, „den metaphysisch synonymen Sinn von ‚Erkennen' und ‚Zeugen'".[130] Das Wissenwollen, gesteigert als „Wissenwollen dessen, was nicht sein soll, des Bösen", wurde zum tragischen, zum Faust=Motiv schlechthin er= klärt.[131] Fausts Magie sei „auf die Enthüllung des verborgenen Grundes der Natur mittelst Steigerung der Imagination gerichtet"[132] — gei= stig wie auch geschlechtlich. Gerade die „Nachtseite der Natur oder ihr Wurzelleben" stelle das „eigentliche secretum tegendum" dar; es ent=

hüllen zu wollen — so Fausts „Streben" — bedeute die tragisch=frevent=
liche Verletzung des Schöpfungsgeheimnisses.[133] Zahlreiche Böhme= und
Baader=Zitate unterstrichen diese für Gwinner fundamentale Einsicht.
„Titanenübermuth und Satyrkitzel" seien die genauesten Kennworte
für Fausts Tätigkeit.[134] Das erfordere aber, sich mit dem Bösen magisch
zu verbinden.[135]

Gwinner fügte — den ganzen Absatz gesperrt gedruckt — seine The=
sen, die er „behaupten" und „beweisen" wollte, in einem Doppelsatz
zusammen (der Tonfall Böhmes und Baaders ist leicht herauszuhören):
„Die Magie Fausts in Goethes ursprünglicher Conception ist, in Über=
einstimmung mit dem tieferen Sinn der Sage, nichts anders als eben der
Versuch, sich mit dem Grunde der Natur mittels Einbildung (Imagi=
nation) intim zu machen... das specifische Gelüsten nach Enthüllung
des Mysteriums des Lebens, nach Öffnung der verschlossenen Werk=
stätte der Natur, nach Aufregung und Entblößung ihrer ewig verborgen
zu haltenden Wurzel oder ‚Samenkraft' — ein Sich=Unterfangen, das in
seinem Ursprunge wie in seinen Folgen die schwerste Verschuldung
involvirt und deshalb tragische Bedeutung hat, indem es, entsprungen
aus einem Sich=versehen=haben an der Natur..., mit verhängnisvoller
Verirrung und hochgefährlichem Mißbrauche des Doppeltriebes der Er=
kenntnis und der Zeugung zusammenfällt und in die beiden Pole des
Seelenverderbs: (geistige) Hoffart und (sinnliche) Niedertracht ausläuft.
Mit andern Worten: Fausts Geistwille unterliegt der Versuchung — im
Gegensatz zu der dem Menschen aufgegebenen legitimen Herrschaft
über die Natur — in das Naturprincip als solches zu imaginiren und,
scheinbar es meisternd, *unter* es zu fallen...".[136]

Unter solcher Voraussetzung und Behauptung vermochte Gwinner
auch, die „Liebestragödie" (Gretchen) in die ursprüngliche Konzeption
Goethes einzufügen, sie also nicht, wie bis dahin oft, als mehr oder
minder „fremdartiges Element" (Erich Schmidt), als „idyllische Episode"
(Köstlin) aus der eigentlichen Fausthandlung auszuweisen.[137] Die
„Liebe", mit ihrer Tag= und Nacht=, ihrer Geist= und Tierseite, wurde
von Gwinner eher sogar ins Zentrum der Fausthandlung gerückt. „Der
Schwerpunkt der Hybris dieses Goethischen Fausts liegt... in der Ge=
schlechtssphäre: der Mißbrauch des Zeugungstriebs überwuchert die
Handlung..."[138] Hier, wo Gwinner die Darstellung seiner Auffas=

sung konzentrierte, findet man mehrfach und betont das Wort „fau=
stisch" verwendet, dessen scheinbar nur possessive Bedeutung dennoch
deutlich auf die vorausgesetzte zeitgenössische Überhöhung abzielte: der
„durchaus sinnlich begehrende Charakter der Faustischen Lust", die
„Bethätigung des frevelhaften Faustischen [gesperrt!] Begehrens" in
der „dämonischen Sinnlichkeit der Liebesleidenschaft".[139] In der an=
dauernden Steigerung von Fausts Schuld, aufgereizt durch Mephisto,
„entrollt sich der dämonische Charakter dieses abgründigen Faustischen
Lebensgangs, der den Gegenstand des richtig aufgefaßten Gedichts
bildet".[140] Schließlich faßte Gwinner seine Definition zusammen, indem
er jetzt „faustisch" verallgemeinernd einsetzte, in gleichem Atemzuge
aber (und da lag der Nachdruck) die „modernen" Ausleger anging.
Fausts „Gelüsten nach der Erkenntnis, die zu dem Eritis sicut Deus
führt", erhoffe sich, so meinte Gwinner nachgewiesen zu haben, allein
noch Hilfe vom Bösen — „der beste Beweis für den verbrecherischen
Charakter seines Wissenstriebs und zugleich der Beweis für die Rich=
tigkeit unserer ganzen Deduction der ursprünglichen Idee der Dich=
tung, die sich eben mit einem Faustischen, d. i. durch Magie erzwun=
genen, frevelhaften Aufschlusse der Natur befaßt! Davon will aber die
moderne Anschauung grundsätzlich nichts wissen."[141]

Damit war der ganze Bogen noch einmal zurückgewendet. Gwinner,
wenn auch abseitige und überhörte Stimme in dem Jahrzehnt vor der
Jahrhundertwende, führte den Begriff „faustisch" von neuem und radi=
kal hin auf „frevelhaft, verbrecherisch, hybrisch", in dasselbe Wortfeld,
in das „faustisch" ausdrücklich schon bei Göschel, Falk, Martensen, bei
Gervinus und Spielhagen u. a. gestellt und in das auch die ‚Faust'=
Dichtung selbst von allen ihren Gegnern und Hassern des 19. Jahr=
hunderts gewiesen worden war. Mehr und mehr hatte sich dieser schein=
bar nur interpretatorische, scheinbar nur wissenschaftsmethodische
Vorgang zu einer nationalen, zu einer ideologischen Auseinanderset=
zung gesteigert. Darin muß auch der eigentliche Antrieb des Buches von
Gwinner gesucht werden. Sein möglicher wissenschaftlicher Wert,
Gwinners eigene Verranntheit in den „Ursprung", statt die vorliegende
Dichtungsgestalt in ihrer wunderreichen poetischen Eigenart anzuneh=
men, ist hier im einzelnen nicht zu diskutieren; trotz allen „mystischen"
Abwegigkeiten sollte nicht geleugnet sein, daß Gwinner, innerhalb der

damaligen Forschungslage, manches genauer und gründlicher sah als die amtlichen Perfektibilisten (Gretchenhandlung, Walpurgisnacht, Mephistopheles, Fausts „Tätigkeit", der doppelte Aspekt der „Liebe", überhaupt das Doppelsinnige der ganzen Handlung). Worum es Gwinner schließlich ging, zeigt eindeutig der letzte Satz des Buches: dort nannte er es einen fundamentalen Mißbrauch des Goetheschen ‚Faust' durch die Deutschen, wenn sie diese Dichtung „als bloßes Zeitbild, wennschon als Ideal des Zeitgeistes, *oder gar als ihr nationales Lebensideal*" betrachteten![142] Darum also diese fanatische Infernalisierung und Diabolisierung, die Einteufelung Fausts! Darum Angriff um Angriff gegen die fälschende „Streberidee", gegen das „Faustische Virtuosen= und Heldenthum"! Faust sollte seiner verhängnisvollen Rolle als „Nationalheros" entkleidet werden. Er wurde in den ihm allein gebührenden Raum der Dichtung zurückgewiesen; dort aber erschien er Gwinner als Frevler, als Verbrecher, als Teufelsbündner, dem — ohne den unrechtmäßigen Eingriff der „Pseudoïdee" — die Hölle ein für allemal zugestanden hätte. Trotz der vorangehenden und gleichzeitigen konfessionellen Kritik, trotz Gervinus und Spielhagen, war das Buch Gwinners der schärfste und grundsätzlichste Protest gegen die „faustische Ideologie" vor Thomas Manns ein halbes Jahrhundert später aus ähnlichen Gründen vollzogener Diabolisierung des Faustus=Deutschen.

Zwei Jahre später, 1894, vermittelte zwischen diesem Protest gegen ein „nationales Lebensideal" faustischer Tätigkeit und dem späteren faustischen Untergang des Abendlandes ins Fellachentum (Spengler) ein Aufsatz in der Zeitschrift der „naturalistischen" Generation, ‚Die Gesellschaft'.[143] Albert Kniepf behauptete dort zur „Grundbedeutung des Goetheschen Faustgedichts": „nach einer romantischen Hetzjagd in den kaleidoskopisch wechselnden Idealen von Jahrtausenden findet der *erschöpfte Faust* Befriedigung in einer Hallucination, die ihm ein Gewimmel von — Arbeit vorspiegelt". Die besondere Tragik der Moderne sei es, „daß der romantische Idealismus der modernen Bildung in der Verherrlichung der besinnungslosen Arbeit versanden mußte". Das Faustgedicht gibt das Paradigma dieser Entwicklung. Kniepf legte wieder den Finger auf die ideologisch mißbrauchten Schlußszenen von ‚Faust II', 5. Akt; er las aus ihnen ein Abwärts, kein Aufwärts heraus. „Die Moral der Arbeit hatte gesiegt, aber aus dem Himmelsstürmer

Faust war ein müder Greis geworden. Was dokumentiert sich darin? — Die Erschöpfung einer großen Kultur der Ideale in — ‚Arbeitskultur'; das will jedoch nicht weniger heißen, als die Erschöpfung einer langen Kultur, *unserer* Kultur überhaupt!" Deutlicher konnte der Gegensatz nicht formuliert werden. Die „zerstörende Kehrseite" der modernen „Betriebsamkeit", nach Kniepf „Sozialpolitik" genannt, wurde dem national=bürgerlichen Ideal der Arbeit im gewendeten Spiegel entgegen= gehalten. „Die Totengräber, welche der ausgehöhlte Idealist Faust ‚schaffen' sah, haben sich inzwischen millionenfach vermehrt und gra= ben einer Kultur das Grab." Fausts Weg, sozialpolitisch als „Ideal" und „Arbeitsmoral" angepriesen, müsse in einer Gesellschaft enden, die „nichts mehr zu hoffen hat, als höchstens — das allgemeine gleiche Gewimmel der ‚Arbeit'..." — eine abgründige „faustische" Gegen= vision, noch ohne den Spenglerischen amor fati, deren versuchte Reali= sierung aber kaum länger auf sich warten ließ als der Aufruf zum nationalen faustischen Aufbruch.

*

Die anti=faustische Gegenkurve in den drei Jahrzehnten vor der Jahr= hundertwende ist mit diesen Beispielen ebenfalls genügend charak= terisiert worden. Sie war nicht weniger kräftig, nicht weniger breit ausgebildet als die andere. Nur das Zusammenspiel beider Kurven, der „positiven" wie der „negativen", nur der Vergleich beider Wortfelder, die sich antinomisch um dasselbe Wort legen, gibt Einblick in die historische Realität, soweit diese in der Diskussion eines literarischen Schlagwortes überhaupt sichtbar werden konnte, und läßt die Tiefe der Entfremdung im Anruf Fausts erkennen, die diese Auseinandersetzung, in gegenseitiger Erhellung, aufriß. Ein Literaturwerk, eine Dichtung höchsten Grades, war zur Scheide politischer und ethischer Ideologien geworden; die Ströme liefen auseinander, statt sich zu vereinigen. Und es ist sicherlich keine Paradoxie, sondern eine methodische Folge, wenn die Dichtung selbst, in ihrer Eigengestalt und in ihrem Eigengefüge, von diesen zentrifugalen Deutungen unerfaßt blieb. Erst eine Selbst= besinnung der Philologie auf ihre interpretatorische Methode, die Ge= schichte und Sein einer Dichtung wieder zusammenzusehen vermochte, konnte Form und Mitteilung des Gedichtes von neuem zu begreifen versuchen.

Daß diese anti=faustische Kurve, parallel mit einem genauer bemüh= ten Begreifen der ,Faust'=Dichtung, sich nach und nach in den Jahr= zehnten des 20. Jahrhunderts durchsetzte und nach dem Zweiten Welt= krieg, in verschiedenen literarischen[144] und wissenschaftlichen Modifi= kationen, das Feld behauptete, ist vertrauter. Nur einige wesentliche Stationen dieses Vorganges seien, zu den bisher schon vorgeführten, abrundend angefügt.

Schon seit der Jahrhundertwende hatte Hermann Türck (1856–1933), ausgehend von seinen viel diskutierten Untersuchungen über den ge= nialen Menschen, den Schluß der Faust=Dichtung relativiert und ins= besondere deren Freiheitsvision, Kernsymbol der Ideologie, als blanke Narretei hingestellt; das reichte bis in seine Faust=Ausgabe von 1923.[145] Türcks Thesen kamen darauf hinaus, daß Goethe den hundertjährigen Faust zu wenig „faustisch" gestaltet habe, wenn er ihn, erblindet, als altersschwachen und kleingesinnten Menschen vorführe; denn „das Faustische" erschien auch Türck vorgegeben. Der geniale, der faustische Übermensch müsse bei Goethe, leider, in der entscheidenden Situation den Wunsch nach „faustischem Streben" aufgeben und ende in greisem Philisterium. Auch Türck konstruierte schon, in paradoxer Verkehrung der Dichtung, einen „Faust der Nichtfaustische",[146] allerdings im Ge= gensinn von Böhm. Mit der forcierten Anpreisung des „Genialen" sollte das „Faustische", gegen Goethe und dessen „falschen" Schluß, nochmals gerettet werden. Aber es kam, weniger mürrisch, jedoch ähnlich wie bei Albert Kniepf, tatsächlich auf eine Relativierung und Abwertung des abschließenden sogenannten Tatbekenntnisses, der Freiheitsvision, des Fortschrittsstrebens hinaus, da die angebliche „faustische" Heroik des 4. und 5. Aktes vom Text her bestritten wurde. Die Ablösung des „Faustischen" von der Dichtung, auch gegen die Dichtung, wurde in solchen „faustischen" Korrekturen an Goethe besonders deutlich sichtbar.

Faust, der zu wenig Faustische, der zu wenig Spengler=Faustische, der Nichtfaustische, war auch, in einer weiteren Variation, das Ergebnis der temperamentvollen Auseinandersetzung des klassischen Philologen Konrat Ziegler mit ,Faust II', die er noch in den Gräben des Ersten

Weltkrieges niedergeschrieben hatte und die 1919, ein Jahr nach Speng=
lers erstem Band, erschien.[147] Fr. Th. Vischers Kritik an dem unpoliti=
schen Faust wurde mit Maßen wiederaufgenommen, nicht weniger
Moeller van den Brucks Aversion gegen den antikisierenden Goethe
und dessen „extremen artistischen Apollinismus".[148] „Ein noch mäch=
tigeres Aufflammen faustischen Begehrens" und „faustischer Größe"
sei, nach dem ersten Dichtungsteil, in ‚Faust II' zu erwarten gewesen.[149]
Daß er darin bei der Lektüre enttäuscht wurde, ließ den feldgrauen
Philologen seinen Protest gegen den unfaustischen und zu wenig he=
roisch=tragischen Dichter schreiben. Die drei ersten Akte erschienen
Ziegler nur als ein wesensfremdes Zwischenspiel „alexandrinischer
Kleinkunst";[150] das auch in ihnen „ursprünglich vorhandene große
faustische Motiv" werde der tragischen Tiefe beraubt und ins Alle=
gorische verdünnt.[151] Es mangele ihnen „an einem großen dramatisch=
tragischen Grundgedanken, dem Faustischen [!]"[152] — aber den habe
Goethe selbst nicht besessen! „Gerade die gewaltigsten Motive: Faust
als großer Politiker und als Höllenfahrer gleich Orpheus oder Herakles,
sind unausgeführt geblieben";[153] es fehle (eine andere Abwandlung
des faustischen Grundgedankens) „der jugendliche Idealdrang, das
spezifisch Faustische".[154] Wo Faust am Kaiserhof seine „faustische
Energie" hätte betätigen sollen, mache Goethe daraus eine Farce.[155]
„Faust als Tatmensch großen Stiles",[156] „in seiner ganzen dämoni=
schen Großheit", trete allenfalls wieder im 4. und 5. Akt auf; dort
erst hebe, meinte Ziegler in diametralem Gegensatz zu Türck, „das
machtvolle Drama des großen Schaffenden" von neuem an[157] — doch
um den Preis, daß Goethe die Einheit seiner Dichtung zerbrechen mußte.
Die Helena=Akte und die „Tat"=Akte verband der Dichter zu keiner
Sinneinheit mehr; die „rastlos strebende Genialität" des „romantisch=
faustischen Geistes (man kann auch sagen: des Dionysischen)", „des
faustisch strebenden, in sich unvollendeten christlich=germanischen Gei=
stes, der ‚Romantik'" wurden nicht verschmolzen mit „dem reinen,
schönen Maß der Antike (dem Apollinischen)".[158]

Enttäuschung am angeblich mangelnden „Faustischen", an aktiver
Schicksalsheroik, schlug auch in dieser Schrift (unter fälschlicher An=
wendung von Begriffen des „Romantikers" Nietzsche) in Kritik am
„faustischen" Sinn der Gesamtdichtung um. Goethe paßte nicht in das

vorgesetzte Schema des „Faustischen"; er war „unfaustisch". Damit
zugleich wurde aber auch, wie durch die Arbeiten Türcks, der zu oft
als fraglos hingenommene „faustische" Anstieg als solcher entwertet
und zweifelhaft gemacht. Dieser Zweifel war nicht mehr zu löschen.
Die Überforderung durch das vorgegebene „Faustische" mußte die
Dichtung schließlich zu ihren eigenen Maßen zurückführen.

Zehn Jahre später, 1929, veröffentlichte Joseph Bickermann sein auf=
fallendes Buch über ‚Don Quijote und Faust'.[159] Darin überwand zwar,
freilich nicht überzeugend ausgeführt, Faust am Ende durch Reue und
Verzicht sein Übermenschentum und erahnte wenigstens sein wahres
Menschentum,[160] im übrigen aber wurde mit ihm und dem „Fausti=
schen" aus neuer Zeitlage scharf abgerechnet. Wieder erschien Faust
als der verirrte und zerrissene, der „grenzenlos anspruchsvolle Mensch",
der überall nur „der Sucht nach Allmacht" nachgibt und die Welt nieder=
ringen will.[161] Auf diesem Wege gerät er „in eine absolute Leere".[162]
„Faust . . . , der entwurzelte Mensch, zum Sklaven einer phantomhaften
Weltauffassung geworden, hat sich seines Selbst entäußert, hängt in
einer Leere und ist selbst eine Leere geworden."[163] Daher darf „Fausts
berüchtigstes ‚Streben'" keinesfalls als hochzupreisende Tugend gelten,
sondern als ein Laster, als „Ursünde", und das „Faustische" als un=
menschlich, das „Nicht=Faustische" allein als menschenwürdig.[164] Das
Vorspiel zu der Umkehrung des „Faustischen" war eingeleitet.

Der eigenwilligen Interpretation Bickermanns braucht im ganzen
nicht nachgegangen zu werden.[165] Geschichtlich wichtig waren und blei=
ben seine Ausfälle gegen den „modernen Faust=Mythos", gegen den
„Mythos vom ‚faustischen Menschen'" als (so hatte es Loeper, so Speng=
ler behauptet) dem „idealen Vertreter der westeuropäischen Menschheit
und dem Träger der europäischen Kultur", deren Charakteristikum
angeblich ewige Ruhelosigkeit wäre.[166] Gerade Fausts „Reue" und „Um=
kehr", von Bickermann angenommen, würden bei solcher Ideologisie=
rung übersehen. Man fahre vielmehr allerorten fort, „den faustischen
Menschen als den höchsten Vertreter des Menschengeschlechts zu be=
trachten! Und das auf der Jagd nach erhebendem Schein und Trug"![167]
Auf Goethe jedenfalls, hier sah Bickermann viel genauer, dürfe man
sich dabei nicht berufen; nirgends „lassen sich Hinweise auf etwas
‚Faustisches' an Goethe als ein bestimmender Zug seiner Persönlichkeit

finden"; „von allem Menschlichen lag das Faustische Goethe am fern=
sten . . .". Bickermann kehrte die Positionen, von Loeper bis Spengler,
entschieden um und löste Goethe selbst aus der Klammer des „Fausti=
schen". Denn die Geistestiefe Goethes äußere sich im ‚Faust' darin, daß
er „die Nichtigkeit, die Hohlheit des Faustischen, faustischer Ansprüche
aufgedeckt hat". Goethe hat „den Menschen verherrlicht und den
Übermenschen entlarvt und entthront": *„Der Mensch ist mehr als der
Übermensch"* — das bleibe die einzige verantwortbare Lehre aus Goethes
‚Faust'=Dichtung.[168] —

Indessen waren aber, wie angedeutet, von einem ersten und ver=
ehrungswürdigen Vertreter der Germanistik, Konrad Burdach, im Be=
reich der eigentlichen Faust=Forschung selbst diese Probleme schärfer
herausgearbeitet worden. Der Königsberger Burdach (1859—1936), ab
1902 Generalsekretär der Preußischen Akademie der Wissenschaften zu
Berlin, gehörte noch derselben Generation wie Erich Schmidt an; die
„Kleinen Schriften" Wilhelm Scherers hatte er herausgegeben. Jetzt
steckte auch er die Positionen der Scherer=Schmidt=Schule entschieden
zurück. Durch ihn wurde nochmals versucht, die Frage nach der Berech=
tigung eines „Faustischen" von der zuständigen Forschung her zu be=
antworten, die in den letzten Jahrzehnten des 19. Jahrhunderts diesen
Begriff so sehr ins Allgemeinverbindliche und Allgemeinvorbildliche
generalisiert und zu nationalem Pathos heroisiert hatte — und die fort=
fuhr, dieses zu tun. Die eigene ‚Faust'=Auffassung Burdachs, den Böhm
zu den „Zwiespältigen" zwischen Perfektibilisten und Antiperfektibili=
sten zählte, kann gleichfalls übergangen werden; nur seine Stellung=
nahme zum „Faustischen", die er in drei grundlegenden Arbeiten von
1923, 1926 und 1932 einflocht,[169] ist hier wichtig. Er nahm diese gene=
rationenalte Polemik sowohl wissenschaftlich als auch ideologisch be=
wußt und mit höchstem Ernst auf.

Schon 1923 stellte er warnend fest, daß die moderne „Überbewer=
tung des Genies"[170] vorzüglich Faust „als vorbildlichen modernen Men=
schen" betrachte, dabei aber „verkennt, daß Goethe seit seiner Reife in
der genialischen Magie, in dem dämonischen Übermenschentum nicht die
Vollendung unserer Natur sah, sondern nur einen Gärungsprozeß . . .";
„. . . wie entschieden, ja oft heftig er [Goethe] selbst innerlich von dem
Titanismus dieser Faustgesinnung abrückt, wie gründlich er ihn über=

windet und wie besonnen er die Mitwelt vor ihm warnt, darüber be=
darf es keines Wortes". Denn „Faust ist nach Goethes Absicht nicht
das Paradigma des idealen modernen Menschen, wozu ihn die perverse
Auffassung aller vom Übermenschenwahn Angesteckten immer wieder
macht". Goethe wolle Fausts „Lebensweg nicht als ein Vorbild, sondern
als das tragische Beispiel einer edeln, aber gefährlichen, tief mensch=
lichen Verirrung" darstellen.[171] Er widerrufe, berichtige und ergänze
den „Faustischen Titanismus" in anderen Werken (Pandora, Wander=
jahre);[172] dieses zu übersehen, heiße Goethe gänzlich mißverstehen und
zudem die Grenzen der ,Faust'=Dichtung mißachten.

Das „eigentlich Faustische", wie es die Moderne verherrlicht, hatte
Goethe selber ausgeschieden[173]: das blieb seitdem eine Fundamental=
erkenntnis der ,Faust'=Philologie. „Die Tragödie von Faust wird durch
Goethe dank seiner eigenen inneren Abkehr von dem genialen Sturm
und Drang *eine Kritik des Faustisch=Prometheischen Geistes,* eine Dar=
stellung seiner Überwindung, das Drama einer Krankheit, die durch
Hingabe an Natur und Welt und durch innere Ausbildung im Künst=
lerisch=Schönen, durch Eintauchen in den Strom der Antike zur Gesun=
dung führt."[174] Goethe möge einmal „faustisch" empfunden haben, als
er Mahomet, Werther, Prometheus schrieb — später nicht mehr. In den
Werken betonter „sittlich=religiöser Unterweisung" (Iphigenie, Wil=
helm Meister, Hermann und Dorothea, Wahlverwandtschaften, Dich=
tung und Wahrheit, Divan) finde man den „Faustischen Menschen" an
keiner Stelle verherrlicht.[175] Damit stellte Burdach das Gleichgewicht
im Gesamtwerk Goethes wieder her.

Zumal in dem Jubiläums=Aufsatz von 1932, in dem Faust nachdrück=
lich als der bis zu seinem Ende tief tragisch Scheiternde, wenn auch nicht
als der höllisch Untergehende nachgezeichnet wurde, als eine Warnung
vor „Titanenfrechheit" (Jean Paul), nahm Burdach das „faustische"
Stichwort wieder und wieder auf und lehnte es von jeder Sicht her und
nach jeder Folgerung hin als *wissenschaftlich unverantwortlich* ab. Man
habe, wiederholte Burdach dort, zwar in Faust seit seinem Erscheinen
oft „den Repräsentanten des modernen Menschen gesehen". „Vollends
in unsern Tagen ist der ,Faustische Mensch' ein zündendes Schlagwort,
eine Standarte, eine Fanfare höchsten modernen Lebensgefühls und
freiester und tatfroher Weltanschuung. Diese Wertung aber des Fausti=

schen ist ein starker Irrtum." Denn „der Magier, der Teufelsbündner, ist nicht der Typus des freien Menschen." Faust hat sich nicht ins Freie gekämpft, er stirbt nicht als ein Vollendeter. Mit seinem „uner= sättlichen grenzenlosen Trieb zum Düstern" vermag er weder ein „vorbildlicher Typus höchsten Menschentums" zu sein, noch hat Goethe selbst ihn je dazu machen wollen.[176]

Burdach sah den tragisch scheiternden Faust nicht „ohne sittliche Frucht" enden, nicht ohne ein „Vermächtnis der Freiheit und der Für= sorge". „Das aber ist eine Gesinnung, die sich gründlich unterscheidet von dem individualistischen Machtwillen und Subjektivismus des wahn= betörten Nietzsche und seiner Verehrer, die dem sogenannten ‚Fausti= schen Menschen' nachtrachten."[177] Historisch war, wie gezeigt, die Ver= bindung von Nietzsche und „Faustischer Mensch" ein Irrtum Burdachs, typologisch traf sie den Kern der Zeitlage. Auch Burdach mußte, um das humane Zentrum der Dichtung wahren zu können, energisch abwehrend einen „nichtfaustischen Faust" postulieren[178] — in Jahren also, wo Obenauer den „faustischen Menschen" als „unentbehrlichen Begriff" der deutschen und abendländischen Geistesgeschichte verteidigte, wo dessen Lehrer Korff unentwegt die „faustische Heroik", den „faustischen Glau= ben", den „faustischen Gott" verkündigte, wo Kühnemann Faust als Führer „zur wahren Deutschheit" proklamierte und kommende „fau= stische Erfüllung" prophezeite. Doch das „Gericht über das Faustische" durch ‚Faust' (H. O. Burger) war nicht mehr aufzuhalten; die Faust= forschung seit Burdach führte diesen notwendigen Prozeß durch. Die Philologie trat der Ideologie entgegen und löste sie mindestens im eigenen Bereich auf.

In Wilhelm Böhms ‚Faust der Nichtfaustische', geschrieben 1932, ein Jahr später veröffentlicht, liefen die „antifaustischen" Tendenzen von hundert Jahren zusammen.[179] Obgleich erst ein Präludium jenes Pro= zesses, konnte seitdem ernst zu nehmende Forschung und Deutung, genug verständliche Übertreibungen und verfehlte Einseitigkeiten ab= gezogen, diese Thesen der „Anklage" nicht mehr übergehen, gleich wie sie weiter verarbeitet wurden.[180] ‚Faust als Tragödie' bis in jede Szene ernst zu nehmen (Benno von Wiese, 1943/45)[181] und sie an eine Philo= sophie der tragisch scheiternden Existenz heranzuführen, war folge= richtig ein nächster, sicherlich nicht der letzte Schritt. Böhm selbst

ging nicht nur gegen das Phantom des „Faustischen Menschen" an,
sondern versuchte, übers Ziel schießend, Faust überhaupt jeden Nimbus
zu nehmen, ihn aus jeder traditionellen (perfektibilistischen) Deutung
herauszulösen, um damit zugleich das Dogma des (nationalen) Frei=
heitsprogrammes, die „große Illusion des 19. Jahrhunderts",[182] zu zer=
stören. Faust blieb für ihn durchweg „der unverbesserliche Titan", der
immer Rückfällige, der immer Unverbesserliche — die Dichtung im
ganzen die Tragödie des Übermenschentums: nirgends ethischer Fort=
schritt, überall dämonisches Scheitern. „Goethe hat gewollt" — so jetzt
die entscheidende Umkehr —, „daß Faust ... zum Großverbrecher wer=
den mußte!"[183] Faust müsse „erst in radikaler Hybris zugrunde" gehen,
ehe er, durch Gottes Gnadenwahl prädestiniert, erlöst werde![184] Faust
wurde jede Vorbildlichkeit abgesprochen, „er ist ... nicht Führer zu
einem Ziel in höherem Sinn, sondern ausschließlich warnendes Beispiel
vor aller Ziellosigkeit".[185] Böhms begreiflicher Haß auf „das Fausti=
sche", seine „Korrektur des Dogmas vom faustischen Menschen",[186]
ließ ihn zwar die ,Faust'=Dichtung selbst verzerren und aus ihrem Ge=
füge brechen. Doch seine „faustische" Aufklärung war fundamental und
schloß seitens der Wissenschaft die *ideologische* Diskussion ab. „... der
sogenannte ,faustische' Mensch ist der eigentliche Homunkulus, den
weltanschauliches Vorurteil, verführt von der leichten Umdeutbarkeit
der Mythologie und ohne Instinkt für das Dichterische, in der Retorte
,gemacht' hat."[187]

Im poetischen Bereich beendete Thomas Mann die Geschichte des
„faustischen Menschen". Der Dichter nahm sich selbst aus der Ge=
schichte dieser nationalen Fiktion und ihrer Absurdität im Zeichen
Fausts nicht aus. Das Ende Adrian Leverkühns war, poetisch, das Ende
des faustischen Deutschen, beschrieben in liebender Verzweiflung. Auch
diese Beschreibung war voller „verständlicher Übertreibungen und ver=
fehlter Einseitigkeiten". Deutschland, auch das reformatorische Deutsch=
land, war niemals nur das „faustische" Deutschland gewesen. Goethes
Dichtung selbst hat allzeit dagegen gestanden. An Warnern hat es nie
gefehlt. Doch nach Thomas Manns Faustus=Roman (1947), der aus
Spürsinn und Selbsterkenntnis die gesamte, vielverzweigte Problematik
des „Faustischen" im 19. und 20. Jahrhundert in der eigenen poetischen
Fiktion noch einmal zusammenfaßte, sie episch in Handlung setzte und

auflöste, ist der faustische Deutsche aus Dichtung und Geschichte als „Leitbild" ausgeschieden.

Einseitig übertrieben wäre es zu behaupten, allein die faustische Ideo= logie, zusammen mit anderen solcher heroisierter deutscher Ideologien, hätte uns in die geschichtliche Verblendung geführt. Die Geschichte eines Volkes ist immer komplexer als die Geschichte seiner Ideogien. Aber die — hier darf das Wort echt eingesetzt werden — schicksalhafte Mit= beteiligung dieser Ideologie, dieser Fehldeutung einer poetischen Figur, an der deutschen Geschichte im 20. Jahrhundert und ihren Katastrophen kann, nach unserer Untersuchung, weder bestritten noch geleugnet werden. „Die angeblich faustische Epoche war kein abendländisches Schicksal, wohl aber eine deutsche Tragödie."[188]

Als Theodor Plivier ein Jahr nach Thomas Manns Faustus=Buch sei= nen Roman ‚Stalingrad' (1948) veröffentlichte, ließ er in den makabren Schlußszenen, in einem zerschossenen Generalsbunker, die „faustische Ideologie" zu Recht mit auf die trostlose Bühne treten. Plivier sagte zwar ‚Faust II'. Aber er meinte, das geht aus dem Zusammenhang und den genannten Namen eindeutig hervor, mit dieser geschichtlich zu oft mißbrauchten Chiffre die Geschichte des Faustischen, das blutige Ende einer Ideologie. Plivier erzählt[189]:

„Einer machte sich Selbstvorwürfe, einer wanderte auf und ab; einer dachte auf und ab; einer las in einem Gesangbuch und bewegte dabei die Lippen; einer durchblätterte Goethes ‚Faust', einer ... war auf dem Stuhl eingeschlafen ..."

„Das Gesangbuch und Goethes ‚Faust' 2. Teil! Aber warum denn nicht Rosenberg oder Spengler, dachte Vilshofen, oder Ziegler, oder Moeller van den Bruck, die haben doch wahrlich mit der Scheiße, in der wir drinsitzen, und mit der allgemeinen Gehirnerweichung weit mehr zu tun; und Gönnern hat doch sicher einige dieser Schwarten da, aber gerade der hat sich einen Band Goethe vorgenommen. Na ja: ‚Verdammte, Rettung hoffend, schwimmen an; doch kolossal zerknirscht sie die Hyäne ... In Winkeln bleibt noch vieles zu entdecken, so viel Erschreddichstes im engsten Raum ...', das paßt auch besser! Doch in Bezug auf Spengler und so weiter habe ich mir selbst den größten Vor= wurf zu machen — kaum einer hat so wütend wie ich den Sinn im Un= sinn zu finden getrachtet, und schon erkennend habe ich noch an die

Zweckmäßigkeit des Unsinns geglaubt. Ein fünfzigjähriger verdamm=
ter Narr, muß ich erst heimatlos durch die Keller einer Ruinenstadt
schweifen, um zu erfahren, daß Unsinn niemals zweckmäßig sein kann
und in das Verderben hineintreiben muß!

So weilten sie beieinander, die im Keller."

*

„Faust ist tot", hat Günther Anders unlängst behauptet.[190] Gemeint
ist die von Goethe gestaltete poetische Figur, mit ihr die ‚Faust'=Dich=
tung. Das dürfte eine übereilte, eine falsche Prognose sein. Tot ist
„das Faustische". Es ist im Gerichtsgang der Geschichte als bodenlos,
als nichtig befunden worden. Es kann nicht neu erstehen, so wenig wie
der „faustische Deutsche". Aber aus dem tödlichen Niedergang des
„Faustischen" erhebt sich die Dichtung ‚Faust' zu neuem poetischem
Leben.

Die Aufwucherung einer „faustischen Ideologie" aus der Dichtung
Goethes, bis zu deren ideologischer Destruktion, und die Zurücknahme
dieser Ideologie ist ein historischer Prozeß im Bereich der Literatur
selbst, der mittels wissenschaftlicher Kritik erkannt und beschrieben
werden kann — mit dem Ziel, das poetische Wort in seiner Gestalt=
grenze zu halten. Das Wegräumen des ideologischen Schuttes gibt end=
lich, ohne vorgestellte Optik, den Blick auf das Dichtwerk und dessen
eigene Konturen wieder frei. Erst das Wegräumen des „Faustischen"
als einer solchen ideologischen Blickverzerrung und ungemäßen Hyper=
trophie sichert die „unbedingte" Aussage der Dichtung selbst und damit
auch ihre Erforschung. Methodisch heißt das: erst der historische Blick
sichert die zutreffende Interpretation.

Sprachliche Verständigung ist nur möglich, wenn das Wort, das „so=
ziale" ebenso wie das „poetische", in seinen Grenzen gehalten wird
und im gestalteten Gefüge bleibt. Wo die Worte beliebig über ihre
Grenzen fließen und sich unerkannt in fremdes Feld mischen können,
beginnt das bodenlose Gerede, herrscht bald die nichtssagende Phrase,
schwindet Verständigung, wächst aber auch die stets mögliche Gefähr=
dung durch Sprache. Der historische Prozeß der Ideologisierung eines

„poetischen Schlagwortes" vermag die soziale Gefährdung durch ent=
grenzte, durch ungehütete Sprache zu zeigen.

Gewiß fand in diesem beschriebenen Prozeß eine Verschränkung,
wenn nicht gar Durchdringung von Dichtung und sozialem, politischem
Leben statt. Oft drohte das Literaturwerk darin zu ersticken. Aber jede
poetische Form=Mitteilung, ursprüngliche Aufgabe aller Dichtung,
„wirkt". Das hat mit billiger Abtrennung eines „Inhaltes" von der
„Form" nichts zu tun. Die soziale Einwirkung der Dichtung steht außer
Frage, mag sie erwünscht, beabsichtigt, gefordert sein oder nicht. Die
Kunstwelt der Dichtung mit ihrer Tendenz zur Öffnung des Daseins
im „Bild" kann sich dieser verschränkenden Einwirkung nicht entziehen.
Der Umschlag des scheinbar „Irrealen", der Dichtung, in die soziale
„Realität" ist ein historisches Faktum, das allein schon aus dem
poetischen Material, der Sprache, folgt.

Nicht also die unleugbare, wenn auch selten unmittelbare Wirkung
der Dichtung auf das soziale, auf das politische Leben, wann immer
und wo immer und wie immer, ist das Bedenkliche; erst der Mißbrauch
der poetischen Mitteilung außerhalb ihrer eigenen Grenzen, bis zur
Stützung oder zum Aufbau ganzer ideologischer Systeme, wirkt zer=
störerisch. Die Öffentlichkeit wird getäuscht und durch Sprache ver=
führt, die Dichtung wird, im wörtlichen Sinn, ruiniert. ‚Faust' ist nicht
das einzige Beispiel. Wo solche Grenzüberschreitung stattfindet oder
bewußt manipuliert wird, hat die Kritik klärend auf den Plan zu treten.
Das Kunstwerk darf keinen ideologischen Verzerrungen oder roman=
tischen Aushöhlungen der geschichtlichen Verantwortung dienstbar
gemacht werden. Losgelöst als Schlagwort oder als Schwarmgeisterei
bewirkt die poetische Mitteilung in jedem Fall eine Verdrehung der
geschichtlichen Realität. Dieser Klarstellung des Wortes gilt das soziale
Wächeramt der Philologie; das Amt verfällt, wenn es sich beliebig zur
Verfügung stellt. Die Entideologisierung, die Entmythologisierung ge=
wisser angeblicher Grundvorstellungen unseres nationalen Wort= und
Bildbestandes ist in der gegebenen geschichtlichen Situation eine der
wichtigsten Aufgaben der kritischen Philologie.

‚Faust' ist nicht das einzige, wohl aber das deutlichste Beispiel. Es
gibt im 19. und 20. Jahrhundert eine große Zahl paralleler ideologischer
Vorgänge, die nationalgeschichtlich ungewöhnlich wirksam geworden

sind, weit über den engeren Bereich der Literatur=, Kunst= oder Geistes=
geschichte hinaus, aus dem sie meist stammten. Erst die Beobachtung
und Beschreibung solcher paralleler Vorgänge zeigt eine allgemeine
Struktur dieser Ideologiebildungen, damit aber auch die methodische
Möglichkeit ihrer Aufklärung. Auch der faustische Prozeß fügt sich in
die typische Struktur der nationalen ideologischen Bildungen im 19.
und 20. Jahrhundert. Als eine Parallele zum „Faustischen" bot Dürers
‚Ritter, Tod und Teufel', demselben 16. Jahrhundert entstammend,
exemplarisch eine andere Möglichkeit ideologischer Mythenbildung,
Seitentrieb eines umfangreicheren germanisch=deutschen Reitermythos.
Die behauptete auszeichnende Wesensverwandtschaft des Deutschen
mit dem Tragischen (der Umschlag einer ästhetischen in eine metaphy=
sisch=existentielle, dann in eine national=politische Kategorie) wurde
schließlich der „heroische" Sammelpunkt dieser Ideologien deutscher
Sonderart und deutschen Sonderschicksals: Untergangsmythe, bren=
nende Nibelungenhalle, Götterdämmerung. „Aber auch hinsichtlich der
Utopien gibt es Schuld und Sühne; wir müssen die Illusionen aus=
baden" (Ernst Jünger).[191]

VIII

DÜRERS ,RITTER, TOD UND TEUFEL' EINE IDEOLOGISCHE PARALLELE ZUM „FAUSTISCHEN"

Der Kupferstich genannt ,Ritter, Tod und Teufel' (1513) von Albrecht Dürer gilt dem unreflektierenden, aber darum nicht unvoreingenomme= nen Betrachter unmittelbar eingängig, sowohl was dessen Bildunter= schrift und dessen Bildaussage selbst betrifft als auch den Bezug beider aufeinander. Seit Generationen war hier scheinbar Übereinstimmung erzielt worden. Das „Bild" schien, in unmittelbarem wie in übertrage= nem Sinn, eindeutig kanonisiert — in allgemeiner Perspektive etwa einer bejahten deutschen (reformatorischen oder christlich=abendländischen) Selbstdarstellung. Erst bei einer Abweichung von dieser scheinbar ge= sicherten Übereinkunft wird man stutzig und beginnt einzusehen, daß auch bei diesem „Bild" und seiner jeweiligen sprachlichen Umschreibung ein langer, mitformender geschichtlicher Prozeß am Wirken war, der zumal in den Jahren nach dem Zweiten Weltkrieg in eine neue Phase der Auseinandersetzung getreten ist. Der eindeutige Kanon hat sich aufgelöst; auf seinem Grunde wird die Ideologie eines lang ausgebauten „Ritter, Tod und Teufel"=Mythus sichtbar.

Thomas Mann verwendet in seinem ,Doktor Faustus' (1947) dieses „Bild" Dürers und dessen vermeintliche Inhaltsaussage an einer prä= gnanten Stelle seiner Auseinandersetzung über Wesen und Unwesen des Deutschtums.[1] Im Kapitel XIV, „dem der Studentengespräche", des Scheunengespräches über Jugend und Jungsein als „das eigentlich ro= mantische Lebensalter", fällt das Stichwort, bezeichnenderweise von Leverkühns studentischem Gesprächspartner mit dem ironisch betonten Namen Deutschlin, dem Thomas Mann eine ganze Suada solcher deutsch=romantischer, deutsch=reformatorischer, deutsch=jugendlicher, deutsch=„unreifer" Äußerungen in den Mund legt. „Der Jugendgedanke ist ein Vorrecht und Vorzug unseres Volkes, des deutschen ... Die deutsche Jugend repräsentiert, eben als Jugend, den Volksgeist selbst, den deutschen Geist, der jung ist und zukunftsvoll, — unreif, wenn man will, aber was will das besagen! Die deutschen Taten geschahen immer aus einer gewissen gewaltigen Unreife, und nicht umsonst sind wir das Volk der Reformation. Die war ein Werk der Unreife doch auch... Luther war unreif genug, Volk genug, deutsches Volk genug, den neuen, gereinigten Glauben zu bringen. Wo bliebe die Welt auch, wenn Reife das letzte Wort wäre! Wir werden ihr in unserer Unreife noch manche Erneuerung, manche Revolution bescheren."[2] „Jugend im höchsten Sinn hat nichts mit politischer Geschichte... zu tun. Sie ist eine metaphy= sische Gabe, etwas Essentielles, eine Struktur und Bestimmung. Hast du nie vom deutschen Werden gehört, von deutscher Wanderschaft, vom unendlichen Unterwegssein des deutschen Wesens? Wenn du willst, ist der Deutsche der ewige Student, der ewig Strebende unter den Völ= kern... Jugendmut, das ist der Geist des Stirb und Werde, das Wissen um Tod und Wiedergeburt." Dieser Gedankengang wird schließlich auf das Religiöse gewendet: „Religiösität, das ist vielleicht die Jugend selbst, es ist die Unmittelbarkeit, der Mut und die Tiefe des personalen Lebens, der Wille und das Vermögen, die Naturhaftigkeit und das Dämonische des Daseins... in voller Vitalität zu erfahren und zu durchleben. — Hältst du Religiosität für eine auszeichnend deutsche Gabe? fragte Adrian. — In dem Sinne, den ich ihr gab, als seelische Jugend, als Spontaneität, als Lebensgläubigkeit und *Dürersches Reiten zwischen Tod und Teufel* — allerdings."[3]

Es kann beim Lesen dieser Äußerungen kein Zweifel darüber beste= hen, daß Thomas Mann, indem er solche seinerzeit geläufigen Redens= arten scheinbar ernsthaft aufnahm, sie aufs schärfste ironisierte und sie als verhängnisvolle deutsche Selbsttäuschungen und nationale Vor= urteile abwerten und brandmarken wollte, als „ideologischen Götzen= dienst",[4] wobei er, wie in der Thematik des ganzen Werkes, jüngste Verirrungen mit Luthers Reformation, die gesamte Jugendbewegung mit überhitztem nationalistischem Rauschpathos zusammenwarf. Doch in unserem Zusammenhang interessieren zwei andere **Züge daraus.** Einmal: in diese ironische Abwertung wurde Dürers Stich (zumindest dessen geläufige Ausdeutung) wie selbstverständlich miteinbezogen, fast als deutlichste, konkret=formelhafte Verbildlichung der von Thomas Mann angenommenen „mittelalterlichen" Verdumpfung der deutschen Seele zwischen „Tod und Teufel", die einem falschen, unreifen Lebens=

begriff huldige („une sorte d'attirance maladive et satanique pour la mort"). Aus dem konkreten Ritter oder Reiter des Stiches, dem ein= maligen künstlerischen Bildvorgang, formte Thomas Mann ein verall= gemeinernd=abstrahierendes „Dürersches Reiten", das sowohl das ver= meintlich verhängnisvolle Zurückgebliebensein im dämonisch=spukhaf= ten Mittelalter wie auch das auftrotzende, unreife Gehabe deutsch= nordischer Schicksalsverschwommenheit in eine knappe Klang= und Bildvorstellung bringen sollte. Die scheinbar kanonische Übereinkunft, in diesem Dürer=Stich eine Art (positives) Selbstbildnis deutschen We= sens, wie immer umschrieben, zu sehen, wurde nicht nur in Zweifel gestellt, sondern in ihr Gegenteil verkehrt: dieses „Selbstbildnis" er= scheint, in ironischem Prozeß, plötzlich als ein Zerrbild deutscher Ab= schweifung aus dem abendländischen Kultur= und Zivilisationskreis. Man meint, geradezu ein Negativ des vertrauten Bildes zu sehen. „Dürersches Reiten zwischen Tod und Teufel": das bedeutete jetzt für Thomas Mann nur jene „Unreife", jenes Beschwören romantischen „Volksgeistes", jenes fragwürdige „unendliche Unterwegssein" und ewige („faustische") Streben, jenes unaufhörliche „Stirb und Werde", jenes Weltaufrührerische und Weltzerstörerische, das lieber zwischen Tod und Teufel schwärmt, als in vernünftiges, weltmännisches Erwach= sensein sich fügt.

Denn ein zweites fällt ebensogleich auf: wie nahe Thomas Mann dieses so gekennzeichnete „Dürersche Reiten" an das Grundschema und =thema seines Buches brachte — an das (abgekürzt gesagt) „Faustische" und dessen Verdammung im Höllensturz von Faustus—Leverkühn— Deutschland. „Faustisch" meint in diesem definitorischen Zusammen= hang allein den öffentlich=vordergründigen Ideologisierungsprozeß etwa von Loeper bis Spengler, in dem sich nationaler Fortschrittsoptimismus, unternehmerischer Aufstiegsstolz des liberalen Bürgertums schließlich zusammenfand mit einem „grenzenlosen" Unendlichkeitswillen und „nordischer" Schicksalsheroik — Geschichte und Geschick eines „roman= tischen" Schlagwortes, das in den Dienst deutscher Weltmission gestellt wurde. Thomas Mann verband solches „Faustische" mit dem Stich Dü= rers, beides für ihn Sinnbild oder Sinnwort deutscher Unreife, deutscher Selbsttäuschung, deutscher Vermessenheit.[5]

Tatsächlich hatten zwischen der Ausdeutung von Dürers Ritter und

der des ‚Faust' die Fäden schon immer hin und her gespielt; dem Schat=
ten Fausts, auch dem Wort „faustisch", werden wir bei dieser Unter=
suchung, unmittelbar oder mittelbar, mehrfach begegnen. Indem Tho=
mas Mann den Fauststoff wieder auf seinen literarischen Ausgang von
1587 („Volksbuch") zurückbezog, zu gnadenloser Verdammung des
verblendeten und überheblichen Teufelsbündners, war es nur folge=
richtig, wenn auch Dürers Ritterstich in einem anderen Licht aufschien,
in einem dämonischen, spukhaften, verführerisch=bösartigen Zwielicht,
so daß im Gefüge des Romans dieses Blatt nicht mehr Ebenbild deut=
schen Geistes oder deutschen Menschentums, sondern, nach dem Wil=
len des Dichters, ein Zerrspiegel seines bleibend unreifen, unaufgeklär=
ten Wesens wurde.

Fünfundsiebzig Jahre früher konnte Friedrich Nietzsche dagegen
schreiben: „. . . wir brauchen eine besondere Art der Kunst. Sie hält
für uns Pflicht und Dasein zusammen. *Dürer's Bild vom Ritter Tod und
Teufel als Symbol unseres Daseins.*"[6] In der ‚Geburt der Tragödie' selbst
kam er, im 20. Kapitel, ebenfalls auf diesen Stich zu sprechen, als ein
aufrichtendes Symbol „in der Verödung und Ermattung der jetzigen
Cultur".[7] Hier mag diese Äußerung Nietzsches, in Gegenüberstellung
zu dem späten Thomas Mann, nur vorläufig die Spannung andeuten,
die in der „Ansicht" von Dürers Kupferstich bestehen kann und tat=
sächlich bestanden hat. Diese Bild=Spannung, ein historischer Vorgang,
löst die Frage nach dem geistesgeschichtlichen, aber auch ideologischen
Prozeß aus, der durch dieses „Bild", es anreichernd, hindurchgegangen
sein muß und der dessen geistige Gestalt bis heute hin mitgeformt hat,
gleich wo immer, in übertragenem Sinn oder als sprachliches „Bild",
es verwendet worden ist und noch verwendet werden wird. Eine erste
Frucht dieses Verwunderns ist alsbald die überraschende Einsicht, daß
selbst der geläufige und scheinbar „eindeutige" Bildtitel ‚Ritter, Tod
und Teufel', der nach wie vor für die meisten „Hörer", Leser oder Be=
trachter schon ein Programm mit bestimmten geistigen und seelischen
Schwingungen enthält, erst innerhalb dieses geschichtlichen Prozesses
selbst entstanden und tatsächlich eine verhältnismäßig späte Setzung
ist. —

Dürer selbst hatte seinem Stich weder eine Unterschrift noch eine
Ausdeutung gegeben. In seinem Tagebuch nannte er ihn einfach den

„reuther".[8] Ob dieses Bild für ihn wirklich nur ein „Reiter" war und „bedeutete", also nur ein zu lösendes künstlerisches Problem, oder ob Dürer mit ihm ein „Sinnbild" für einen ganz spezifischen Inhalt hatte geben wollen, oder schließlich beides, Formproblem und Sinnbild, be= wußt in dieser Bildgestalt vereinigte, darum ging der Streit durch die Jahrhunderte, der sich auf weite Strecken hin, wie analog bei ‚Faust', ganz vom vorliegenden Stich selbst entfernte und dessen künstlerische Problematik übersah. Auf diese kann allerdings auch hier nicht einge= gangen werden. Meine Frage ist keine kunstwissenschaftliche im eigent= lichen Sinn, vielmehr — neben der ideologischen Perspektive und ihrer Sichtverzerrung — eine dichtungswissenschaftliche: das Verstehen eines (von Thomas Mann) poetisch gebrauchten „Bildes" in seiner geschicht= lichen Spannung, das in seiner Basis auf ein Kunstwerk, den Kupferstich Dürers, zurückweist.

Deutungsversuche um das inhaltlich Dargestellte setzten wahrschein= lich schon früh ein. Von der späteren betonten, sinnbetonenden Unter= schrift ‚Ritter, Tod und Teufel' war jedoch zunächst nirgends die Rede, anscheinend bis hoch ins 18. Jahrhundert hinein nicht. Gar die lange Zeit geltende Deutung im Sinne etwa eines deutschen Ebenbildes refor= matorischer Art begann sich erst in der zweiten Hälfte des 19. Jahr= hunderts fest durchzusetzen. Aus Dürers Umgebung und Zeitgenossen= schaft hatte sich, scheint es, eine feste Tradition nicht ergeben[9] — es sei denn die merkwürdige, sagenhafte Erzählung von einem gewissen Phi= lipp Rinck aus Nürnberg, dem diese „gespenstische Erscheinung" (Tod und Teufel des Stiches) in einem Walde mitternächtig begegnet sein sollte. Schon 1618, doch immerhin mehr als hundert Jahre nach Entste= hung des Stiches, finden wir diesen „Einspennigen"[10] namens Rinck (oder Rink) und dessen angebliche Vision erwähnt, in einem Kupfer= stich=Verzeichnis, das ein Paul Behaim angelegt hatte und das im Ber= liner Kupferstichkabinett aufbewahrt wurde.[11]

Diese seltsame „Inhaltsangabe" muß mindestens im ganzen 17. Jahr= hundert lebendig gewesen sein, zumal in Nürnberg selbst, und wurde noch in die späteren Jahrhunderte tradiert. Als der Nürnberger Maler und Kunsthändler Johann Hauer (gest. 1660)[12] einen Katalog von Dü= rers Werken zusammenstellte, vermerkte er zu dem Blatt: „Gespenst, Reuter, daneben ein Hundt im Waldt. Philipp Rink ist ein Einspenniger

in Nürnberg gewest, als er sich zu Nachts verritten, ist ihm diese Er=
scheinung begegnet."[13] Ein Sammler aus dem späteren 19. Jahrhundert
fügte dem hinzu: „In sechs von meinen sieben alten Manuscriptkata=
logen [aus dem 17. und 18. Jahrhundert] steht bei diesem Kupferstich
immer dieselbe Bemerkung mit Johannes[14] Rink, und nur in einem
wird dieses Blatt blos mit ,Der große geistliche Ritter' bezeichnet. Diese
Sage von dem ,Einspennigen Rink' muß daher früher eine allgemein
verbreitete gewesen sein, während in allen mir bekannten späteren ge=
druckten Katalogen von dieser Angabe... keine Notiz genommen ist."[15]
Aus einem Stammbuchregister der Familie Scheurl von 1664 dazu noch
folgende Eintragung: „Geistliche Ritter mit dem Tod und Teuffel oder
gespenst Reutter Philipp Rinck Nürnbergischer Einspenniger 1513."[16]

Dürers Ritter: ein Gespenster=Reiter zwischen höllischen Gaukel=
wesen, vor dem man sich schaudernd abkehrte und dessen Konterfei
man mit Gruseln betrachtete! Oder dieser Rinck selbst, nimmt man ihn
für Fleisch und Blut, ein Dienstknecht „nit großen ansehens oder nam=
mens", der sich nachts irgendwo im Nürnberger Reichswald verreitet
und dort nicht geheuere Erlebnisse hat[17] — Dürers Blatt also eher ein
Stück für das Kuriositätenkabinett als ein „reines" Kunstwerk. Darf
man an mitternächtlichen Höllenzwang, an Teufel= und Gespenster=
bücher des 16. und 17. Jahrhunderts, überhaupt an die „Volksbücher"=
Phantasie erinnert sein? „Es dürfte wohl außer Zweifel sein, daß der
Volksmund unser Blatt schon gleich bei seinem Erscheinen zu einer
Illustration der über diesen Reitersmann kursierenden Fabeln und Wun=
dermären gestempelt hat", wahrscheinlich sah man „in dem Blatte ledig=
lich die sensationelle Illustrierung einer von Mund zu Munde gehenden
Schauergeschichte", faßte Alfred Hagelstange zusammen. Und nicht nur
der „Volksmund", darf man anfügen, auch die gelehrte Nachricht hatte
diese Fabel aufgenommen.

Jedoch begegnete in den obigen Notizen schon, wenn auch noch im
Widerstreit mit dem Gespensterreiter, der andere Titel ,Der große geist=
liche Ritter', ,Geistliche[r] Ritter mit dem Tod und Teuffel', der sich
später, wörtlich oder dem Sinn nach, mehr und mehr durchsetzen sollte,
zunächst in unmittelbar christlicher, dann in übertragener, säkulari=
sierter Bedeutung. Bei Joachim von Sandrart, 1675, hieß es schon bün=
dig: ,Der Christliche Ritter'.[18] Giorgio Vasari dagegen, um das einzu=

fügen, wußte (ein Jahrhundert früher) von solchen inhaltlichen Be=
denken kaum etwas. Ihm, dem Kunstkenner, ging es bei diesem Stich
fast ausschließlich um Dürers künstlerische Fähigkeit und Fertigkeit.
Dürer wollte, schrieb er (1550/68), „zeigen, was er vermochte, und
stellte als menschliche Stärke einen gewaffneten Mann zu Pferde in
solcher Vollendung dar, daß man darin den Glanz der Waffen und des
Fells eines schwarzen Rosses sieht; das ist schwer in Zeichnung heraus=
zubringen. Dieser tapfere Ritter hatte neben sich den Tod ... und hin=
ter sich den Teufel; ferner sah man dort einen zottigen Hund mit den
schwierigsten Feinheiten wiedergegeben, die sich im Kupferstich ma=
chen lassen".[19] Immerhin war hier schon die Rede von Tapferkeit und
menschlichem Selbstvertrauen. Heinrich Wölfflin nahm später die rein
künstlerische Einstellung zu Dürers Stich wieder auf; nach Ablehnung
allzu tiefsinniger Ausdeutungsversuche außer dem des „christlichen Rit=
ters" hielt auch er fest: „Für Dürer aber ... handelte es sich ursprüng=
lich nur um das einfache Thema eines Pferdes mit einem Mann dar=
auf."[20]

Aus dem 18. Jahrhundert können nur wenige Zeugnisse beigebracht
werden, die aber bezeichnender= und überraschenderweise alle, orthodox
oder aufklärerisch, die Darstellung des Stiches negativ, ablehnend deu=
ten. Es ist erstaunlich, wie sich eine Wendung erst langsam seit Beginn
des 19. Jahrhunderts anbahnte — sieht man von Sandrarts ‚Christlichem
Ritter' ab, ein Titel, der sich jedoch nicht durchgesetzt hat, eher im
18. Jahrhundert so gut wie vergessen gewesen zu sein schien. So hieß
es in einer kleinen Schrift von Henrich Conrad Arend, „Prediger der
freien communion bergstat Grund", betitelt ‚Das gedechtniß der ehren
eines derer vollkommnesten Künstler seiner und aller nachfolgenden
Zeiten, Albrecht Dürers ...', erschienen 1728 in Goslar, in § 11 (das
Büchlein ist ohne Seitenzählung gedruckt worden): „... füge ich wegen
seiner vortrefligkeit hinzu einen geharnischten und wolgerüsteten
Kriegsmann zu pferde, der hurtig zu reitet, neben ihm kömt der tod
auf einen alten gaul, so eine klocke untern halse hat, hergeschlichen,
und gleichwie er stat des halstuches schlangen ümhat, also ist die krone
ebenfals mit schlangen ümwunden; übrigens zeiget er das ausgelauffene
stundeglas dem *rohen weltmanne* vor. Hinten kömt der teuffel in einer
recht fürchterligen gestalt und packet mit einer klau den Ritter an;

neben den pferde ist ein hund und eidexe und gegenüber ein toten=
kopff, unter welchen eine tafel mit 1513 bezeichnet zusehen. Dieses
einzige Stück wäre hinlänglich genug sich von Dürers geistvollen er=
findungen und kräfftigen ausdrückungen eine vorstellung machen zu
können. Einen menschen, der in seinen leben böses zuthun, als ein
handwerk getrieben, folget nicht allein der tod und teuffel auf den fuße
nach, als deren jeder das seine haben will, sondern es begleitet ihn auch
der bellende hund seines bösen gewißens, und das hertz läßet seine
boßheit nicht ehr, als wie die eidexe ihren gifft, das ist, wenn sie ge=
tötet wird, fahren."

Das ist eine Lesart, die zunächst unglaubhaft dünkt: roher Welt=
mann, böses Handwerk, böses Gewissen, Bosheit, Gift und Tod — so
stellte Dürers Stich sich diesem eifernden Prediger und seiner Gemeinde
dar, in der überzeugten Annahme, Dürer hätte mit aller seiner „vor=
treflgkeit" und „geistvollen erfindung" tatsächlich nur ein kräftiges
(allegorisches) Exemplum rohen Kriegs= und Weltwesens geben wollen,
das mit Notwendigkeit den Weg in die „Teufelsklaue" nehmen müßte.
Aber so befremdend solche Ansicht scheinen will: sie blieb, wenngleich
variiert, im 18. Jahrhundert sichtlich vorherrschend, tauchte noch im
19. Jahrhundert gelegentlich wieder auf und wurde, wie gezeigt, von
Thomas Mann, ideologisch allerdings stark gewandelt, von neuem in
die Diskussion aufgenommen.

Georg Wolfgang Knorr wußte in seiner ‚Allgemeinen Künstler=Histo=
rie oder berühmter Künstlere Leben, Werke, und Verrichtungen . . .',
Nürnberg 1759, überhaupt nicht viel mit diesem Stich anzufangen;
auch ein Bildtitel war ihm unbekannt. Er gab lediglich eine dürftige,
ungenaue Beschreibung.[21] Nicht weniger dürftig gab sich zehn Jahre
später David Gottfried Schöber in ‚Albrecht Dürers . . . Leben, Schriften
und Kunstwerke'.[22] Auch er kannte keinen eigentlichen Titel. Der ge=
samte Bildvorgang sagte ihm augenscheinlich nichts. „Ein ganz beson=
deres Stück ist auch von Anno 1513 vorhanden . . . Es ist ein gehar=
nischter Ritter auf einem wieherenden [!] Pferde, in einer gebürgigen
Gegend . . .". Er schloß: „Es muß entweder dem Dürer hierzu eine be=
sondere Ursache Gelegenheit gegeben haben, oder er hat damit *die ge=
meine Beschaffenheit des Soldatenlebens* anzeigen wollen" — mit dem
Prediger Arend dürfen wir ergänzen: den allgemeinen Zustand des

Soldatenlebens, das notwendig beim Teufel enden muß. So erscheint es nicht mehr verwunderlich, wenn ein 1771 veröffentlichtes Kupfer= stichverzeichnis den Stich kurzweg die ‚Hölle' nannte; freilich, fügte dieser Kunstkenner hinzu, „so fein und glücklich ausgeführt, als man sich nur etwas wünschen kann".[23]

Und endlich ein zu Frankfurt am Main 1778 anonym erschienener Katalog: ‚Raisonnirendes Verzeichnis aller Kupfer= und Eisenstiche, so durch die geschickte Hand Albrecht Dürers selbsten verfertiget worden... von einem Freund der schönen Wissenschaften'. Sein Verfasser war Heinrich Sebastian Hüsgen (1745–1807), ein Kindheitsfreund Goethes (er hatte mit ihm gemeinsam Schreibstunden).[24] In seinem ‚Verzeichnis' („nach welchem die meisten Sammlungen geordnet sind", wie Wielands ‚Neuer Teutscher Merkur' zu berichten wußte)[25] reihte Hüsgen den Stich unter die „Fantasie=Stücke" ein.[26] Hier tauchte nun plötzlich der vertraute Titel ‚Ritter, Tod, und Teufel' auf; soweit ich sehe, erstmalig. Sollte er, in dieser straff zusammengezogenen Form, von Hüsgen stam= men? In seiner „Vorerrinnerung" führte er nämlich aus: „Nichts hat mir ansonsten bey Verfertigung dieses Catalogi mehr Mühe gemacht, als unter den Dürerischen Fantasie=Stücken dazu schickliche Nahmen aus= zutheilen, der Mann hat hier so gar wunderliche Gegenstände ge= wählt...". Das klingt keineswegs so, als hätte Hüsgen diese Titelform schon andernorts gelesen, eher danach, als hätte er selbst diesen „schick= lichen Nahmen" zugeteilt. Wichtiger als der Titel jedoch ist, was Hüsgen aus dem so benannten Stich herauslas. Das war, trotz seinen Vor= gängern, noch überraschend genug. „... so meines erachtens ... auch", notierte er, „der Ritter selbsten nach dem Leben gebildet, das Beywesen aber *Sinnbilder und Folgen seiner gottlosen Lebensart* seynd und da= hero seiner Zeit ein durchtriebener Gast, ja vielleicht von einer noch jetzt lebenden großen adlichen Familie der Vor=Vater wohl mag gewesen seyn. Das auf dem Täfelgen... stehende ungewöhnliche S. macht mich dahero auf die Deutung des Nahmens vermuthen, dessen Auslegung andern überlasse."[27] War das ein Nachklang des revolutionären bürger= lich=demokratischen Sturm und Drang? Nicht roh, aber jedenfalls sehr „geradezu" ging Hüsgen diese von ihm vermutete „adlige Familie" an.[28] Der Ritter — nun das Porträt eines gottlosen großen Herrn, Ahne vielleicht eines noch lebenden Geschlechtes! Dürer wurde zum Bundes=

genossen im Kampf gegen den bevorrechteten Adel gemacht, dem, gleich dem ominösen Reiter S. des Stiches, Tod und Teufel an den Hals ge= wünscht wurden. Jedenfalls: ein durchtriebener Gast mit „gottloser Lebensart" — ein teufelsbesessener Laster= und Strauchritter! Schärfer konnte der Gegensatz zu einem möglichen „idealischen" Leitbild kaum ausgedrückt werden.

Wie wenig jedoch dieser (neue?) Titel ‚Ritter, Tod, und Teufel' zu= nächst sich durchgesetzt haben mochte, beweist eine Anführung aus dem Jahr 1796 in dem damals verbreiteten ‚Handbuch für Kunstlieb= haber und Sammler über die vornehmsten Kupferstecher und ihre Werke',[29] das den Katalog Hüsgens bereits eingearbeitet hatte. Von dem Stich hieß es dort aber: „Ein fliehender bewafneter Reuter, vom Tod und Teufel verfolgt..."; hinzugefügt wurde: „Dieß Blatt wird auch Dürers Weltmensch genannt...". Die gemeinte Inhaltsdeutung ging unmißverständlich aus den charakteristischen Worten „fliehend" und „verfolgt" hervor; dieser „Reuter" (kein Ritter!), dieser „Welt= mensch" wird von Tod und Teufel gehetzt und, zu Recht, zur Strecke gebracht werden. Das war, im ganzen, die Meinung bis zu Beginn des 19. Jahrhunderts.

In den 1803 deutsch erschienenen ‚Vorlesungen über die Mahlerey' fand schließlich der Schweizer Maler=Dichter Johann Heinrich Füßli (1741—1825) Dürers „Ritter, dem der Tod und der böse Feind erschei= nen", nur noch „mehr sonderbar als schrecklich"; es war die Ablehnung des an Michelangelo, Shakespeare und Milton erzogenen Stürmers und Drängers, des „manieristischen" Klassizisten, der an Dürer das „Genie" vermißte, ihn nur als einen „Mann von großer Geschicklichkeit" gelten lassen wollte und ihm bestenfalls „einen Schimmer von Erhabenheit, aber auch nur einen Schimmer" zugestand.[30]

Erst in der frühen Romantik mit ihrer Dürer=Begeisterung[31] scheint auch dieser Kupferstich allmählich eine grundlegende Umdeutung, einen anderen Bildsinn, erfahren zu haben; doch blieb dieser vorerst verschwommen. Der durch den Wald reitende Sickingen (Friedrich Schle= gel), Ulrich von Hutten, Luthers „Feste Burg", so lauteten jetzt die neuen Stichworte.[32] Auch in einem 1805 zu Dessau erschienenen, fran= zösisch geschriebenen Katalog, wo der Stich ‚Le Chevalier de la Mort' benannt war, hieß es: „Durer a voulu ainsi représenter le chevalier de

Sickingen, qui se portant pour la reforme, est environné de la mort et du diable".[33] Bei Friedrich de la Motte Fouqué wurde der gewandelte Sinn dann deutlich greifbar. Vorher hatte noch Adam Bartsch in seinem bis heute berühmten graphischen Katalog ‚Le peintre graveur‘ den Stich unter der ihm bleibenden Nummer 98 aufgenommen; bezeichnender= weise aber auch hier nichts von ‚Ritter, Tod und Teufel‘ — Bartsch nannte ihn weiterhin ‚Le cheval de la mort‘ und fügte hinzu: „cette estampe, que l'on nomme aussi le manège . . .".[34] In einer Anmerkung teilte er wiederum die Vermutung mit, daß jenes S., das schon Hüsgen so sehr beschäftigt hatte, möglicherweise auf Sickingen deute, der hier porträtiert sein könne.

Fouqué ließ 1814 die Erzählung ‚Sintram und seine Gefährten‘ er= scheinen, mit dem Untertitel „Eine nordische Erzählung nach Albrecht Dürer‘; sie stand als 4. Stück, ‚Der Winter‘, in dem Zyklus ‚Vier Jah= reszeiten‘ (als ‚Frühling‘ gehörte ‚Undine‘ dazu).[35] Den Einfall zu die= sem Prosastück hatte ihm Dürers Stich gegeben. In Kapitel 27 wurde dieser unmittelbar in Handlung umgesetzt und sein Bildinhalt, so wie Fouqué ihn empfand, nacherzählt. Aber dessen Grundtenor klang jetzt fundamental anders: *„Der Ritter, der reitet zum Siege"!*[36] Das tapfere, gläubige, christliche Gemüt des Ritters überwindet nun, in einem recht phantastischen Geschehen, Tod und Satan, und der Tod verwandelt sich nach diesem Kampf (um die Seele des Vaters jenes Ritters) sogar in den „schönen, freundlichen Tod". Sieg über Tod und Teufel: umschrieb Fouqué brieflich wenig später selbst seine Darstellung und damit seine Auffassung von Dürers Stich.[37] Auch gab er im Dezember 1814 seiner nordischen Wintererzählung noch eine Nachschrift hinzu, die für unse= ren Zusammenhang wichtig ist: „Vor einigen Jahren lag unter meinen Geburtstagsgeschenken ein schöner Kupferstich von Albrecht Dürer: Ein geharnischter Ritter, ältlichen Angesichtes, zieht auf seinem hohen Roß, begleitet von seinem Hunde, durch ein furchtbares Tal, wo Steinrisse und Baumwurzeln sich zu abscheulichen Gestalten verzerren, und giftige Pilze am Boden wuchern. Böses Gewürme kriecht dazwischen. Neben ihm reitet auf einem dürren Rösselein der Tod, von rückwärts streckt eine Teufelsgestalt den Krallenarm nach ihm her; Roß und Hund sehen wunderlich aus, wie von der entsetzlichen Umgebung angesteckt; *der Ritter aber reitet ruhig seines Weges* und trägt auf seiner Lanzenspitze einen bereits durchgespießten Molch. Fern sieht eine Burg mit ihren reichen, freundlichen Zinnen herüber, davon die Abgeschiedenheit des Tales noch tiefer in die Seele dringt. — Mein Freund Eduard Hitzig, der Geber dieses Bildes, hatte einen Brief hinzugefügt mit der Auffor= derung, ihm die rätselhaften Gestalten durch eine Romanze zu deuten. Es war mir damals noch nicht beschieden, und lange noch nicht; aber in mir trug ich fortdauernd das Bild herum, durch Frieden und Krieg, bis es sich mir jetzt ganz deutlich... gestaltet hat, aber statt einer Romanze zu einem kleinen Roman..."[38] Daraus, und in Zusammen= hang mit der Erzählung, geht hervor: ein allgemein anerkannter Titel für Dürers Stich schien auch damals noch nicht vorhanden gewesen zu sein, sonst hätte Fouqué ihn erwähnt und nicht eine so umständliche, wiederum höchst reizvoll subjektive Bildbeschreibung gegeben; im Ge= genteil, noch immer blieben es „rätselhafte Gestalten", die der — dich= terischen — Deutung bedürften. Doch aus dem bösen, rohen Kriegs= gesellen, aus dem Gespenster sehenden Einspennigen war ein nordisch= edler Ritter, „still und fest", geworden, der „ruhig" seines Weges zwischen Tod und Teufel daherreitet und gläubigen Herzens beide überwindet. Der Anschluß zurück an Sandrarts ‚Christlichen Ritter', aber auch der Vorgriff auf kommende Deutungen war gewonnen, wobei besonders eigenartig das „Nordische" anmutet, das Fouqué in Dürers Stich hineinlegte.

Wie unsicher damals, Anfang des 19. Jahrhunderts, noch dessen Ausdeutung (auch dessen gültiger Titel) gewesen sein mußte, geht aus einem etwas älteren Brief von Otto Heinrich Graf von Loeben an Fouqué hervor, vom 27. 11. 1812, der zudem nochmals bestätigt, wie sehr dieser Stich den Freundeskreis um Hitzig und Fouqué beschäftigt hatte. Loeben schrieb dort: „Meine sonstigen Studien sind:... Albrecht Dürers Werk, des gemüthlichen deutschen Herzens, das wiedergeht in alle kindlichen und großen Herzen, denn ich habe das Glück gehabt, für ein kleines Capital, das nun seine Zinsen erst trägt! den größeren Theil der Dürerschen Kupferstiche und Holzschnitte beisammen zu kaufen und habe schon tausendmal an Dich und Carolinen [die Gattin Fouqués] dabei gedacht, und so oft ich den Kupferstich: Ritter, Tod und Teufel (auch Dürers Weltmensch genannt) ansehe, lausche ich hin, ob mir der Sinn Deiner dazu versprochenen Romanze nicht erklingen will,

aus diesen Felsen heraus oder an der Glocke, die des einen Reiters Roß
am Halse trägt! Eine Todtenglocke ist an sich schon ein Zeichen zur
Hora der Poesie."[39] Wohl war hier der Titel ‚Ritter, Tod und Teufel'
schon bekannt, aber nicht unumstritten (weshalb Fouqué ihn mög=
licherweise nicht erwähnt hatte); vielmehr fügte Loeben sogleich hinzu:
„auch Dürers Weltmensch genannt". Was es mit diesem „Weltmensch"
auf sich hatte, wissen wir; keineswegs hatte er mit Fouqués roman=
tischer, christlich=ritterlicher Ausdeutung etwas zu tun. Auch Loeben
wußte sich selbst keine Antwort und rätselte, vor allem an der „Tod=
tenglocke", herum.

Soviel folgt jedoch eindeutig aus diesen Zeugnissen: zwischen Hüsgen
(1778) und Fouqué (1814), den Wende= und Krisejahren zwischen
„Aufklärung" und „Romantik", muß die Umschlagstelle liegen, die aus
Dürers „Weltmensch" den „Ritter" ohne Furcht und Tadel, aus dem
negativen Exemplum das Vor= und Sinnbild hoher Art schuf, muß auch
der endgültige Titel ‚Ritter, Tod und Teufel' gefestigt worden sein. Ob
dieser allein von Hüsgen, jene neue Sinngebung allein von Fouqué
geschaffen oder vorbereitet wurde, muß dahingestellt bleiben. Jeden=
falls sind seit Fouqués vielgelesener Erzählung die entscheidenden Kon=
turen für eine neue Deutung gezogen worden.

Diese war bald öffentlich zu spüren. 1818 gab in Berlin Friedrich
Förster (1791–1868, mit Körner zusammen im Lützowschen Freikorps)
einen von ihm seit mehreren Jahren zusammengestellten und heraus=
gegebenen „romantischen" Almanach in Druck, ‚Die Sängerfahrt. Eine
Neujahrsgabe für Freunde der Dichtkunst und Malerey'.[40] Darin stand
ein balladeskes Gedicht ‚Der Ritter durch Tod und Teufel';[41] sein Ver=
fasser war ein sonst unbekannter Adam Bercht, der damals in Bremen
lebte und hier die kurz erscheinende ‚Bremer politische Zeitung' heraus=
gab.[42] Eine Fußnote zu dem Gedicht vermeldete: „Nach Albrecht Dürers
Bild: Franz von Sickingen — welches in Brüssel in der Sammlung des
Hrn. Burlin sich befindet; Herr Jacobi in Berlin besitzt eine treue
Abbildung davon." (Gemälde nach Dürers Stich sind mehrere be=
kannt.)[43] Den originalen Kupferstich hatte Bercht anscheinend nicht
gekannt; seinen balladesken Titel ‚Der Ritter durch Tod und Teufel'
schien er mehr oder minder frei erfunden zu haben. In diesem Gedicht
heißt es u. a.: „Wer reitet dort im Felsenthal, / Gar hoch zu Roß er

hält, / Gerüstet ist er blank in Stahl / Und schaut frey in die Welt." Der Schluß dann: „Der deutsche Ritter ist bereit, / Mit ehrlich treuem Sinn; / ‚Ich zieh' mit meinem Gott zum Streit, / Dein Macht [des Teufels] reicht da nicht hin. / Laß kommen die Hölle mit mir zu streiten, / Ich werde durch Tod und durch Teufel reiten'." Sollte dies ohne die Anregung von Fouqués Erzählung geschrieben worden sein? Es ist kaum anzunehmen.[44] Wie dem sei, der Tonwechsel war jetzt überdeutlich geworden. „Der deutsche Ritter — mit ehrlich treuem Sinn"! Der Gottesstreiter, der deutsch=christliche, der reformatorische Ritter, den Tod und Teufel nicht scheren — fast wurde, in solchem „nationalen Standbild", die neue Sicht schon popularisiert. Hier in der späteren, der historisierenden Romantik scheint sich der eigentliche ‚Ritter, Tod und Teufel'=Mythos, der Reiter des Aufbruchs, auch seine nationale Ideologisierung, langsam herausgebildet zu haben, dem der „letzte Romantiker", Friedrich Nietzsche, schließlich den Klang eisiger Schicksalsheroik ohne Hoffnung und Gotteshilfe gab.

In dem Dürer=Werk des zitierten Joseph Heller aus Bamberg (1798 bis 1849)[45] wurde nochmals die Unsicherheit der endgültigen Titelgebung recht deutlich: sie schwankt allerdings bei ihm nur noch zwischen ‚(Der) Ritter, Tod und Teufel', ‚Der christliche Ritter mit (dem) Tod und Teufel' und ‚Der christliche Ritter'.[46] Eine Darstellung des Franz von Sickingen erschien auch Heller nicht unwahrscheinlich; selbst die Rinck=Legende wurde nochmals erwähnt. Doch Heller entschied sich: „Andere nennen es den christlichen Ritter, der weder Tod noch Teufel fürchtet ... Wir wählten auch den Namen: ‚Der christliche Ritter' *weil er von den meisten Literatoren so genennt* wird, und auch Sandrart ihn so angiebt."[47] In dem von Georg Caspar Nagler bearbeiteten ‚Neuen allgemeinen Künstlerlexikon', wurde der Stich schon mit dem Haupttitel ‚Der Ritter mit Tod und Teufel' aufgenommen;[48] in Klammern daneben allerdings nach wie vor „Franz von Sickingen, le cheval de la mort, auch le manège".

Besonders charakteristisch für die gewandelte innere Einstellung zu Dürers Stich waren, nach Fouqués Erzählung von 1814, zwei Anführungen, die fast gleichzeitig, 1835 und 1836, beide nachklassisches, nachidealistisches Geisteserbe mit dem Ritterbild verbanden und es damit ausdrücklich aus den früheren Negationen, bereits aber auch aus

allzu romantisch=phantasievollen Umdeutungen heraushoben. Gleich=
gültig, wieweit solche Äußerungen zeitgenössisch tatsächlich beachtet
wurden — sie bildeten jedoch für Jahrzehnte das Wertmaß weiter vor.
1835 war es wieder Carl Gustav Carus, ebenfalls in seinen ‚Briefen
über Göthe's Faust',[49] der im zweiten dieser fingierten Briefe auf Dürers
Stich kurz zu sprechen kam und ihn in unmittelbare Parallele zu
‚Faust', zu dem „Begeistigenden, ewig Anregenden", dem „Frühlings=
mäßigen" in ihm stellte, das auf „dem zwar tief zu beugenden, aber an
sich schlechthin unverwüstlichen göttlichen Prinzip der Seele durch und
durch gegründet" ist. Dem fügte Carus erläuternd hinzu: „Hatte ich
daher im Vorhergehenden unsers vielgetreuen Albrecht Dürer Melen=
cholia dem Faust von einer Seite, nämlich hinsichtlich ihrer tiefschmerz=
lichen, von trüben dämonischen Gedanken umschwebten Sehnsucht,
verglichen, so möchte ich nun auch ein andres Blatt desselben Meisters
Ihnen in's Gedächtnis rufen, von welchem ich weiß, daß es unter dem
Namen des ‚Ritters zwischen Tod und Teufel' auch Ihnen bekannt genug
ist, und möchte auch dieses dem Faust vergleichen, in wiefern hier in
dem wohlgerüsteten, von allem Spuk unaufgehaltenen Ritter jene andre
Seite dieses Werkes deutlich erkannt werden könnte, von welchem der
Herr sagt: ‚ein guter Mensch in seinem dunklen Drange / ist sich des
rechten Weges wohl bewußt!'"[50]

Dürers Ritter und das „faustische",[51] unablenkbare Aufstreben zu
„höherer gottinniger Freiheit" waren damit, in Fortsetzung von Fou=
qués Anregung, unmittelbar in einander deutende Bildübereinstimmung
gebracht worden. Noch war dieses „Streben" bei Carus ein innerseeli=
scher Vorgang, ein „ausgesprochenes genetisches Princip alles echten
Seelenlebens", das auf „die Menschenseele in ihrer innern Göttlich=
keit" zielte, nicht ohne Seitenblick auf die schmerzlich=trübe Dämonie
und Melancholie solcher Sehnsucht. Eine Generation später, nach dem
Krieg von 1870/71, begegnet dasselbe ‚Faust'=Zitat in Zusammenhang
mit Dürer nochmals, dann aber deutlich verbunden mit trotzig=trium=
phierender Deutschheit, Bildumschreibung der indessen entwickelten
national=optimistischen Perfektibilitätsidee „faustischen" Wesens und
„faustischer" Aufgabe. Bei Carus blieb dieser Vorgang zurückgehalten
in (goethescher) Ehrfurcht vor einem göttlichen Werdegeheimnis; doch
die entscheidende ‚Faust'=Parallele und die angebliche ‚Faust'=Gemein=

samkeit waren seitdem hergestellt, die, in Position und Negation, bis zu Thomas Mann ihre fragwürdige Anziehungskraft bewahren sollten. 1836 folgte Franz Kugler (1808—1858), der Schwiegersohn von Eduard Hitzig, seit 1833 Professor für Kunstgeschichte in Berlin, bald darauf berühmt geworden durch die von Menzel illustrierte ‚Geschichte Friedrichs des Großen' (1840). In seiner zu Berlin erscheinenden Zeit= schrift ‚Museum'[52] zog er aus der sich anbahnenden national betonten Hochschätzung des Dürer=Stiches schon ein vorerst abschließendes Fazit; die „bösartigen" Deutungen des 18. Jahrhunderts, doch auch krause Phantastik, die sich um dieses Blatt ranken wollte, wies er zurück. Kugler, ein Verehrer Jacob Burckhardts, lehnte, durchaus gegen= und nachromantisch, eher „klassizistisch" eingestellt, das „Phantastische" in der deutschen Kunstentwicklung als einen bedauerlichen Irrweg über= haupt ab. „Die Phantasie wird erst dann, wenn sie sich dem allein wahrhaften Gesetze der Schönheit unterworfen, wenn die rohe Gewalt dämonischer Mächte gebrochen ist, zum Zeugniß eines edlen, gereinig= ten, zum Höchsten gerichteten Sinnes."[53] Kein Wunder, daß er auch bei Dürer diesen Bruch festzustellen meinte und daß der Stich von 1513 ihm die eigentümliche Spannung und innere Thematik erst aus dieser willentlichen Überwindung jener, von ihm so genannten dämonischen Mächte zu gewinnen schien; fast ist man versucht, diesen „edlen, ge= reinigten, zum Höchsten gerichteten Sinn" mit dem „von allem Spuk unaufgehaltenen" Faust=Ritter des Carus zu vergleichen. So schrieb Kugler, in offensichtlicher Vordeutung auf das Ritter=Blatt, zunächst über Dürer selbst, wobei er den Romanzenton Loebens und Fouqués zwar noch empfand, ihn aber durch ein klassizistisches Regelmaß zu bän= digen versuchte: „... jener allgemeine Hang zum Phantastischen war es, dem auch er nicht zu entsagen vermochte, und der die reine Ent= wickelung seiner künstlerischen Kraft mannigfach verkümmert hat. Allerdings zwar hat bei ihm diese Richtung auf's Phantastische einzelne wundersame Blüthen getrieben, wie sie in gleicher Bedeutsamkeit uns fast nirgend begegnen, hat sie einzelne Werke (ich möchte dieselben am Liebsten als ‚Gedichte' bezeichnen) ins Leben gerufen, deren geheim= nißvoller Inhalt uns mit unauflöslichem Interesse an sich zieht; blicken wir jedoch auf das höchste Ziel der Kunst, auf die Schönheit, welche das Geheimniß offenbar machen, Inhalt und Form als Eins und untrennbar

darstellen soll, so finden wir hier nur im seltensten Falle eine vollkom=
mene Befriedigung."[54] Erst von dieser allgemeinen Auffassung Kuglers
über das Wesen aller Kunst und der Dürers insbesondere, von seiner
Ablehnung der (gotischen, romantischen) „Phantastik" und ihrer not=
wendigen künstlerischen Überwindung her wird seine Deutung und Be=
jahung des ‚Ritter, Tod und Teufel'=Stiches recht verständlich. Denn zu
ihm bemerkte er: „Ich glaube nicht zu übertreiben, wenn ich dies Blatt
für die bedeutendste Production erkläre, welche die gesammte phanta=
stische Richtung der deutschen Kunst hervorgebracht hat. Die *Phantasie*
bildet hier, und zunächst ohne alle weitere Beziehung und Symbolik, die
eigentliche Grundlage des wundersamen *Gedichtes*, aber sie ist zugleich
überwunden und einer höheren Kraft, der *Kraft des männlichen Willens*,
unterworfen und somit in ihrer wahren Bedeutung dargestellt."[55]

Wie eigentümlich mischte sich in solcher Ausdeutung des „Gedich=
tes" spätromantischer Nachhall, „faustisches" Hochstreben im Sinne von
Carus und auch schon ein leiser Vorklang des Nietzscheschen Schopen=
hauer=Reiters männlichen Willensbewußtseins! Kugler gab eine, für
den damaligen Zeitpunkt aufschlußreiche Bildbeschreibung: „Wir sehen
einen Ritter, der einsam durch ein finsteres Thal hinreitet. Da steigen
zwei Dämonen vor ihm auf, die furchtbarsten, welche die menschliche
Brust beherbergt, die Verkörperung derjenigen Gedanken, die auch der
Entschlossenste nicht ohne Erbleichen ins Auge zu fassen vermag: die
Grauengestalt des Todes auf dem hinkenden Rößlein und das sinnver=
wirrende Scheusal des Teufels. Der Ritter aber, kampfgerüstet gegen
jeden, mit dem zu kämpfen ist, ein Gesicht, in welches die Zeit ihre
Furchen eingegraben und welches *durch Sorge und Entsagung den Aus=
druck innerlicher, unerschütterlicher Festigkeit* gewonnen hat, blickt
streng vor sich auf den Pfad, den er gehen will, und läßt die Gestalten
wahnsinniger Träume wieder in ihr ohnmächtiges Reich versinken."
Voll abgerundet, steht vor uns das „Bild", das „Sinnbild" (sorgend=
entsagender Heroik), wie es nunmehr ein Jahrhundert, selten angefoch=
ten, andauerte und verwendet wurde — literarisches Bild, geistiges Bild,
„Gedicht", das den Kupferstich und dessen künstlerische Probleme
überlagerte. Es schien auch Kugler zwar nicht ausgeschlossen, daß es
ein Porträt des Franz von Sickingen darstelle. „Nur ist es", fuhr er fort
und formulierte damit bewußt und endgültig die Umkehr, „in diesem

Bezuge ein Ehrenbild für diesen mannhaften Ritter und nicht, wie man angiebt, eine Allegorie auf die ihm vorgeworfene hartnäckige Bosheit". (Nur die Bezeichnung „christlicher" Ritter lehnte er ab, „da nichts vorhanden ist, was einen speciellen Bezug auf christliche Religionsübung andeutete" — eine Meinung, die später Schrade wiederholte.)

Kein Zweifel jedenfalls: in diesem Dreischritt Fouqué — Carus — Kugler (der nur beispielhaft genommen sei neben anderen, von mir sicherlich übersehenen Zeugnissen) bildete sich innerhalb von zwanzig Jahren (1814—1836) in der ersten Hälfte des 19. Jahrhunderts der neue Tenor aus, der, mannigfach weitergeformt und abgewandelt, bis in die Mitte des 20. Jahrhunderts wirkte. Schon raunte das Nordische, schon das Willensmächtig=Entsagende, schon das „Faustische" hinein. Der (nationale) ‚Ritter, Tod und Teufel'=Mythos war vorbereitet, die (nationale) Ideologie reisiger Weltausfahrt und trotzigen Weltausgriffes angelegt.

Einige Zwischenbeispiele seien nur kurz angeführt. Anton Heinrich Springer bezeichnete 1855 in der Erstauflage seines lange verbreiteten ‚Handbuchs der Kunstgeschichte' Dürers Stich als „sein Ritter und der Tod".[56] August von Eye, damals Vorstand des Germanischen Museums in Nürnberg, knüpfte 1860, unter alleiniger Verwendung von ‚Ritter, Tod und Teufel', deutlich an die spätromantische Wendung an, nationalisierte sie noch entschiedener und machte sie der kommenden Geschichtsstunde mundgerechter: „Man hat dieses Blatt ... den Reformationsritter nennen wollen", stellte er vorweg fest, fuhr dann aber fort: „Wir dürfen gewiß ganz in seinem [Dürers] Sinne *den echten deutschen Mann, die Versinnlichung und Verherrlichung der einen Seite unseres Volkscharakters* darin erkennen, *das Hangen am Prinzipe*, an der Idee, das jeden echten Sohn unseres Stammes von Jugend auf kennzeichnet, die Kraft und den Muth, die im Streben, jene zu verwirklichen, vor den Tiefen und Schrecken des Lebens nicht zurückscheuen."[57] 1861 nannte Bernhart Hausmann den Stich ‚Der Ritter mit Tod und Teufel';[58] Passavant (1862) und d'Orville (1865; Titel ‚Ritter, Tod und Teufel') waren schon angeführt. Bei Herman Grimm hieß er 1867 auch nur noch ‚Ritter, Tod und Teufel'.[59] Ralf von Retberg nannte ihn in seinem Verzeichnis von 1871 dagegen durchweg und deutlicher ‚Der Ritter trotz Tod und Teufel' (und behauptete, das umstrittene S. deute zweifelsohne auf Stephan Paumgärtner hin).[60]

Zwischen 1870 und 1880 verdichtete sich, typisch und analog zum „Faustischen", die Diskussion noch einmal, stellte in leidenschaftlichem Hin und Wider die eigentliche, anscheinend nicht mehr ausgleichbare Spannung heraus und formte ideologisch ebenso nachdrücklich die dann langhin vorherrschende Meinung. Der Titel ‚Ritter, Tod und Teufel' wurde jetzt fast allgemein angenommen und hatte sich durchgesetzt.

Genau um 1870 herum beschäftigten sich Richard Wagner und Fried= rich Nietzsche mit diesem Blatt; das hierher gehörige Material hat Ernst Bertram im Kapitel ‚Ritter, Tod und Teufel' seines Nietzsche=Buches aufgearbeitet und ausgedeutet.[61] Der Anstoß schien von Wagner aus= gegangen zu sein, dem Nietzsche Weihnachten 1870 einen Abzug des Stiches, Wagners „Lieblingsblatt", schenkte.[62] „... dies Bild ‚Ritter Tod und Teufel' steht mir nahe, ich kann kaum sagen, wie", hieß es wenig später, 1875, in einem Brief Nietzsches aus Basel an Malvida von Meisenbug.[63] Der ergreifende Niederschlag dieses „Nahe"=seins fand sich aber schon 1872 in der ‚Geburt der Tragödie' und in den dazu gehörigen Aufzeichnungen. „Was wüßten wir ... zu nennen", klagte Nietzsche dort, „was in der Verödung und Ermattung der jetzigen Cul= tur irgend welche tröstliche Erwartung für die Zukunft erwecken könnte?" Er gab sich selbst die Weisung: „Da möchte sich ein trostlos Vereinsamter kein besseres Symbol wählen können, als den Ritter mit Tod und Teufel, wie ihn uns Dürer gezeichnet hat, den geharnischten Ritter mit dem erzenen, harten Blicke, der seinen *Schreckensweg*, unbe= irrt durch seine grausen Gefährten, und doch *hoffnungslos*, allein mit Roß und Hund zu nehmen weiß. Ein solcher Dürer'scher Ritter war unser Schopenhauer; ihm fehlte jede Hoffnung, aber er wollte die Wahrheit."[64] Aus diesem stoisch=heroischen Endmythos um den Dürer= schen Reiter schien eher — und nicht, wo Nietzsche selbst gelegentlich das Wort „faustisch" verwendet hat[65] — ein Vorklang des kommenden „Faustischen" Spenglers aufzutönen. Auch finden wir hier schon den vereinsamten germanischen Reiter vorgezeichnet, „unheimlich allein", mit dem Blick in Ferne und Unendlichkeit, wie ihn noch später Hans Naumann vielfach beschwor. Kein „christlicher" Ritter mehr — jetzt der hoffnungslose, der um einer Idee, des „Hangens am Prinzipe" wil= len, aus „Mut zu sich selber", den Schreckensweg des Daseins tapfer ausreitet. „Der germanische Pessimismus ... Dürer's Bild vom Ritter

Tod und Teufel als Symbol unseres Daseins", fügte damals hellsichtig der junge Nietzsche in seinen Notizen hinzu[66] und schien mit einem Schlage die deutsche Situation bis 1945 — und, fast wörtlich, auch bis in den Faustus=Roman Thomas Manns vorzudeuten; vielmehr: hier lag, über Bertrams Buch, eine der Quellen Thomas Manns für sein „Bild". „Mir behagt an Wagner, was mir an Schopenhauer behagt, die ethische Luft, der faustische Duft, Kreuz, Tod und Gruft", hatte Nietzsche schon 1868 an den Freund Erwin Rhode geschrieben.[67] Hier, bei dem vierundzwanzigjährigen Briefschreiber, tauchte das Beiwort „faustisch" in einem von ihm noch unkontrollierten, romantisch=ver= schwommenen und verquollenen, doch „positiven" Sinn auf und fügte sich, wenn auch unpräzise, baldigem zeitgemäßen Gebrauch ein. Scho= penhauer, Wagner, germanischer Pessimismus, der faustische Duft, Dürers hoffnungsloser Heros=Reiter: eins faßte ins andere, eins deutete das andere, tragisches Grundgefühl des jungen Nietzsche, das später ganze Schichten der Nation erfassen sollte. Es war die „Luft" auch des jüngeren Thomas Mann und, rekapitulierend, seines unglücklichen Leverkühns. Das tödliche Gewebe einer deutsch=tragischen Ideologie wird dem hinter sich schauenden Blick sichtbar. Faust und Dürer=Reiter waren nur ihre Chiffren.

Doch blieb Nietzsche mit dieser rigorosen Deutung in seinem Früh= werk zunächst allein. Seine Saat ging erst Jahrzehnte später auf, um und nach dem Ersten Weltkrieg. Noch ein anderer Großer freilich nahm jetzt, 1871, das heroisierte Stichwort ,Ritter, Tod und Teufel' auf und deutete mit ihm die eigene Vision des kämpferisch=einsamen Mannes, des deutschen Trutz= und Schwertgeistes: Conrad Ferdinand Meyer in seiner frühen Versdichtung ,Huttens letzte Tage'. Hutten, der, wie C. F. Meyer schrieb, auch „von der Einheit und Macht des Reiches" geträumt hatte, wurde Dürers Ritter gleichgestellt. „Dem garst'gen Paar, davor den Memmen graut, / Hab' immerdar ich fest ins Aug' ge= schaut. / Mit diesen beiden starken Knappen reit' / Ich auf des Lebens Straßen allezeit, / Bis ich den einen zwing' mit tapferm Sinn / Und von dem andern selbst bezwungen bin."[68] Der deutsche Trutzritter vor Gott und Welt, das wurde die gültige Vision.

Die öffentliche Diskussion um sie ging jedoch scharf weiter. 1873 schrieb der Kunsthistoriker Adolf Rosenberg: „Die Idee, in dem ge=

festeten Ritter, der ohne mit den Wimpern zu zucken zwischen Tod und Teufel kühn seine Straße reitet, den Reformationsritter erkennen zu wollen, ist gewiß schön und poetisch. Doch besteht sie vor der kritischen Forschung nicht. Es ist nicht der Ritter *trotz* Tod und Teufel, der hier erscheint, sondern der Künstler beabsichtigte, uns die Allmacht jener furchtbaren Dämonen handgreiflich und eindringlich vor Augen zu führen, vor denen stolze Waffenpracht und männliche Wehrhaftigkeit in nichts zerrinnt: Tod und Teufel *trotz* aller Ritterschaft."[69] Deutlich wurde hier ein moralisch=theologischer Rückgriff ins 18. Jahrhundert gemacht und Nietzsches Ausdeutungen in ein anderes Maß gerückt; Tod und Teufel erschienen wieder mächtiger als das Menschenwesen.

Dagegen 1875 der Leipziger Theologe Christoph E. Luthardt: „. . . un= geschreckt von Tod und Teufel, weder von Furcht noch Hoffnung be= wegt, reitet der Ritter weder rechts noch links blickend, stracks vor sich hin sehend, in ruhiger Fassung, mit ernsten strengen Zügen des Gesichts: es ist der Weg des *Berufs* den er geht, mag er zu einem Ziele führen, zu welchem er will — die *Pflicht* heißt ihn gehen. Dieser Ge= danke ist es, welcher unmißverständlich hier zum Ausdruck gebracht ist: das ruhige und ernste Bewußtsein der Pflicht, welche den Weg des Berufes gehen heißt. Man nennt diesen Ritter oftmals den Refor= mationsritter. Und allerdings mag er an den Weg des Gewissens und der Pflicht erinnern, den etliche Jahre darnach Luther ging . . .".[70] Eine Variation des nietzscheschen hoffnungslosen Reiters, gefestigt in refor= matorischem Pflicht= und Berufsethos, gestärkt durch Luthers Gewis= sensgang.

1876 meldete sich der Wiener Kunsthistoriker Moriz Thausing in dem schon zitierten ‚Dürer'=Buch zu Wort.[71] Thausing war es, der das ‚Faust'=Zitat von Carus nochmals aufnahm — ob in Kenntnis von dessen ‚Briefe', bleibe offen; es ist, auch wegen der Hinzuziehung der ‚Melan= cholia', wahrscheinlich. Er sah gleichfalls die Verkörperung echt deut= scher Geistesart in Dürers Ritter, der über Tod und Teufel nur „lacht". Durchaus sei dies keine Totentanzdarstellung, wie andere behauptet hatten, vielmehr ein Bild des „Triumphes" dieses Ritters. Es folgte, nach solcher Reminiszenz an Fouqué, die gerade für die 70er Jahre auf= schlußreiche Zitierung der ‚Faust'=Verse, die im neuen Zusammenhang doch gänzlich die Seeleninnigkeit und Wachstumsehrfurcht des Carus abgestreift hatte: „... wir dürfen von hier ... einen Ausblick wagen nach jener Stelle im Prologe zum Faust, wo der Herr die Versuchung des Bösen zuläßt mit den Worten: ‚Nun gut, es sei dir überlassen! ...'" und so fort das ganze Zitat bis „ist sich des rechten Weges wohl bewußt". Damit war, liest man den Abschnitt bei Thausing im ganzen, der Punkt erreicht, an dem Dürers ,Ritter, Tod und Teufel' völlig ineinander ge= bracht wurde mit dem Faust der „Streberidee", mit einem perfektibili= stischen, untragischen „Faustischen", wie es in diesem Jahrzehnt so folgenschwer herausgebildet worden war.[72] „Es ist das faustische Ele= ment jener [Dürer=] Zeit", wir kennen den Satz schon, „das uns aus diesen Darstellungen ... entgegenweht und uns unwiderstehlich an= zieht." Erich Schmidt, der schon diesem Vergleich der Stiche Dürers mit „faustischen" Elementen durch Thausing zugestimmt hatte,[73] wußte dann seinerseits von Lessings Faust zu behaupten: „der wie Dürers Ritter trotz Tod und Teufel seinen geraden Weg nahm".[74] Dürers Stich deckte sich jetzt mit dem optimistischen Faustbild ebenso randlos, wie siebzig Jahre später beides durch Thomas Mann, jedoch mit umgekehr= ten Vorzeichen, in Übereinstimmung gebracht wurde als deutsche „Un= reife" und als Höllensturz vermessener Blindheit. Ein Sinnbild deutete sich im anderen und machte geschichtlich dessen radikalen, ideologi= schen Bedeutungswandel mit.

Im ,Christlichen Kunstblatt für Kirche, Schule und Haus' vom Dezem= ber 1877 wurde der Zusammenhang von Dürer=Faust=(Reformations=) Deutschtum noch unterstrichen. Für diesen Autor, E. Engelhardt, war daher Dürers Stich „das Bild der vollendeten Ruhe und der besonnen= sten Zuversicht", „es ist der Christ, der im Glauben Tod und Teufel besiegt und die Welt überwunden hat". Den oben angeführten, kräf= tigen Worten von August von Eye über den „echten deutschen Mann" wurde ausdrücklich zugestimmt, dann der Ritter, wie oftmals, in be= sonders enge Verbindung zur ,Melancholia' gebracht. „Die Melancholie ist", bemerkte Engelhardt dazu, „ein außerordentliches, titanisches Bild und Thausing sagt mit Recht, diese hat den Charakter des Faust, an den sie durchaus erinnert. Es ist der rastlose, stets unbefriedigte Genius, es ist der sinnende und forschende Menschengeist ...". „Man mag daher wohl sagen, Dürer hat vielleicht unbewußt *die zwei Grundzüge des deutschen Volkes*, wie sie namentlich damals hervortraten, in diesen

zwei herrlichen Stichen charakterisirt, den Tiefsinn und die Glaubens=
freudigkeit." Wieder wurde, am doppelten Beispiel Dürers und Fausts,
der Zug national=optimistischen Selbstbewußtseins und Auszeichnungs=
gefühles unterstrichen; das „Scheunengespräch" der Studenten um
Leverkühn polemisierte gerade dagegen mit Ironie. — Dem darf die
Meinung des Kunsthistorikers Leopold Kaufmann angefügt werden,
der in seinem Dürer=Buch von 1881 die These vertrat,[75] dieses Blatt
gehöre mit der ,Melancholia' und dem ,Hieronymus' in eine von Dürer
zusammen konzipierte Dreiergruppe der Temperamente, wobei der
Ritter den Sanguiniker verkörpere: Hauptbeweis dafür war das um=
strittene S. auf dem Namenstäfelchen! Die Verbindung zu dem deutsch=
reformatorischen Reiter konnte schnell hergestellt werden: „Wir haben
es auch hier mit einem Temperamente zu thun, und zwar mit dem
Sanguiniker, der mutig, unverzagten Sinnes durch das Leben geht.
Unser Ritter bleibt ruhig, trotz der Schrecken des Todes und des
Teufels."[76]

Die damals zeittypisch gewordene Parallelisierung von Dürers Ritter
und dem „Faustischen" wird auch dadurch bestätigt, daß mit Heraus=
bildung dieses „Faustischen" (und Dürerischen), als Sinnbild eines
nationalen Tatwillens und eines optimistisch eingefärbten „strebenden
Bemühens" ohne Furcht und Zagen, zugleich scharfer Protest gegen
beide Deformierungen laut wurde. Der antifaustische Prozeß, zumal
von Gervinus bis Gwinner, ist dargestellt worden. Gegen die nationali=
stische und zweckbestimmt=optimistische Umdeutung des Dürer=Stiches
opponierte besonders heftig, gleichzeitig mit Gwinner, der Stuttgarter
Prälat und Oberkonsistorialrat Heinrich Merz in dem bereits zitierten
Aufsatz von 1879; er stritt überdies jeden Zusammenhang des Blattes
mit Luthers Reformation ab. Merz griff dabei auf das scheinbar ver=
gessene Repertoire des 18. Jahrhunderts zurück und verschärfte es in
entschieden christlich=orthodoxer Weise: „. . . dieser finstere, trutzige
Ritter mit dem stieren Auge und dem grinsenden, nicht, wie Thausing
will, lächelnden Munde ist das Gegentheil eines leichten, frohmüthigen
Sanguinikers. Er ist auch nicht derjenige, von dem Uhland singen
könnte: ,Der tapfre Ritter forcht sich nit.' Mit dem Tod und Teufel
wußte man es damals sehr ernstlich zu nehmen und der Tanz mit dem
Tode galt für keinen kleinen Spaß. Noch weniger ist der Ritter mit dem

sehr sinnbildlichen Fuchspelz am Spieße nach seiner ganzen Haltung und Umgebung ,der Mann der Pflicht, der den Weg seines Berufs in ruhiger Fassung geht und an Luther's Gewissensgang vor Kaiser und Reich erinnert', wie Dr. Luthardt meint. Am allerwenigsten aber ist es ,der Christ, der im Glauben Tod und Teufel besiegt und die Welt über= wunden hat', wie E. Engelhardt... erklärt hat. Nein... wir können ihn nur als den *Raubritter* betrachten, welchem der Tod zuruft, deine Uhr ist abgelaufen, und welchen *der Teufel, dem er gehört,* bereits mit der Kralle anfaßt, so daß er innerlichst vom nahenden Gericht ergriffen erstummt und erstarrt."[77] In gleicher entschiedener Weise wandte Merz sich gegen Engelhardts Behauptung, Dürer habe mit den beiden Dar= stellungen des Ritters und der Melancholia die zwei Grundzüge des deutschen Volkes charakterisieren wollen oder können; die hierfür indessen beliebt gewordene Parallelstellung mit Faust brachte Merz vor allem in Harnisch: „Die Melancolia Dürer's ist ein Bild des mensch= lichen Forschens, das nicht zum Ziele kommen und darüber bei allem Trieb und Glück schließlich in Faustische Trübsinnigkeit und Verzweif= lung sinken kann." Solchem zweifelhaften Ritter= und Faustmythos stehe unverrückbar allein das Evangelium als die frohe Botschaft gegen= über.

Auf diese Art wurden in dem Jahrzehnt nach der Reichsgründung die Meinungen nochmals scharf gegeneinander gestellt, das Ja und das Nein und die möglichen Varianten dazwischen. Die innere, „bildhafte" Aussagekraft und die künstlerischen Möglichkeiten dieses Dürerschen Griffelwerkes schienen formelhaft unausschöpfbar. Der Rembrandt= Deutsche Langbehn hißte es 1890 sogar als antiintellektuelles und anti= semitisches Panier vor die deutsche Jugend — aristokratisch=ritterlich möge sie gegen den „plebejischen Juden" kämpfen, „ob auch der Feind nicht ritterlich ist": „für jetzt aber wird sie ihres Weges fürbaß zu ziehen haben zwischen dem Professor und dem Juden — wie Dürers Ritter zwischen Tod und Teufel."[78] Der Stich war böswillig zum Partei= plakat entwürdigt worden, mit geschichtlich unabsehbarer Wirkung.

Indessen hatte sich jedoch in der eigentlichen Fachforschung eine beruhigtere Mittellage ausgebildet; diese neu erarbeiteten Ergebnisse wurden wissenschaftlich nach und nach anerkannt und ließen die ideo= logische Diskussion auf Jahrzehnte hin scheinbar verstummen. Den

Anstoß gab bereits ein Aufsatz von Herman Grimm, ‚Dürer's Ritter, Tod und Teufel', in den ‚Preußischen Jahrbüchern' von 1875.[79] Grimm brachte dort den wichtigen Hinweis auf des Erasmus von Rotterdam Schrift ‚Enchiridion militis christiani' als mögliche Quelle für Dürers Stich und machte dazu genaue Ausführungen.[80] Damit wurde die alte Bezeichnung Sandrarts ‚Der Christliche Ritter' (wenn auch nicht wört= lich) wieder aufgenommen und als die wahrscheinlichste erwiesen, die ihre Tradition, so nahm Grimm jetzt an, sicherlich aus Dürers Zeit selbst habe. Den Berliner Kunsthistoriker unterstützte 1890, in typischer Interpretation, der Berliner Literarhistoriker Erich Schmidt mit einem Aufsatz in der ‚Deutschen Rundschau',[81] betitelt ‚Der christliche Ritter, ein Ideal des sechzehnten Jahrhunderts'. Der Ansatz Grimms wurde ausgeweitet, eine durchgehende Traditionslinie von Paulus (Eph. 6, 10—17) bis zu Erasmus aufgezeigt,[82] das Ideal des sogenannten christ= lichen Ritters als ein im 16. Jahrundert allgemein vorhandenes und verbindliches nachgewiesen; *„das Siegreiche des Dürerschen Ritters"* verkörpere den eigentlichen eques Germanus, wie er sich z. B. in Hutten oder gar in Luther selbst darstelle.[83] Merkwürdig, noch mehr beunruhi= gend, wie am Ende solcher Interpretationssprünge statt des paulinischen Harnisch= und Glaubensschildträgers der germanische Reiter dastand, das Verhängnis der deutschen Germanistik von Jakob Grimm bis Hans Naumann und so fort.

Zusammengefaßt wurden endlich alle diese Anregungen, in Auf= arbeitung der älteren Forschung, 1900 von Paul Weber in seinen ‚Bei= trägen zu Dürers Weltanschauung',[84] deren erster Teil über ‚Ritter, Tod und Teufel' handelte. Die Vorstellung vom christlichen Ritter sei tat= sächlich seit Erasmus, als eine Art Ideal des Reformationszeitalters, allgemein verbreitet und seitdem ohne weiteres verständlich gewesen; man könne geradezu von einem „Schlagwort vom christlichen Ritter" im 16. Jahrhundert reden. Zweifellos werde auch die Stimmung von Dürers Stich, das unerschütterliche Gottvertrauen (!), bereits in der Schrift des Erasmus wiedergegeben. Sie sei zwar schon 1497/98 latei= nisch abgefaßt worden, ebenso lateinisch 1502 (2. Aufl. 1509) in Druck gegangen, jedoch ohne größeres Aufsehen zu erregen. Dies sei vielmehr erst seit den Ausgaben von 1519 der Fall gewesen; von da an datiere die große Volkstümlichkeit der Schrift, die für ein Jahrhundert zu einem der meistgelesenen Bücher der europäischen Christenheit geworden sei. 1520 und 1521 erschienen die ersten deutschen Übersetzungen, die, wie vermutet werden kann, auch Dürer gekannt haben dürfte. Dadurch entstehe allerdings die schwer lösbare Frage, ob Dürer schon eine latei= nische Ausgabe vor 1513 bekannt gewesen sei, wozu es, wollte man dieses annehmen, mancherlei Hilfskonstruktionen bedürfe. Weber ging einen anderen Weg. Er zeigte auf, daß die Vorstellung des „miles chri= stianus", aus Anregungen des Alten und Neuen Testamentes stam= mend, sich durch alle christlichen Jahrhunderte zog, besonders aber seit der deutschen Mystik (Seuse) geradezu als eines ihrer Lieblingsmotive nachgewiesen werden könne. Erasmus habe mit seinem Handbüchlein durchaus an ältere Traditionen der Mystik und Vorrefomation ange= knüpft; seit Mitte des 15. Jahrhunderts schon sei diese christliche Ritter= schaft allgemeines religiöses Programm für das rechte Erdenleben des Christen gewesen. Dürers Stich konnte daher unabhängig von Erasmus aus diesem breiten, literarischen wie bildnerischen, Traditionsstrom her= aus entstanden sein. „Das Thema lag sozusagen in der Luft, und Dürer schöpfte aus der gleichen Quelle wie Erasmus, der für den Titel seiner Schrift sicherlich kein neues geflügeltes Wort prägte", referierte wenig später Alfred Hagelstange.[85] Allerdings betonte auch Weber,[86] daß dies nur ein Ideal der *deutschen* Mystik gewesen sei; nur in Deutschland sei der christliche Ritter zu einem Zeitideal geworden (was nicht stim= men dürfte; aber das zu untersuchen, ist hier nicht die Aufgabe). Damit sei, meinte Weber, endlich der willkürlichen Ausdeutung von Dürers Ritter=Stich ein Ende gesetzt: dieser entstammte einem altüberlieferten Vorstellungskreis des miles christianus und faßte dessen kämpferische christliche Haltung in großartiger bildnerischer Form endgültig zu= sammen.

Tatsächlich ist Webers Untersuchungsergebnis seitdem in der For= schung mehr oder minder angenommen worden.[87] Der miles christianus blieb die Grundlage aller weiteren Deutungsversuche, auch dort, wo man ihr wieder auszuweichen versuchte. Seit Wölfflin endlich beschäf= tigte man sich eher mit dem Form= als mit dem Bedeutungsproblem des Stiches.

So konnte schon 1903 Hans Wolfgang Singer in der Einleitung sei= ner Dürer=Bibliographie bedauern, daß Dürer dem „Gelehrtenumgang mit seinen Nürnberger humanistischen Freunden" in manchem zum Opfer gefallen sei. „Diese trockene Wissenskrämer haben ihn zum Grübeln verführt, haben ihn um seine frische Schöpferfreude ge= bracht...", „so daß er zuletzt den genialen Impuls durch Spielereien, die aus der Überlegung abgeleitet waren, verdrängen ließ".[88] Und 1904 spöttelte Alfred Hagelstange in dem angeführten kleinen Bericht: „Die Dürer=Forschung der letzten Jahre hat den Nachweis geliefert, daß unser Künstler nicht der tiefsinnige Denker und grübelnde Philosoph war, als den man ihn früher, namentlich unter Hinweis auf einige schwer zu deutende Stiche, hinzustellen beliebte." Ein Jahr später, 1905, schrieb dann Heinrich Wölfflin, unter Annahme der Ergebnisse Webers, knapp, fast unwirsch über das viele weltanschauliche Gerede: „Ritter, Tod und Teufel ist als Bild des ,christlichen Ritters' erkannt worden: ein alter Stoff, der gar keine Begleitung und Ergänzung verlangt." „Gemeint ist eben der Christ, für den das Leben ein Kriegsdienst ist und der, gewappnet mit dem Glauben, sich nicht fürchtet vor Teufel und Tod. Und das verstand damals jedermann. Für Dürer aber... handelte es sich ursprünglich nur um das einfache Thema eines Pferdes mit einem Mann darauf."[89]

Nach diesen fast kategorischen Erklärungen Wölfflins schien sich jede weitere Diskussion zu erübrigen.[90] Neues Sachmaterial ist seitdem, bzw. seit Weber, kaum mehr erbracht worden — bis auf den späteren Aufsatz von Hubert Schrade, der Dürers Stich in bisher unbeachtete Bildzusammenhänge und =vergleiche zu stellen versuchte, und einige gewichtige Hinweise Erwin Panofskys zur weiteren Stützung der Rit= ter=Christi=These (Dürer drücke genau den Sinn des erasmischen Miles aus).[91] Eine neue Diskussion konnte daher zunächst nicht von kunst= wissenschaftlicher Seite, sie konnte nur aus gewandelter „Weltan= schauung", sie konnte nur aus ideologischen Gründen wieder in Gang gebracht werden. Ernst Bertrams ,Nietzsche. Versuch einer Mythologie' von 1918 mit seinem Kapitel ,Ritter, Tod und Teufel'[92] darf dafür beispielhaft stehen, schon weil hier jene zunächst beiseite gebliebene tragisch=heroische, „germanisch"=pessimistische Deutung Nietzsches ins hellste Licht gestellt wurde und sie durch dieses aus dem George=Kreis stammende, mehrfach aufgelegte Buch weite Verbreitung gewann, nicht zuletzt in den völkischen Bewegungen nach dem Ersten Weltkrieg; aber auch Thomas Mann zehrte lang und leidenschaftlich daraus.[93] Dürers Blatt, das zu dem einfachen Formproblem „eines Pferdes mit einem Mann darauf" erklärt worden war,[94] wurde in der geistigen Siedehitze der Umbruchsjahre um 1918 neuerlich oder endgültig zu einem „Mythos" umgeschmolzen.

Bertram gab nicht nur das (angeführte) Nietzsche=Material wieder und beschrieb Nietzsches langwährende Begeisterung für diesen Kupferstich aus der Grundanlage seines Lebens und Werkes, sondern deutete das Blatt über Nietzsche hinaus in eigener Weise weiter, auch indem er zusätzlich den lutherischen, reformatorischen Sinn stark betonte („dieses am meisten ‚protestantische' Blatt Dürers, voll Paulustapferkeit und Pauluszuversicht"). Denn Luther selbst stellte für Bertram die „verhängnisvoll ‚protestantische' Vereinzelung des Individuums" dar; aus dieser Sicht konnte der Anschluß an Nietzsches „ritterlichen Pessimismus" gewonnen werden, der den Mut zur Bejahung noch des Fürchterlichsten, in Tod und Teufel, aufgebracht habe. „Das Bild solchen Mutes ahnte Nietzsche bei Dürer." Das Männlich=Kämpferische der Reformation, ihrer Größe wie ihres Verhängnisses, wurde ausdrücklich über Dürers Stich und dessen „strenger und tapferer Skepsis" gesehen. Dürer und Nietzsche ergänzten einander. „Was in Nietzsches Philosophie dürerisch, was an Dürers Kunst nietzschisch erscheint, verkörpert sich in jenem Blatt vom Christlichen Ritter", hieß es bezeichnend.[95] Dazu wurden, die Gleichung zu schließen, die „tapfer resignierten" paulinischen Luther=Worte gestellt: „Euer Leben ist eine Ritterschaft . . . Jeder muß in eigner Person geharnischt und gerüstet sein, mit dem Teufel und Tode zu kämpfen . . .". So wurde Dürers Stich zum „Bild des schlechthin ‚Mutigen'" geformt, zum einsamen, schopenhauerisch=nietzschischen Ritter der „Wahrheit um jeden Preis", zu einem Bild des „‚Dennoch' einer Seele, die ritterlich ihren dämonisch gewiesenen Weg . . . verfolgt", unfanatisch, ohne Haß, mochte das christlich oder nicht=christlich sein. „Denken ist Krieg, Erkenntnis, ist Ritt zwischen Tod und Teufel", formulierte Bertram, zumal in Hinblick auf Dürer=Nietzsche. Und die Summe: die „großartige Düsternis dieses Blattes, das so überaus deutsch und so nietzschehaft überdeutsch ist, selbst noch in der Zwiespältigkeit seines halb künstlerischen, halb philosophisch=humanistischen Entstehens".[96]

Am Schluß des Kapitels klang dann der neue „Mythos" in allen Registern auf: „... auch Nietzsche ist uns nun ‚ein solcher Dürerscher Ritter';... gleich Schopenhauer und Luthers freiem Christenmenschen ‚niemandem untertan', zieht er furchtlos zur Stunde eines gefährlichen Zwielichts seine Straße, im Geleit der Dämonen... Oben erglänzt die Burg einer gotischen Romantik, von der Gewissen ihn harten Abschied nehmen hieß... Aber der Pfad, der böse Pfad durch den Engpaß zweier Zeiten hindurch, erdunkelt in der Nacht eines künftigen Schicksals. Wohin er führt, wo er endet? Aber führt er überhaupt, endet er über=haupt? ‚Dennoch —'". War das noch der ‚Christliche Ritter' des Erasmus und Sandrarts, der zwar zitiert wurde? Oder war es jene „maßlose, willensstarke, in alle Fernen schweifende Seele", die „faustische Seele", die jede „grenzenlose Einsamkeit" als „Heimat" empfindet, war es der „faustische Mensch" Spenglers?[97] Der erste Band seines ‚Untergang des Abendlandes' erschien in erster Fassung im selben Jahr 1918 wie Bertrams Nietzsche=Mythologie (und wie Thomas Manns eigene ‚Betrachtungen eines Unpolitischen'). Beide, Spengler und Ber=tram, bildeten an dem gleichen deutsch=tragischen, deutsch=schicksals=süchtigen Mythos. Es ist jener, den Adrian Leverkühn, selbst Prototyp des unselig „Faustischen", gegen Deutschlin ironisierte; es ist das un=heimliche „Dürersche Reiten zwischen Tod und Teufel", der immer=während deutsche Aufbruch ohne Ankunft, das „unendliche Unter=wegssein des deutschen Wesens". Bertrams Buch war eine wesentliche Bildquelle Thomas Manns.

Der Literaturhistoriker und Germanist Hans Naumann formte diesen „faustischen" Reiter=Mythos in verschiedenen seiner Arbeiten vor und nach 1933 weiter.[98] Der einsame germanische Reiter im Angesicht des zu bestehenden Schicksals: es ist „der entschlossene Aufbruch irgend=wohin, zum Werden und Vergehen, der Griff in die Welt, den viel=leicht kein Triumph begleitet", in der Marschrichtung „vom Idyll zum Untergang"; von hier über die „Beseelung" des Bamberger Reiters führte Naumann die Linie direkt zu Dürers Ritter=Stich und dessen Bewahren von Haltung und Idee vor jeder Bedrohung durch Tod und Teufel. Naumann glaubte feststellen zu können, „daß die Ahnenreihe des Ritters, der unsere Haltung und unser Schicksal bedeutet, ganz weit aus dem Hochmittelalterlichen und Deutschen wirklich ins Reinere,

Abstraktere, Germanische zurückreicht...".[99] Auch Parzival, „Idee des fernsüchtigen Reiters",[100] gehöre in diese Reihe adligen Deutsch= tums, welches das Leben immer nur als gefährliche Fahrt zu begreifen vermochte. „Das Leben eine heroische Reise, der unerschrockene Dürer= sche Ritter zwischen Tod und Teufel, ohne Furcht und Tadel, der diese einsame Fahrt als seine ritterliche Aufgabe betrachtet, der in Marsch gesetzte Soldat...": so stellte sich für Naumann das Bild der germa= nisch=deutschen, heroischen Einsamkeit als Weltausgriff dar. Das deutsch=nationale Sinnbild war zu einem germanisch=völkischen ge= worden, wie es hundert Jahre vordem Jakob Grimm angeregt hatte. Gerade Dürers Stich habe diese Haltung germanisch=deutschen Reiter= und Rittertums in seiner christlich abgewandelten Form verewigt, „spät zwar, aber aus tiefster Blutverwandtschaft heraus".[101] Das wurde 1936 veröffentlicht. In den kurzen zehn Jahren bis zu Thomas Manns Lever= kühn veränderte sich Sinn und Bedeutung desselben „Bildes", fast mit denselben Worten ausgedrückt, radikal bis in sein Gegenteil. Nau= manns „unerschrockener Dürerscher Ritter zwischen Tod und Teufel" veränderte sich zum rauschhaft=hybriden, „unreifen", wahnvollen „Dü= rerschen Reiten zwischen Tod und Teufel". Dort lag der Ton auf „Rit= ter", als Leistung, Wille und heroischer Trotz; hier auf „Tod und Teufel" als not= und zwangvolles Ergebnis solchen abgrundlüsternen, solchen todessüchtigen „Reitens". In dem sprachlichen Abstraktions= prozeß vom „Dürerschen Ritter" zum „Dürerschen Reiten" bekam das „Bild" erst seine eigentliche aufschließende Schärfe; erst dadurch wurde im Bild selbst dessen Ideologisierung enthüllt.

Wilhelm Waetzoldt (1880–1945) stimmte in seinem bekannten Dürer=Buch von 1935 zunächst der Grimmschen Erasmus=Quelle zu, dem eques christianus, der als Held siegreich über den Tod triumphiere. Die generelle Grundstimmung des Blattes sei der Luthervers „Und wenn die Welt voll Teufel wär'..." (der allerdings später als Dürers Stich entstand). Aber auch Waetzoldt schwenkte gemildert in die Rich= tung etwa Naumanns ein, nur heller, klarer, weniger düster=trutzig, weniger untergangsumwittert, indem er, Versuch einer Synthese, un= mittelbar in den christlichen Ritter das Siegfriedisch=Germanische ein= bezog, nicht mehr den einsamen Edda=Reiter. „In der Vorstellung vom ‚eques christianus'", erklärte er, eine Vielzahl früherer Meinungen zu=

sammenfassend, „verkörpert sich ein Mannesideal, an dem Urinstinkte der germanischen Rasse, deutsche Mystik und nordische Renaissance= gesinnung mitgeformt haben. Der christliche Ritter ist ein Siegfried, der zum Manne wurde."[102] Und sicherlich schon gegen die eigene Gegenwart von 1935 gerichtet, wenn auch in anderer Stimmlage als Thomas Mann, merkte Waetzoldt an: „Der Stich ,Ritter, Tod und Teufel' bleibt für uns der bildliche Inbegriff des soldatischen Menschen voll ritterlich=männlicher Haltung und kämpferischer Gestimmtheit. Er ist der Mann, der mit offenem Visier reitet, taub gegen die Stimme der Feigheit und blind gegenüber dem Zugriff der Gemeinheit." Aber diese heimliche Mahnung war schon in den Wind gesprochen.

Eine abschließende Zusammenfassung versuchte Hubert Schrade in seinem Straßburger Vortrag von 1942 nochmals zu geben;[103] jedoch wurde er, willentlich=unwillentlich, schon zum Abgesang der Ritter= Ideologie germanisch=tragischer Weltfahrt. Im Grunde war auch Schra= des Vortrag, trotz zeitgemäßerem Vokabular, auf den vermittelnden Ton Waetzoldts gestimmt; ein Zeichen, daß eine Überwindung unkon= trollierter Deutung sich anba⌐ en wollte, ohne Höllensturz und Ver= dammnis in Anspruch nehme⌐ zu müssen. Auch Schrade sah in dem Ritter, der durch die Welt reitet und der zu den frühesten selbständigen Bildideen Dürers überhaupt gehöre, ein wahrhaft „schicksalhaltiges, schicksaloffenbarendes Motiv". Das Ethos des „hohen Mutes" strahle aus diesem Blatt, doch nicht Hybris, denn Tod und Teufel seien von Dürer durchaus nicht machtlos gemeint gewesen. Im Formalen spürte Schrade einer Spannung zwischen Plastischem und Malerischem nach; dazu sagte er: „Das Gesetz *ist*, aber um wahrhaft zu sein, muß es im= mer neu werden. Der darin sich bezeugende Wille zur Unendlichkeit des Erlebens ist ein wesenhaft deutscher. . .".[104] Derartige „grenzenlose" Vokabeln gehörten nach wie vor zum mythisierenden Jargon.

Vor allem ging Schrade nochmals der scheinbar beantworteten Frage nach, ob Dürer wirklich in unmittelbarem Sinn den miles christianus gemeint haben könne. Er verneinte diese seit Herman Grimm gültige Annahme mit etwa gleichen Argumenten wie hundert Jahre vordem Franz Kugler. Denn Dürer habe dies „in der künstlerischen Wirklich= keit des Stiches mit keinem Zeichen bezeugt"; umgekehrt habe er an anderen Stellen seines Werkes nie damit gespart, wo er solches aus=

drücken wollte. Was in diesem Thema an „himmlischer Allegorie" angelegt gewesen sein könnte, habe Dürer eher „verweltlicht", in einer Weise jedoch, die ihrerseits wieder ans „Religiöse" führe. „Die Zuver= sicht des Ritters ... ist sein hoher Mut, seine wankellose Stete, seine Ferne von aller Hybris ... Dem Schicksal zu begegnen, ist sein Amt als Mann und Ritter. Aber da er weiß, daß es aus dem Verborgenen kommt, springt die Hoffart in ihm nicht auf ..."; durch das Wissen um die Schicksalsverborgenheit habe Dürer seiner „‚weltlichen' Gestalt eine Tiefe gegeben, die das Religiöse einbegreift". Diese germanisierte Parzival=Gestalt wurde weiter ausgemalt. Denn, wieder ein kühner Interpretationssprung, eben der „verborgene" Gott, deus absconditus, wie er vom Spätmittelalter bis zu Luther geahnt und bezeugt worden ist, sei der Gott des Ritter=Stiches. „Es leidet wohl keinen Zweifel, daß die Vorstellung vom verborgenen Gotte in innerem Zusammenhange mit germanischen Überzeugungen steht. Diese Vorstellung ist es, in der nicht zuletzt der ‚germanische Lebensernst' gründet, den der junge Nietzsche für die unerläßliche, ja einzige Voraussetzung echter Kultur hielt. Germanischer Lebensernst schrickt vor der Tragik nicht zurück, sondern begreift sie als den Zugang des Menschen zu den letzten Dingen ... Dürers Ritter erscheint von Tragik umwittert."[105] Diese tragische Gestimmtheit trenne ihn vom erasmischen miles. Aber „ein so hoffnungslos düsteres Symbol unseres Daseins ..., wie der spätere Nietzsche meinte", sei der Stich trotzdem nicht. Denn, beobachtete man das Blatt genau und mache sich die Bildbewegung klar, so fehle es dort keineswegs an Licht: „der Ritter reitet dem Lichte entgegen".

Noch einmal klang in diesen tragischen Welternst der hellere Sieg= fried=Ton hinein, den schon Fouqué aufgespürt hatte: später und un= entschiedener Versuch — Tragik und Licht zugleich — einer Selbstüber= windung hoffnungslos=heroischer Interpretation ohne restlose Opferung der Werte des eigentümlichen Dürerschen Bildinhaltes und seines deut= schen Sonderwesens. Schrade schloß, wenn nicht erasmisch oder luthe= risch, so doch in kämpferisch betonter Zuversicht seine Analyse ab: „Das Wort des jungen Nietzsche ist ganz wahr: ‚Rüstet euch zu hartem Kampfe, aber vertraut auf die Wunder eures Gottes!' Er ist ein ver= borgener Gott. Aber er wirkt alles und den Tapferen segnet er auch." Ausgerechnet im Zusammenhang mit Dürers Reiter Nietzsche als

Kronzeugen für die Wunder Gottes anzurufen, mußte den eklektischen Rettungsversuch zuletzt unernst machen. Als Schrades Vortrag 1944 in Deutschland veröffentlicht wurde, schrieb Thomas Mann in den USA bereits das „Scheunenkapitel" nieder, in dem er, unter anderem, auch diesen Dürer=Stich, im Gegensinn zu der landläufigen „ideologischen" Gültigkeit zwischen 1918 und 1945, radikal umzuwerten versucht hat. —

Es ist verständlich, daß nach dem Ende des Zweiten Weltkrieges der Horror vor jeder ideologischen Interpretation[106] oder nationalen Symbo= lisierung den Dürer=Ritter eher wieder älteren Deutungsschichten näher= brachte, wenn auch nirgends so weitgehend wie in Thomas Manns lite= rarischer Bildverwendung. Gustav Friedrich Hartlaub, aufmerksam ge= macht durch Waetzoldt, knüpfte von neuem an den „Raubritter" des Stuttgarter Theologen Heinrich Merz an (ohne die ältere Deutungstradi= tion dahinter zu sehen) und fügte dem einige kritische Bemerkungen zur Dürerforschnug bei, die, wie er meinte, an dem „Wunschbild" des „trotz Tod und Teufel" weiterhin festhalte, statt bescheidener vom „Ritter mit Tod und Teufel" zu sprechen.[107] Seine vorsichtigen Zweifel hinsichtlich einer möglichen „Diskrepanz zwischen Forschungsergebnis und Wunschbild" lassen jedoch wieder nur erkennen, daß exakte Nach= weise zum Bildinhalt tatsächlich nicht vorhanden sind, auch bisher nicht zu erbringen waren, und daß allein von dorther eine Fixierung der künstlerischen Mitteilung ebenfalls unmöglich erscheinen muß. Das „Beharren auf dem alten Wunschbilde" kann bis heute quellenmäßig ebensowenig belegt werden wie sein Gegenteil; auch der ,Christliche Ritter' ist eine, wenn auch glaubwürdige Hypothese, keine erwiesene Tatsache. Hartlaubs eigene Entscheidung mußte daher in einem fragen= den Sowohl=als=Auch offen bleiben. „Ob freilich der ,Ausdruck' des Ritters unzweideutig gegen böse Sinnesart spricht, ließe sich bezwei= feln; sein finsteres und geradeausgerichtetes Profil ist nicht nur einer heldischen, sondern auch einer ,verbrecherischen' Deutung fähig." Doch gab er umgekehrt zu: „... Dürers Kupferstich ist vielen noch immer Sinnbild, beispielhafter Ausdruck für eine Haltung, die tief mit mensch= licher Gesittung überhaupt, tiefer noch mit dem Schicksal des deutschen Volkes verbunden bleibt. Das Werk scheint zu ihrer Veranschaulichung so unentbehrlich, ja auch so unersetzlich, daß wir nur ungern auf die vertraute Sinngebung verzichten."

Man scheint heute allgemeiner bereit zu sein, sich vorsichtig auf der Mittellage des ‚Christlichen Ritters' zu einigen, gleich weit entfernt vom bösartigen Raubritter und „Weltmenschen" wie vom germanischen Mythos=Reiter eines trotzig=heroischen „Dennoch". Erwin Panofskys neuerliches, unbedingtes Eintreten allein für diesen ‚Christlichen Soldaten' (miles!) streng erasmischer Prägung ist erwähnt worden. Hans Weigert verblieb in seiner europäischen Kunstgeschichte ganz in dieser von Herman Grimm bis Paul Weber erarbeiteten erasmischen Position des „Ritters Christi" und einem entsprechenden Gleichniswert des Kupferstiches.[108] Heinrich Theodor Musper schließlich in seinem zusammenfassenden Dürer=Werk, mit dem Untertitel ‚Der gegenwär= tige Stand der Forschung', fügte daran noch die formalen Feststellungen Wölfflins und versuchte eine Synthese zu bieten: „Vielleicht wollte Dürer mit dem ‚Ritter, Tod und Teufel' von 1513 zunächst nur das nun vollendet nach der Maß konstruierte Pferd und zugleich das Kunstvolle einer zeitgenössischen Rüstung vorführen als ‚Speis der Malerknaben'. Geworden ist daraus etwas unvergleichlich viel Größeres: das Bild des mittelalterlichen Ritters, des kalten Mannes, der die Gefahr verachtet, die durch den komischen Teufel ... eher angedeutet als angezeigt ist, und der das Unheimliche des schlangenumringelten Todes wohl emp= findet, aber diese Empfindung beherrscht, ja überwindet. Es wurde der christliche Ritter ..."[109] Dieses gut erwogene Ergebnis mag nach der jahrhundertlangen Diskussion mit ihrem „weltanschaulichen" Auf und Ab gering erscheinen, dürfte aber wahrscheinlich heute das Ehrlichste sein, das inhaltlich, neben der formalen Analyse dieses Meisterblattes, ausgesagt werden kann, obgleich genug Zweifel offen bleiben, allein schon hinsichtlich der gültigen sinnhaltigen Unterschrift. Abschließend sei die beiläufige Mahnung und Warnung Erhard Göpels nicht über= hört: „Denken wir heute ‚Ritter', so sehen wir diesen Reiter vor uns, der in die Vorstellung der Welt eingegangen ist ... Daß man den Ge= harnischten in Verbindung mit der blinkenden Wehr Kaiser Wilhelms II. und später der ‚Wehrkraft' zum zweckbestimmten Symbol zu erheben versucht hat, entpflichtet uns nicht, das Meisterwerk Dürers wieder mit ursprünglichem Sinn zu erfüllen. Denn diesem Blatt gegenüber ist nicht nur das Auge stumpf geworden, sondern auch unsere Phantasie, die nicht mit Hü und Hott auf gebahnten Vorstellungswegen angetrieben sein will und deshalb, der Phrasen müde, das Bild dieses Reiters aus dem Gedächtnis wischt."[110]

*

Das „Dürersche Reiten zwischen Tod und Teufel": in diesem „Bild" versuchte Thomas Mann die „deutsche Summe" zu ziehen. Sicherlich hat es — wie „das Faustische" die Dichtung ,Faust' — generationenlang die freie Sicht auf Dürers ,Reuther' ideologisch so sehr verstellt, daß nur die bedingungslose Rückwendung zum Kunstwerk in seiner ge=schichtlichen Form uns dieses selbst und dessen allein künstlerische Mitteilung wieder erfahren lassen kann, ohne Hemmung durch vor=gegebene Formeln. Dichtungswissenschaft und Kunstwissenschaft haben im geistigen Raum der Nation in dieser „Erfahrung", neben vielem anderen, ihre legitime Aufgabe, die ihnen niemand abnehmen kann, niemand bestreiten darf. Werden die Hüter dieses geistigen Raumes blind und taub — oder entmündigt, steigen von dorther Dämonen mit der verführerischsten Waffe auf: dem Schein=Wort, dem Wort ohne Grund und Maß, dem Schlagwort, hinter dem allemal Nichts steht.

Der Mythos vom ,Ritter, Tod und Teufel' ist, parallel zum „fausti=schen" Mythos und mit ihm merkwürdig, aber folgerichtig vermischt, ein Musterbeispiel für die ideologischen Überhöhungen und Ver=zerrungen von Kunstwerken im Dienst weltanschaulicher, schließlich politischer Programme. Anfangs möglicherweise unbewußt, später be=wußt, wenn auch gern maskiert, werden solche höchsten Kunstwerke einer Nation aus ihren künstlerischen Maßen und Bezügen gebrochen und dadurch entwertet, bis sie endlich, unfruchtbar, aber giftig verhee=rend, als ideologisches Schlag= und Kampfwort, als simplifiziertes „Idealbild" jedermann zu beliebiger Verwendung verfügbar werden, in Aktion und entsprechender Reaktion, ohne Rücksicht auf die künst=lerische Aussage des Werkes selbst. Hinter solchen Pseudo=Leitworten und Pseudo=Leitbildern, in Vergewaltigung des künstlerischen Phäno=mens, verbergen sich Süchte, Schwächen und Ängste bestimmter Grup=pen oder ganzer Völker. Ihr bedenkenloses Scheinwesen zu entlarven, ist eine der Aufgaben wissenschaftlicher Genauigkeit, die gerade dort ihre Frage anzusetzen hat, wo alle Fragen in dem guten Gewissen einer communis opinio omnium aufgehoben und erledigt erscheinen. Thomas Manns „Bild" vom Dürerschen Reiten öffnete die Augen für solches Nachfragen. Der Nachweis der eigenen Geschichtlichkeit dieser Formel ermöglichte zugleich einen Einblick in das Werden und Vergehen eines „ideologischen Mythos", daran die deutsche Geschichte so verhängnis= voll reich ist.

ANMERKUNGEN

Zu Kapitel I

1 Günther Anders, in: Der Jahresring 1955/56, Stuttgart 1955, S. 86 f.; neu formuliert in: Die Antiquiertheit des Menschen, München 1956, S. 240.

2 Wichtig vor Wilhelm Böhm noch Philipp Seiberth, Der sentimentalische Faust, in: The Germanic Review, Vol. V, 1930, S. 137 ff. Seiberth wandte sich gegen die in Deutschland „herrschende Faustlehre" und ihre „von An= fang an verfehlte Tendenz, diesen Charakter [Fausts] trotz aller Schwierig= keiten zu idealisieren"; er sprach von der „unhaltbaren Apotheose des ro= mantischen Abenteurers Faust" und stellte sich ausdrücklich schon gegen die „Ideologie einer dem Irrationalen innig verbundenen Romantik" der gän= gigen Deutungen; er sah im „faustischen Menschen", den auch Spengler „unkritisch der allgemeinen Vorstellungsweise" entnommen habe, „die zum Idol gewordene Idee" des Gedichtes. — Überraschende Parallelen zu Böhms Buch bot, ohne dieses zu kennen, Ludwig Hänsel in seinem Vortrag (1932) Das faustische Schicksal, gedruckt 1934 in: Chronik des Wiener Goethe=Vereins, 39. Bd., S. 4 ff.; vgl. vom selben Verf., Weltanschauung und Faustinterpretation, in: Neuland, IX, 4 (April 1932); Goethes Faust und der Sinn des Lebens, in: Monatsschrift für Kultur und Politik, II. Jg., Wien 1937, S. 8 ff. Zusammengefaßt in: Goethe. Chaos und Kosmos. Vier Versuche, Wien 1949.

3 Bis zu dem so trefflich heiteren wie grausigen Titel ‚Faust im Braunhemd' (Kurt Engelbrecht, Jena 1933). Vgl. noch u. a. Karl Gabler, Faust — Me= phisto, Der deutsche Mensch, Berlin 1938; Georg Schott, Goethes Faust in heutiger Schau, Stuttgart 1940.

4 Zwischen Prometheus und Luzifer. Über den Sinn der faustischen Existenz, in: Goethe' yi anma yazilari, Istanbul 1950, S. 186.

5 Ludwig Dehio, Deutschland und die Weltpolitik im 20. Jahrhundert, Mün= chen 1955, S. 105 u. 93/94.

6 Ich will mich mit diesen Bemerkungen nicht in die Diskussion um den „heute ins Unerträgliche ausgewalzten Ideologiebegriff" (Adorno) ein= schalten, sondern nehme Ideologie „naiv" zunächst als „Unwahrheit, falsches Bewußtsein, Lüge": so Th. W. Adorno, in: Akzente, 1957, H. 1, S. 10; — im übrigen vgl. u. a. Karl Mannheim, Ideologie und Utopie, Bonn 1929 (1952³); Helmuth Plessner, Abwandlungen des Ideologie= gedankens (1931), in: Zwischen Philosophie und Gesellschaft, Bern 1953, S. 218 ff.; ders., Das Schicksal deutschen Geistes im Ausgang seiner bür= gerlichen Epoche, Zürich 1935; Hans Barth, Wahrheit und Ideologie, Zürich 1945; Theodor Geiger, Ideologie und Wahrheit. Eine soziologische Kritik des Denkens. Stuttgart, Wien 1953, mit weit. Lit.; Otto Brunner, Das Zeitalter der Ideologien. Anfang und Ende, in: Neue Wege der Sozial= geschichte, Göttingen 1956, S. 194 ff.; Hans Freyer, Theorie des gegen= wärtigen Zeitalters, Stuttgart 1955, bes. S. 117 ff., auch S. 102, 111, 142 ff.; zu vergleichen auch der Roman von Heimito von Doderer, Die Dämonen, München 1956.

[7] Ernst Troeltsch, Deutscher Geist und Westeuropa, Tübingen 1925, S. 18.

[8] Im Schatten von morgen, Bern, Leipzig 1936², S. 182. Vgl. auch Rudolf Kassner, Das Neunzehnte Jahrhundert, Erlenbach–Zürich 1947, S. 66, 69.

[9] Vgl. Heinz Flügel, ‚Faust' hinter dem Stacheldraht, in: Hochland, 40. Jg., 1948, H. 3, S. 287 ff. Flügel spricht dort von der notwendig gewordenen *„Kritik an der faustischen Ideologie"*, die bisher, auch literaturwissen= schaftlich, den rechten Blick auf die Tragödie verstellt habe. „Das Gericht über Faust... bildet ein Hauptkapitel deutscher Selbstkritik und setzt einen vorläufigen Schlußstrich unter die Summe von Erkenntnissen und Mißverständnissen, die die Geschichte der Faustgestalt vom Faust der Sage bis zum Mythos vom faustichen Menschen ausmacht." Ähnlich schon in: Fausts Ende, Deutsche Rundschau, März 1942; wieder abgedruckt in: Ge= schichte und Geschicke. Zwölf Essays. München 1946, S. 173 ff. – Ferner E. W. Eschmann, Fausts Utopie, in: Hamburger Akademische Rundschau, 3. Jg., 1948/49, H. 8–10, S. 608 ff. („Die Gestalt Fausts, zwecklos, es abzustreiten, ist heute unpopulär geworden. Für die schrankenlose Herr= schaft der konventionellen Faustauffassung muß bezahlt werden. Über ein Jahrhundert lang ist Faust mit dem Typ des rücksichtslosen Scien= tisten, des technischen Großorganisators, des autoritären Sozialisten gleich= gesetzt worden. Nicht verwunderlich darum, daß heute die Enttäuschung an diesen Idealen zurückschlägt und vom ‚Dämon Faust', von ‚faustischer Blasphemie' usw. die Rede ist, wiederum am wirklichen Inhalt des Ge= dichtes vorbeiurteilend"); dazu ebd. S. 617 ff., Erich Heller, Die Zwei= deutigkeit von Goethes ‚Faust', verändert wiederholt in: Enterbter Geist, Frankfurt 1954, S. 61 ff. (Goethe und die Vermeidung der Tragödie).

[10] „... das ‚Schicksal' (wie ‚deutsch', dies Wort, ein vor=christlicher Urlaut, ein tragisch=mythologisch=musikdramatisches Motiv!)...", Thomas Mann, Doktor Faustus, Berlin, Frankfurt 1949, S. 478.

[11] U. a. Franz Schultz, „Romantik" und „romantisch" als literarhistorische Terminologien und Begriffsbildungen, in: DVS, Bd. II, 1924, S. 349 ff.; Richard Ullmann u. Helene Gotthard, Geschichte des Begriffes „Roman= tisch" in Deutschland vom ersten Aufkommen des Wortes bis ins dritte Jahrzehnt des neunzehnten Jahrhunderts, Berlin 1927; ergänzend Fernand Baldensperger, „Romantique", ses analogues et ses équivalents: Tableau synoptique de 1650 à 1810, in: Harvard Studies and Notes in Philology and Literature, Vol. XIX, Cambridge 1937, S. 13 ff.; Friedrich Kainz, Klassik und Romantik, in: Deutsche Wortgeschichte, hg. v. Maurer=Stroh, Bd. II, Berlin 1943, S. 250 ff. (Lit. dort S. 317 f.).

[12] Abgedruckt in: Vom Geistesleben alter und neuer Zeit, Leipzig 1922, S. 366 ff.

[13] Die Belegstelle bei Carus, der in entscheidender Weise (1835) die „fau= stische Natur" vorgeprägt und beschrieben hatte, war Walzel anscheinend nicht bekannt und würde auch nicht in sein Konzept gepaßt haben (s. u. S. 71 ff.).

[14] Werner Schultz, Wilhelm von Humboldt und der Faustische Mensch, in: Jahrbuch der Goethe=Gesellschaft, 16. Bd., 1930, vor allem S. 5 ff., 10 f., 15 ff.

[15] Logos, Bd. XIV, 1925.

16 S. 8/9; so gemeint auch die „Einheit des faustischen Wesens".

17 Tübingen 1932.

18 Logos, S. 9.

19 aaO. S. 516. „Wir brauchen also lediglich den Begriff einer Tätigkeit, die immer höher und reiner wird, in den Mittelpunkt des Dramas zu stellen, um die ‚Idee' zu bestimmen, die es in seinem Verlauf vom Anfang bis zum Ende zeigt...", ebd. S. 517. So umschreibe dieses Wort „Tätigkeit", oder Worte mit verwandter Bedeutung, „was durchweg im Zentrum des faustischen Lebens" stehe, d. h. im Leben Fausts in der Dichtung, S. 517/18.

20 Vgl. S. 26, 33, 38, 54, 58 ff. — Auch dort, wo Rickert diesen von ihm umgrenzten Bereich zu überschreiten schien, kehrte er sogleich zur Dich= tung zurück. „Rastloses Streben über alles Erreichte hinaus, darin liegt das Faustische" (S. 61): diese scheinbare, damals traditionelle, Über= höhung meinte jedoch auch hier nur die Dichtung selbst. Und wenn Rickert fragte, „welche wissenschaftliche Philosophie der spezifisch fau= stischen Weltanschauung inhaltlich am meisten entspricht" — es ist Fichte mit seiner Lehre von der „Tathandlung" —, so hieß dies ebenfalls zu= nächst nur „der Weltanschauung Fausts". Hier war allerdings die Grenze erreicht, wo das konkrete Adjektiv sich zu einem Allgemeinbegriff wandelt und umformt, der aber dann ausdrücklich in Anführungsstriche gesetzt wurde: „Wenn irgendein Denker als ‚faustisch' bezeichnet werden kann, ist es dieser Philosoph. ‚Im Anfang war die Tat', das ist ebenso faustisch [d. h. gleicht ebenso Goethes Faust] wie fichtisch gedacht". Nun erst erwog Rickert die Möglichkeit einer „echten faustischen Philosophie", also über die Dichtung selbst hinausgehend (S. 62). Dieser sprachliche Stufengang erweist sich geradezu als ein Nachvollzug der inneren Bildungsgeschichte von „faustisch" zu einem möglichen Allgemeinbegriff, wie sie Rickert ihn verwandt haben würde, falls er davon zu handeln gehabt hätte. Doch bog er wieder ab und schränkte seinen Sprachgebrauch selber ein. „Uns interessiert allein der Charakter des Goetheschen Faust, und nur eine flüchtige Andeutung über die Möglichkeit einer ‚faustischen Philosophie' ...sollte zum Schluß gegeben werden..." (S. 63).

21 Halle 1933; vgl. dazu ders., Goethes Faust in neuer Deutung. Ein Kom= mentar für unsere Zeit, Köln 1949; dort heißt es im Vorwort: „Seit Jahr= zehnten hat sich in der Auslegung des ‚Faustischen' eine Überlieferung ausgebildet, die zwar im Einzelnen viele Abweichungen aufweist, aber als Ganzes im Faustwerk ein eindeutig positives Bekenntnis Goethes zur Menschlichkeit seines Helden sieht. Dieser Auffassung entgegen schrieb ich im Jahr 1932 ein jetzt vergriffenes Buch mit dem herausfordernden Titel ‚Faust der Nichtfaustische'." Böhm nannte seinen Kommentar einen „Angriff auf das Faustische".

22 In: Jahrbuch des Freien Deutschen Hochstifts, 1936/40, S. 594 ff., für unseren Zusammenhang vor allem S. 606 ff.; ferner ders., Der Kampf um die Faustdichtung, in: Essays um Goethe, Bd. 1, Leipzig 1941, S. 300 ff., 1946[3], S. 364 ff.

23 aaO. S. 83.

24 aaO. S. 616.

25 Karl Justus Obenauer, Der faustische Mensch, Jena 1922.

[26] Nicht erst seit Spengler, Obenauer, Böhm, wie Beutler angibt.

[27] Ztschr. f. dt. Philologie, Bd. 71, 1951, S. 23 ff.

[28] „Daß sich diese Erkenntnis mehr und mehr durchsetzt, ist eine der wich=
tigsten Wandlungen in der neueren Faustdeutung"; aaO. S. 28.

[29] Kurz vor Milch versuchte Will=Erich Peuckert (1946) eine historische Ret=
tung des „Faustischen", indem er die urkundlichen und literarischen
Überlieferungen des 16. Jahrhunderts über Faust auseinandertrennte in
die niederen Zauber= und Trugkünste eines Georg Sabellicus (Sabel) und
in das höhere (paracelsische) Erkenntnisstreben eines vermuteten älteren
Dr. Johannes Faust des 15. Jahrhunderts; nur an dessen strebende Wis=
sensbegier dächten wir bei dem Worte „faustisch", während das Niedere=
Teuflische, auch das Sexuell=Tierische, das im „Volksbuch" überall durch=
schlage, dem „Gauner Sabel" überlassen bleiben solle; s. Peuckert, Dr. Jo=
hannes Faust, in: Ztschr. f. dt. Philologie, Bd. 70, 1948/49, S. 55, bes.
S. 71 ff.; dazu ders., Pansophie, Berlin 1956², u. a. S. XI, 67 ff., 173 ff.,
327 ff.; ders., Die Zitation im Walde, in: Worte und Werte, Festschrift
Bruno Markwardt, Berlin 1961, S. 289 ff. („der wahre Faust, der ungeheure
und der magische Sucher aus dem fünfzehnten Jahrhundert").

[30] Robert Petsch, Lessings Faustdichtung. Mit erläuternden Beigaben. Hei=
delberg 1911, S. 11. — Folgerichtig nannte Petsch auch, wie dies seit
langem üblich geworden war und zum Teil noch heute ist, etwa Trithemius,
Agrippa, Paracelsus „faustische Naturen"; s. Der historische Doctor Faust,
in: GRM, Jg. 2, 1910, S. 102 f.

[31] Schon Erich Schmidt stellte in seiner Lessing=Biographie fest: „Lessing
war überhaupt keine Faustnatur...", die „Faustische Pein" sei ihm noch
unbekannt gewesen, die prometheisch=faustischen Gedanken fehlten sei=
nem ‚Faust'=Entwurf ganz. Aber der Schritt von „Faustnatur" zur „Fausti=
schen Natur" bei Petsch kennzeichnet deutlich die weitere Verselbständi=
gung dieses Begriffes. Erich Schmidt, Lessing, Bd. 1², Berlin 1899, S. 367,
380; ähnlich vordem Goethe=Jahrbuch, Bd. II, 1881, S. 65 ff. (Die Fest=
stellung E. Schmidts schien sich gegen Otto Friedrich Gruppe zu richten,
der 1870 geschrieben hatte, daß Lessing fast schon eine „Faustnatur"
gewesen sei; Leben und Werke deutscher Dichter, Bd. 4, Leipzig 1870,
S. 501; vgl. Anm. V, 112.)

[32] DVS, Jg. 21, 1943, Referatenheft, S. 42 f.

[33] „... beileibe kein Musterbeispiel eines ‚wahrhaft großen', etwa eines
vorbildlich=deutschen Menschen, sondern eben eines Titanen mit wahr=
haft luziferischen Zügen".

[34] Leipzig 1953, S. 688.

[35] Ähnlich nichtssagend die Verwendung von „faustisch" aaO. S. 571, 588.
Vgl. die Besprechung von Helmut Prang in: Ztschr. f. Religions= u. Geistes=
geschichte, Mai 1955, S. 158. — Neuerdings H. A. Korff, Der faustische
Sinn des „Ewig=Weiblichen", in: Fragen und Forschungen..., Festgabe
für Theodor Frings, Berlin 1956, S. 378 ff., wo immer noch der „faustische
Mensch" in allen Variationen angerufen und das „männlich durchstandene,
faustisch geführte Erdenleben" (S. 397) immer noch in „politischem Führer=
tum" und der „Idee einer Kampf= und Schicksalsgemeinschaft" gekrönt
wird (S. 395).

36 aaO. S. 693.
37 Als wichtigste Quellenschriften nenne ich nur: Roderich Warkentin,
   Nachklänge der Sturm= u. Drangperiode in Faustdichtungen des 18. u. 19.
   Jahrhunderts, München 1896; Alexander Tille, Die Faustsplitter in der
   Literatur des 16. bis 18. Jahrhunderts nach den ältesten Quellen, Berlin
   1900 (Ergänzungen durch Anton Kippenberg, in: Jahrbuch der Sammlung
   Kippenberg, Bd. 1/1921, S. 312 ff.; Bd. 4/1924, S. 282 ff.; Bd. 8/1929–30,
   S. 248 ff.; Bd. 9/1931, S. 198 ff.; John A. Walz, Some new „Faustsplitter",
   in: The Journal of English and Germanic Philology, Vol. XLIII, 1944,
   S. 153 ff.; Kurt Schreinert, Neue Faustsplitter, in: Beiträge zur dt. u.
   nordischen Literatur [Festgabe für Leopold Magon], Berlin 1958, S. 69 ff.);
   Ilse Anker, Deutsche Faustdichtungen nach Goethe, Diss. Berlin 1937; Fritz
   Strich, Goethe und die Weltliteratur, Bern 1946; Eliza Marian Butler, The
   Fortunes of Faust, Cambridge 1952; Charles Dédéyan, Le thème de Faust
   dans la littérature européenne, Bd. 1–3, Paris 1954–59. — Karl Engel, Zu-
   sammenstellung der Faustschriften vom 16. Jh. bis Mitte 1884 (= 2. Aufl.
   der Bibliotheca Faustiana), Oldenburg 1885; Hans Titze, Die philoso=
   phische Periode der deutschen Faustforschung, Diss. Greifswald 1916;
   Ada M. Klett, Der Streit um ‚Faust II' seit 1900, Jena 1939; Reinhard
   Buchwald, Goethezeit und Gegenwart. Die Wirkungen Goethes in der
   deutschen Geistesgeschichte, Stuttgart 1949; Heinz Kindermann, Das
   Goethebild des XX. Jahrhunderts, Wien 1952, bes. S. 348 ff., 536 ff.,
   632 ff.; Günther Müller, DVS, Bd. 26, 1952, S. 119 ff., 377 ff., 387 ff.;
   Erich Franz, Mensch und Dämon. Goethes Faust als menschliche Tra=
   gödie..., Tübingen 1953 (Die vier Möglichkeiten der Faustdeutung,
   S. 66 ff.).
38 Ebenso bis in die 7. Aufl. 1959, S. 189. — Herders Sprachbuch umschreibt,
   Freiburg/Br. 1960, S. 166: „unersättlich forschend, niemals satt=zufrieden".
39 15. erw. Aufl., Mannheim 1961, S. 254.
40 Das deutsche Wort, Heidelberg 1953, S. 273, ebenso 3. Aufl. 1959; in der
   1. Aufl., Leipzig 1933, war „faustisch" noch nicht aufgenommen.
41 15. Aufl. 1959.
42 Laupheim 1952, S. 269. — Auch der ‚Deutsche Wortschatz' von Anton
   Schlesinger, neu bearb. v. Hugo Wehrle, Stuttgart 1940⁷, S. 111, und folg.
   Aufl. setzt „das Faustische" und „faustisch" in das Wortfeld „Wißbegierde
   — Wissensdurst — Forschungstrieb — Ahnungsdrang — Streben — strebsam
   — unersättlich u. a.; diesem „Faustischen" wird hier noch „Faustseele"
   angefügt. In der 6. Aufl., Stuttgart 1927, war das „Faustische" noch nicht
   vorhanden.
43 Leipzig 1944, S. 274: „von O. Spengler eingef. zur Kennzeichnung der
   abendländischen Kultur und der ihr entspr. seelischen Verfassung im Un=
   terschied zur griechischen, die Sp. apollinisch nennt"; anschließend Zitate
   aus Spengler. Ebenso in der neu bearb. 2. Aufl., Hamburg 1955, S. 231/32.
44 Wörterbuch der philosophischen Begriffe, bearb. v. Rudolf Eisler, 1. Bd.,
   1927⁴, S. 884.
45 11. Aufl., Stuttgart 1951, S. 158, ebenso 15. Aufl. 1960. In den früheren
   Auflagen (10. Aufl. 1943) nicht vorhanden.
46 Dies anscheinend erst im Neuhochdeutschen üblich.

[47] Wilhelm Wilmanns, Deutsche Grammatik, 2. Abt.: Wortbildung. Straß=
burg 1896, S. 469; zum ganzen S. 467 ff.

[48] Walter Henzen, Deutsche Wortbildung, Halle 1947, S. 203 f. — Hermann
Paul, Deutsche Grammatik, Bd. 5: Wortbildungslehre, Halle 1920, S. 90 ff.,
bestritt wohl zu recht, daß dem Suffix =isch „von Hause aus" ein tadelnder
Nebensinn anhafte; dieser ergebe sich jeweils erst aus der Natur des
Grundwortes. Jedoch, darf man anmerken, ist es typisch, daß aus solchem
Grundwort, das hinsichtlich sittlicher Bewertung zunächst meist neutral
ist, mit Hilfe dieses Suffixes ein negativer Sinn herausgeholt wird oder
herausgeholt werden kann. So stellte Friedrich Kluge, Abriß der deutschen
Wortbildungslehre, Halle 1925², S. 41, doch wieder fest: „Im nhd. haben
isch=Bildungen oft sittlichen Inhalt ... und zwar oft mit ausgesprochen
tadelndem Nebensinn ... Die Hauptmasse der nhd. Bildungen auf =isch
geht von Personenbezeichnungen aus." — Zum Problem vgl. noch Franz
Dornseiff, Das Zugehörigkeitsadjektiv und das Fremdwort, in: GRM,
Jg. IX, 1921, S. 193 ff.; Otto Behaghel, Deutsche Syntax, Bd. 1, Heidelberg
1923, S. 142 f.

[49] Alfred Götze, Zur Geschichte der Adjectiva auf =isch, in: Beiträge zur
Geschichte der dt. Sprache u. Literatur, Bd. 24, 1899, S. 464 ff.

[50] Ztschr. f. dt. Wortforschung, Bd. 3, 1902, S. 183 ff.

[51] ebd. Bd. 4, 1903, S. 133 ff.; vgl. auch Wolfgang Kayser, Das Groteske,
Oldenburg 1957, S. 27.

[52] Vgl. dazu den im Expressionismus wiederentdeckten „gotischen Menschen";
zur Diskussion, mit weit. Lit., vgl. G. Weise, Das Schlagwort vom gotischen
Menschen, in: Neue Jahrbücher für Wissenschaft u. Jugendbildung, 7. Jg.
1931, S. 404 ff., der S. 406 feststellte, daß dieser gotische Mensch dem
faustischen Menschen (Spenglers) gleichzusetzen sei.

Zu Kapitel II

[1] Goethe=Jahrbuch, Bd. 14, 1893, S. 268; Text auch in: Jahrbuch der Samm=
lung Kippenberg, Bd. 4, 1924, S. 299. Der Herzog von Luxemburg (François
Henri Duc de Montmorency, Duc de Luxemburg, 1628–1695, Marschall und
Pair von Frankreich), besonders gehaßt wegen seiner grausamen Kriegs=
führung, galt schon zu Lebzeiten als Teufelsbündner. Bereits seit 1680
gab es, analog den Faust=Büchern, deutsche „Volksbücher" über Luxem=
burgs angeblichen Teufelspakt; vielfach wurde er mit Faust verglichen.
Unmittelbar zusammengebracht mit ihm wurde er in dem 1733 zu Leipzig
gedruckten Totengesprächsbuch zwischen Luxemburg und Faust in der
Hölle, „zweyer Weltbekannten Ertz=Zauberer und Schwartz=Künstler" (ab=
gedruckt bei Scheible, Kloster, Bd. 5, 1847, S. 574 ff.). Die Verbindung
Faust und Luxemburg war also schon bei dessen Tod geläufig. Vgl. Anton
Kippenberg, Die Sage vom Herzog von Luxemburg, Leipzig 1901.

[2] Ähnlich tauchte 1686/90 ein Adjektiv „Iscariotisch" auf, in des Abraham
a Sancta Clara Buchtitel: Judas Der Ertz=Schelm / ... Oder: Eigentlicher
Entwurff / vnd Lebens=Beschreibung deß Iscariotischen Bößwicht ...; s.
u. a. Kürschner DNL, Bd. 40, S. 3.

3 Umgekehrt konnte Christian Gryphius 1690 den, wenn auch mißverständ=
lich verwendeten Namen Johann oder Hans Faust als „nationales Sym=
bol" gegenüber anderen Nationen verwenden: in Verwechslung mit Jo=
hann Fust, die übrigens durch drei Jahrhunderte kolportiert wurde, wies
Christian Gryphius diesem „Faust" die Erfindung der Buchdruckerkunst
zu (Gutenberg sein Schüler) und machte ihn deshalb zu einem Sinnbild
nationalen Stolzes und Könnens; vgl. Christian Gryphius, Der Deutschen
Sprache unterschiedene Alter und nach und nach zunehmendes Wachs=
thum..., Breßlau 1708 (Vorrede datiert August 1690), S. 93 ff.

4 Das „Puppenspiel [von Dr. Faust] machte schon am Schlusse des 17. Jahr=
hunderts und zu Anfange des 18. Jahrhunderts solches Aufsehen, daß die
Berliner Geistlichen, unter ihnen Ph. Jac. Spener, sich beim Könige dar=
über beschwerten, daß Faust Gott und Christum abschwöre"; Emil Som=
mer, nach: Franz Horn, Die Poesie und Beredsamkeit der Deutschen, Berlin
1823, Bd. II, S. 270. Vgl. auch Eduard Devrient, Gesch. d. dt. Schauspiel=
kunst, Bd. 1, Leipzig 1848, S. 388: die Geistlichkeit habe nach einer Auf=
führung des Dr. Faust in Berlin verlangt, daß „wegen der Narretheydun=
gen und repräsentirten reizenden Liebesgeschichten, auch wegen des Miß=
brauchs heiliger Namen bei Beschwörungen, wodurch viel Ärgerniß, herz=
liche Betrübniß und Seufzen erregt worden", das Theater ganz abgeschafft
werde. — Im 17. Jahrhundert galt die Lektüre des Faust=Buches als be=
lastendes Indiz („ad torturam indicium") bei Hexenprozessen; s. Julius
Schwering, Amadis und Faustbuch in den Hexenprozessen, Ztschr. f. dt.
Philologie, Bd. 51, 1926, S. 106 ff.

5 Engel, Zusammenstellung der Faustschriften, aaO., Nr. 47—49; Das Kloster,
hg. v. J. Scheible, Bd. 5, Stuttgart 1847, S. 451 ff.: M. Joh. Georg Neu=
mann's curieuse Betrachtungen des sogenannten D. Faustens..., Dresden
und Leipzig 1702.

6 Kristian Frantz Paullini, Zeit=kürtzende Erbauliche Lust, 3. Theil, Frank=
furt 1697, Kap.=Überschrift CXII; Tille, aaO. S. 302.

7 Noch Anfang des 19. Jahrhunderts wurden Abdrucke davon hergestellt;
Das Faustbuch des Christlich Meynenden. Nach dem Druck von 1725, hg.
v. Siegfried Szamatólski, Stuttgart 1891 (Dt. Lit. denkmale des 18. u. 19.
Jhs., Bd. 39).

8 So in dem zit. Luxemburg=Gesprächsbuch von 1733; Nachdruck ‚Das
Kloster' aaO. S. 576.

9 Herrn Johann Christoph Gottscheds... Gedichte, gesammelt und her=
ausgegeben von Johann Joachim Schwabe, Leipzig 1736, S. 99 f.

10 Tille, Faustsplitter, aaO. S. 1033/34.

11 1. Aufl. Leipzig 1730, S. 153; 3. Aufl. 1742, S. 185/86; 4. Aufl. 1751,
S. 185/86.

12 Vgl. J. C. Möhsen, Verzeichniß einer Sammlung von Bildnissen, größten=
theils berühmter Ärzte, Berlin 1771, S. 13 ff.: „Mit denen bekannten
elenden Tragödien von ihm [Faust] hat es, Gott Lob! ein Ende, da man
endlich solche einfältige Vorurtheile abgelegt hat und vernünftigere Vor=
stellungen liebt. Faust hat es nunmehro lediglich Rembranden zu danken,
daß seiner noch gedacht wird" (Anspielung auf das angebliche Faust=Blatt
Rembrandts); zit. nach: Das Kloster, Bd. 2, Stuttgart 1846, S. 257.

[13] Vgl. Wilhelm Creizenach, Versuch einer Geschichte des Volksschauspiels vom Doctor Faust, Halle 1878. — „Und ist die Fabel, oder Historie von seinem Leben und Thaten in Teutschland so bekannt, daß auch die Comö= dianten selbige, als eines von ihren vornehmsten Stücken auf allen Schau= Bühnen vorstellen", wurde noch 1735 in dem ‚Universallexicon' des Ver= legers Joh. Heinrich Zedler, Bd. 9, Sp. 341, notiert. Als höchster Triumph dieses sog. „Volksschauspieles", dessen Herkunft von Marlowe eindeutig ist, darf gelten, daß auch die Neuberin ein solches barockisch aufgemachtes Hanswurst=Schauspiel in ihr Reformprogramm einschieben mußte; s. Ham= burger Theaterzettel vom 7. Juli 1738 bei Heinz Kindermann, Theaterge= schichte der Goethezeit, Wien 1948, S. 273, 281.

[14] Dies u. a. gegen Otto Höfler, Der Runenstein von Rök und die germa= nische Individualweihe, Tübingen, Münster 1952, S. 247 ff. (die „Faust= sage" wurzele tief im germanischen Altertum und Mythos, volksgeboren, nicht literarisch=poetischen Ursprungs; die Faustgestalt als „mythischer Heros des Volkes"). — Vgl. Karl S. Guthke, Problem und Problematik von Lessings Faustdichtung, in: Ztschr. f. dt. Philologie, Bd. 79, 1960, S. 141 ff.

[15] „Sein Doctor Faust ist ein Werk für *alle* Menschen in Deutschland", schrieb am 25. 1. 1776 Joh. Georg Zimmermann an den Leipziger Buchhändler Reich und gab damit für den Umbruch in der Auffassung dieses „Stoffes" den deutlichsten Ausdruck; Goethe=Jahrbuch, Bd. XI, 1890, S. 267.

[16] Bd. IV, 21, Juni 1754; Tille, aaO. S. 609 (u. S. 1137).

[17] Brief vom 19. 11. 1755; zum ganzen R. Petsch, Lessings Faustdichtung, aaO. — Vgl. dazu den „modernistischen" Theaterzettel der P. J. Ilgener= schen Gesellschaft von 1768: „Dr. Johann Faust... Wir hören bei Er= blickung des Zettels dieses lustigen Trauerspiels schon im voraus ver= wundernd diese Frage aufwerfen: Was für ein Einfall? — — Ists wahr? — — Schauspieler, die sich durchaus der Regel bestreben, den D. Faust? — — — Hören Sie, theuerste Gönner! unsere Verteidigung: Wir wissen, daß dieses Stück nach seiner vorigen Gestalt ebenso weit von ihrem Geschmack als von der Regel entfernt ist: allein die alten Comödianten glaubten nie an einem Ort ihre Vorstellungen ganz und gut ohne dieses Stück gemacht zu haben, und allemahl hat ein zahlreicher Besuch be= wiesen, daß es seine ganz besondere Liebhaber habe ... Zweytens wollen wir dadurch beweisen, wie weit der jetzige Geschmack zur Ehre unsrer Nation von den Vorigen abgewichen und 3.) darthun, daß sich auch un= gereimte Dinge vernünftig vorstellen lassen etc."; Theodor Hampe, Die Entwicklung des Theaterwesens in Nürnberg von der zweiten Hälfte des 15. Jahrhunderts bis 1806, Nürnberg 1900, S. 207.

[18] Hamburg, Leipzig 1756; Tille, aaO. S. 612 ff.; s. auch J. Fr. Löwens Schriften, 3. Theil, Hamburg 1765, S. 7 ff., wo der Text gegenüber der Erstausgabe Veränderungen erfuhr; der 3. Gesang fehlt dort ganz. — Goethe kannte und schätzte dieses Gedicht in seiner Jugend, s. 6. Buch ‚Dichtung und Wahrheit', W. A. 27, S. 38. — Löwen führte dasselbe Thema nochmals in einer „Romanze" über ‚Leben, Schicksal und Tod eines berühmten Marjonetten=Spielers' durch; Schriften, aaO. S. 145.

[19] S. 140/41; Tille, S. 677/78. — Zu Goethes wahrscheinlicher Kenntnis von Gottscheds ‚Nöthigen Vorraths' und dessen mögliche Anregung für seine

Faustdichtung vgl. G. Schuchardt, Die ältesten Teile des Urfaust, in: Ztschr. f. dt. Philologie, Bd. 51, 1926. — Parallel zu Gottsched noch folgende Äußerungen: In der ‚Bibliothek der Romane' erschien als Bd. 1, Berlin 1778 (!), S. 81 ff., ein stark gekürzter Abdruck des „Volksbuchs" vom ‚Christlich Meynenden'. Die Faust=Geschichte, „eines der ersten Handbücher des gemeinen Volks", sei „sogar ins französische übersetzt, und hat den französischen Gelehrten so viel zu Lachen gemacht, als unsern vater= ländischen", hieß es in der Vorrede. — Großen Beifall dagegen erhielt die im 2. Bd., ebenfalls 1778, abgedruckte, recht schlüpfrige „Erzählung" ‚Doctor Faust' von Hamilton († 1720), übers. v. Mylius — eigentlich eine Spottschrift gegen die Königin Elisabeth (Conte Antoine Hamilton, L'Enchanteur Faustus, um 1700; vgl. Tille, aaO. S. 325 ff., dazu Engel, aaO. S. 350/51). — Im Bd. 4, 1779, gab von Murr Nachrichten über Tyll Eulenspiegel; dabei hieß es an einer Stelle (S. 105): „Auch sogar ins Französische ist Eulenspiegel, so wie Fausts lächerliche Legende, übersetzt." — Schließlich Johann Christoph Adelung, Bd. 8 der ‚Geschichte der mensch= lichen Narrheit', 1789, S. 367, wo er über Faust als einen Taschenspieler zur Zeit der Reformation sprach: „Da das Volk um diese Zeit noch um vieles unwissender war, als jetzt, und der Glaube an Hexerei und Teufeley damahls noch alle Köpfe beherrschte, so war es kein Wunder, daß viele, wo nicht die meisten, ihn für einen Teufelsbanner hielten, der seine Künste durch Hülfe der bösen Geister verrichtete."

20 Nicht in den Untersuchungszusammenhang gehört ein Beispiel aus dem Jahr 1722: dort erwähnt ein anonymer Autor (Georg Andreas Weinhold), daß im 16. Jahrhundert „das Faustische Geschlecht im römischen Reich in gutem Angedenken und Flor gewesen", d. h. die Familiensippe namens Faust verbreitet und geachtet gewesen sei; Historische Remarquen, Ueber D. Johann Faustens . . . Leben . . ., Zwickau (1722), S. 7, nach: Carl Kiese= wetter, Faust in der Geschichte und Tradition, Berlin 1921², Bd. 1, S. 11; s. Engel, Zusammenstellung, aaO., S. 23/24, Nr. 72.

21 Schauspieler, der ein Faust=Spiel aufgeführt hatte.

22 Vernunftmäßige Beurtheilung Zweyer Schreiben, die wider das Schreiben an Herrn K* in Z** Die Leipziger Schaubühne betreffend herausgekommen, aus den Gründen der Vernunftlehre und der Natur der Sache erwiesen. Leipzig 1753, S. 57; Tille, aaO. S. 970; dort auch S. 969 ff. das gesamte Belegmaterial dieses Kritikerstreites. „Denn was war natürlicher, als daß man nach diesem Teufel auch einmal Doctor Fausten . . . erwartete", spottete Steger am Ende. Als Lessing sechs Jahre später, sicherlich nicht unbeeinflußt von dieser Polemik, seine Faust=Szene vortrug, knüpfte die Gottsched=Kritik gerade an diesen „vorausschauenden" Satz Stegers an. Zu Steger s. Ernst Reichel, Gottsched, Bd. 1, Berlin 1908, S. 161/62; zu Coffey ebd. Bd. 2, 1917, S. 307, Anm. 91, ferner Hans Knudsen, Dt. Thea= tergeschichte, Stuttgart 1959, S. 172.

23 Lessing, Bd. 1², Berlin 1899, S. 373.

24 Zum ganzen Tille, aaO. S. 645 ff.; diese ‚Briefe' zustimmend besprochen und ebenfalls in Gottscheds Sinn kommentiert in ‚Das Neueste aus der anmuthigen Gelehrsamkeit', Nr. I, Leipzig 1759, S. 916, vgl. Tille, aaO. S. 658 ff.; auch hier wurde scharf gegen die Unnatur und die Unwahr=

scheinlichkeit von Lessings Faustszenen losgegangen. — Zur Frage der
möglichen Verfasserschaft von Frau Gottsched vgl. neben den einschlägigen
Lessing=Biographien von Danzel=Guhrauer (Bd. 1², Berlin 1880, S. 448 ff.)
und Erich Schmidt, aaO. S. 372 (auch Goethe=Jahrbuch, II, 1881, S. 65 ff.),
noch Paul Schlenther, Frau Gottsched und die bürgerliche Komödie, Berlin
1886, S. 48 f.; W. Creizenach, Versuch einer Geschichte..., aaO., S. 77,
Anm. 1; Goedeke IV, 1³, S. 373.

25 Historisch=kritische Untersuchung über das Leben und die Thaten des als
Schwarzkünstler verschrieenen Landfahrers Doctor Johann Fausts, des
Cagliostro seiner Zeiten, Leipzig 1791; Tille, aaO. S. 839 f.

26 Eine einfache adjektivische Umbildung von „Fausts Höllenzwang", z. B.
Tille, aaO. S. 838.

27 (Karl Gottlob) Cramer [1758–1817] aus Weißenfels, Verfasser des Erasmus
Schleicher: Scenen aus Faust's Leben, Offenbach 1792; besprochen in:
Journal von und für Deutschland, 9. Jg. 1792, S. 671 u. 1041. Diese Faust=
Szenen werden übrigens weder von Wilhelm Heinsius, Allgem. Bücher=
lexikon, 1. Bd. 1812, noch von Goedeke, V, 1893, S. 509 f., noch von
Kosch I², S. 300, auch nicht von Engel, Faustschriften, angeführt; s. auch
Tille, aaO. S. 863/64.

28 Novalis, Briefe und Werke, hg. v. Ewald Wasmuth, Berlin 1943, 1. Bd.,
Briefe und Tagebücher, S. 197. — Zur zeitüblichen Verwendung von „D(r).
Fausts Mantel" vgl. u. a. Hamann, Selbstgespräche eines Autors, 1773,
ed. J. Nadler, 3. Bd., Wien 1951, S. 79, 433; Hamann, Briefe, ed. Roth,
6. Theil, 1842, S. 87 (7. 8. 1779), S. 115 (2. 1. 1780); Jean Paul, Die
unsichtbare Loge (2. Teil), 1793, Sämtl. Werke, 1. Abt., 2. Bd., ed. Berend,
Weimar 1927, S. 409; Wilhelm Heinse, Sämtl. Werke, ed. Schüddekopf,
Leipzig 1904 ff., Bd. 10, S. 129, 226.

29 Zit. nach der Ausgabe von A. Sauer in Kürschners DNL, Bd. 79, 1883,
der die Anmerkung von 1794 dort mitabdruckt, S. 280 f. Im Original von
1794 diese Stelle S. 353. Vgl. Georg Joseph Pfeiffer, Klingers Faust, hg. v.
Bernhard Seuffert, Würzburg 1890, S. 150 f., S. 165. Ab der 2. Aufl. steht
hinter dem oben zitierten Satz noch: „oder mit einem edleren Philosophen
zu reden: der überall den Teufel sah, ohne an ihn zu glauben".

30 „des Regenten Philipps von Orleans", schreiben die späteren Aufl.

31 Immerhin bleibt diese „Anmerkung" seit 1794 in allen folgenden Auf=
lagen und Ausgaben von Klingers Roman stehen; z. B. Klingers sämtliche
Werke in zwölf Bänden, Stuttgart, Tübingen 1842 (Cotta), 3. Bd., S. 236/37;
ebenso Klingers Ausgewählte Werke, ebd. 1879, Bd. 3, S. 186. So ist in
diesem Roman eine „Quelle" gegeben, die das Wort „faustisch" mitver=
breitete — und zwar in diesem negativen Sinn durch das ganze 19. Jahr=
hundert.

32 DNL, S. 254; im Original S. 289.

33 WA, III, 4, S. 192.

34 WA, IV, 33, S. 55.

35 20. 11. 1829; WA, IV, 46, S. 157.

36 Der Briefwechsel zwischen Goethe und Schiller, Leipzig 1912, Bd. 2, S. 315.
— Ebenso meinte es noch Kanzler Müller in einem Brief vom 2. 12. 1829
an K. Fr. Ph. von Martius: „Er [Goethe] ist jetzt eben in der siebenten

Lieferung seiner Werke sehr beschäftigt, die viel Neues enthalten soll, auch Faustisches." Durchaus ein neutrales possessives, allerdings schon substantiviertes Adjektivum; s. Goethe=Jahrbuch, Bd. 28, 1907, S. 87.

37 WA, II, 15, S. 198.

38 In diesem Zusammenhang wird oft Wielands Brief an Böttiger vom 30. 6. 1809 zitiert („Ich gestehe, daß mich unbeschreiblich nach dem zweiten Theil dieser in ihrer Art einzigen Tragödie verlangt, von welcher man, mit viel größerm Recht als von Wilhelm Meister, sagen könnte, daß sie die Tendenz nicht nur des verwichenen Jahrhunderts, sondern aller zwischen Aeschylus und Aristophanes und uns verflossenen Jahr=hunderte sei"); Christoph Martin Wieland nach seiner Freunde und seinen eigenen Äußerungen. Zusammengestellt und mitgetheilt von C. W. Böt=tiger in Erlangen, in: Historisches Taschenbuch, hg. v. Fr. von Raumer, 10. Jg., Leipzig 1839, S. 451/52. Aber man übersieht dabei den ein Jahr früher an den Wiener Hofsekretär und Zensor Joseph Friedrich Freyherrn von Retzer, anscheinend unmittelbar nach der ersten Lektüre, geschrie=benen Brief vom 20. 6. 1808, der viel deutlicher das erste Erschrecken und Befremdetsein über die „barokgenialische Tragödie" ausdrückte als der mehr im offiziellen „Hofton" verfaßte an Böttiger („Man muß gestehen, daß wir in unsern Tagen Dinge erleben, wovon vor 25 Jahren noch kein Mensch sich nur die Möglichkeit hätte träumen lassen. Vous voyex qu'à present il n'y a qu'à oser, pour être sûr de réuissir. Bey allem dem be=fürchte ich, unser Freund Göthe hat sich selbst durch dieses Wagestück mehr geschadet, als ihm sein ärgster Feind jemals schaden könnte ..."); Auswahl denkwürdiger Briefe von C. M. Wieland, hg. v. Ludwig Wieland, 2. Bd., Wien 1815, S. 81.

39 „In der Wende des Jahrhunderts, nicht erst in den zwanziger Jahren, bil=dete sich ... in Jena der *Faustmythus* aus. Schelling verkündigte das Gedicht vom Katheder herab schlechtweg als das Gedicht der Deutschen ...", so Julian Schmidt, Geschichte der dt. Litteratur, Bd. 4, Berlin 1890, S. 144 (vorher ähnlich in Preuß. Jahrbücher, Bd. 39, 1877, S. 384). Nachdem Schmidt die bekannten Worte aus Schellings ‚Vorlesungen über die Me=thode des academischen Studiums' von 1802 (Zweyte unveränderte Aus=gabe, Stuttgart 1813, S. 257/59; dazu Schellings Werke, Münchner Jubi=läumsdruck, 3. Hauptband, hg. v. Manfred Schröter, 1927, S. 348, mit einer Korrektur von 1859) zitiert hat, fuhr er fort: diese Worte „geben nur die allgemeine Denkweise des philosophischen Kreises in Jena wieder. Fichte, Schelling, Steffens, alle Adepten des transscendentalen Idealismus erwarteten vom genialen Seher die Offenbarung". Vgl. noch Schelling, Philosophie der Kunst (1802/03), Werke aaO., S. 446 („Soweit man Goe=thes Faust aus dem Fragment, das davon vorhanden ist, beurtheilen kann, so ist dieses Gedicht nichts anderes als die innerste, reinste Essenz unseres Zeitalters: Stoff und Form geschaffen aus dem, was die ganze Zeit in sich schloß, und selbst dem, womit sie schwanger war oder noch ist. Daher ist es ein wahrhaft mythologisches Gedicht zu nennen"), dazu: Besonderer Teil der Philosophie der Kunst (1802/03), Werke, Auswahl in 3 Bden, hg. v. Otto Weiß, Leipzig 1907, Bd. 3, S. 379/81. — Hierhin gehört auch Ludens Bemerkung zu Goethe, daß es 1799 unter den Studenten in

Göttingen „zu förmlichen Diskussionen und Disputationen über den Faust gekommen" sei, besonders mit Studenten aus Jena, die dort Fichte, Schel= ling und Schlegel gehört hatten; diese „Jenaische Weisheit" (in ihrer For= mulierung folgereich für das ganze Jahrhundert: „in Faust sei die Mensch= heit idealisiert; er sei Repräsentant der Menschheit"), die er später in gleicher Weise in Berlin vernommen habe, teilte Luden, durch sie ver= wirrt, Goethe mit; Heinrich Ludens Gespräche mit Goethe, hg. v. Erich Rosendahl, Hildesheim 1932, S. 12 ff. (Auszug aus ‚Rückblick in mein Leben', Jena 1847, veröff. nach Ludens Tod 1847).

Zu Kapitel III

[1] Am 4. 10. 1809 an Friedrich Heinrich Jacobi; Jean Pauls Sämtl. Werke, hist.=krit. Ausgabe, 3. Abt., 6. Bd., Briefe 1809–1814, Berlin 1952, S. 57; zu der bisherigen Fehldatierung dieses Briefes auf 1810, durch Jacobi selbst, vgl. ebd. S. 477, Anm. zu Nr. 160.

[2] Dreibändige Leipziger Ausgabe 1814.

[3] Fritz Strich, Goethe und die Weltliteratur, Bern 1946, S. 236 ff.; dort die weitere französische Auseinandersetzung und Nachfolge dargestellt. Vgl. auch Fernand Baldensperger, Goethe en France, Paris 1920[2], S. 124/25, Alfred Götze, Goethe im Urteil der Frau von Staël, in: Goethe, Bd. 13, 1951, S. 203 ff.; Otto Hohagen, Frau von Staël und ihr Urteil über Goethe, Diss. (Masch.) Göttingen 1953, bes. S. 130 ff., hier auch ältere Fassungen mitgeteilt; Ch. Dédéyan, aaO., Bd. 2, 1955, S. 312 ff.

[4] „Der Teufel ist der Held des Stückes"; Madame de Staël, Über Deutsch= land. Mit Einleitung und Anmerkungen dt. v. Robert Habs, Leipzig (Reclam) (um 1913), S. 383.

[5] S. 385.

[6] S. 410.

[7] S. 411/12.

[8] Constanz 1824, zit. nach 2. Aufl. Constanz 1825; zu Wessenberg, noch aus der rationalistischen, hochgebildeten Aufklärung des 18. Jahrhunderts kommend, Freund Karl Theodor von Dalbergs, vgl. Franz Schnabel, Deutsche Geschichte im neunzehnten Jahrhundert, 4. Bd.: Die religiösen Kräfte, Freiburg Br. 1937, u. a. S. 13 ff., 23 ff., 35 ff., 101.

[9] S. 76/77.

[10] Vorlesungen über die Methode des academischen Studiums, aaO. S. 258 f.

[11] Die gegenwärtige Zeit und wie sie geworden. 2. Theil, Berlin 1817, S. 781.

[12] Frankfurt am Main, Zweiter Theil, 1819, S. 294 f. Fast wörtlich wurde der Satz noch 1834 in die „zweite berichtigte und und vermehrte Auf= lage" dieser Vorlesungen aufgenommen, Frankfurt 1834, Zweyter Theil, S. 291. Angefügt wurde, – der zweite Dichtungsteil war indessen er= schienen –, daß dieser keinen, dem ersten Teil gleichwertigen Abschluß bieten, höchstens „die Schrecknisse des Grundgedankens" durch die Gna= denversöhnung des Gefallenen mildern könne.

[13] 2. Heft, 1. Abth., Heidelberg 1818, S. 145.

[14] Jahrbücher der Theologie und theologischer Nachrichten, Frankfurt/Main, Bd. 1, 1824, S. 349 ff.

15 Vgl. auch Ferdinand Delbrück, Christenthum, I. Betrachtungen und Un=
tersuchungen, Bonn 1822.

16 So Ch. H. Weiße in seiner ablehnenden Besprechung in den Jahrbüchern
für wissenschaftliche Kritik, Jg. 1832, Bd. 2, Nr. 65/68, S. 518 ff.; noch
schärfer aburteilend Vischer, Kritische Gänge, Bd. II, Tübingen 1844,
S. 69 ff.

17 Vgl. Titze, aaO. S. 132 ff.; A. R. Hohlfeld, Karl Ernst Schubarth und die
Anfänge der Fausterklärung, in: Internationale Forschungen zur dt. Lite=
raturgeschichte. Julius Petersen zum 60. Geb. Leipzig 1938, S. 101 ff.;
Wolfgang Baumgart, Karl Ernst Schubarth. Aus der Frühzeit schlesischer
Goetheforschung, in: Goethe, Bd. 5, 1940, S. 198 ff. mit weit. Lit.

18 Neben Hohlfeld aaO. vgl. noch: Versuch einer Ergänzung des zweyten
Theils zum ‚Faust', hg. v. Max Hecker, in: Jahrbuch der Goethe=Gesell=
schaft, Bd. 21, 1935, S. 185 ff.

19 Zur Beurtheilung Göthe's, Breslau 1818; Zur Beurtheilung Göthe's, mit
Beziehung auf verwandte Litteratur und Kunst. Zweyte, verm. Aufl., Bd.
1, 2, Breslau 1820 (leicht veränderter Text und viele Zusätze); Über
Goethe's Faust. Vorlesungen, Berlin 1830, mit Nachtrag in: Gesammelte
Schriften, Hirschberg 1835, S. 137 ff.; dazu die Briefe bei Hecker und
Hohlfeld, aaO.

20 1820, 2. Bd., S. 23/24.

21 1818, S. 33.

22 1830, S. 223/24.

23 1818, S. 34.

24 ebd. u. a. S. 25, 34, 91/92, 111; vgl. auch 1820, Bd. 1, S. 261/62.

25 1818, S. 105, S. 111 f.

26 1820, Bd. 1, S. 102.

27 ebd. S. 353/55.

28 ebd. S. 121.

29 1830, S. 384 f., Sperr. v. Verf.

30 1818, Anm. 24, S. 96 ff.; 1820, Anm. 26, S. 214 ff.

31 Merkwürdig, daß in der ersten, „offiziösen" Goethe=Biographie von Hein=
rich Döring (J. W. v. Göthe's Leben, Weimar 1828, als Supplement=Band
zu Göthe's Werken) Faust kaum besprochen und statt dessen auf die
„höchst geistreiche" Darstellung Schubarths verwiesen wurde (S. 263, 407).
Was Döring selbst in einem Satz zu sagen wußte, kam dem entgegen:
Faust, wohl immer ein Bruchstück, „in welchem Göthe zeigen wollte, wie
ein großartiges, für das Höchste der Menschheit empfängliches Individuum
in dem Wahn, zur Kenntniß und Einsicht des All zu gelangen, an neuem
Unmöglichen, Unerreichbaren scheitert, und auf eine für sich und Andere
höchst unglückliche Weise endet"; S. 262/63.

32 Franz von Baader, Über Divinations= und Glaubenskraft, Sulzbach 1822,
S. 46 ff., Anm.

33 Jahrbücher der Literatur, Bd. 18, Wien 1822, S. 247 ff. — Wähner ist nicht
näher zu identifizieren möglich. Er soll als unsteter Sonderling gelebt
haben (etwa 1790–1840); bevor er nach Wien kam, wo er als Journalist
und Schriftsteller beruflich ebenfalls scheiterte, soll er evangelischer Pre=
diger in Dessau gewesen sein. Ob er in die katholische Kirche übertrat, ist

nicht sicher. Vgl. Constant von Wurzbach, Biographisches Lexikon des Kaiserthums Österreich, 52. Theil, Wien 1885, S. 62 ff.

34 aaO. S. 266/68, Sperr. v. Verf.

35 Schon in seinem ersten Roman ,Hollin's Liebeleben', Göttingen 1802, S. 52/53, flocht er eine indirekte Huldigung der Dichtung ein.

36 Christopher Marlowe: Doktor Faustus. Aus dem Englischen übersetzt von Wilhelm Müller. Mit einer Vorrede von Ludwig Achim von Arnim. Berlin 1818; Neudruck hg. u. eing. v. Bertha Badt, München 1911.

37 neben Badt, aaO., vgl. J. Petersen, DVS 1936, S. 475.

38 Den nicht recht überzeugenden Versuch, „faustische Magie" in der Ge= samtkomposition dieses Romans nachzuweisen, unternahm Reinhold Schneider, Vom Geschichtsbewußtsein der Romantik. Die Sendung Achim von Arnims. Wiesbaden 1951, S. 145 (Akad. d. Wiss. u. d. Lit. Mainz, Abh. d. Kl. d. Lit., Jg. 1951, Nr. 5).

39 Die teutschen Volksbücher, Heidelberg 1807, S. 218; vgl. dort den Ab= schnitt über das Volksbuch (Widmann) S. 207 ff. („So erscheint Faust... in der Geschichte gleichsam als *der allgemeine Repräsentant* der ganzen schwarzkünstlerischen, zauberischen Tendenzen, die durch alle Jahrhunderte durchgegangen waren..."; S. 215.) — Später Heine: „... jeder Mensch sollte seinen Faust schreiben"; nach Tagebuch Wedekind vom Sommer 1824, s. Werke (Bong), hg. v. Hermann Friedemann usw., Teil 5, S. 9/10.

40 aaO. S. 33. — Vgl. die Zustimmung Wilhelm Grimms vom 9. 10. 1818; Reinhold Steig, Achim von Arnim und Jacob und Wilhelm Grimm, Stutt= gart, Berlin 1904; vgl. auch den Brief von Jacob Grimm vom 24. 9. 1810, S. 73.

41 aaO. S. 35/36.

42 S. 33.

43 Badt, aaO. S. 16.

44 Vgl. Michael Holzmann, Aus dem Lager der Goethe=Gegner, in: Dt. Literaturdenkmale des 18. u. 19. Jhs., Nr. 129, Berlin 1904; Oskar Kanehl, Der junge Goethe im Urteile des jungen Deutschland, Greifswald 1913.

45 Das Büchlein von Goethe. Andeutungen zum besseren Verständniß seines Lebens und Wirkens. Herausgegeben von Mehreren, die in seiner Nähe lebten. Penig 1832, S. 117 (= Oscar Ludwig Bernhard Wolff, 1799—1851, der seit 1826 Lehrer am Weimarer Gymnasium war). Dort stand auch in der einleitenden Canzone: „Und er war unser! Deutschland, war dein Sohn! / Doch kannst du dich nicht seiner redlich freuen, / Denn er hat nimmer für sein Volk gefühlt. / Die Leiden, die dich trafen, theilt' er nicht, / Was du errangest, hat ihn nie begeistert...", „Er hat für unser Volk kein Herz gehabt"; S. VIII/IX.

46 Vgl. das typische Urteil von Ludwig Tieck (aus Gesprächen zwischen 1849—53); Rudolf Köpke, Ludwig Tieck. Erinnerungen aus dem Leben des Dichters..., 2. Theil, Leipzig 1855, S. 189/90; ähnlich schon 1828 in ,Göthe und seine Zeit', als Einleitung zu: J. M. R. Lenz, Ges. Schriften, hg. v. Ludwig Tieck, Bd. 1, Berlin 1828, S. XLIX, LXXXIV f., dazu aber auch S. L ff. u. CXXXIX.

47 Sämtliche Werke, ed. R. M. Werner, u. a. Tagebücher, II. Abt., Bd. 1, S. 20, 44; Bd. 3, S. 225; Vorwort zu ,Maria Magdalene', ebd. I. Abt., Bd. 11,

bes. S. 41 ff.; Kritik in der Reichszeitung, Faust von Goethe, 1850, ebd.
S. 336/37; Brief an Elise Lensing, 11. 4. 1837, III. Abt., Bd. 1, S. 191. Dazu
Martin Sommerfeld, Hebbel und Goethe, Bonn 1923, bes. S. 70/72, 97.

48 Bd. I, 1821, S. 225 ff.; vgl. Holzmann, aaO. S. 33 f.

49 Franz von Spaun, Protestation gegen die Staelische Apotheose des Göthi=
schen Faustus, in: Vermischte Schriften, Bd. 2, München 1822, S. 161 ff.,
bes. S. 180/81, 202, 216, 223, 225/26; ähnlich schon 1817 in dem Auf=
satz ‚Über das Genie und Fatum', und 1821 ‚Antwort auf das Schreiben
des Grafen Karl von Arco an Franz von Spaun über die Thaumaturgen';
zu letzterem vgl. Holzmann, aaO. S. 5 ff.

50 Die Deutsche Literatur, Stuttgart 1828 (Goethe: Bd. 2, S. 205 ff.); 2.
verm. Aufl. 1836 (Goethe: III, S. 322 ff.); Deutsche Dichtung von der
ältesten bis auf die neueste Zeit, Stuttgart 1859 — unveränd. neue Aus=
gabe als: Geschichte der deutschen Dichtung von der ältesten bis auf die
neueste Zeit, Leipzig 1875 (Goethe: Bd. 3).

51 Goethe und Schiller, in: Europäische Blätter, Bd. 1, 1824, u. Bd. 2, 1825;
vgl. dazu David Friedrich Strauß, Streitschriften zur Vertheidigung meiner
Schrift über das Leben Jesu, Zweites Heft, Tübingen 1837, S. 94 ff., 136 f.

52 Vgl. Friso Melzer, Wolfgang Menzels Kampf gegen Goethe, in: Neue
kirchliche Zeitschrift, Jg. XLIII, 1932, S. 83 ff.

53 1859/1875, S. 212 ff.

54 1828, S. 219.

55 1836, S. 337 ff.; vgl. noch Wolfgang Menzel, Kritik des modernen Zeit=
bewußtseyns, Frankfurt a. M., 1869, S. 11 (die nationale Volks=Sage gegen
Goethe gekehrt).

56 Der Kunstgenius der deutschen Literatur des letzten Jahrhunderts, in seiner
geschichtlich organischen Entwicklung, 1. Theil, Leipzig 1846, S. 288. —
Heinrich Luden zitierte diese und ähnliche vorhergehende Stellen Griepen=
kerls bei Gelegenheit der Mitteilung seiner Gespräche mit Goethe (1806),
die ein Jahr nach Griepenkerl, 1847, in den ‚Rückblicken in mein Leben'
erschienen; auch Luden fand den alten Lüstling Faust wenig erfreulich;
s. Ausgabe Rosendahl, aaO. S. 25/26, Anm. 7. — Vgl. Eberhard Meckel,
Wolfgang Robert Griepenkerl. Seine allgemeinen Grundlagen und ihre
Auswirkungen in seiner Literaturgeschichtsbetrachtung. Diss. Freiburg
1930, bes. S. 62 ff.

57 Heine, Die romantische Schule, Sämtl. Werke, ed. Elster, Bd. 5, Leipzig
1888, S. 249, S. 256.

58 aaO. S. 285.

59 ebd. S. 260.

60 Reisenovellen, Zweiter Band, Leipzig 1834, bes. S. 272/73, 292; Geschichte
der dt. Literatur, 3. Bd., Stuttgart 1840, S. 422 ff.

61 Theodor Mundt, Allgemeine Literaturgeschichte, Berlin 1846, Bd. 2,
S. 505 ff.

62 Kanehl, aaO. S. 89 ff.; Werke, hg. v. H. Friedemann usw., aaO., Teil 5,
Einleitung; Walter Robert=tornow, Goethe in Heine's Werken, Berlin 1883;
J. Petersen, DVS 1936; Fritz Strich, Goethe und Heine [1947], in: Der
Dichter und die Zeit, Bern 1947, S. 189 ff.

63 Nachgel. Schriften, Bd. IV, S. 321 f.; vgl. Kanehl, S. 65 ff. — Börnes

starkes Wort, das ebenso Menzel hätte schreiben können, ist bekannt: „Lächerlicheres gibt es nichts auf der Welt, als Gott und Teufel, wie sie Goethe in seinem vielgepriesenen Faust darstellt. Goethe hat Gott und Teufel nach seinem Ebenbilde geschaffen. Dort ist Gottes Weisheit, fünf ge= rade sein lassen; und des Teufels Klugheit, es mit Gott nicht zu verder= ben . . .“; s. Meckel, aaO. S. 74.

[64] Werke, ed. Elster, Bd. 5, S. 261; vgl. auch S. 263.

[65] Werke, ed. Friedemann, aaO. S. 122. Aber Heine war klug und rücksichts= los genug, die „Idee“ der Sage, wie er sie hier formulierte, bis auf den Grund zu durchschauen und ihre Zukunft von daher zu prüfen. Sie habe, schrieb er, für „unsere Zeitgenossen“ einen eigenen Reiz, „weil sie hier so naiv faßlich den Kampf dargestellt sehen, den sie selber jetzt kämpfen, den modernen Kampf zwischen Religion und Wissenschaft, zwischen Autorität und Vernunft, zwischen Glauben und Denken, zwischen de= mütigem Entsagen und frecher Genußsucht — ein Todeskampf, wo uns am Ende vielleicht ebenfalls der Teufel holt . . .“; S. 117.

[66] Hamburg 1834, S. 267/68. „Faust ist der Hiob und das hohe Lied der Deut= schen, er ist, wie ich das Wort Heine's schon einmal angeführt, das deutsche Volk selbst, das geplagt und durchgemartert vom Wissen, Glauben und Entsagung an die Rechte des Fleisches appellirt, aus einem Schatten der Geschichte ein lebendiges Wesen, aus einem Träumer ein wachender, ge= nießender Mensch werden will. Faust . . . ist der Deutsche, der den Staub des Mittelalters von seinen Füßen schüttelt, um sich im Thau der neuen Zeit zu baden. Faust ist das nach Befreiung ringende Deutschland, ja, das befreite, das sich des Siegs seiner Freiheit im Voraus bewußte Deutsch= land . . .“

[67] „. . . Göthe's fragmentarischer Faust des ersten Theils, in welchem die Morgenröthe des neuen Jahrhunderts waltet“, so auch Gutzkow 1835 und später; s. Kanehl, aaO. S. 112 ff.

[68] aaO. S. 270.

[69] Der Telegraph für Deutschland, 1838, Nr. 1=8; vgl. die Verspottung des Epilogs von ‚Faust II‘ in ‚Wally, die Zweiflerin‘, 1835, Werke, hg. v. Peter Müller, Leipzig (1911, Bibliogr. Institut), Bd. 2, S. 275. In seiner Schrift ‚Über Göthe im Wendepunkte zweier Jahrhunderte‘, Berlin 1836, verteidigte Gutzkow dagegen eher Goethe gegen die Anwürfe Menzels und Gleichgesinnter, und doch hieß es auch dort von ihm: „ein Geist, der seinem Jahrhundert vorangeeilt war, muß noch dem letzten Decenium desselben unterliegen“; S. 198. Diese Schrift erhielt Zustimmung durch Georg Herwegh, in einem Aufsatz über ‚Faust bei drei Nationen‘ (1839); s. Meisterwerke deutscher Literaturkritik, hg. u. eingel. v. Hans Mayer, 2. Bd., Berlin 1956, S. 235 f. — Wichtig für dieses Jahrzehnt auch die Goethe=Auseinandersetzung in den ‚Hallischen Jahrbüchern‘, bes. der Jahrgang 1839, in dem auch Vischers berühmter Aufsatz ‚Die Litteratur über Göthe's Faust‘ erschien (Nr. 9 ff., 27 ff., 50 ff.); s. Nr. 20 (Echter= meyer über Göschel und ‚Faust‘), Nr. 215 (Prutz über ‚Faust‘), auch das ‚Romantische Manifest‘ selbst, in dem gegen ‚Faust II‘ polemisiert wurde (S. 1979). Vgl. Else von Eck, Die Literaturkritik in den Hallischen und

Deutschen Jahrbüchern (1838–1842). Ein Beitrag zur Geschichte der deut=
schen Literaturwissenschaft. Berlin 1926.

70 Franz Horn, Faust, ein Gemälde nach dem Altdeutschen (geschrieben im
November 1817), in: Freundliche Schriften für freundliche Leser, 2. Theil,
Nürnberg 1820, S. 51; wieder abgedruckt in: Das Kloster, Bd. 5, 1847,
S. 652. Fast wörtlich übernommen in: Franz Horn, Die Poesie und Bered=
samkeit der Deutschen von Luthers Zeit bis zur Gegenwart, Bd. 2, Ber=
lin 1823; S. 263/64. Vorbereitet schon in: Die schöne Litteratur Deutsch=
lands während des achtzehnten Jahrhunderts, Berlin, Stettin 1812, S. 159
(der „tiefsinnige Mythus von unserem rein Deutschen Faust"). – Zu Horn
vgl. ADB, Bd. 13 (1881), S. 136 f.; Arno Schmidt, Fouqué und einige
seiner Zeitgenossen, Karlsruhe 1958, S. 199 f.

71 s. u. S. 253 ff.

72 Hegel, Phänomenologie des Geistes (1807), Hauptabschnitt: Vernunft, B a;
Jubiläumsausgabe, Bd. 2, 1932, S. 279 ff.

73 Ästhetische Vorlesungen über Goethe's Faust als Beitrag zur Anerkennung
wissenschaftlicher Kunstbeurtheilung, Halle 1825; vgl. Vischer, Kritische
Gänge, Bd. 2 (=Die Literatur über Goethes Faust, 1839), München
1914², S. 293 ff.

74 aaO. S. XXXVI u. S. 68.

75 ebd. S. 67; Sperr. v. Verf. – Vgl. auch Carl Löwe, Commentar zum zwei=
ten Theile des Goethe'schen Faust, Berlin 1834, S. 77; Theodor Mundt,
Geschichte der Literatur der Gegenwart, Berlin (1842), 1853², S. 570; ders.,
Allgemeine Literaturgeschichte, Bd. 2, Berlin 1846, S. 505.

Zu Kapitel IV

1 Leipzig 1824. Später folgte C. F. G.... l, Herolds Stimme zu Göthe's Faust,
ersten und zweiten Theils, mit besonderer Beziehung auf die Schlußscene
des ersten Theils, Leipzig 1831; ferner Carl Friedrich Göschel, Unter=
haltungen zur Schilderung Göthescher Dicht= und Denkweise, 3 Bde.,
Schleusingen 1834–38.

2 aaO. S. 25/26, 134/35, 143 u. a. – „In Faust sei die Menschheit idealisiert;
er sei Repräsentant der Menschheit", so lautete schon die „Jenaische Weis=
heit" von 1799, die Luden im Gespräch Goethe mitteilte.

3 „...stellt uns Hegel mit Priesterbeffchen angetan dar", spottete Vischer
bei Besprechung dieser Schrift in den Hallischen Jahrbüchern, 1839, Nr.
9 ff.; s. Kritische Gänge, Bd. 2, 2. Aufl., hg. v. Robert Vischer, München
1914, S. 272. Ähnlich griff Theodor Mundt den späteren Justizrat im
preußischen Justizministerium, der bei der Diffamierung und Verurteilung
des „Jungen Deutschland" mitgewirkt hatte, zur gleichen Zeit an; Der
Freihafen, 3. Jg., 4. H., Altona 1840, S. 251/52, auch 227.

4 aaO. S. 143; auch Herolds Stimme, S. 144.

5 aaO. S. 28/29.

6 S. 23.

7 Faust als Benennung für „Jedermann" vgl. Unterhaltungen, aaO., Bd. 3,
S. 248.

[8] 1824, S. 297; alle Sperr. v. Verf.

[9] ebd. S. 26; oder auch „... das allgemeine Individuum der gesammten Menschheit in ihrer äußern Vergänglichkeit", S. 25.

[10] S. 63.

[11] S. 62. — „Das Verkehrte, Zerrüttende, Ungeheure in der Tendenz des Faust" hatte 1822 katholischerseits schon Friedrich Wähner herausgestellt; s. o. S. 49.

[12] 1831, S. 96.

[13] Im Zusammenhang der Verwendung von „faustisch" an dieser Stelle („Faustische Verdammung") dürfte es kaum ein Zufall sein, daß Göschel hier einige Sätze aus dem Vorwort Arnims (1818) zu der Müllerschen Marlowe=Übersetzung zitierte, wo dieses Adjektiv auch negativ vor= kommt; s. o. S. 50 f. So ist man fast versucht, eine Art Stammbaum des „Faustischen" unter diesen frühen, seltenen Belegen zu entwickeln.

[14] 1824, S. 32/33.

[15] S. 123.

[16] S. 25.

[17] Nachdem Arnim dort, aaO. S. 36/37, von dem „Faustischen Höllenzwang" des anmaßenden Bewußtseins und der Verteufelung durch Kritik gespro= chen hatte, fuhr er einige Sätze weiter fort: „Als Gegenstück dazu er= scheint Müllner's kriegerischer Faust, sein König Yngurd... Das Ver= zweifeln und Verteufeln eines durch Muth und Glück emporgetragenen Kriegsgeistes, nun ihn Unglück drängt, wäre Etwas tief Ergreifendes ge= worden..." usw.

[18] 1824, S. 140, auch S. 156, 207.

[19] Besprechung der Schrift Göschels durch C. Daub s. o. S. 46. Ferner Martin Lebrecht De Wette (1786–1848, protestantischer Theologe, damals Pro= fessor in Basel), Gedanken eines Theologen über Göthe's Faust, in: Der Protestant, Ztschr. f. Evang. Christenthum..., 3. Jg., Stuttgart 1829, bes. S. 226 ff.: die Idee der Dichtung stehe gegen Fausts Rettung, der Prolog wirke daher befremdend, Faust und mit ihm der moderne Unglaube seien unrettbar verloren; heilsam bleibe nur die „Abscheu vor dem Bösen", wodurch im Betrachter der in Faust untergehende Menschengeist wieder sich erheben und im „gläubigen Ergreifen des Guten" siegen könne; in einem 2. Teil Faust womöglich retten zu wollen, müsse die „Erregung des Schauders vor dem Bösen" nur abschwächen.

[20] S. 139/41 u. S. 159.

[21] S. 138.

[22] S. 209 ff.; obige Zitate S. 209, 240/41, 274; s. auch S. 292.

[23] S. 278; die weiteren Zitate S. 253, 245, 243, 287; s. auch S. 289.

[24] S. 71. Vgl. dazu die eindrucksvolle Schilderung des caritativen Lebens= werkes Falks bei Schnabel, Dt. Geschichte, aaO. S. 405 f. und die dort wiedergegebenen Äußerungen Falks.

[25] So ein paar Sätze weiter an derselben Stelle, S. 71/72: „An den Freuden der Schöpfung oder an der plastischen Naturthätigkeit jener schaffenden Monaden, in dem Sinne, wie es der stolzvermessene Faust wollte, hier schon Theil zu nehmen, ist uns freilich nicht vergönnt; dieser Kreis bleibt uns, wenn wir in Demuth beharren [lies: wie Goethe], verschlossen...".

[26] Johann Peter Eckermann, Gespräche mit Goethe in den letzten Jahren seines Lebens, 23. Originalausgabe, hg. v. H. H. Houben, Leipzig 1948, S. 20. — Vgl. hierzu die 1834 ersch., 2. Auflage der ,Vorlesungen' von Ludwig Wachler; s. o. S. 46.

[27] So in: Beyträge zur Poesie mit besonderer Hinweisung auf Goethe, Stutt=gard 1824, S. 259.

[28] Goethes Faust am Hofe des Kaisers. In drei Akten für die Bühne bearbeitet von Johann Peter Eckermann. Aus Eckermanns Nachlaß hg. v. Friedrich Tewes, Berlin 1901, S. 18. — Vgl. C. von Beaulieu=Marconnay, Zur Auffüh=rung des zweiten Theils von Faust, in: Goethe=Jahrbuch, Bd. 2, 1881, S. 445 ff.

[29] aaO. S. 16.

[30] Halle, Leipzig 1829; mit der betonten Überschrift ,Zur Faustischen Fabel' teilweise nachgedruckt in: Das Kloster, Bd. 5, 1847, S. 348 ff.

[31] Vgl. Allgemeine deutsche Real=Encyklopädie für die gebildeten Stände (Conversations=Lexikon), 4. Bd., 7. Aufl., Leipzig (Brockhaus), 1830, S. 44: „Die Erzählung der Faust'schen Abenteuer hat die Entstehung eines andern Buches veranlaßt: ,Faust's Höllenzwang...' ...". Hier wurde der Übergang vom Genitiv zum rückbezüglichen Adjektiv noch im Druckbild festgehalten. Auffallend daher, daß in einer früheren, der 5. Auflage des=selben Lexikons, Leipzig 1822, Bd. 3, S. 620, dieses Adjektiv in der „mo=derneren" Form eingesetzt worden war: „die Erzählung der Faustischen Abenteuer...". Wenn dies überhaupt eine sinnvolle redaktionelle Ab=änderung war und nicht nur eine Zufallslösung im Bereich eines noch unverfestigten Wortes, dann könnte die Änderung möglicherweise an=deuten wollen, daß der Redakteur im „Faustischen Abenteuer" einen un=gewünschten Ausweitungssinn heraushörte, den er durch die Rückführung in „Faust'sche Abenteuer" vermeiden wollte; doch ist das kaum zu ent=scheiden. — Genau so die Anwendung im Faust=Artikel des ,Neuesten Conversationslexikon für alle Stände. Von einer Gesellschaft deutscher Gelehrten bearbeitet', Bd. 3, Leipzig (Brüggemann) 1834, S. 21, der sich wesentlich schon auf die Veröffentlichung von Rosenkranz stützte: „Was und wie aber auch der Ursprung der faust'schen Sage sein mag...".

[32] aaO. S. 48; vgl. Daub, s. o. S. 46.

[33] aaO. S. 46/47.

[34] Zur Literatur der Faustdichtung, in: Zur Geschichte der Deutschen Litera=tur, Königsberg 1836, S. 154. Rosenkranz zitierte: Faust, ein Gedicht von Ludwig Bechstein, Leipzig 1833.

[35] Die ,Neue Auflage,' Leipzig 1836, scheint allerdings nur mit anderem Titelblatt neu aufgebunden worden zu sein.

[36] Vgl. u. a. Vischer, Hallische Jahrbücher, aaO., in: Kritische Gänge, aaO. S. 297 ff.; W. Menzel, in: Literatur=Blatt Nr. 29 vom 16. 3. 1832 zum Morgenblatt für gebildete Stände, Stuttgart (Cotta).

[37] Nr. 159, 160, 163, 165—67.

[38] Rosenkranz nannte 1836 die fünf Szenen Pfizers den „vielleicht . . . großartigsten" aller Versuche, Goethe vor Vollendung seines ,Faust II' fortzusetzen (Zur Gesch. d. dt. Literatur, aaO. S. 106) — gewiß im Gegen=satz zu seinem eigenen hegelianischen, im selben Jahr (Leipzig 1831)

erschienenen, recht törichten ‚Geistlich Nachspiel zur Tragödie Faust', was ihm auch von der Kritik deutlich und kräftig bestätigt wurde, vgl. u. a. Vischer, aaO. S. 297 ff.; Menzel, aaO.; Blätter f. literar. Unterhaltung vom 16. 2. 1832, Nr. 47.

[39] aaO. S. 67; Sperr. v. Verf.

[40] ebd. S. 73/74.

[41] S. 65 f.

[42] Vgl. Ludwig Geiger, in: Goethe=Jahrbuch, Bd. 7, 1886, S. 308 f.

[43] aaO. S. 149. — Elf Jahre später kam Rosenkranz nochmals auf diesen Gedanken zurück; in seinen Königsberger Goethe=Vorlesungen stellte er fest: „Ein Mensch, der von einer Nation als ihr plastisches Abbild an= erkannt wird, ist an sich selbst und in seinen Werken ein allgemein geltender Typus. Wenn wir etwas Göthe'sch nennen, so verbinden wir mit dieser Bezeichnung eine ganz bestimmte Anschauung. Ebenso wenn wir sagen: ein Werther, ein Faust, eine Philine — so sind das Typen, welche den Rang allgemeiner Begriffe einnehmen, eine poetische *Ideen= mythologie*." Das Wort „faustisch" wurde an dieser Stelle zwar nicht verwendet; jedoch wurde es durch die Analogie zu „Göthe'sch" und durch die folgende abstrahierende Umschreibung „ein Faust" geradezu nahe= gelegt. Karl Rosenkranz, Göthe und seine Werke, Königsberg 1847, S. 3/4.

[44] 1. Heft, Leipzig 1835.

[45] S. 31.

[46] Ursprünglich geschrieben an den befreundeten Johann Gottlob Regis (1791/Leipzig — 1854/Breslau); vgl. Goethe in den Briefen des Übersetzers Regis an C. G. Carus, hg. v. Georg Pfeffer, in: Goethe=Jahrbuch, Bd. 29, 1908, S. 44 ff.; J. G. Regis, Mein Bekenntniß über den 2ten Theil von Göthes Faust (1835), mit einer Einl. veröff. v. G. Pfeffer, in: Euphorion, Bd. XV, 1908, S. 145 ff.; Regis lehnte ‚Faust II' gegen Carus ab; s. auch Vorwort von Carus zu: Goethe, 1843.

[47] Schreiben an einen Freund über den zweyten Theil von Göthe's Faust, in: Wiener Zeitschrift für Kunst, Literatur, Theater und Mode, 11. De= zember 1834, S. 1177 ff. — Der erste Brief von Carus ist datiert vom 26. Dezember 1834.

[48] s. Ernst Frhrn. von Feuchtersleben's sämmtliche Werke, hg. v. Friedrich Hebbel, Bd. 6, Wien 1853, S. 59 ff.

[49] Achtes Heft, 1833, S. 201/03.

[50] 1834, S. 221/24.

[51] Vgl. R. Muschik, Enks Briefe über Goethes Faust. Ein Beitrag zur Faust= erklärung, Progr. Prag 1907; Adolf von Morzé, Michael Leopold Enk von der Burg, Diss. (Masch.) Wien 1934.

[52] Später durch den protestantischen Theologen Martensen und, über diesen, durch Franz von Baader abgelöst; s. u. S. 83 ff. — Vgl. noch Anastasius Grün, Nikolaus Lenau. Lebensgeschichtliche Umrisse (1855), in: Sämtl. Werke, hg. v. Anton Schlossar, Leipzig o. J., Bd. 10, bes. S. 62 ff.; Vin= cenzo Errante, Lenau, dt., Mengen 1948, bes. S. 128 ff.

[53] aaO. S. 52/53.

[54] S. 10.

[55] S. 13.

56 Falk nannte das, zwei Jahre vordem veröffentlicht, „einen verzweifelnden, faustischen Unmuth"; vgl. das folgende Zitat.

57 aaO. S. 19.

58 S. 27 ff.

59 S. 37.

60 S. 64 ff.

61 Vgl. dazu Albert Bettex, Der Kampf um das klassische Weimar. 1788 bis 1798. Antiklassische Strömungen in der deutschen Literatur vor dem Beginn der Romantik, Zürich 1935, Kap. III: Wien, S. 42 ff.; Kap. VI: Cornelius von Ayrenhoff, S. 82 ff. ‚Faust' war bis weit ins 19. Jh. hinein in Österreich aufzuführen verboten (S. 51); „wegen vieler Anstößigkeiten" wurde noch im Jahr 1836 eine ‚Faust'=Aufführung in Linz untersagt (S. 243). Ferner Carl Glossy, Zur Geschichte der Wiener Theatercensur, in: Jahrbuch der Grillparzer=Gesellschaft, Jg. 7, 1897, S. 322; ders., Zur Geschichte der Theater Wiens, I, ebd. Jg. 25, 1915. Hinzuweisen ist auch auf den Wiener August Gottlieb Hornbostel (1778–1838) und dessen Opposition zu ‚Faust II'; s. Goethe, Jahrb. d. Goethe=Gesellschaft, Bd. 21, 1959, S. 293 ff.

Erst 1957 wurde das Manuskript ‚Erläuterungen zu Goethes Faust' des Brünner Augustiners Thomas Bratranek bekannt; mit einer Einleitung hg. v. Vinzenz Oskar Ludwig, Klosterneuburg, München 1957. Der katholische Geistliche Bratranek (1815–1884), in Mähren geboren, in Wien promoviert, später Professor in Krakau (1851–81), einer der Vertrauten Ottiliens von Goethe und ihrer Söhne, hatte schon zu deren Lebzeiten Zugang zum Goethe=Nachlaß in Weimar gehabt; der Goethe=Forschung ist er wohlbekannt, u. a. durch die frühe (wenn auch eigenwillige) Herausgabe des ‚Briefwechsels zwischen Goethe und Kaspar Graf von Sternberg' (1866), ‚Goethe's naturwissenschaftlicher Correspondenz' (1873) und ‚Goethe's Briefwechsel mit den Gebrüdern v. Humboldt' (1875). Die ‚Faust'=Erläuterungen, datiert 1842, scheinen zwischen seiner Wiener Studienzeit (Promotion 1839) und einer zweijährigen Assistentenzeit in Lemberg (1841–43) zum Vortrag ausgearbeitet und von Hörern mitgeschrieben worden zu sein, mit eigenhändigen Korrekturen Bratraneks.

Der Inhalt dieser Erläuterungen ist zunächst nicht so aufregend, wenn auch nach Verfasser und Zeitlage überraschend: hochoptimistisches Hegel=Vokabularium, oft geradezu eine Fortsetzung der Ausführungen von Rosenkranz — Grundbuch der modernen Welt, Repräsentant allen modernen Lebens, Faust nicht nur Beschwörer, sondern auch Besieger der finsteren Mächte, in ihm der Sieg des Geistes und die Verwirklichung höchsten geistigen Strebens vorgeführt. So wurde die Faust=Tragödie zu einem Drama der Selbstreinigung des modernen Selbstbewußtseins gewendet. Fausts Ende, geläutert von Egoismus und Schuld, zeigt die Versöhnung im Reich der Freiheit, den Triumph des unendlichen Innern über das endliche Außen, dies der einzige Entwicklungsprozeß seines Sehnsuchtsdranges — und so fort: die zeitgenössische Sprache der Faust=Hegelianer kat'exochen.

Interessant nur dadurch, daß ein Ordensgeistlicher solches um 1840 — in Wien? — niedergeschrieben und anscheinend auch vorgetragen hat. Diese

Rechtfertigung Fausts und seines angeblich musterhaften modernen Gei=
stesganges verstieß gegen die offizielle Sprachregelung. Wenn der heutige
Herausgeber sich darüber verwundert, „warum gerade dieses Werk, das
den Stempel einer gründlichen philosophisch=literarischen und mit tiefster
Versenkung in das größte deutsche Drama geschaffenen Arbeit an sich
trägt, nicht das Licht der Öffentlichkeit erblickt hat" (S. 7/8), so ist die
Antwort darauf aus Kenntnis der katholischen ‚Faust'=Exegese im 19.
Jahrhundert leicht zu finden: niemals, noch auf Generationen hin nicht,
wäre für diese Arbeit kirchliche Zustimmung und Druckerlaubnis erteilt
worden! Sie blieb als Manuskript im Brünner Kloster liegen. Und nicht
allein weil sie gegen die geschlossene Front der katholischen Abwehr ver=
stoßen und deren Einheitlichkeit zerbrochen hätte, sondern auch weil
„Hegelianismus", allein der Verdacht schon, in Österreich Entlassungs=
grund aus jedem öffentlichen Lehrdienst bedeutete. Im Grunde hat diese
katholische Einheitsfront bis nach dem Ersten Weltkrieg
gehalten, bis 1923 der Franziskanerpater Expeditus Schmidt, unter hef=
tigstem innerkirchlichen Protest, seine versöhnliche ‚Faust'=Schrift bei
Kösel herausbrachte (s. Anm. VII, 71). Bratranek war eine überraschende
katholische Ausnahme im 19. Jahrhundert; er mußte zu ‚Faust' schweigen,
obgleich seine Ausführungen wenig originell waren; vgl. dazu die abge=
dämpfte und noch abstrakter verklausulierte ‚Faust'=Darstellung in seinem
recht primitiven ‚Handbuch der deutschen Literaturgeschichte', Brünn 1850,
S. 268.

[62] Zweite, stark verm. und verb. Ausg., Frankfurt/Main 1855; sie ist be=
deutungslos.

[63] S. 100/01.

[64] S. 109.

[65] S. 135.

[66] Werke, aaO. S. 75.

[67] aaO. S. 20.

[68] S. 16. — Ein paar Jahre später hieß es, bemerkenswert verändert: „. . .wäh=
rend . . . sein Faust — alle tiefgewurzelte philosophische Bestrebung — alle
Sehnsucht der Erkenntniß — alle Qualen des Durstes nach Wissen der=
gestalt zeichnet, daß gerade hierin ein den *deutschen* Geist so scharf
Charakterisierendes, ein so für alle Zeit als *durchaus deutsch* Erscheinendes
sich darstellt, daß wir es wohl vergleichen dürfen, den großen alten Do=
men, den Werken *ächt deutscher* herrlichen Baukunst"; C. B. Carus, Göthe.
Zu dessen näherem Verständniß, Leipzig 1843, S. 140; Sperr. v. Verf.

[69] S. 27.

[70] S. 46; Sperr. v. Verf.

[71] S. 35/36.

[72] S. 44.

[73] S. 45/46.

[74] S. 48/49.

[75] S. 27.

[76] S. 27; vorher S. 34.

[77] Köln 1836; zu Düntzer vgl. Biogr. Jahrbuch und dt. Nekrolog, Bd. VI,
1904, S. 243.

[78] S. 30, Anm. 19.

[79] S. 68, 72.

[80] S. 26/27.

[81] S. 109/10.

[82] S. 24, 41.

[83] Goethe's Faust. Erster und zweiter Theil. Zum erstenmal vollständig er=
läutert. Leipzig 1850; hier zit. nach 2. Aufl. Leipzig 1857, S. 117.

[84] ebd. S. 142. − Vgl. auch Heinrich Düntzer, Zu Goethe's Jubelfeier. Studien
zu Goethe's Werken. Elberfeld 1849. „... im zweiten Theile des Faust
[wird] das thatkräftige Wirken eines freien Volkes als das höchste mensch=
liche Glück auf Erden gefeiert...“; S. LXVII.

[85] 1857, S. 709.

[86] Erst in seiner Polemik gegen Köstlin und Vischer, eine gegenseitige Beck=
messerei sonder Maßen, versuchte Düntzer, solche hochtrabenden Defi=
nitionen selbst um einiges einzuschränken; vor allem protestierte er jetzt
gegen ein staatlich=politisches Lebensende Fausts, wie es, ein „kolossales
Mißverständnis“, sowohl Köstlin als auch Vischer in ihren Faustschriften
gefordert, bzw. diesen Mangel Goethe vorgeworfen hatten; Heinrich
Düntzer, Würdigung des goetheschen Faust, seiner neuesten Kritiker und
Erklärer, Leipzig 1861; Der Aesthetiker Fr. Vischer und Goethe's zweiter
Theil des ‚Faust‘, in: Archiv für das Studium der neueren Sprachen und
Literaturen, Jg. XVIII, Bd. 34, 1863, S. 269 ff.

[87] Carl Schönborn, Zur Verständigung über Göthe's Faust. Breslau 1838.

[88] S. 3 f.

[89] S. 40.

[90] S. 43.

[91] S. 85.

[92] S. 8.

[93] Wolfgang Stich, Goethes Faust und die Faustliteratur, in: Morgenblatt für
gebildete Leser, September 1839, Nr. 212 ff.

[94] Leipzig 1835, Bd. 1, S. 61.

[95] Leipzig 1835, S. 40.

[96] S. 41 ff., Sperr. v. Verf.

[97] Eine Traumerscheinung des „Altvater Faust“, dem ewigen Juden gleich,
beendete dieses Romankapitel, S. 46 ff.

[98] 14. 8. 1835, Nr. 159. Im selben Jahr begann auch die Literaturgeschichte
von Gervinus zu erscheinen; Kühnes Sätze wiesen direkt dorthin.

[99] Vgl. u. a. Fr. Th. Vischers Kritik am Zweiten Teil.

[100] Kühne hat noch mehrfach dieselben Gedanken zu ‚Faust‘ vorgetragen,
zusammengefaßt schließlich in der Abhandlung ‚Goethe und sein Jahr=
hundert‘ (Gesammelte Schriften, Bd. 6: Deutsche Charaktere, 3. Theil,
Leipzig 1865; über Faust S. 312 ff.); sie ging auf frühere Veröffent=
lichungen zurück, vor allem eine Besprechung der Faustschriften von Löwe,
Enk und Deycks in der Mundtschen Zeitschrift ‚Literarischer Zodiacus‘
vom Februar 1835 (S. 161 ff.; vgl. H. H. Houben, Zeitschriften des jungen
Deutschlands, 1. Teil, Berlin 1906, S. 184), die ihrerseits dann, zusammen
mit anderen Aufsätzen, für das Kap. ‚Goethe in alten und jungen Tagen‘
in Kühnes ‚Portraits und Silhouetten‘, Hannover 1843, 2. Theil, über=

nommen wurde. (Ein aufschlußreicher Satz aus dem frühen Aufsatz: „Die Aufgabe der Tragödie hat sich lyrisch gelöst, die Metaphysik des Themas kann nur der denkende Geist weiter erledigen, sie ist deutsche Nationalsache"; aaO. S. 7.)

101 Jena 1835, mit dem Vermerk: Aus der Minerva besonders abgedruckt; S. 94, 101. Goedeke vermutete als Verfasser Philipp Joseph von Rehfues oder August Wilhelm Rehberg. — Folgende Bemerkung, S. 89, ist in Hinblick auf die heutige Forschung (Beutler) über die Entstehung der Gretchenhandlung interessant: „Vielleicht hat sich in Frankfurt Etwas ereignet, das die Hinrichtung eines bedauernswürdigen Geschöpfs zur Folge hatte; oder es mag unter den zahlreichen geheimen Verwicklungen in Familienverhältnissen, deren Vertrauter gewesen zu seyn Goethe berichtet, sich Etwas ereignet haben, das zu einem solchen Ende hätte führen können"; die Gretchenhandlung wurde nicht episodisch, sondern als Ausgang des ganzen Faust=Spieles genommen.

102 aaO. S. 14 ff.

103 Vgl. RGG¹, Bd. 4, Sp. 187/88; RGG², Bd. 3, Sp. 2026; ferner Dr. H. Martensen, Aus meinem Leben, 1. Abth. 1808–1837, aus dem Dänischen von A. Michelsen, Karlsruhe, Leipzig 1883 (dänisch Kopenhagen 1882), bes. S. 159 ff.; V. Errante, Lenau, aaO. S. 128 ff., 176 ff.

104 Auch seine Licentiatendissertation von 1837 (De Autonomia conscientiae sui humanae — Über die Autonomie des menschlichen Selbstbewußtseins in der dogmatischen Theologie unserer Zeit) wurde in Anlehnung an die „Baaderschen Impulse" konzipiert; s. Leben, S. 170. 1842 veröffentlichte er ein Buch über Meister Eckart und noch 1881 eines über Jakob Böhme.

105 Noch 1882 schrieb er in den Lebenserinnerungen über die Melker Faust=lektüre: „Dagegen begegnete mir hier zu meiner Freude eine Auffassung des Faust aus einem ganz anderen Standpunkte, als dem von Goethe eingenommenen, nämlich aus dem einer christlichen Lebensanschauung, des rechten, ja des einzigen Elementes, in dem ein Faust dargestellt werden kann, sowie denn die Faustidee auch thatsächlich aus dem Christenthume geboren ist." Nur unter den Voraussetzungen „der Kreatürlichkeit, Voraussetzungen, die mit Nothwendigkeit in eine christliche Titelanschauung hineinführen, kann ein wirklicher Faust gedichtet werden. Die wirkliche Faustdichtung, welche die Christenheit im Stande sein wird sich anzu=eignen, fehlt noch, ist noch von der Zukunft zu erwarten. Aber zu den Vorläufern derselben gehört Lenaus Faust"; aaO. S. 189 ff. Vgl. dagegen die scharfe (katholische) Ablehnung des Lenauschen ‚Faust' durch Eichendorff 1847; s. u. Anm. V, 154.

106 Vgl. Lenaus Briefberichte über seine Besuche bei Baader 1837 und 1838; Sämtl. Werke, ed. Castle, Bd. 4, 1912, S. 102, 105, 262, 302; ferner die Aufstellung von Lenaus Bibliothek, worin Werke von Baader, Martensen, Enk erwähnt werden, ebd. Bd. 5, 1913, S. 402/03. Baader habe ihm gesagt: „Ich sei in meinem Faust tiefer gegangen als alle die andern Herren, und er wende sich mit seinem Lieblingswunsche an mich, nämlich endlich einmal einen Dichter zu finden, der imstande wäre, seine (Baaders) spekulativen Ideen zu inkarnieren"; S. 262 f.

107 Vgl. auch Carl Siegel, Lenaus ‚Faust‘ und sein Verhältnis zur Philosophie, in: Kant=Studien, Bd. 21, 1917, bes. S. 91 f.

108 Dazu Anastasius Grün, Lenau, aaO. Bd. 10, S. 64: „Dr. Martensen hat in einer geistreichen Broschüre versucht, diesem Faust auch echte Christlich= keit zu vindizieren, doch konnte dieser Versuch als ein anachronistisches Vorgreifen in spätere Tendenzen des Dichters nicht überzeugend wirken." – Dagegen die Verteidigung Martensens, Lebenserinnerungen, S. 213 f.

109 Johannes M . . . . n, Über Lenau's Faust, Stuttgart (Cotta) 1836. (Dänisch etwas erweitert: Betragtningar over Ideen af Faust. Med Hensyn paa Lenaus Faust, in: Perseus, Journal for den speculative Idee, 1837, No. 1, S. 93 ff.; vgl. Lenau, Werke, Bd. 6, S. 517.)

110 „Ein Gespräch mit ihm ist ein wahres Vernunftbad", schrieb Lenau am 29. 4. 1836 über Martensen; „nun aber bin ich seit einigen Wochen täglich vier bis acht Stunden in diesem Bade gesessen." Vgl. auch die er= wähnten Briefe vom 13. u. 14. 9. 1837 an Sophie von Löwenthal, wo er Baader und Martensen zusammen nannte.

111 Martensen, Lebenserinnerungen, S. 211.

112 Sollte Robert Prutz ein wenig Recht haben, wenn er bald darauf in den ‚Hallischen Jahrbüchern‘, 1839, Nr. 216, Sp. 1726, spottete: „Besonders war Denjenigen, die aus Menzel'scher Rechtgläubigkeit den Göthe'schen Faust nicht anerkennen durften, dieses Werk von Lenau eine rechte Herzens= tröstung: hatten sie, da Faust ja einmal die Losung der Zeit war, nun doch auch ihren Faust, der gerade verphilistert genug war, um sich ihre Gunst zu gewinnen: wie denn gerade Menzel dieses Lenau'sche Werk mit jenem stereotypen Lorbeerkranze gekrönt hat, an dessen saftlosen Blättern sich gegenwärtig wohl Niemand mehr erfreuen wird."

113 Siegel, aaO. S. 89.

114 aaO. S. 8; Sperr. v. Verf.

115 S. 9.

116 S. 11.

117 Hier steht als Anmerkung der Hinweis auf die „wichtige Schrift" Baaders von 1827.

118 S. 12.

119 Weitere dänische ‚Faust‘=Ablehnungen bei Grundtvig und Kierkegaard kurz angedeutet durch Beutler, Essays, Bd. 1³, S. 368 ff. Zu Kierkegaard s. Entweder=Oder. Erster Teil (1843), dt. Jena 1911 (Schrempf), S. 187 ff.; Erich Franz, Mensch und Dämon, aaO. S. 240 ff. Ferner Carl Roos, Kierke= gaard og Goethe, Kopenhagen 1956, und die Besprechung von Niels Thul= strup in: Euphorion, Bd. 51, 1957, S. 341 ff.

120 Halle 1836. Goethe zeige in den letzten Akten, wie der Titan zahm werde; „sein Beruf, in den Verirrungen eines auf edlem Grunde ruhenden Misbrauchs der menschlichen Strebe= und Forschungskraft als warnendes Symbol zu dienen", vollende sich hier; S. 141/42. Weber nahm Mephi= stopheles nicht mehr als Allegorie des Bösen, sondern als eine Erscheinung des wirklichen Teufels (S. 34 f.); die Gretchenhandlung sei daher kein „ordinäres bürgerliches Trauerspiel", sondern durch diese Einmischung des Teufels ein „hochtragisches" „Verbrechen" Fausts (S. 63 ff.).

121 S. 22.

[122] Vorher schon eine Besprechung von K. E. Schubarths Vorlesungen ‚Über Goethe's Faust', Berlin 1830, in den ‚Berliner Jahrbüchern für wissen= schaftliche Kritik', Oktober 1832, und eine Besprechung von ‚Faust II' in der ‚Leipziger Literaturzeitung', August 1833. Zu den Entgegnungen von Vischer, Rosenkranz und Schönborn vgl. Titze, aaO. S. 229; Weiße nahm noch einmal kurz vor seinem Tod in dem ‚Literaturblatt zum Morgenblatt für gebildete Leser', 1864, Jg. 58, Nr. 39—41, zu dieser Kontroverse Stellung.

[123] S. 22, 261.

[124] S. 199.

[125] S. 244. — Ebenso Karl Immermann in dem 1836 veröffentlichten Roman ‚Die Epigonen' („eine Art Faustischer Zelle"); Immermanns Werke, ed. Maync, Leipzig, Wien (Bibliogr. Inst.) o. J., Bd. 3, S. 133.

[126] aaO. S. 92/93.

[127] S. 258 ff.

[128] Weitere zeitgenössische Beispiele für nur possessivisches „faustisch" s. Eduard Boas, Deutsche Dichter. Novellen, 1. Bd., Berlin, Leipzig 1837, S. 253; Carl August Friedrich Luther, Iris. Neueste Schriften für Geist und Herz. Eine Festgabe für Gebildete (darin S. 89 ff. ‚Göthe's Faust'), Ham= burg 1838, S. 219. Dieser Autor benutzte sonst noch durchweg den Genitiv „Faust's"; nur an dieser einen Stelle ließ er das ihm anscheinend unge= wohnte Adjektiv einfließen.

[129] Karl Marx / Friedrich Engels, Hist.=Krit. Gesamtausgabe, hg. v. D. Rja= zanow, 1. Abt., Bd. 1, 2. Halbband, Berlin 1929, S. 202. — Ich verdanke diesen Hinweis Herrn Prof. Dr. Siegfried Landshut, Hamburg.

[130] Vgl. im selben Band, S. 81, eine Erwähnung Fausts durch Karl Marx selbst, in dem fragmentarischen Manuskript eines humoristischen Ro= mans (1837); zu Marx' ‚Faust'=Begeisterung und deren Niederschlag in einer eigenen Schicksalstragödie (1837) vgl. Peter Demetz, Marx, Engels und die Dichter, Stuttgart 1959, S. 83 f.

[131] „Privatdocent der Philosophie an der Friedrich=Alexanders=Universität zu Erlangen" stand auf dem Titelblatt; kurze Zeit nach Veröffentlichung dieser Vorlesungen wurde der aus dem Weimarischen stammende, in Jena promovierte Leutbecher wegen anonymer verleumderischer Artikel gegen den Senat entlassen. Noch bis 1869 bemühte er sich in mehreren Eingaben vergeblich um Neueinstellung als Dozent; vgl. Titze, aaO. S. 237 f.

[132] S. 82.

[133] S. 86, auch S. 234; Sperr. v. Verf.

[134] S. 93.

[135] Vgl. u. a. S. 222.

[136] S. 94; vgl. Rosenkranz.

[137] S. 92/93.

[138] S. 87.

[139] S. 113. Vgl. auch die hierauf folgende Kap.=Überschrift „Neuere Eng= ländische Dramen Faustartigen Inhalts", „in welchen also die Idee des Faust in irgend einer Modification nachzuweisen ist", S. 141; hier wurde der Schritt zu „Faustisch" nicht gemacht; Leutbecher begnügte sich mit einer Umschreibung, die dasselbe meinte.

140 S. 183.

141 S. 233/34.

142 S. 242.

143 S. 244, 260.

144 S. 243.

145 Joseph Kehrein, Die dramatische Poesie der Deutschen, Bd. 2, Leipzig 1840, über Faust S. 28 ff., der den Gang der Dichtung mit hegelisierenden Paraphrasen begleitete.

Zu Kapitel V

1 Abgesehen immer von den eindeutig possessiven Adjektiv=Verwendungen.

2 Die Litteratur über Göthe's Faust, Hallische Jahrbücher für deutsche Wis= senschaft und Kunst, Jg. 1839, Nr. 9 ff.

3 Vgl. Mein Lebensgang, in: Altes und Neues, 3. Heft, Stuttgart 1882, S. 281; dazu DL, Reihe: Selbstzeugnisse, Bd. 12, Leipzig 1943, S. 287, Anm. 10.

4 Stuttgart 1836, S. 372/74.

5 In seinen ‚Lyrischen Gängen', 1882, fügte Vischer noch ein viertes Ge= dicht an, ‚Stille' (s. Ausgew. Werke, Bd. 1, hg. v. Gustav Keyßner, Stuttgart 1918, S. 14); dieses Gedicht stand aber im ‚Jahrbuch' an anderer Stelle (S. 366) und gehört auch dem Ton nach nicht in diese „faustische" Gruppe.

6 In dem zitierten Jahrbuch, S. 360 ff., findet sich von Treuburg/Vischer noch „Eine Posse", ‚Zur Fortsetzung des Faust', die zu Berlin Unter den Linden zwischen Mephisto, zwei Straßendirnen und einer „Gestalt in alt=preußischer Uniform" spielt. Faust ist Hegelianer geworden, dadurch aller Zweifel behoben, Mephisto gilt nur noch als „der Dialektik negative Seite" und wird am Ende beinahe unter die preußischen Soldaten ge= steckt. Schon hier verspottete Vischer die Methoden der Faust=Deutung à la Hegel.

7 Kritische Gänge, Bd. II, Tübingen 1844, S. 49 ff.; zit. nach 2. verm. Aufl., hg. v. R. Vischer, München (1914).

8 aaO. S. XVII.

9 Pro domo, in: Kritische Gänge, N. F., Bd. 2, 4. Heft, Stuttgart 1863, S. 82.

10 1844, aaO. S. XVII.

11 Zur Auseinandersetzung des Marxismus gerade mit Vischer und dessen Faust=Thesen vgl. zusammenfassend Georg Lukács, Goethe und seine Zeit, Bern 1947, S. 127 ff. (‚Faust'=Studien); ders., Beiträge zur Geschichte der Ästhetik, Berlin 1954, S. 217 ff. (Karl Marx und Friedrich Theodor Vischer).

12 aaO. S. XIX; Sperr. v. Verf.

13 S. XVIII/XIX.

14 Göthe's Faust, Stuttgart 1875; s. u. S. 167.

15 Zum zweiten Theile von Goethe's Faust; Erstdruck in: Kritische Gänge, N. F., Heft 3, Stuttgart 1861, S. 135 ff.; vorher ähnliche Gedanken ange= deutet schon in: Kritische Bemerkungen über den ersten Theil von Goethe's

Faust, namentlich den Prolog im Himmel, in: Monatschrift des Wissen=
schaftlichen Vereins in Zürich, 1857.

[16] aaO. S. 140 ff.

[17] S. 153 ff.

[18] S. 166.

[19] S. 159.

[20] S. 168/69.

[21] S. 173/74; vgl. auch Pro domo, aaO. S. 73 ff. — Hingewiesen sei in diesem
Zusammenhang auf die ‚Faust'=Dichtung (gewidmet „Den Werdenden")
von Ferdinand Avenarius, München 1919, der die Pläne Vischers weithin
für seine Handlung benutzte, diese allerdings im letzten Teil „philoso=
phisch" überschritt. Vgl. auch den ‚Faust'=Aufsatz von Avenarius im Kunst=
wart, 32. Jg., April 1919, S. 1 ff. u. 67 ff., der Vischers Gedanken fort=
setzte zu einem germanisch=„religiösen" Abschluß der „Selbsterlösung"
Fausts.

[22] Zu Recht stellte Th. A. Meyer, Friedrich Vischer und der zweite Teil von
Goethes Faust, Stuttgart 1927, S. 10/11, fest: „Sein [Vischers] Faust gerät
ihm zum Schillerschen Idealmenschen, zu einer völkerbefreienden Marquis=
Posagestalt"; „Vischers zweiter Teil ist eine Faustische [!] Dichtung aus
der Zeit des dichterischen Realismus und politischen Liberalismus". Th.
A. Meyer allerdings entwickelte die innere Tendenz Vischers, dessen Miß=
verstehen von ‚Faust II' er ablehnte, im Sinne Loepers und Avenarius'
weiter, indem er ‚Faust' zum Hauptdokument und „großen Grundbuch"
germanischen Menschen= und Seelentums erklärte; s. u. Anm. VI, 40. —
Über die beträchtlichen Einwirkungen Vischers auf das Faustbild Mörikes,
Kellers, Meyers u. a. s. E. Beutler, Essyas, Bd. 1³, 374 ff.

[23] Zu Vischers Faust=Schluß s. Georg Lukács, Goethe und seine Zeit, aaO.
S. 156.

[24] August Friedrich Christian Vilmar, Geschichte der deutschen National=
Literatur, Marburg 1845; hier zit. nach 3. Aufl., ebd. 1848, Bd. 2, S. 225 ff.
— Wörtlich übernommen wurden die Ausführungen Vilmars über Faust
von W(ilhelm) Neumann, Johann Wolfgang Goethe. Eine Biographie.
2. Bd. Cassel 1854 (= Moderne Klassiker, Bd. 26), S. 266 ff. — Zu Vilmar
neuerdings Helmut Echternach, in: Eckart, 25. Jg., 1956, S. 414 ff.

[25] Christian Theodor Ludwig Lucas, Über den dichterischen Plan von Göthe's
Faust. Programm Königsberg 1840; zit. nach 2. Aufl., ebd. 1846, S. 15,
32, 38, 52.

[26] Vgl. auch Georg Ludwig Wilhelm Funke in Mundts Unterhaltungszeit=
schrift ‚Der Freihafen' (Galerie von Unterhaltungsbildern aus den Kreisen
der Literatur, Gesellschaft und Wissenschaft), 3. Jg., 4. Heft, Altona 1840,
‚Das Ewig=Weibliche', eine „theologische Erörterung der Schlußscene des
Goethe'schen Faust".

[27] Joseph Hillebrand, Die deutsche Nationalliteratur seit dem Anfange des
achtzehnten Jahrhunderts, besonders seit Lessing, bis auf die Gegenwart,
historisch und ästhetisch=kritisch dargestellt, Hamburg, Gotha 1845, hier
zit. nach Zweite Ausgabe, ebd. 1851, 2. Bd.; eine 3. Aufl. erschien, mit
fast unverändertem Text im ‚Faust'=Kapitel, noch Gotha 1875, hg. v.
seinem Sohn Karl Hillebrand. — Der protestantische Konvertit Joseph

Hillebrand (1788–1871) war 1818 Nachfolger Hegels in Heidelberg ge=
wesen, lebte später als Professor und Gymnasialdirektor in Gießen und
wurde dort 1847 Präsident der hessischen Abgeordnetenkammer.

28 aaO. S. 281/82; vorhergehende Zitate S. 286, 275.

29 Vgl. noch Eduard Meyer, Studien zu Goethe's Faust, Altona 1847, S. 44
(„nach Stoff und Form ein ächt nationales Drama"); Friedrich Sallet,
‚Zum Verständniß des Faust. Den Hegelianern gewidmet", ein epigramma=
tisches Gedicht („des Weltgeist's Mahnen" erfüllt in Euphorion, dem
Sohn griechisch=germanischer Tat); Sämmtliche Schriften, Breslau, Bd. 2,
S. 384; auch enthalten in: Gesammelte Gedichte, Leipzig (Reclam) (um
1918), S. 262. Ein sympathischeres Gedichtchen über das „Wunderbuch
vom Faust" findet sich in Sallets Bändchen ‚Funken', Trier 1838, S. 20.
Seine Schrift ‚Zur Erläuterung des Zweiten Theils des Goethe'schen Faust'
ist eine seichte Allegorien=Deutelei; Breslau 1844, auch Sämmtl. Schr.
Bd. 5, 1848, S. 488 ff.

30 Einleitung zu den Vorlesungen über Faust, in: Aus Victor Hehns Vor=
lesungen über Goethe, mitgeteilt v. Theodor Schiemann, Goethe=Jahrbuch,
Bd. XV, 1894, S. 129 ff.; Aus Victor Hehns Vorlesungen über Faust, ebd.
Bd. XVI, 1895, S. 107 ff. Vgl. Eugen Gottmann, Victor Hehns Goethebild,
Diss. Köln 1937; Walter Rehm, Victor Hehns Weg zu Goethe, in: Götter=
stille und Göttertrauer, München 1951, S. 322 ff.

31 Vgl. auch die brieflichen Äußerungen Jakob Burckhardts an seinen Schüler
Albert Brenner vom November und Dezember 1855; Briefe, hg. v. Fritz
Kaphahn, Leipzig 1938, S. 215 ff.

31a s. o. S. 55 f.

32 I, 42, Leipzig 1845, S. 93 ff.

33 Heinrich Düntzer, Die Sage von Doctor Johannes Faust (= Der Schatz=
gräber, Bd. 1), Stuttgart 1846; textgleich mit der Einleitung, S. 1–260, zu:
Das Kloster, Bd. 5 (‚Die Sage vom Faust'), hg. v. J. Scheible, Stuttgart
1847; zu E. Sommer s. dort Vorwort und S. 26 f. Hier auch Teile aus
Sommers Artikel (S. 739 ff.) und die Ausführungen Franz Horns (S.
651 ff.) wiederabgedruckt.

34 Vgl. ADB, Bd. 34, 1892 (H. Pröhle), S. 599 ff.; dazu Briefe der Brüder
Grimm, hg. v. Albert Leitzmann, Jena 1923, S. 170.

35 Jacob Grimm, Deutsche Mythologie, Göttingen 1835, S. III (Vorrede);
vgl. auch Anmerkungen zu den Kinder= und Hausmärchen, gesammelt
durch die Brüder Grimm, Bd. 3, 1822, S. 213 (Fausts „Name ist mythisch
und weil er den Wünschmantel besitzt, heißt er der Begabte, das Glücks=
kind, Wünschkind, faustus wie fortunatus").

36 Vgl. Gustav Milchsack, Faustbuch und Faustsage, in: Ges. Aufsätze, Wol=
fenbüttel 1922, Sp. 113 ff.; Anton Kippenberg, Die Faustsage und ihr
Übergang in die Dichtung, in: Jahrbuch der Sammlung Kippenberg, Bd. 6,
1926, S. 240 ff.; Hans Heinrich Borcherdt, Geschichte des Romans und
der Novelle in Deutschland, 1. Teil, Leipzig 1926, S. 116 ff.; Wolfgang
Stammler, Die dt. Dichtung von der Mystik zum Barock, Stuttgart 1950²,
S. 464 ff.; Friedrich Schmidt, Die Historie von Doktor Faustus. Stufen
und Wandlungen, Diss. (Masch.) Göttingen 1950; Inge Gaertner, Volks=
bücher und Faustbücher. Eine Abgrenzung, Diss. (Masch.) Göttingen 1951;

Hans Henning, Das Faust=Buch von 1587, in: Weimarer Beiträge, 1960, I, S. 26 ff.

[37] Vgl. auch August Lewald's gesammelte Schriften. In einer Auswahl. 4. Bd., Leipzig 1844, S. 370/71, 374.

[38] So wurde von Sommer schon der Teufel mit dem wilden Jäger, Fausts Zaubermantel mit Wodans Mantel, Mephisto mit dem alten „teutschen Hausgeist" und anderen elbischen Wesen verglichen; aaO. S. 105/06; vgl. dazu Otto Höfler, Der Runenstein von Rök..., aaO.

[39] Zeitschr. f. Volkskunde, Bd. IV, 1892, S. 343. — Zu Lachmanns „erbar= mungslosem" Urteil über Sommer, den er zu fördern versucht hatte, vgl. Karl Lachmanns Briefe an Moriz Haupt, hg. v. J. Vahlen, Berlin 1892, S. 118.

[40] Nach dem großen Kriege. Eine Geschichte in zwölf Briefen. Sämtl. Werke in 3 Serien, I, Bd. 3, S. 497; vgl. dazu die nationale Paraphrasierung von Wilhelm Fehse, Wilhelm Raabe, Braunschweig 1937, S. 165 ff.

[41] (Herrigs) Archiv für das Studium der neueren Sprachen und Literaturen, Jg. 7, Bd. 12, 1853, S. 474/75 (Besprechung Franz Peter, Die Literatur der Faustsage..., Leipzig 1851²). Ferdinand Brockerhoff, geb. 1821 in Duis= burg, gest. um 1890, lebte später als Oberlehrer in Rheydt; s. Kürschners Dt. Literaturkalender 1885, Sp. 57.

[42] Allerdings warnte Loeper immerhin davor, Faust zu direkt als den moder= nen Siegfried oder Sigurd zu bezeichnen; Goethe's sämtl. Werke, 12. Theil (Faust I), Berlin (1871), S. XXX. — Siegfried als der Gegensatz zur Dichtung Goethes bei Wolfgang Menzel, Deutsche Dichtung von der ältesten bis auf die neueste Zeit, Bd. 3, Stuttgart 1859, S. 106. — Auch Julius Langbehn, Rembrandt als Erzieher, Dresden 1890, der von einer Ablösung des Zeitalters des gelehrten Faust durch eines der Tat sprach, dieses verkörpert in Luther und Rembrandt, setzte Siegfried — „das reinste dichterische Idealbild des deutschen Wesens: er zeigt noch nichts von Gedankenblässe" — in einen gewissen Gegensatz zu dem Helden des Ge= dankens, Faust; aaO, S. 189/92. — Ähnlich, nur drastischer, später Bern= hard Kummer, Heimkehr im Schatten. Ein Lebensspiel zwischen Teufel und Gott mit einem Vorwort ‚Von Siegfried zu Faust' [S. 3–32], Leipzig 1933 (= Nordische Bühne, hg. v. B. Kummer, Bd. 2); vgl. auch B. Kummer, Anfang und Ende des faustischen Jahrtausends, Leipzig 1934. — Die Linie Sommer/Loeper, also die Versöhnung des Germanischen mit dem „Fau= stischen", wurde später in voller Tonstärke fortgesetzt von Eugen Kühne= mann in seinem ‚Goethe', 2 Bde., Leipzig 1930; vgl. vor allem Bd. 1, S. 31, 39 ff. „Erblickt man Goethes Faustdichtung in diesen Zusammenhängen", behauptete Kühnemann, „so steht hinter ihr die ganze Weltgeschichte des germanischen Geistes."

[43] Jacob Grimm, Vorrede zur 2. Auflage der ‚Deutschen Mythologie', 1844, S. XXI.

[44] s. o. S. 12.

[45] Geist der Goethezeit, Bd. IV, Leipzig 1955², S. 184, 193; ferner Friedrich Stroh, Handbuch der germanischen Philologie, Berlin 1952, S. 59 ff. — Vgl. dazu 1878 Paul de Lagarde: „1835 erschien ein Buch, das zu den Epochemachendsten gehört, die je gedruckt worden sind, Jakob Grimms

deutsche Mythologie: geschrieben ist es mit der vollen Empfindung deut=
schen Wesens und deutscher Poesie. Wie Viele leben, die es genossen
haben und genießen, wie sein Verfasser es gemacht? Die unschuldig herben
Formen deutschen Rechts sind unseren Zeitgenossen so tot, wie die alten
Sagen und Bräuche unserer Nation"; Deutsche Schriften, Gesamtausgabe
letzter Hand, Göttingen 1886, S. 307/08.

46 s. o. S. 76.

47 August Spieß, Goethe's Leben und Dichtungen. Im Zusammenhange dar=
gestellt. Wiesbaden 1854, S. 394/95. Spieß geb. 1815, gest. um 1892, s.
Kürschner, 1890.

48 Vgl. aaO. S. 38, 40, 45, 98.

49 S. 26; ähnlich S. 1, 52 u. a.

50 S. 163/64.

51 S. 40, 51.

52 S. 54, 105, 116.

53 S. 106; Sperr. v. Verf.

54 Sein Untergang gleiche dem eines antiken Helden, gefaßt, groß, tragisch,
und zugleich rührend in seiner Erwartung der göttlichen Verzeihung und
Gnade; S. 43 ff., 116. Nur wegen dieser erhabenen und tragischen Elemente
habe die Sage eine solche Bedeutung für Deutschland erlangt; S. 125.

55 S. 115/16.

56 S. 209; in II, 5 führe Goethe „Fausts Unvollkommenheit und sein neues
Verbrechen", dazu seine Erblindung und Tod vor; S. 217.

57 S. 234 ff.

58 S. 239.

59 Sommer ausdrücklich genannt und beinahe wörtlich zitiert aaO., S. 333;
auch der Hinweis auf Grimms ‚Deutsche Mythologie' fehlt nicht; ferner:
„die Gebrüder Jacob und Wilhelm Grimm haben ... den Namen [Faust]
für *mythisch* erklärt ... Dies ist *unzweifelhaft das Richtige ...*".

60 S. 332 ff.; Sperr. v. Verf.

61 Vgl. auch den Artikel ‚Goethe' im selben Lexikon, Bd. 8 (1861), S. 456 ff.,
dort über ‚Faust' S. 464.

62 Herr Prof. Dr. Schoeps, dem ich diesen Hinweis verdanke, vermutet als
Verfasser des Artikels möglicherweise Vilmar d. Ä. – Zu Wagener vgl.
Hans=Joachim Schoeps, Das andere Preußen, Honnef/Rhein 1957², Kap. 5;
ders., Konservative Erneuerung, Stuttgart 1958, S. 51 ff.

63 Vgl. Julius Rodenberg, Zur Erinnerung an Friedrich Kreyßig, als Ein=
leitung zu: Friedrich Kreyßig, Literarische Studien und Charakteristiken
(Aus dem Nachlaß), Berlin 1892. Kreyßig war selbst langjähriger Mit=
arbeiter der ‚Deutschen Rundschau' Rodenbergs. Vgl. auch: Fr. Kreyßigs
Vorlesungen über Goethes Faust. Zweite Auflage. Neu hg. v. Franz Kern,
Berlin 1890, mit Textänderungen, Streichungen und Anmerkungen, die
u. a. Kreyßigs nationale Betonung „pietätvoll" hervorheben; vgl. dort
Anm. 20 u. 30.

64 aaO. S. 72/73.

65 S. 164/65. G. v. Loeper, der diesen Satz wörtlich zitierte, setzte 1871
dafür das Zeichen „Faustisch" ein; s. u. S. 158.

66 S. 248.

[67] S. 255; Sperr. v. Verf.

[68] S. 55. „Grundzüge der überlieferten Fauststimmung" (Volksbuch, Puppen=
spiel), S. 29; Goethes eigene „Werther= und Fauststimmungen", S. 64;
die „glühende Fauststimmung" seiner Jugendtage, S. 142, auch S. 148.

[69] S. 182.

[70] S. 13/14.

[71] So Gervinus in seiner Lebensdarstellung von 1860; s. Rudolf Unger,
Gervinus und die Anfänge der politischen Literaturgeschichtsschreibung in
Deutschland, Nachr. v. d. Gesellschaft d. Wissenschaften zu Göttingen,
Phil.=Hist. Kl., Fachgruppe V, N. F., Bd. 1, Nr. 5, Berlin 1935, S. 82.
Vgl. auch die Charakteristik Gervinus' bei Richard M. Meyer, Die dt.
Literatur des 19. u. 20. Jahrhunderts, 6. Aufl. hg. u. fortgesetzt v. Hugo
Bieber, Berlin 1921, S. 203; ferner Max Rychner, G. G. Gervinus, Bern 1922.

[72] Vgl. dazu vor allem die Schlußseiten des 5. Bandes, 1842, S. 730/35. —
Noch 1937 hielt Gerhart Hauptmann in seiner Autobiographie fest, wie
sehr er in seinem Durchbruchsjahr 1888 durch die Thesen von Gervinus
bedrängt worden sei; Abenteuer meiner Jugend, Berlin 1937, Bd. 2, S. 439.

[73] Festzuhalten verdient, daß Gervinus diese Ausrichtung auf das politische
Kämpfertum, dem ästhetisch eine mehr „charakteristische" Schönheit ent=
spreche, „nordländisch" nannte; dieses fand er eher bei Schiller als bei
Goethe, alte „jungdeutsche" Behauptung, auch, neben Shakespeare, bei
Hutten und Lessing. („Nordländische") Gesinnung wurde von der Literatur
gefordert, nicht „Form"; s. Unger, aaO. S. 89.

[74] G. G. Gervinus, Neuere Geschichte der poetischen National=Literatur der
Deutschen. 2. Theil (= Historische Schriften, 6. Bd.: Geschichte der deut=
schen Dichtung, V), Leipzig 1842, S. 105 ff.; diese ,Faust'=Darstellung fast
durchweg textgleich mit: Geschichte der deutschen Dichtung, 4. verb. Aufl.,
5. Bd., Leipzig 1853, S. 95 ff., und ebenfalls noch mit der 5. Aufl., hg.
v. Karl Bartsch, 5. Bd., Leipzig 1874 (!), S. 114 ff.

[76] S. 116/17.

[77] Vgl. dazu die Ausführungen über ,Faust II' S. 722 ff.

[78] S. 117/18.

[79] „die auch außerhalb der Briefe schweigend niedergelegt sind [!] und
überall die eindringendsten Vorstellungen von dem ganzen Entwurfe ver=
rathen"; S. 118.

[80] S. 118/19. Vgl. dazu auch J. G. Rönnefahrt, Göthe's Faust und Schiller's
Wilhelm Tell nach ihrer weltgeschichtlichen Bedeutung und wechselseiti=
gen Ergänzung, Leipzig 1855, bes. S. 126/28, 130, 135/45, 195. Goethes
,Faust' stellt nur die Reformationszeit als Ablösung des Mittelalters dar;
erst Schiller zeigt ein neues Zeitalter: Faust ist der Vorbereiter und Vor=
gänger von Wilhelm Tell! Auf dem geschichtlichen Weg von der Refor=
mation zum freien Bürgerstaat (Vorbilder: Friedrich der Große, Amerika)
wird Tell zum Vollender Fausts. Goethe ist „der Deuter und Wahrsager
der Vergangenheit", Schiller „der Weihsager und prophetische Verkünder
der Zukunft". Zwar schaut Faust in der Todesstunde noch das neue Le=
bensgebäude — aber Schillers Tell vollendet es.

[81] S. 120; Sperr. v. Verf. „Sind erst diese so eingerichtet, wie sie dem

Culturstand des Volkes anpassend, wie sie seiner Ehre genügend sind, dann haben wir auch neuen Boden für eine neue Dichtung gewonnen", fuhr Gervinus fort, strukturell nicht viel anders als der gleichzeitig schreibende „Kommunist" Karl Grün (Über Göthe vom menschlichen Standpunkte, 1846; s. Anm. VI, 167).

82 Literaturgeschichte der dt. Stämme und Landschaften, IV. Bd., Regensburg 1928, S. 355.

83 aaO. S. 134.

84 S. 728.

85 „Damals die maßgebende Zeitschrift der liberalen Bildungsaristokratie"; R. M. Meyer, Die dt. Literatur des 19. u. 20. Jhs., aaO., S. 285.

86 Wilhelm Scherer knüpfte 1883 in seiner Literaturgeschichte noch an die Gedanken von Gervinus an, doch schränkte sie, anscheinend ernüchtert im Rausch der „tätigen" Gründerjahre, charakteristisch ein; s. u. S. 174 ff.

87 Vgl. Ernst Alker, Geschichte der dt. Literatur von Goethes Tod bis zur Gegenwart, Stuttgart 1949, Bd. 1, S. 118 ff.

88 Zit. nach 2. Aufl. Berlin 1842, S. 372.

89 S. 178.

90 S. 194.

91 S. 314.

92 S. 264/65.

93 S. 266.

94 2 Bände, Leipzig 1848; ,Faust' Bd. 2, S. 301 ff.

95 S. 301.

96 S. 314.

97 S. 318.

98 S. 312/13, 315.

99 S. 310/11.

100 S. 303.

101 S. 316.

102 S. 317/18.

103 2 Bände, Leipzig 1853; 2. umgearb. Auflage als ,Geschichte der dt. Literatur im neunzehnten Jahrhundert', Leipzig 1855, hieraus nach Band 1 zitiert, über ,Faust' S. 88 f.; 4. Aufl. als ,Geschichte der dt. Literatur seit Lessings Tod', 3 Bde., Leipzig 1858; ab der 5. Aufl., Leipzig 1865/67, wandelte sich der polemisch=kritische Ton mehr in eine Darstellung der historischen Forschungslage. Zitate aaO. S. 90—100. — Vgl. auch [Salomon Levinstein], Faust und Hamlet. Blätter an Varnhagen von Ense . . ., Berlin 1855: Faust „eher ein Deserteur aus dem Reiche Gottes"; kein moderner Titan, son= dern „ein unzufriedener Phantast, wie es in Deutschland viele giebt"; S. 7/8, 11/12.

104 Die deutsche Nationalliteratur in der ersten Hälfte des neunzehnten Jahr= hunderts. Literarhistorisch und kritisch dargestellt. 2 Bde., Breslau 1855; zu Gervinus s. Bd. 1, S. 81.

105 ebd. S. 77.

106 S. 79.

107 S. 81.

108 S. 86.

[109] S. 83.

[110] S. 86.

[111] S. 77.

[112] Als ein Nachzügler dieses Kreises muß Otto Friedrich Gruppe (1804–1876) angeschlossen werden. Mitarbeiter der ‚Preußischen Staatszeitung', später der ‚Neuen preußischen Zeitung', zeitweise Mitglied des Berliner Ministeriums für geistliche Angelegenheiten, dann ao. Professor an der dortigen Universität und später Sekretär der Akademie der Künste, ein Vielschreiber sondergleichen; er ließ seit 1864 seine geschwätzige fünfbändige Darstellung ‚Leben und Werke deutscher Dichter. Geschichte der dt. Poesie in den drei letzten Jahrhunderten' erscheinen, Leipzig 1864–70. Der ‚Faust'=Abschnitt stand erst im 4. Band, 1870, ein Jahr also vor Gustav von Loepers ‚Faust'=Ausgabe. Neben den schon bekannten Vorwürfen trat Gruppe nochmals den Einfall von Gervinus breit: hätte Goethe Schillers Ratschläge befolgt, wäre eine geschlossene und harmonische Faust=Dichtung entstanden. Da er aber diese Ratschläge überall mißachtete, später Schillers ausgleichende Hilfe ganz fehlte, sei die Dichtung notwendigerweise ein Mißgebilde. Alles, was nach dem ‚Fragment' noch Lobenswertes in ihr zu finden sei, müsse allein Schillers Rat zugeschrieben werden. Goethe selbst sei schließlich seiner Hauptfigur untreu geworden, „so daß zuletzt nur die allgemeine Unersättlichkeit bleibt, und diese ist ganz verschieden von irgend einer besonderen Überhebung, ist *etwas so Abnormes, so unverkennbar Verkehrtes*, ja wie das Stück selbst entgegenbringt, so nahe an Tollheit grenzend, daß man nicht versteht, wie damit ein tieferer philosophischer Gehalt zu verbinden war" (S. 460/61; ähnlich 465). Noch einmal schien – 1870 – das ganze Vokabularium der ersten Jahrhunderthälfte zusammengetragen, um derart das „unsinnige" Wesen Fausts zu charakterisieren. „Jene Unersättlichkeit des Faust ist im Grunde der Narrheit allzu verwandt, als daß es für sie eine vernünftige Lösung geben könnte . . ."; S. 501.
Eine „Schillersche" Faust=Dichtung zu schaffen (Faust als Fürstenbildner, Volkserzieher und echter Täter), unternahm in denselben Jahren Ferdinand Stolte: 1. und 2. Teil seines ‚Faust', Bremen 1859, 3. und 4. Teil, Hamburg 1869.

[113] Tübingen 1860.

[114] S. 26.

[115] S. 78/79.

[116] S. 85.

[117] S. 150 ff.

[118] S. 137 ff., S. 162.

[119] S. 174.

[120] S. 166 f.

[121] S. 18; Sperr. v. Verf.

[122] S. 86.

[123] S. 149.

[124] Geschichte der dt. Literatur, aaO. Bd. 1, S. 126. – 1873 schrieb Kreyßig: „unser bester Erzähler, man sage, was man wolle: ein Meister mächtiger Gestaltung . . ."; Literarische Studien, aaO. S. 46.

[125] Über Kunst und Altertum, 1818 ff.; Hamb. Ausg. Bd. XII, S. 540.

[126] Aufschlußreiche Ergänzungen bot Friedrich Spielhagen, Finder und Er=
finder. Erinnerungen aus meinem Leben. 2. Bd., Leipzig 1890, bes. S.
345 ff., s. auch 319 ff. „Die ‚Problematischen Naturen‘ sind ... ihrem
inneren Wesen nach ein Ich=Roman" (S. 394, ebenso 445/46), aber aus=
geweitet worden zu der „Aufgabe: die Genesis der problematischen Na=
turen aus der Misère des öffentlichen Lebens herzuleiten" (S. 441).

[127] Friedrich Spielhagens sämtliche Romane. Erster Band. Problematische Na=
turen. Erste Abteilung. Leipzig 1917, S. 439. – Fünfter Band. Problema=
tische Naturen. Zweite Abteilung (Durch Nacht zum Licht). – Vgl. die
Charakteristiken von Oswald Stein und Baron Oldenburg in ‚Finder und
Erfinder‘, aaO. S. 401 ff., 407 ff.; hier auch: „Oldenburg, eine titanenhafte
Natur, die faustisch nach allem Höchsten und Tiefsten greift" (Negation!).

[128] Bd. 1, S. 344/45.

[129] ebd. S. 620.

[130] Bd. 5, S. 15.

[131] Bd. 1, S. 368.

[132] „Die problematischen Naturen Rußlands, ‚überflüssige Menschen‘, zeichnet
gleichzeitig mit Spielhagen Turgenjew, z. B. in ‚Rudin‘ (1856), wo der
idealistische und faszinierende, aber tatschwache und lebensuntüchtige
Held ebenfalls auf den Barrikaden fällt", H. O. Burger, Annalen der dt.
Literatur, Stuttgart 1952, S. 675 (sicherlich eine „Quelle" Spielhagens).
Vgl. ferner Turgenjews „Erzählung in neun Briefen", ‚Faust‘ (1855), über
das Thema „Entbehren sollst du, sollst entbehren" aus ‚Faust I‘, doch
mehr in Werther=Stimmung. Wichtiger für unsere Untersuchung ist der
zehn Jahre früher liegende Aufsatz über ‚Goethes Faust‘ (Sämtl. Werke,
hg. v. O. Buek u. K. Wildhagen, Bd. 10, Berlin 1925, S. 421 ff.), der noch
in aufklärerisch=„jungdeutscher" Art über das „rein egozentrische Werk",
über Faust, „dieses kranke Kind des nicht gerade sehr gesunden Mittel=
alters" sprach. Dazu Katharina Schütz, Das Goethebild Turgenevs, Diss.
Berlin 1952; Erich Hock, Turgenev und die dt. Literatur, Diss. (Masch.)
Göttingen 1953.

[133] Bd. 5, S. 453.

[134] s. vor allem Bd. 5, S. 14 f.; ‚Finder und Erfinder‘, S. 405 ff.

[135] Bd. 1, S. 422.

[136] Vgl. Spielhagens spätere „Novelle" ‚Faustulus‘, aaO. Bd. 26, Leipzig 1910,
die noch 1898 im Scheitern eines „Übermenschen" den verächtlichen
„traurigen Gesell" Faust mit aburteilte.

[137] Bd. 5, S. 15.

[138] ebd. S. 564; dazu ‚Finder und Erfinder‘, S. 440: „Die ursprünglich ein=
fache Aufgabe: die Geschichte einer problematischen Natur zu erzählen,
hatte sich mithin zu der viel komplizierteren erweitert: das Bild einer
Kultur zu entwerfen, aus welcher dergleichen Naturen mit mehr oder we=
niger zwingender Notwendigkeit hervorgehen", usw.

[139] Bd. 5, S. 216.

[140] Anmerkenswert ist, daß der junge Nietzsche diesen Roman Spielhagens
über Gebühr geschätzt hat. „Einige Kapitel in den Problematischen Na=
turen habe ich bewundert. Sie haben wirklich Goethesche Kraft und An=

schaulichkeit. So sind gleich die ersten Kapitel Meisterstücke...", schrieb er am 25. 5. 1865 aus Bonn an den Freund Carl von Gersdorff; Werke und Briefe, hist.=krit. Gesamtausgabe, Briefe Bd. 1, München 1938, S. 314. Daß Nietzsche durch Spielhagens Beispiel seine lebenslange Abneigung gegen das „Faustische" gewonnen hätte (s. u. Anm. VI, 1), kann kaum behauptet werden; doch mag in dem Zwanzigjährigen manches Miß= trauen durch die Spielhagen=Lektüre geweckt worden sein.

141 Berlin 1867; wieder abgedruckt in: Am Wege. Vermischte Schriften. Leipzig 1903, S. 51 ff.

142 1867, S. 17.

143 S. 7.

144 S. 8, vgl. auch S. 21.

145 S. 19.

146 S. 17/18.

147 S. 18/19. — Vgl. noch Frd. Spielhagen, Drei Vorlesungen über Goethe (1863), in: Frd. Spielhagen's sämmtliche Werke. Neue, vom Verf. revidirte Ausgabe, Bd. 7, Vermischte Schriften, 2. Aufl. Leipzig 1872; S. 75 ff. über Faust.

148 S. 20.

149 S. 23/24.

150 S. 25.

151 Vgl. ferner Johann Jakob Wagner, Dichterschule, Ulm 1840, über ‚Faust' S. 351 ff. (Faust als Typus des modernen „Zerrissenen", der, auf das Leben übertragen, überall zerstörend wirke); Heinrich Gelzer (Theologe an der Berliner Universität), Die deutsche poetische Literatur seit Klopstock und Lessing. Nach ihren ethischen und religiösen Gesichtspunkten. Leipzig 1841, S. 303 ff.; wiederholt und geringfügig gemildert in: Die neuere Deutsche National=Literatur nach ihren ethischen und religiösen Gesichts= punkten. Zur innern Geschichte des deutschen Protestantismus. 2. Theil. Zweite umgearb. u. verm. Aufl., Leipzig 1849, S. 448/49, 453/54 („So hoch man die menschliche Streb= und Thatkraft anschlagen, wie groß ihr moralischer Werth sein mag — das betrübend Flache und Materialistische dieser Goethischen Ansicht fällt doch in die Augen; der daraus hervor= blickende Gedanke einer mechanischen Industrie=Religion läßt sich nicht wegdeuteln";) Ernst Lösch, Das böse Princip in Göthe's Faust und Cha= misso's Schlemihl, in: Album des literarischen Vereins in Nürnberg für 1845, S. 1 ff. (Ablehnung des „rastlosen Strebens" um seiner selbst willen, keine sittliche Erhebung bei Faust — „die vollendete Selbstsucht bis zum letzten Augenblicke, noch als Greis und erblindet voller Thatenlust, aber keine That von sittlicher Größe, keine That von moralischem Ge= halte, keine sühnende, keine das bessere Selbst wieder gewinnende und rettende That"; dieselbe Position später nochmals bei Franz Kern, Chamissos Faust und Peter Schlemihl, 1886, in: Zu deutschen Dichtern. Ges. Aufsätze, Berlin 1895, S. 92 ff.); Konrad Schwenck, Goethe's Werke. Erläuterungen, Frankfurt Main 1845, über ‚Faust' S. 86 ff. („Kraftlosig= keit", „kranke Übersättigung", „Geisteszerfallenheit", „Zerrüttung einer Seele", „Seelenzerrissenheit"); [August Jacob], Ueber den Prolog zu Faust von Goethe, Berlin 1850; zum Verf. (1789—1862, preuß. Konsistorial= und

Schulrat in Posen, später Berlin) s. Goedeke, Bd. IV, 3, 1912, S. 697, und
Kosch, Lit.=Lex. (,Faust II' ohne dichterisches und sittliches Recht; Faust
bleibt bis ans Ende „launisch selbstisch").

152 Regensburg 1840; über ,Faust' S. 127 ff.

153 Regensburg 1845, S. 90 ff.

154 Vgl. auch die scharfe Ablehnung von Lenaus ,Faust' durch Eichendorff,
in: Historisch=politische Blätter, Bd. 20, 1847, S. 389 ff. (,Die neue Poesie
Österreichs').

155 Zu Bratraneks unterdrückten Faust=Erläuterungen von 1842 s. o. Anm.
IV, 61.

156 Wilhelm von Schütz, Göthe's Faust und der Protestantismus. Manuscript
für Katholiken und Freunde. Bamberg 1844.

157 Über Goethes Beziehungen zu Schütz vgl. Goethes naturwissenschaftliche
Correspondenz (1812–1832), hg. v. F. Th. Bratranek, Bd. 2, Berlin 1874,
S. 241 ff.; dazu Goethe's Werke, Berlin (Hempel), Bd. 29, S. 750; Bd. 33,
S. 124 ff., 493.

158 aaO. S. 10, 14 u. a.

159 S. 15.

160 S. 4.

161 S. 2.

162 Die „engherzigen protestantischen Theologen" haßten Goethe, weil er
ihre Blöße aufgedeckt habe; S. 3.

163 S. 22 ff., S. 68.

164 S. 49.

165 S. 115.

166 Vgl. dazu auch das ,Faust'=Drama des rheinischen Katholiken Friedrich
Reinhard, ersch. 1848, entst. 1846/47.

167 Vgl. Josef Brunner von Auw, Die Literaturkritik in den Historisch=Politi=
schen Blättern 1838–1923, Diss. Freiburg/Schweiz 1934; dazu Franz
Schnabel, Dt. Geschichte im 19. Jh., 4. Bd., aaO. S. 145 ff.

168 Bd. XVII, München 1846.

169 Leipzig 1847.

170 Blätter aaO. S. 287, 289; im Druck von 1847 S. 27, 29.

171 1. Theil 1857; 2. Aufl. 1861; zit. nach 3. Aufl. Paderborn 1866, S. 304/05.
Der 2. Theil dieser Geschichte, mit denselben Erscheinungsjahren, brachte
unter der Überschrift ,Die neuere Romantik' den alten Text von 1846
und 1847.

172 Hier zit. nach 2. Aufl. Paderborn 1866.

173 „Allein die Zöglinge machen dieser Allerweltsschule keine sonderliche
Ehre; sie führt den Werther zum Selbstmord, den Wilhelm Meister zur
ökonomischen Philisterei, und den Helden der ,Wahlverwandtschaften'
zum geistigen Ehebruch"; 1857, aaO. S. 302.

174 aaO. S. 131 ff.

175 aaO. S. 191, 399.

176 S. 398.

177 S. 400, 404.

178 aaO. S. 302 f. – Eichendorff war allerdings ehrlich genug, abschließend
über Goethe noch anzumerken: „Was seinen Helden fehlt, fehlt seiner

Zeit, und kann nicht dem Dichter, sondern uns zum Vorwurf gereichen";
S. 303 f.

179 So umschrieb Josef Brunner von Auw die neue Situation, aaO. S. 79; vgl.
z. B. Hist.=polit. Blätter, Bd. 62, 1868, S. 551.

180 Zu Deutinger vgl. Brunner von Auw, S. 71 ff., und Heinrich Fels, Martin
Deutinger, München 1938.

181 Martin Deutinger, Über das Verhältniß der Poesie zur Religion. Fünf Vor=
lesungen, gehalten im Frühjahr 1861 im Saale des k. Odeon zu München.
Augsburg 1861, S. 76; im Zusammenhang mit Eichendorffs Literatur=
geschichte vgl. noch folgende Stelle: „Unverkennbar ist der Einfluß der
neueren Philosophie und des protestantischen Glaubensprinzips auf die
neuere Poesie ... Goethe aber ist der poetische Ausdruck für alle Rich=
tungen der kartesischen Schule"; zit. nach H. Fels, aaO. S. 288.

182 Josef Nadler, in: Hochland, 1925/26, I, S. 18 f.; vgl. auch Franz Schnabel,
aaO. S. 148 ff.

183 Otto Vilmar, Zum Verständnisse Göthes. Vorträge vor einem kleinen
Kreiß christlicher Freunde. Marburg 1860; hier zit. nach 2. Aufl. Marburg
1861 (1867³, 1879⁴, 1900⁵). – Zu A. F. C. Vilmar s. o. S. 99. – Otto
war der zweite Sohn Vilmars; „an diesem zweiten Sohn habe ich geradezu
alles verloren, was ich in meinem Lebenskreise zu verlieren hatte", hieß
es im Vorwort. Walter Schwarz, ein Biograph Vilmars (Berlin 1938,
S. 130), kennzeichnete den Sohn Otto als „des Vaters anderes Ich, der
Gehilfe seiner Arbeit, der Gefährte seines Verständnisses, sein geistiger
Erbe". So dürfen wir hinter dieser Faust=Schrift die volle Zustimmung des
Vaters und dessen Anhänger vermuten.

184 S. 336.

185 S. 32 ff.

186 S. 34. – Vgl. dazu, noch naiver, Ernst Julius Saupe (Subkonrektor am
Gymnasium zu Gera), Goethe's Faust, Leipzig 1856, S. III/IV.

187 S. 35.

188 S. 46 ff.

189 S. 52.

190 S. 53 ff.

191 S. 64.

192 Ähnlich hakte später Reinhold Schneider an dieser Szene ein; Fausts
Rettung, Baden=Baden 1946, S. 17 ff.

193 S. 200.

194 S. 249.

195 S. 265.

196 S. 272.

197 Evangelische Kirchen=Zeitung [gegr. 1827], Berlin 1863, Nr. 35 vom
2. Mai: Göthes Verhältnis zum Christentum mit Rücksicht auf den
zweiten Teil des Faust. Auf Vilmars Schrift wurde sogleich am An=
fang Bezug genommen. – Vgl. dazu im selben Jg., Nr. 29 vom 11. April
und Nr. 33 vom 25. April: Der Grundunterschied zwischen Schiller und
Göthe; ähnlich Jg. 1862, Nr. 66 und 98.

198 Julius Disselhoff, Göthe's Faust und Iphigenie. Zeugnisse für den Glau=

ben. Ein Vortrag, in: Vorträge für das gebildete Publikum, hg. v. Berg, Diestel u. a., Elberfeld 1861, S. 89 ff.

199 Beinahe hätte Disselhoff für seine negative Abwertung das Adjektiv „faustisch" angewandt; damit wäre der Kreis geschlossen gewesen. Durch den ganzen Vortrag benutzte er den Genitiv „Faust's". Nur am Schluß, S. 108, der seine Ausführungen zusammenfaßte, formte er ihn anders: Faust gehöre in den Kreis jener hochfahrenden Zikaden (s. Prolog), in dem die Menschen sich allzu leicht im niedrigen Genuß befriedigten und sich autonom dünkten; dem stehe ein anderer Kreis gegenüber, wo die Menschen Gott in ihrem Zentrum wüßten (Iphigenie). „Bei ihnen findet sich nicht die Faust'sche Selbstherrlichkeit und Suffisance...". Immerhin ist die Annäherung an das (negative) Adjektiv deutlich.

200 Ich benutzte K. F. A. Kahnis, Der innere Gang des deutschen Protestantis= mus. 3. erw. Ausgabe, Leipzig 1874, 2. Theil, S. 16 ff.; in der 1. Aufl., Leipzig 1854, fehlte die Faust=Analyse, die zweite von 1860 stand mir nicht zur Verfügung. Statt ihrer zog ich heran: Theodor Kind, Ein luthe= rischer Theolog über den Goethe'schen ‚Faust', in: Deutsches Museum, 16. 8. 1866, Nr. 33, S. 193 ff.; dort bezog Kind sich auf eine Programm= schrift von Kahnis, ‚Die im Wesen des Protestantismus liegenden Prin= cipien', Leipzig 1865; darin hatte Kahnis u. a. auch über ‚Faust' ge= sprochen, mit denselben Worten wie in der zit. 3. Aufl. des obigen Werkes. — Vgl. Nietzsche, Autobiographisches aus den Jahren 1856—1869; Werke, hg. v. Karl Schlechta, München 1956, Bd. 3, S. 130/31.

201 Examen critique du Faust de Goethe par un Catholique. Deux Conférences par M. Wilhelm Molitor, Chanoine de la Cathédrale de Spire. Traduit de l'Allemand par Ernest Faligan, avec une notice biographique par Corneille Reichenbach. Paris 1881.

202 W. Molitor, Vorträge über Goethe's Faust. Den Förderern des Kirchen= baues der Herz=Jesu=Kirche in Nürnberg aus Dankbarkeit gewidmet von der katholischen Kirchenverwaltung. Nürnberg (1902).

203 Zu Molitor vgl., außer der zit. biographischen Notiz von Reichenbach, Franz Brümmer in ADB, Bd. 52, S. 438 ff.

204 aaO. S. 93, 130, 147, 154.

205 S. 149.

206 S. 1/2.

207 S. 8, 12.

208 S. 14.

209 S. 9, 152; Molitor kam hier zu gleichen Formulierungen wie vor ihm der Protestant Vilmar.

210 S. 152/53.

211 S. 61/62.

212 S. 78.

213 S. 96 ff.

214 S. 127.

215 S. 156.

216 S. 131.

217 S. 98.

218 S. 134 ff.

219 S. 96.
220 S. 147 ff.
221 S. 157 f., Sperr. v. Verf.
222 aaO. DVS, 1936, S. 486.
223 Auch Erich Franz, Mensch und Dämon, Tübingen 1953, S. 68/69, stellte noch gegenüber: „die vulgär=optimistische Deutung des kulturfrohen 19. Jahrhunderts, der ‚Perfektibilismus'" und eine „tief pessimistische, welche in der Gegenwart, insbesondere bei katholischen Autoren, unter dem Eindruck der nationalen Katastrophe an Boden gewinnt: Faust... nicht als Musterbild... gedacht". Beide Feststellungen stehen in falscher Perspektive und sind unhistorisch. „Das" 19. Jahrhundert hatte keineswegs überall oder auch nur in der Hauptsache den „Perfektibilismus" vertreten; und die Ablehnung Fausts als Musterbild, „insbesondere bei katholischen Autoren", gab es ungeschwächt und kompromißlos, seit Goethes Dichtung Erster Teil 1808 erschienen war.

Zu Kapitel VI

1 Seine Äußerungen zu ‚Faust' (einschließlich „faustisch") wechselten im Laufe seines Lebens, wie so viele seiner polemischen Stellungnahmen; die Verurteilung des ‚Faust' wird etwa ab 1876 ff. deutlich faßbar. Im ganzen war Faust ihm zu wenig tatkräftig, zu wenig handelnd, Mephisto zu wenig boshaft. Nietzsche witterte das Philiströse in der deutschen Hochpreisung des ‚Faust'. So spottete er gelegentlich über die Deutschen, daß der „große Gelehrte" Faust, der nicht einmal eine kleine Nähterin ohne Beihilfe des Teufels verführen konnte, angeblich ihr größter „tra= gischer Gedanke" sei, „wie man unter Deutschen sagen hört"; Werke, Leipzig (Naumann), 1895, Bd. 3 (Menschliches, Allzumenschliches) S. 264. „Faust, die Tragödie der Erkenntnis? Wirklich? Ich lache über Faust"; ebd. Bd. 12, 1919³ (Nachgel. Werke, 1881—86), S. 246. „Man muß den Deutschen ihren Mephistopheles ausreden: und ihren Faust dazu. Es sind zwei moralische Vorurteile gegen den Wert der Erkenntnis"; ebd. Bd. 5 (Die fröhliche Wissenschaft), S. 187. Gerade der theoretische Gelehrte Faust, sein nur theoretisches Wissens„streben", machte ihn Nietzsche anrüchig; Faust wurde ihm die fragwürdige „Gestalt des nach Leben dürstenden theoretischen Menschen", Typus des von ihm verachteten „mo= dernsten Menschen"; vgl. ebd. Bd. 1 (Die Geburt der Tragödie), S. 126; ebd. S. 581 (Richard Wagner in Bayreuth); auch Bd. 2, S. 307 (Mensch= liches, Allzumenschliches); Bd. 9, 1921³ (Nachgel. Werke, 1869—72), S. 123; Bd. 13, 1903 (Nachgel. Werke, 1882—88), S. 335, 361. Byrons ‚Manfred' gegen Goethes ‚Faust' auszuspielen, wie Nietzsche es mehrfach tat, dürfte weniger aus redlicher Überzeugung geschehen sein, als aus dem für Nietzsche typischen „Ressentiment" und selbstverletzender Haßliebe (Bizet gegen Wagner; Dionysos gegen Christus); vgl. aaO. Bd. 15, 1911² (Der Wille zur Macht), S. 35 f.; Bd. 5, S. 119; dazu Ecce homo, Kröners Taschen= ausgabe, Bd. 77, S. 323 f.

„Faustisch" kommt bei Nietzsche (zu einer Briefstelle des Vierundzwanzig=

jährigen vgl. u. S. 262) nur gelegentlich vor, dann immer in schon über=
tragenem Sinn einer „modernen" Kulturepoche, wodurch „faustisch" bei
ihm von vornherein einen negativen, mindestens einen stark ironischen
Klang erhielt, im Sinn jenes Lachens über den angeblich tragischen Faust;
z. B. aus den Nachlaß=Notizen zur ‚Geburt der Tragödie': „Das sechste
Jahrhundert als der Höhepunkt: das Ersterben des Epos in der faustischen
Gegenwart. Ungeheures politisches Ringen"; Bd. 9, S. 118, vgl. ebd. S. 123:
das moderne Wissen Fausts gegen die antike Kunst, den rechtmäßigen
Ausdruck von Kultur; dazu wieder ‚Geburt der Tragödie', Bd. 1, S. 126.
Auch „jene Faustische ‚Unendlichkeit im Busen'", mit der Nietzsche seine
Bemerkungen über die Ähnlichkeit von Rausch=, Kraft= und Machtgefühlen
im ‚Willen zur Macht' abschloß, war ironisch, spöttelnd gemeint, als ein
literarischer Firnis über anders gearteten Grundbeständen; Kröners Ta=
schenausgabe, Bd. 78, S. 536. So blieb der Begriff des „Faustischen" bei
Nietzsche nur angedeutet – und keineswegs hochsinnig gemeint! Spenglers
späteres Hineindeuten „faustischen" Menschentums in Nietzsches Visionen
(u. a. Bd. 1/1923, S. 449) beweist nur wieder, daß beide mit demselben
Wort etwas durchaus anderes ausdrückten. – Zum gesamten vgl. Ernst
Bertram, Nietzsches Goethebild, in: Festschrift für Berthold Litzmann,
Bonn 1920, S. 318 ff.; ders., Nietzsche. Versuch einer Mythologie, Berlin
1920[4], S. 181 ff. Zum Verhältnis von „Übermensch" und ‚Faust' bes.
R. M. Meyer, Der Übermensch, in: Ztschr. f. dt. Wortforschung, Bd. 1,
1901, S. 3 ff.; Maria Agnes Saleski, Goethe als Erzieher Nietzsches, Diss.
Leipzig 1929. Ferner Eberhard Segner, Nietzsches Urteile über Goethe,
Diss. (Masch.) Berlin (FU) 1955, bes. S. 90 ff.; dort weitere Lit. zum
Thema. Vgl. u. S. 261 f., 269 ff., auch Anm. V, 140.

2 Goethe's sämmtliche Werke. 12. u. 13. Theil: Faust, hg. u. mit Anm. be=
gleitet von G. von Loeper. Erster Theil. Zweiter Theil. (= Hempel's
Klassiker=Ausgaben), Berlin (1871); 2. Bearb. 1879; 3. Ausg. noch 1901.

3 s. Beutler, Essays um Goethe, Bd. 1, 1946[3], S. 380.

4 Die Möglichkeiten dieses Bündnisses klärte am Anfang des Ersten Welt=
krieges Werner Sombart in seinem schier unglaubhaften Pamphlet zur
Verherrlichung des deutschen „Militarismus": Händler und Helden, Mün=
chen 1915, S. 84/85; „Militarismus ist der zum kriegerischen Geist hin=
aufgesteigerte heldische Geist. Er ist Potsdam und Weimar in höchster
Vereinigung. Er ist ‚Faust' und ‚Zarathustra' und Beethoven=Partitur in
den Schützengräben." Vgl. ebd. S. 63 zur „Faustidee"; auch S. 127.

5 s. o. S. 100 ff.

6 aaO. Theil 12, S. XXVIII ff. Daß Loeper jedoch die allzu engen Ver=
knüpfungen des F. B. zurückwies, wurde schon unter Anm. V, 42 verzeich=
net. – Sperr. v. Verf.

7 s. auch Anm. VI, 39.

8 aaO. S. XXXI.

9 S. XXXV.

10 S. XXXI/XXXII; dieser Absatz wurde 1879 weggelassen.

11 S. XXXVI; auch hier schwächte die Bearbeitung von 1879 bezeichnend ab
in „kulturhistorische Macht"; s. dort Bd. 1, S. XXXVII.

12 Vgl. dazu den vorsichtig interpretierenden Aufsatz von Wolfgang Mohr,

Mephistopheles und Loki, DVS, 18. Jg., 1940, S. 173 ff. (Loeper und dessen Vorgänger wurden darin nicht erwähnt.)

13 aaO. Theil 12, S. XXIX.

14 S. LII/LIII.

15 Zwanzig Jahre später wurden solche Sätze, um ein Beispiel dieser Kon= tinuität zu geben, folgendermaßen variiert: Faust als Person (das „Fau= stische" sei viel älter!) konnte erst im Zeitalter der Renaissance erscheinen — „aber die Renaissance, der Humanismus ging von romanischen Landen aus und doch ist Faust ein Deutscher. Es liegt das tief begründet in dem Unterschiede romanischen und germanischen Wesens. Gewaltiges, titanen= haftes Streben ist auch den Zeit= und Stammesgenossen eines Michel Angelo eigen, aber es fehlt ihnen der innere Zwiespalt, die Faustische Tragik, das Faustische Ringen ...”; Otto Heuer, Faust in der Geschichte, Sage und Dichtung, in: Berichte des Freien Deutschen Hochstiftes zu Frank= furt am Main, N. F. Bd. 10, Jg.. 1894, H. 2, S. 39 ff. Übrigens verwendete Heuer noch mehrfach das possessivische „faustisch" oder geläufig ge= wordene Zwischentöne (S. 40, 46, 49, 51) — aber schließlich (von mittel= alterlichen Stoffen behauptet): „Faustisches findet sich in allen diesen Vorgängern Fausts, jener ὕβρις der antiken Welt vergleichbar ...”; dieses Beispiel ist sprachlich am interessantesten, weil hier wieder ein selbstän= diges, abstrahiertes „Faustisch", als deutsch=germanische Auszeichnung, über Räume und Zeiten hinausgreift.

16 aaO. Theil 13, S. X. — Auch dies wurde in der 2. Bearb. 1879 um einiges gemildert, doch auch dort hieß es schließlich: „So aufgefaßt, erscheint die Tragödie als das nur anders angeschaute und zu dichterischen Zwecken umgestaltete geschichtliche Leben der Nation selbst"; aaO. Bd. 2, S. X. Loeper hatte indessen, wie noch an anderen Stellen der späteren zweiten Auflage, eine zu wörtliche Auffassung seiner Behauptungen abwehren müssen. Dieses Wörtlich=Nehmen schien ihn verblüfft zu haben; er strich daher die extremsten Sätze oder formte sie um. So fügte er aaO. in einer Anmerkung eine französische Stimme an, die im Grunde Loeper nur be= stätigte, ihm jedoch, so drastisch ausgesprochen, plump und „eng" dünkte („Le second Faust est le protocole poétique qui a ouvert le livre fatal dont le traité de Francfort a marqué le dernier signet"; Henri Favre, Revue du Parlament, Sept. 1873).

17 Theil 13, S. XI/XII; dieser Nachsatz 1879 gestrichen.

18 „Tot seine Freunde, unverstanden und unverteidigt seine gewaltsam hef= tige Opposition gegen das jetzt unter dem Jubel des gesamten Volkes sich vollziehende Werk der Vereinigung. Ein tragisches Schicksal ...", schrieb Herman Grimm in seinem achtungsvollen Nachruf auf Gervinus in den ‚Preußischen Jahrbüchern', Bd. 27, 1871 (zit. nach Herman Grimm, Das Jahrhundert Goethes, hg. v. Reinhard Buchwald, Stuttgart 1948, S. 196). Auch sonst hatte Grimm, obgleich er zweifelsohne auf der „anderen Seite" stand, sich schützend vor das Andenken Gervinus' gestellt, als jedermann öffentlich ihn beschimpfte und seinem „wohlverdienten Ruhm Feder auf Feder ausgezupft" wurde; u. a. in seinen Goethe=Vorlesungen von 1874 (Herman Grimm, Goethe, hg. v. Wilhelm Hansen, Detmold 1948, S. 96). Grimm spielte in dem Nachruf auf das heftige Vorwort von Gervinus zur

5. Aufl. seiner ‚Geschichte der deutschen Dichtung' an (auch Buchwald, aaO. S. 285 ff.), datiert November 1870, ersch. im 1. Bd., Leipzig 1871; „... in dieser Zeit gerade der schrankenlosen patriotischen Hoffnungen des deutschen Volkes", „berauschte Begeisterung über unsere Gegenwart", „schwindelnde Erwartungen von unserer nächsten Zukunft", „die großen Kriegstaten von 1870 ... erscheinen ... trächtig an unberechenbaren Ge= fahren, weil sie uns auf Wege führen, die der Natur unseres Volkes und, was viel schlimmer ist, der Natur des ganzen Zeitalters durchaus zuwider= laufen" — das einige Stichworte aus dieser Vorrede, die begreiflicherweise scharfe Kritik auf den Plan riefen und Gervinus endgültig „kalt" stellten; doch müssen seine Worte als gleichzeitige, nationale Gegenstimme zu Loeper, Grimm usw. mitgehört werden. Auch standen die Sätze von den „faustischen Probleme[n] ..., die wie ein Geier an dem Herzen unserer Jugend nagen", noch in dieser 5. Aufl. (Bd. 5, 1874) nach wie vor zu lesen; aaO. S. 130.

19 Vgl. Werke (Naumann), 2. Abt., Bd. IX, Nachgel. Werke: Aus den Jahren 1869—1872, Stuttgart 1921[3], S. 115; die Zitierung von Gervinus scharf polemisch gegen ihn.

20 Theil 13, S. XII; vgl. auch S. XVIII.

21 Theil 12, S. V.

22 Theil 13, S. XIV f.

23 Theil 13, S. XXV (die „norddeutsche Kritik").

24 1809; s. o. S. 42 und Anm. III, 1.

25 Dieser „ungeheuerliche Satz" wurde 1879 maßvoller ausgesprochen (Theil 2, S. XIII), die Jean Paul=Stelle selbst dort weglassen, dagegen als voll= ständiges Briefzitat schon im 1. Theil, S. LIV, kommentarlos gebracht.

26 Der Erstdruck des „Volksbuchs" durch Spies war Mitte des Jahrhunderts wieder aufgefunden und, zusammen mit den späteren Bearbeitungen und ähnlicher „Sagen"literatur, neu gedruckt worden; s. J. Scheibles Samm= lungen ‚Das Kloster', Bd. 2, 3, 5, 11, Stuttgart 1846/49, und ‚Der Schatz= gräber', ebd. 1846 ff. Jetzt, erst nach 1870, setzte man vor allem an zwei Stellen im Buch von 1587, in dessen 2. und 5. Kap., die „faustischen" Umschreibungen an, die in gewissen Veröffentlichungen noch bis heute unausrottbar geblieben sind: „name an sich Adlers Flügel, wolte alle Gründ am Himmel vnd Erden erforschen", und „wie den Riesen war, darvon die Poeten dichten, daß sie die Berg zusammen tragen" (Neudrucke dt. Literaturwerke des XVI. u. XVII. Jhs., Nr. 7 ff.: Das Volksbuch vom Doctor Faust [Nach der ersten Ausgabe, 1587], 2. Aufl. hg. v. R. Petsch, Halle 1911, S. 13/14, 20). In diesen angeblichen poetischen „Einschüben" eines modernen humanistischen, hochstrebenden „Titanismus", mitten in einem sonst muffigen, teils noch mittelalterlichen Theologentraktat, werde zum erstenmal, meinte man (ohne den bissig ironischen Ton zu hören), das wahre, edle Kämpferantlitz Fausts deutlich sichtbar, enthülle sich erst= malig das „faustische" Wesen der modernen Kultur, ihr „faustisches" Er= kenntnis= und Streber=Ideal; von solchem Ansatz her konnten dann be= liebig Marlowe, Paracelsus, Reuchlin, Dürer, auch Luther und viele andere mit dem also humanistisch gemeinten Beiwort „faustisch" belegt werden;

der „faustische" junge Goethe, die „faustischen Naturen" des Sturm und Drangs usw. knüpften hier an.

Mit einem Hinweis auf diese Volksbuch=Stellen vorangegangen war schon Gervinus 1853 im 1. Bd., S. 309, der 4., umgearb. Auflage seiner Dich= tungsgeschichte, jedoch verständlicherweise ohne jede „faustische" Auf= höhung (in der 1. Aufl., Leipzig 1836, 2. Theil, S. 343/44, fehlten jene Zitate noch; die dort genannte „Faustische Sage" meinte rein possessiv die Faust=Sage). Nach Loeper sodann u. a. Wilhelm Scherer, in: Dt. Rundschau, Bd. 8, 1876, S. 278; Kuno Fischer, Goethes Faust, Stuttgart 1878, S. 46 f.; Erich Schmidt, Faust und das sechzehnte Jahrhundert, in: Goethe=Jahrbuch, Bd. 3, 1882, S. 77 f., wiederholt ohne Anm. in: Charakteristiken, I, Berlin 1886, S. 1 ff.; Dt. Drucke älterer Zeit in Nachbildungen, hg. v. W. Scherer: II. Das älteste Faust=Buch, Berlin 1884, Einleitung wiederholt in: Kleine Schriften, Bd. 2, hg. v. E. Schmidt, Berlin 1893, S. 42 ff.; Georg Ellinger, in: Ztschr. f. dt. Philologie, Bd. 19, 1887, S. 244 ff.; ders., in: Anz. f. dt. Altertum u. dt. Lit., XIII, 1887, S. 157 ff.; ders., in: Ztschr. f. vergl. Litteraturgesch., N. F. Bd. 1, 1887/88, S. 156 ff.

Nüchterner, ja ernüchtert gegenüber den beiden angeblichen „faustischen" Passagen im Buch von 1587 („welche als treffendste Zusammenfassungen Faustischen Wesens seit Gervinus von allen Forschern hervorgehoben sind") wurde man allerdings, oder hätte es werden müssen, als Sieg= fried Szamatólski, Vierteljahrschrift für Litteraturgeschichte, Bd. 1, 1888, S. 181 ff., schlüssig nachweisen konnte, daß tatsächlich die „Adler"= Stelle nur eine leicht veränderte Fassung der Sprüche Salomonis (23, 5), in der Stilisierung Luthers, war und daß die andere von den „Titanen" aus einer zeitgenössischen, fast trivial moralisierenden Sentenzensamm= lung stammte, die auf die Sprichwörtersammlung des Agricola zurück= ging. Beide „Zitate" sind in ihrem Original, wenn man so will, aus= gesprochen „antifaustisch", antititanisch, ironisch gemeint; nichts deute bei den gangbaren „Kleinmünzen jener Zeit" auf „Faustisches Wesen" — so faßte Szamatólski, S. 181, zusammen. Der an diesem Nachweis sich ent= zündende Spott von Gustav Milchsack, des Herausgebers der sog. Wolfen= bütteler Handschrift, gegen solche Umdeutung eines phantastischen Kunst= romans in eine heroisierte „faustische Sage" modernen Menschentums wurde freilich damals überhört oder zurückgewiesen; vgl. Historia D. Johannis Faust Des Zauberers, nach der Wolfenbütteler Handschrift . . ., hg. v. G. Milchsack, aaO., Einleitung, bes. S. XIII, XX, LXVI, XCI ff., CII, CXXXIII ff., CCIV f.; ebenso: Faustbuch und Faustsage, 1922, aaO.; s. auch A. Kippenberg, Die Faustsage und ihr Übergang in die Dichtung, aaO. S. 246 f.; s. o. Anm. V, 36. Um so grotesker mußte es daher wirken, als ausgerechnet Erich Schmidt noch 1903 in der Vorrede zu ‚Faust I' der Jubl. Ausg., Bd. 13, S. X, diese Adlerflügel wieder Goethes Faustgestalt zudachte; s. o. S. 176, 180. Zur neuerlichen „faustischen" Rettung des Adlerflügel=Satzes vgl. Will=Erich Peuckert, Ztschr. f. dt. Philologie, Bd. 70, 1948/49, S. 71 ff., dazu Motto in: Pansophie, Berlin 1956².

Zur weiteren Klärung jener sicherlich abwehrend gemeinten „Adlers Flügel"=Stelle könnte möglicherweise auch eine Untersuchung der be= kannteren Vorstellung von den Flügeln des Ikarus und dessen Absturzes

dienen. Ein Hinweis: „Der, den der ehrgeitz jagt, / Der sich ins weite
Feld der leichten lüffte wagt / Mit flügeln, die ihm wahn und hochmuth
angebunden, / Ist, eh als er das ziel, nach dem er rang, gefunden, / Ertrun=
ken in der see", so 1646 Andreas Gryphius in seinem ‚Leo Armenius', hg.
v. H. Palm, Bibl. d. Lit. Ver. in Stuttgart, Bd. CLXII, Tübingen 1882, S. 34.
Ferner, freilich ohne die Ikarus=Anspielung, aber vielleicht nicht ohne
Hinblick auf Fausts Schicksal oder ähnlicher vermessener Geister, Martin
Opitz: „Lernet aber gleichwol, daß die jenigen, die sich den Himmel an=
zutasten vermessen, von dem Himmel verstoßen und von der Erden ver=
schlungen werden", 1630 in der ‚Schäfferey von der Nimfen Hercinie',
DNL, Bd. 27; Opitz, Weltl. u. geistl. Dichtung, hg. v. H. Oesterley, 1873,
S. 132.

27 Loeper zitierte hier die kurz zuvor, Leipzig 1869, bei Brockhaus erschienene
‚Faust'=Ausgabe von Moriz Carriere, mit Einleitung und Erläuterungen.
Diese kamen der Loeperschen Tendenz in einigem zwar nahe, waren ihm
aber wahrscheinlichlich noch zu „quietistisch"; vgl. u. a. S. XIV.

28 Theil 13, S. XVI/XVII; auch dieser Abschnitt in der 2. Bearb. teilweise
gekürzt.

29 ebd. S. LXIX; s. auch S. LXVIII, LXXI.

30 Gobineau, 1853/55; R. Wagner, z. B. Das Judentum in der Musik, 1859,
vgl. dazu auch Langbehns Satz (1890): „Krieg *und* Kunst ist eine grie=
chische, eine deutsche, eine arische Losung"; Rembrandt als Erzieher,
Leipzig 1903[46], S. 217/18. Vgl. Loeper, aaO. S. LXIX.

31 S. LXIV; Kreyßig aaO. S. 165, s. o. S. 110.

32 S. XVIII.

33 1879, 2, S. XV.

34 „Der thätige Humanismus, mit welchem Faust im fünften Akte endigt,
nicht Euphorion, ist das Resultat der im dritten Akte sich vollziehenden
Verschmelzung des mittelalterlich deutschen mit dem griechischen Geiste";
S. LVIII. „... und in diesem Blick lag zugleich die Lösung des Faustischen
Problems" wurde 1879 aaO. S. XXXVIII angefügt.

35 aaO. S. LVIII/LIX. „Auf dieser geistigen Höhe hat Goethe Faust im
zweiten Theile immer gehalten..."; ebd. (vgl. auch die Ausführungen
über die Philemon= und Baucis=Szene, S. LXXII/LXXIII). Auch diese „he=
roischen" Bemerkungen wurden 1879 gestrichen. In der zweiten Bearbei=
tung wurde dagegen, oft recht unorganisch, der „ethische", der religiöse
und sittliche Charakter des Strebens eingeschoben, an dieser Stelle sogar
Reue, Sorge, Schuld damit zu verknüpfen versucht (aaO. Bd. 2, S. XL);
an anderer Stelle wieder wurde Kants kategorischer Imperativ bemüht
(Bd. 1, S. XXXV). Loeper scheute sich nicht, in solchen eingefügten
Sätzen ebenso bedenkenlos seine frühere Meinung um 180 Grad zu wen=
den. Besonders Vischers Protest schien gewirkt zu haben; vgl. Beutler,
Jahrbuch Freies Hochstift, aaO. S. 615. Dagegen konnte Loeper für seine
Auffassung sich jetzt schon wiederholt auf H. Grimm und K. Fischer
berufen.

36 Vgl. dazu eine schon groteske Anmerkung Loepers in der 2. Bearbeitung
1879, Bd. 1, S. XXXII: „Der Begründer der modernen Philosophie, Descar=

tes, nahm einen ganz Faustischen Ausgang; er wandte sich dem Leben zu, wurde Soldat, weil ihm die Wissenschaften nicht genügten"!

[37] Theil 13, S. LXXVIII.

[38] So Erich Schmidt, Aufgaben und Wege der Faustphilologie, in: Verhandlungen der 41. Versammlung dt. Philologen und Schulmänner in München 1891, Leipzig 1892, S. 11.

[39] Gerade Loepers 2. Bearb. 1879 zeigte gut die fortgeschrittene Selbstverständlichkeit, mit der damals „faustisch" als ein Allgemeinbegriff weit über Goethes Dichtung hinaus bereits verwendet wurde. Die Descartes= Anmerkung (s. Anm. 36) gab schon ein solches, höchst unkritisches Beispiel, das allerdings noch verhältnismäßig „konkret" scheinen könnte. Andere Beispiele gaben die Abstraktion deutlicher: Arnim „nahm die Faustische Idee, als zugleich der Vergangenheit und Gegenwart [!] angehörig, in seine ... ‚Kronenwächter' auf"; Bd. 1, S. XXII. Vom Zweiten Teil hieß es im ganzen: „Der Faustische Gedanke, die Wette des Herrn, der Pakt mit dem Teufel — Alles findet hier noch größeren Spielraum ..."; Bd. 2, S. XXIII. Von der Figur des Homunculus: „Dadurch aber, daß sie aus den mystischen und alchymistischen Vorstellungen des späten Mittelalters geschöpft ist, als letzte Form des Sokratischen Dämon, ruht sie ganz auf Faustischer Grundlage, ist sie aus dem lebendigen Fleisch der Faustfabel in einem allgemeineren Sinne [!] geschnitten"; ebd. S. XXXIII. Loeper war, mit den drei Auflagen zwischen 1871 und 1901, sicherlich einer der wichtigsten Verbreiter und Verflacher dieses Adjektivs gewesen, das man von da an in allgemeinster Form allerorten anzuwenden sich gewöhnte.

[40] Ein drastisches Beispiel wurde schon in Th. A. Meyers Schrift über Vischer (1927) angedeutet; s. Anm. V, 22. ‚Faust II' erklärte dieser Interpret, im Gegensatz zu Vischer, „zum großen Menschheitsmysterium", und das bedeutete für ihn wieder, in Nachfolge Loepers, „zum Dokument der germanischen Seele und des germanischen Menschentums". Und also: „Die abendländisch=germanische Menschheit ist faustischen Geschlechts ..., weil in ihr im Sinne von Goethes zweitem Teil der nie erlöschende Drang lebt, die Wirklichkeit zum Göttlichen umzugestalten. Der Goethesche Faust namentlich in seinem zweiten Teil ist das große Grundbuch des germanischen Menschen ..."; S. 18 f. — Oder vgl. den zweibändigen ‚Faust'= Kommentar von Ernst Traumann, der kurz vor dem Ersten Weltkrieg erschien (Goethes Faust. Nach Entstehung und Inhalt erklärt. 2 Bde., München 1913/14). „Der junge Goethe rührte [im Urfaust] ... die tiefsten Fragen germanischer Weltanschauung auf: den Konflikt heidnischen und christlichen Glaubens und die Kämpfe der Reformationszeit ..."; Bd. 1, S. 91. „Goethe ging mit seinem ‚Faust' wieder auf die alte Form des germanischen Schauspiels zurück [!] ..."; ebd. S. 218. Die Logos/Tat=Übersetzung: „Ein Widerhall aus Deutschlands großer Zeit, aus den Tagen der Reformation — wer möchte diesen hellen Klang in unserem nationalsten Drama, ein lutherisch=freier Zug, wer wollte ihn im Angesicht des deutschen Himmelsstürmers missen?"; ebd. S. 271. ‚Faust' wird zum deutschen Mysterium der „Selbstbetätigung und Selbsterlösung" erklärt; Bd. 2, S. 381,

usw. Das alles kam, über vierzig Jahre später, noch direkt aus dem ideologischen Arsenal Loepers.

41 Zit. nach 6. Aufl., Bonn 1873, S. 313/14. Freilich sollte dieses Urteil nur für den ersten Dichtungsteil gelten. Der Abschluß erschien auch Strauß, vermutlich von Vischer beeinflußt, greisenhaft, „nur noch ein allegorisch schemenhaftes Product".

42 Karl Goedeke, Goethes Leben und Schriften, Stuttgart 1874, S. 465.

43 Eine Faust=Trilogie. Dramatische Studie, in: Dt. Rundschau, Bd. VII, 1876, 1. Teil S. 208 ff., 2. Teil S. 392 ff., 3. Teil in Bd. VIII, 1876, S. 84 ff. Die Zitate VII, 383/84, 388, 392/93; VIII, 104. Als Buch ebenfalls Berlin 1876.

44 Deutsche Geschichte im Neunzehnten Jahrhundert, Leipzig 1879, Bd. I, S. 317. Die germanische Einfärbung fehlte auch bei Treitschke nicht: „Das Gedicht erschien wie ein symbolisches Bild der vaterländischen Geschichte. Wer sich darin vertiefte, übersah den ganzen weiten Weg, den die Germanen durchmessen hatten seit den dunklen Tagen, da sie noch mit den Göttern des Waldes und des Feldes in traulicher Gemeinschaft lebten, bis zu dem lebensfrohen Volksgetümmel, das aus unseren alten Städten ... ins Freie drängte"; S. 318.

45 Faust von Goethe. Mit Einleitung und fortlaufender Erklärung, hg. v. K. J. Schröer, 2 Teile. Heilbronn 1881; Zitat Bd. 2, S. XXIX. Auch das „neue Evangelium" wurde auf ‚Faust' wieder angewandt; s. Bd. 1, 1886[2], S. X.

46 Bis 1894 noch vier weitere Auflagen.

47 Essays, Bd. 1[3], S. 381/82.

48 ed. Hansen 1948, aaO. S. 479.

49 S. 497 f.

50 Loeper bestätigte ihre Gültigkeit für sich selbst ausdrücklich und autoritativ in der 2. Bearbeitung seiner Faustausgabe; aaO. Bd. 2, S. XLIX.

51 aaO. S. 482.

52 S. 463.

53 S. 485/86.

54 S. 481 ff.

55 S. 460.

56 S. 461.

57 70 Jahre später formulierte Reinhold Schneider knapp und scharf: „Faust, der Zerstörer des Reichs"; Verhüllter Tag, Köln, Olten 1954, S. 121.

58 aaO. S. 485.

59 Jahrbuch Freies Dt. Hochstift 1936/40, S. 615; vgl. auch Essays, aaO., S. 383. — Hieran knüpft eine weiterführende Bemerkung von Emil Staiger in seiner Goethe=Biographie an (Goethe [2. Band] 1786–1814, Zürich 1956, S. 351): „Die breitere deutsche Öffentlichkeit betont in der Regel die Größe Fausts und meint, das ruhelose Weiterschreiten sei schlechthin bewundernswert. Auf dieser Meinung baut sich die ganze Legende vom ‚Faustischen Menschen' auf; und die Geschäftigkeit des letzten Jahrhunderts war nie um ein Faust=Wort verlegen, wenn es das unaufhörliche Trachten und Streben und Leisten zu feiern galt. Faust ist zum Helden der Bismarck=Zeit, zum Symbol des deutschen Wesens geworden. Dagegen

hätte gewiß auch Goethe wenig einzuwenden gehabt. Er hätte sich aber wieder, wie er es schon um 1800 tat, von seinem Helden distanziert, sein Streben, wie der Herr im ‚Prolog im Himmel‘, als natur= und geistgerechte Haltung anerkannt, die ewige Unrast und den Fluch auf jede Art von Glück und Erfüllung dagegen als unmenschliches Pathos, als tragische Narretei verdammt." Über die stilistischen Folgerungen aus dieser Fest=stellung vgl. dort den nächstfolgenden Absatz.

60 Göthe's Faust. Neue Beiträge zur Kritik des Gedichts. Stuttgart 1875; Altes und Neues. Zweites Heft [darin: Zur Vertheidigung meiner Schrift: Goethes Faust ... 1875], Stuttgart 1881 — der erste Teil davon veröffent=licht in: Deutsche Revue, Febr./März 1880.

61 1875, S. 169.

62 ebd. S. 46, 53, 70, 85, 98, 104, 110, 115 f.

63 S. 184.

64 1881, S. 45, 48.

65 1875, S. 179.

66 S. 263, 267, 311, 321.

67 S. 332 — hier als possessives Adjektiv verwandt, wie der Zusammenhang ergibt. 1881 umschrieb Vischer seine pädagogische Absicht mit Faust folgendermaßen, wobei er für „faustisch" ein „blutsverwandt dem ... Faust" setzte: „Heut und in alle Zukunft liegt jedem starken Aufstreben jugendlicher Geister ein Übersturz nahe, der, blutsverwandt dem wild=genialen Faust, seine Gefahren theilt, leicht [!] schuldig wird und aus Schuld und Leiden lernen soll wie Faust"; aaO. S. 93.

68 1875, S. 212. Vgl. auch S. 210, S. 234.

69 aaO. S. 88.

70 1875, S. 223.

71 Dürer. Geschichte seines Lebens und seiner Kunst, Leipzig 1876, S. 450.

72 s. u. S. 177.

73 Oktober/November 1877.

74 Kuno Fischer, Goethe's Faust. Über die Entstehung und Composition des Gedichts. Stuttgart 1878; 2. neubearb. u. verm. Aufl., ebd. 1887; 3. Aufl., 2 Bde., ebd. 1893; 4. Aufl., 4 Bde., Heidelberg 1902/04; vgl. auch: Die Erklärungsarten des Goetheschen Faust (= Goethe=Schriften, 2), Heidel=berg 1889.

75 1878, u. a. S. 10 ff., 79, 119, 128, 163, 170, 178 ff., 204; vgl. auch 2. Aufl. S. 463 ff. — Vgl. dazu die wichtige, von Julian Schmidt inspirierte, anonyme Besprechung der 2. Bearb. (1879) von Loepers ‚Faust II' in der Berliner ‚Norddeutschen Allgemeinen Zeitung', Sonntagsbeilagen Nr. 33/34 vom 17. u. 24. 8. 1879.

76 aaO. S. 2 ff.

77 S. 34, 46.

78 s. o. S. 156 u. Anm. VI, 26

79 S. 76 ff. Fischer mochte dabei von Äußerungen Scherers geleitet worden sein; vgl. Deutsche Rundschau, Bd. VIII, 1876, S. 278. Ähnlich Scherer nochmals 1884 in einer Einleitung zum Volksbuch, s. Kl. Schriften, hg. v. E. Schmidt, Bd. 2, 1893, S. 45 ff.

80 aaO. S. 95.

[81] S. 131/32.

[82] S. 138. Es war gewiß nicht zufällig, daß Fischer in der 2. Aufl. von 1887, S. 298 f., Hegels Bemerkungen zu ‚Faust' in der ‚Phänomenologie' mit eigenen Worten umschreibend zitierte als „jenen faustischen Drang, der im Streben nach unmittelbarster Erkenntnis alles Denken und Grübeln verwirft und in das volle Weltleben stürzt..." usw. Hier scheint das Adjektiv schon so selbstverständlich eingebürgert zu sein, daß man mit ihm längst zurückliegende geistige Aussagen umschreiben und dadurch ins eigene Denksystem einholen konnte. Hegel sollte zu einem Zeugen des „Faustischen", wie Fischer es definierte, gemacht werden.

[83] S. 136/37.

[84] S. 140, s. auch 142 (Fichte).

[85] S. 147.

[86] S. 154 ff.

[87] S. 170. Vgl. Loepers Zustimmung, selbst für die Philemon= und Baucis= scene geltend, in seiner 2. Bearb. 1879, Bd. 2, S. L.

[88] So 1889, aaO. S. 151.

[89] 1878, S. 150 ff.

[90] Es wäre aufschlußreich, die, gewiß ursprünglich durch Goethe inspirierte, Verbindung des „Naturgemäßen" mit dem Wortfeld des „Faustischen" zu untersuchen, die schon bei Schubarth zu finden war (s. o. S. 47). Carus hatte unter „Natur", die er mit „faustisch" verband, noch die organische Entelechie „echten Seelenlebens" und göttlicher Inkarnation verstanden (s. o. S. 72 ff.). Düntzer, Schönborn u. a. (s. o. S. 75/76) verflachten das „natürliche Streben", die „naturgemäße Thätigkeit" bereits zu handlichen Redensarten. Aber auch Gervinus nannte die Entwicklung, die vom deut= schen Volk politisch=zweckmäßiges Handeln statt ästhetischen Zurück= bleibens fordere, „naturgemäß" (s. o. S. 112), den Gang geschichtlicher Notwendigkeit in diesen Begriff der „Goethe=Zeit" fassend. Bis zu K. Fischer hatte sich der Terminus weiter dem — unaufhaltsamen! — Natur= gesetz der modernen Naturwissenschaft genähert, „naturgemäß" als Naturkausalität, die faustische naturgemäße Läuterung als kausale Be= dingung und Gewißheit; die Natur selbst legitimierte die deutsch=fau= stische Aufgabe. Spenglers Entropie=Mythus bildet auch für diesen natur= kausalen Bereich den Abschluß (s. Anm. VI, 122). Umgekehrt wird von hier aus, neben anderem, verständlich, warum die konfessionelle, insbesondere die katholische Kritik Goethe wieder und wieder als nur „Naturdichter" angriff und darin abzuwerten versuchte.

[91] S. 154/55.

[92] Zu Scherer (und auch Erich Schmidt) vgl. Friedrich Bonn, Ein Baustein zur Rehabilitierung der Schererschule, Emsdetten 1956; ferner Erich Trunz, Literaturwissenschaft als Auslegung und als Geschichte der Dichtung, in: Festschrift für Jost Trier, Meisenheim/Glan 1954, S. 50 ff.; über Scherer S. 72 ff.; Herbert Cysarz, Wilhelm Scherers Programmatik und Poetik, in: Worte und Werte, Festschrift Bruno Markwardt, Berlin 1961, S. 42.

[93] Als Aufsatzüberschrift (das Wort selbst stammte von Gutzkow) im 1. Jg. 1877 der Zeitschrift ‚Im neuen Reich'; s. auch: Aufsätze über Goethe, Berlin 1886, S. 1 ff.

[94] Vgl. das charakteristische Zitat bei Ernst Alker, Gesch. d. dt. Lit., aaO. Bd. 2, S. 9.

[95] aaO. S. 709 ff.

[96] S. 716.

[97] S. 717, ähnlich S. 719 wiederholt.

[98] S. 719.

[99] Vgl, dazu vor allem noch Scherers ‚Fauststudien', zuerst: Dt. Rundschau, Mai 1884, danach: Aufsätze über Goethe, Berlin 1886 (1900²); ebenfalls dort ‚Betrachtungen über Faust', zuerst: Goethe=Jahrbuch VI, 1885.

[100] 1884, aaO. S. 346/47.

[101] S. 720.

[102] aaO. Bd. 14, S. XXIX.

[103] Wie sehr man sich dort eines Sinnes wußte, bewies die Widmung Loepers zur 2. Aufl. seiner ‚Faust'=Ausgabe 1879: „Den Herren H. Grimm und W. Scherer freundschaftlich gewidmet vom Herausgeber."

[104] Cotta Bd. 13, 1903, S. V, S. X.

[105] Goethe=Jahrbuch, Bd. 3, 1882, S. 77 ff.; wiederholt in: Charakteristiken, 1. Reihe, Berlin 1886, S. 1 ff., ohne die Anmerkungen; 2. Aufl. 1902. Der Scherer=Hinweis vom Ende seiner Literaturgeschichte; s. Jahrbuch, S. 131, aaO. S. 302.

[106] aaO. S. 79; Sperr. v. Verf.

[107] S. 80. — Als zeitgenössische Verdeutlichung vgl. Franz Nikolaus Finck, Der deutsche Sprachbau als Ausdruck deutscher Weltanschauung. Acht Vorträge. Marburg 1899, bes. S. 92/93, S. 101 ff.

[108] aaO. S. 87, 123; ferner S. 101, 106, 126, 128.

[109] S. 127.

[110] S. 84, 94 f. Selbst in Augustins Confessiones gäbe es faustische und antifaustische Stellen genug; S. 130.

[111] Von woher seine Anwendung des Begriffes „faustische Pein" auf Lessing verständlich wird, die dieser noch nicht gefühlt habe und also keine „Faustnatur" gewesen sei; s. Anm. I, 31; der 1. Bd. seiner Lessing= Biographie erschien in 1. Aufl. 1884.

[112] aaO. S. 85.

[113] S. 89.

[114] S. 101 ff. u. S. 127.

[114a] So konnte Schmidt die Faustfabel den „größten Stoff der germanischen Volksdichtung" nennen; s. Lessing, Bd. 1, aaO. S. 361.

[115] 1882, S. 105/06.

[116] S. 126.

[117] S. 130.

[118] S. 123.

[119] Alexander von Weilen, in: Biogr. Jahrbuch u. Dt. Nekrolog, Bd. 18, 1917.

[120] Der 1. Bd. der 1. Aufl. erschien 1918; Konzeption seit 1911.

[121] Bd. 1, München 1923 (33.—47. völlig umgestaltete Aufl.), S. 454 f., vor= her S. 138, 18, 111.

[122] Ebd. S. 457. „Faustisch ... ist der leidenschaftliche Zug in die Ferne. Die Kraft, der Wille hat ein Ziel, und wo es ein Ziel gibt, gibt es für den forschenden Blick auch ein Ende." „Der Faust des zweiten Teils der Tra=

gödie stirbt, weil er sein Ziel erreicht hat. Das Weltende als Vollendung einer innerlich notwendigen Entwicklung – das ist die Götterdämmerung; das bedeutet also, als letzte, als irreligiöse Fassung des Mythus, die Lehre von der Entropie"; S. 550 (auch dieses Beispiel ist für die Terminologie einer „naturgemäßen Entwicklung" zu beachten). – Zur Kritik vgl. Bruno Golz, Faustisch und Deutsch, Hamburg 1922. – Eine eigenwillige Inter=pretation der deutsch=faustischen Gleichung heute zu finden bei dem argentinischen Schriftsteller Jorge Luis Borges, Labyrinthe (dt.), München 1959, S. 73/74.

Zu beachten die Parallele bei Julius Langbehn, Rembrandt als Erzieher, Dresden 1890 (versch. Auflagen bis 1906), S. 189/92; s. schon Anm. V, 42.

„Faust, das Ideal der wissenschaftlichen Deutschen, hat seine Zeit gehabt; Hamlet und Luther aber, das poetische und geschichtliche Ideal der Deut=schen – Gedanke und That – sollen sich in dem Zukunftsdeutschen zu einem höheren Dritten vereinigen; in dem Helden der künstlerischen That, Rembrandt, ist dies schon bis zu einem gewissen Grade geschehen", verwandt dem frühen „Helt aus Niederlant", Siegfried. „Faust Hamlet Siegfried Goethe Rembrandt Luther bilden eine Kette von Charakter=typen, welche mehr und mehr vom Gedanken zur That hinüberführt." Das war zwar „antifaustisch", meinte ideologisch aber dasselbe, ein durch=aus typischer Vorgang im Bereich ideologischen Denkens.

123 Faust und Luther. Sitzungsberichte der Kgl. Preuß. Akad. d. Wiss. zu Berlin, Jg. 1896, Bd. I, S. 567 ff.; vgl. G. Milchsack, Faustbuch und Faust=sage, aaO. Sp. 135, Sp. 146, Anm. 16. – Das Thema „Faust und Luther" später von Eugen Wolff fortgeführt: Faust und Luther. Ein Beitrag zur Entstehung der Faust=Dichtung, Halle 1912; vgl. A. Hauffen in Ztschr. f. dt. Philologie, Bd. 48, 1920, S. 454.

124 Zit. nach Albert Soergel, Dichtung und Dichter der Zeit, Leipzig 1912[2], S. 88.

125 Lieder eines Sünders, Leipzig 1887, S. 57/58. Vgl. den Brief des jungen Paul Valéry vom 14. 9. 1890 an Pierre Louis über den Roman ‚A rebours' (1884) von J. K. Huysmans; Paul Valéry, Briefe, dt. v. W. A. Peters, Wies=baden 1954, S. 14.

126 Stuttgart, Berlin 1911 (27./28. Aufl.), S. 31.

127 Auf den gleichen nationalen, optimistisch=perfektibilistischen Grundton hinsichtlich ‚Faust' waren die in diesem Jahrzehnt gleichzeitig erscheinen=den, ersten wissenschaftlich verantwortbaren Goethe=Biographien ge=stimmt: Karl Heinemann, Goethe, Leipzig 1895 (ferner: Goethes Leben und Wirken, Bielefeld 1893); Richard M. Meyer, Goethe, Berlin 1895 (2. verb. Aufl. 1898; 3. verm. Aufl. 1905); Albert Bielschowsky, Goethe, Bd. 1, München 1895, Bd. 2, fortgesetzt im ‚Faust'=Kap. durch Theobald Ziegler, München 1904 – Heinemann und Bielschowsky Schulmänner, aus Ost=preußen und Schlesien stammend, der Berliner Meyer Scherer=Schüler und Privatdozent in Berlin. Das war, alles in allem, eine erste gültige Ernte der vielgescholtenen Goethe=Philologie, die besonders von R. M. Meyer als „eine Aufgabe von nationalem Interesse" verteidigt (aaO. S. 338/39) und mit den Namen Scherer, Schmidt, Loeper oft zitiert wurde. Auch in diesen drei, für mindestens zwei Jahrzehnte führenden Goethe=Biographien

wurde ‚Faust' zu einer Apotheose des guten nationalen Gewissens und des offiziellen Fortschrittsoptimismus gemacht. Die Wissenschaft trug das Material für ein solches national=idealistisches Faustbild bereitwillig zu= sammen. („Faustisch" spielte allerdings in diesen Büchern kaum eine Rolle. Wo es z. B. bei Meyer gelegentlich vorkam, S. 313, 340 u. a., wurde es in einer Weise possessivisch verwendet, die den möglichen generalisie= renden Sinn schon als selbstverständlich voraussetzte.)

128 Leipzig 1892.

129 Zitate S. 22, 24, 25, 28.

130 S. 29; auch S. 30: „So wird die Schuld eine Art ‚Repoussoir' für das Streben, es verfeinert und vermehrt es." Sperr. v. Verf.

131 S. 23, S. 30/31.

132 Vgl. allein den Nachruf Hofmannsthals (1914) auf Richter, in dem er seine Begegnung mit ihm im Jahr 1896 beschrieb und aus dem, wenn auch zurückhaltend angedeutet, der außerordentliche Eindruck auf den Dichter deutlich wird; Prosa III, Frankfurt Main 1952, S. 165 ff.

133 Probleme und Charakterköpfe. Studien zur Litteratur unserer Zeit. (1897), zit. nach 2. Aufl. Stuttgart 1898; zu ‚Faust' S. 9—20.

134 Leipzig 1889, S. 66, 137, 146, 157.

135 Goethe. (= Die Deutschen, Bd. 6), Minden o. J. (1907).

136 S. 75, 93.

137 S. 166.

138 S. 187. „Goethe ist Deutschland. Seine Erscheinung wirkt wie eine Wie= derholung der ganzen deutschen Geschichte. Seine eigene Entwickelung erscheint wie eine Zusammenfassung unserer sämtlichen Entwickelun= gen"; S. 10.

139 S. 13.

140 S. 188.

141 S. 189.

142 S. 191.

143 Darin auch schon vorweggenommen, sieben Jahre vorher, die sogenannten Ideen von 1914, die man, als der Krieg ausgebrochen war, der Welt als die eigene Ideologie anbot — im Kampf gegen das „imperialistische Eng= land" den eigenen Imperialismus ideologisch verbrämend; s. u. a. Johann Plenge, 1789—1914. Die symbolischen Jahre in der Geschichte des politi= schen Geistes. Berlin 1916.

144 aaO. S. 192.

145 S. 194.

146 S. 197. Vgl. die „Fortsetzung" durch Avenarius, s. Anm. V, 21.

147 Werke, ed. Baeumler, Leipzig, 1/II, S. 582 f.; Entwürfe zur „Unzeitge= mäßen Betrachtung": ‚Wir Philologen'.

148 Nochmals sei an den Kommentar von Ernst Traumann erinnert, der 1913/14 erschien und der wiederum die „tiefsten Fragen der germanischen Weltanschauung" in die Faustlegende einführte; s. Anm. VI, 40. Traumann brachte seine Faustdeutung auf die knappe Formel: „Faust hat sich durch sein ‚tüchtiges' Erdenwallen selbst erlöst"; Bd. 2, S. 350. Dem wurde die bekannte nationale Prophetie und Zukunftsvision angefügt: „Die Selbst= betätigung und Selbstbestimmung des Menschen [wörtlich Vokabeln

Loepers] ist das religiöse Motiv des großen Mysteriums der Deutschen, ein Gedanke, so tief und gewaltig, daß er seine Erfüllung nur erwarten kann von einem freien und starken Geschlecht, das dem Dichter des ‚Faust‘ und seinem darin geformten Menschenbilde gleich ist"; das also sei „Faustische Gesinnung" (S. 108)!

149 Der Mythos des 20. Jahrhunderts, München 1930, S. 245, 486; s. auch S. 248, 262; vgl. die Anm. I, 3 genannten Schriften.

150 Richard H. Grützmacher, Goethes Faust. Ein deutscher Mythus, 2 Bde., Berlin 1936, Zitat Bd. 1, S. 11, s. dort weiter S. 32, 37, 50, 60, 88; Bd. 2, S. 75, 78/79 („Die Schuld wird für die faustischen Menschen ... zu einem mittelalterlichen Mythus, d. h. zu einem phantastischen Schreckgebilde, das er [Faust] überwunden hat"), 83/84, 93/94. Ferner, wenn auch wesent= lich gemäßigter, Reinhard Buchwald, Goethes Faust=Dichtung als deutscher Mythus, in: Das Vermächtnis der deutschen Klassiker, Leipzig 1944, S. 152 ff. Auf diese Problematik bezogen sich nach dem Zweiten Weltkrieg, ohne tiefer dringende Diskussion, Quirin Engasser, Der faustische Mythos. Ist ‚Faust‘ das heilige Buch der Deutschen? Rosenheim 1949; Gustav Würtenberg, Goethes Faust heute. Das Ende des Faustischen Menschen, Bonn 1949.

151 Hans Naumann, Der gereiste Mann, Köln (1942), S. 11, 33/34, 41, 52, 62 ff., Zitat S. 65; vorher Martin Ninck, Wodan und germanischer Schick= salsglaube, Jena 1935, bes. S. 88/89, 137/38, 343 („Wodan aber ist im Faust das Lebensproblem Goethes geworden ..."); vgl. dazu Otto Höfler, Der Runenstein von Rök und die germanische Individualweihe, Tübingen, Münster 1952, bes. S. 84/85, 104, 247 ff. („das Emporsteigen der Faust= gestalt zum mythischen Heros des Volkes", ein „fester Komplex des ger= manischen Volksglaubens" in der Faustgeschichte).

152 Bruno Wille, Faustischer Monismus, in: Der Monismus, Bd. 1: Systema= tisches, hg. v. Arthur Drews, Jena 1908, S. 243 ff. Der Titel „Faustischer Monismus" war bei Wille zunächst konkret auf Goethes Dichtung selbst bezogen. Erst gegen Ende seiner Darstellung erreichte Wille die zeitübliche Stufe des menschheitsumgreifenden, verallgemeinernden Adjektivs, das dort jedoch, im Anschluß an viel diskutierte Thesen Hermann Türcks (s. u. S. 232) sich gegen Goethes Fausthandlung kehrte, bis zu einer Formulierung, daß Faust „seinem faustischen Triebe, unermüdlich nach Höherem zu streben, untreu wird und sich mit Scheinwerten begnügt" (S. 282). Ein vorgestelltes Muster von „faustisch" überwand auch hier den konkreten Bezug und manifestierte sich sprachlich so weitgehend, bis Faust dem „faustischen Triebe" untreu zu werden vermochte, ohne daß dieser wie andere Autoren sprachlich darüber stolperte. „Faustisch" meinte schließlich die abstrahierte „göttliche Natur" Fausts im Gegensatz zur Handlungsrealität bei Goethe. „Faustischer Monismus", die fort= schrittliche „moderne Religiosität" (S. 260), wurde auf solche Weise zu einer allgemein erwünschten Geisteshaltung, der das Beiwort „faustisch" zur Charakterisierung ihrer unbestreitbaren Allgemeinverbindlichkeit im Umkreis modernen Menschentums dienen sollte — ohne Rücksicht auf die wirkliche Aussage der Dichtung selbst. Wille wiederholte mit seinem

Sprachgebrauch am Anfang des 20. Jahrhunderts nochmals die Bildungs=
geschichte von „faustisch" in nuce.

[153] s. o. S. 13, S. 19; vgl. noch die Arbeit des klassischen Altertumswissen=
schaftlers Georg Rosenthal, Faust und die Sorge, in: Ztschr. für den dt.
Unterricht, Jg. 27, 1913, S. 421 ff.

[154] Ludwig Jacobskötter, Goethes Faust im Lichte der Kulturphilosophie
Spenglers, Berlin 1924 („Goethes Faust ist der dramatisierte Lebenslauf
unserer Kultur...", S. 3; „das 19. Jahrhundert ist das faustische Jahr=
hundert in deutscher Prägung", S. 97); Hermann Ammon, Dämon Faust.
Wie Goethe ihn schuf. Berlin 1932 („Goethes ‚Faust' ist die Darstellung
der faustischen, d. h. deutschen Kultur, symbolisiert durch den Dämon
Faust", S. 17).

[155] K. J. Obenauer, Der faustische Mensch. Vierzehn Betrachtungen zum zwei=
ten Teil von Goethes Faust. Jena 1922 (dazu die Anregung durch Ernst
Michel, Weltanschauung und Naturdeutung. Vorlesungen über Goethes
Naturanschauung. Jena 1920, S. 21). Obenauer leitete seine Sinnrettung
des „Faustischen" so ein: der „einst ungebrochene Glaube an den abso=
luten Sinn des ‚faustischen Strebens'" sei erschüttert worden (S. 1);
faustisch „wird für manchen schon zu einem sehr bedenklichen Beiwort",
es bedeute jetzt nicht mehr nur „das Synonym von kraftvoll und selb=
ständig zu reinster Humanität, zu freier Menschenwürde emporstrebend"
(S. 4). Durch Spengler sei das „Faustische" weit „in die Kritik an der
vergangenen Kultur" hineingeraten, was freilich nicht hindere, daß trotz=
dem ‚Faust' nach wie vor „das typische Menschentum eines ganzen Zeit=
alters" umreiße: „so ist der ‚faustische Mensch' für die Geistesgeschichte
zu dem unentbehrlichen Begriff geworden, mit dem man besser als mit
jedem andern die geheimere Seele der abendländischen Kultur zu fassen
sucht" (S. 2). Davon rückte auch Obenauer nicht ab. Ausdrücklich aber
gegen Spengler gerichtet, folgerte er: „das Wort faustisch selbst ist nur
dann nicht verwirrend, wenn das Halbwahre solcher [= Spenglers] An=
regungen geprüft, das Falsche richtig gestellt und so der unendliche Ge=
halt des Symbols immer neu gesichert wird" (S. 6). Solche Sicherung war
die Absicht der Betrachtungen Obenauers. Die Korrektur gegen Spengler
war allerdings nur durch eine Ergänzung Fausts mit Zügen Wilhelm
Meisters (S. 143) und solchen aus der ‚Novelle' (S. 247) möglich; erst diese
Summe ergab den „faustischen Menschen". —
Übrigens nahm auch C. G. Jung zu der Zeit „faustisch" in die Termino=
logie seiner Tiefenpsychologie auf; vgl. Die Psychologie der unbewußten
Prozesse, Zürich 1917, S. 47/48 (als Umarbeitung eines Aufsatzes von
1912), wiederholt in: Das Unbewußte im normalen und kranken Seelen=
leben, Zürich 1926, S. 49/50; ferner: Die Beziehungen zwischen dem
Ich und dem Unbewußten (1933), 1945[4], S. 82. Vgl. auch den Absatz
über den Archetypus „Faust" der deutschen Seele, Th. Manns ‚Faustus'=
Muster schlug bereits durch, in: Gestaltungen des Unbewußten, Zürich
1950, S. 32 ff. Dazu Maud Bodkin, Archetypal Patterns in Poetry, Oxford
Univ. Press, 1934.

[156] Fritz Strich, Deutsche Klassik und Romantik oder Vollendung und Un=
endlichkeit (1922), München 1928[3], u. a. S. 346 f., 382, 397, 400 ff.;

Dichtung und Zivilisation, München 1928, S. 80 f.; Der Dichter und die Zeit, Bern 1947, S. 173 ff. (= Goethes Faust, 1938), S. 147 (= Zu Lessings Gedächtnis, 1929); Goethe und die Weltliteratur, Bern 1946, u. a. S. 243 ff., 307 ff.

157 Der „faustische Glaube" wurde dem Christentum als „humaner" Ersatz, mit eigener „humaner Theologie", entgegengestellt, bis zur Einsetzung eines „Faustischen Gottes" (Geist der Goethezeit, I, 1923, S. 295). Dieser Glaube, „heroische Behauptung des Lebensglaubens" — Moeller van den Brucks „Wirklichkeitsreligion" wurde über Spengler tragisch=sentimenta= lisch heroisiert —, sei „eine durch nichts zu erschütternde unbewußte Le= bensgläubigkeit trotz alledem"; Faustischer Glaube, Versuch über das Problem humaner Lebenshaltung, Leipzig 1938, S. 50 u. a., S. 161 ff.; vgl. Geist der Goethezeit, II, 1930, S. 414 ff. — Übrigens sprach schon Spengler, allerdings unter Einbeziehung des Christlichen, von „faustischer Religion" und „faustischem Christentum"; aaO. S. 241/42, u. a. Vgl. noch Karl Bornhausen, Faustisches Christentum, Gotha 1925; Karlernst W. Weißleder, Goethes ‚Faust' und das Christentum, Leipzig 1936.

158 in: Die Lebensidee Goethes, Leipzig (1925), S. 109 ff.

159 Vgl. bes. Bd. I, S. 287 ff.; Bd. II, S. 393 ff.; zu Bd. IV s. o. S. 19 f.

160 s. Anm. I, 35.

161 Leipzig 1930, Bd. 1, S. 53.

162 ebd. S. 31; s. auch Anm. V, 42.

163 Bd. 2, S. 566; vgl. Kühnemanns Ansprache 1904 als Rektor der Kgl. Akademie zu Posen an Fürst Bernhard von Bülow: „... wir möchten, soviel es unsere Kraft vermag, die Welle des geistigen Lebens dort [in der „Ostmark"] stark und groß machen und vom Geiste aus das Herr= schaftsgebiet der deutschen Nation behaupten. Das Gemeinschaft= und Volkbildende der geistigen Arbeit erfahren wir neu"; Johannes Penzler, Fürst Bülows Reden nebst urkundlichen Beiträgen zu seiner Politik, Berlin 1907, Bd. 2, S. 388; ferner: Deutschtum als Sendung, Leipzig 1930.

164 s. o. S. 15 ff.

165 s. u. S. 235 ff.

166 Neben Böhms Buch vgl. noch die charakteristische Auseinandersetzung amerikanischer Germanisten um ‚Faust' und das „faustische Problem" in der Zeitschrift The Germanic Review, 1930/31: Philipp Seiberth, Der sentimentalische Faust, Vol. V, 1930, S. 137 ff.; Wilhelm K. Pfeiler, Faust als repräsentativer Mensch, Vol. VI, 1931, S. 8 ff. Bei Seiberth kam schon die skeptische Einstellung zu Faust stark zum Ausdruck (s. Anm. I, 2), während Pfeiler nochmals Faust als den repräsentativen Streber- und Tat=Menschen verteidigte. — Neuere Autoren, die in bekannten und ver= dienstvollen Arbeiten über ‚Faust' schreiben (Emrich, v. Wiese, Trunz, Beutler, Franz, Schrimpf u. a.), verwenden häufig „faustisch" im alten possessiven, konkret objektbezogenen Sinn, selbst bis hin zu „ideolo= gischen Grundformeln" wie „Steigerung Faustischen Wesens", „Faustisches Streben", „Faustische Entwicklung", „Faustisches Ringen" usw. Mir scheint, daß solcher Sprachgebrauch heute eher verwirrend wirkt; ernsthaft ist die Frage zu stellen, ob dieses viel mißbrauchte Adjektiv schon weit genug sich regeneriert hat, daß es wieder „unschuldig" von neuem auf die Bühne

treten kann. Eine längere Zeit „faustischer" Quarantäne ist zu empfehlen. Das würde dem geschichtlichen Tatbestand genauer entsprechen.

167 Vgl. eine gegenwärtige Äußerung über ‚Faust' aus der sowjetisch be= setzten Mittelzone Deutschlands: „Goethe langte am Ende des ‚Faust' (und seines Lebens) an der äußersten Grenze des fortgeschrittensten bür= gerlichen Denkens an, das seine kritisch durchdachte und umgestaltete Weiterführung nur noch finden konnte durch den wissenschaftlichen Sozialismus von Karl Marx und Friedrich Engels. Ein Jahrzehnt nach Goethes Tod begannen sie mit dem Bau ihres gewaltigen Gedankenwerkes, das den realen Humanismus begründet. In ihm vereinigte sich, in einer neuen historischen Qualität, mit dem Befreiungskampf der modernen Ar= beiterklasse das Erbe der plebejisch=revolutionären Tradition Münzers, wie auch das Erbe des sterbenden Faust. In dieser Einheit, auf einer höheren Stufe der Geschichte, führt der revolutionäre Marxismus Münzer und Faust weiter"; [Zeitung] Sonntag, 17. 5. 1953, nach: Jürgen von Hehn, Europa=Archiv, 19/20, 5./10. 10. 1954, Anm. 25. — Ähnlich wurde schon in der Mitte des 19. Jahrhunderts, „ein Jahrzehnt nach Goethes Tod", ge= schrieben, in „kommunistischer" Umdeutung der zukunftweisenden Schlußtat Fausts statt in zeitüblicher „nationaler". Vgl. u. a. den Feuerbach= apostel Karl Grün, Über Göthe vom menschlichen Standpunkte, Darm= stadt 1846 (über ‚Faust' S. 228 ff.); zu Faust hieß es abschließend: „Wir sind auf sozialem Boden angelangt. Was thut der theoretisch vollendete Mensch in der wirklichen Welt, wie wirkt er auf die Verhältnisse ein, wie gestaltet er sie, damit sie seinem Wesen entsprechen? Der theoretisch vollendete Mensch ist Sozialist, Kommunist... Im Wilhelm Meister schlägt die humanistische Theorie in die praktische soziale um. Wilhelm Meister ist Kommunist — Das heißt in der Theorie..."; S. 254. Aber gegen Ende: „Die Göthe'sche Praxis des Humanismus bleibt... in der Theorie stecken, die Praxis wird ästhetisch idealisirt, sie wird nicht prak= tisch ausgeübt... Der Dichter schreibt Zustände ab, nur die Geschichte erfindet neue... Wir aber müssen die Zukunft machen, wir müssen kom= menden Dichtern erst wieder Stoff bereiten, denn der alte ist verbraucht" (nebenbei: eine marxistische Poetik des „Realismus" in nuce); S. 309. Zu Grün und dessen Verhältnis zu Marx und Engels vgl. Peter Demetz, Marx, Engels und die Dichter, aaO. S. 220 f. — Im gleichen Jahr 1846 erschien in der Zeitschrift ‚Die Epigonen' (Leipzig), Bd. 3, S. 67 ff., ein Aufsatz ‚Spaziergänge durch Goethe's Faust', der vermutlich von Arnold Ruge stammte. Er war auf ähnliche Tonart gestimmt, wenn auch näher bei Hegel bleibend. Faust sei „im Denken und Handeln Communist"; S. 86. Den höchsten Augenblick genieße er „da, wo er sich durch das Gewirr der Gesellschaft, der Kunst, des Militärs und der Politik zur Industrie gewendet hat,... da, wo sich in ihm *der* Mensch und *diese* Menschheit versöhnt haben..."; S. 115. Auch hier lautete die Schlußbemerkung: „Daß Goethe in seinem Faust zugleich eine Kritik der Poesie geliefert hat [Euphorion!], indem er gezeigt, daß die Poesie nicht das Höchste des Lebens und im Leben ist, sondern daß die wirkliche, reelle That des Men= schen über die Poesie hinausgeht..."; S. 120. Vgl. auch Arnold Ruge, Neue Vorschule der Aesthetik. Das Komische mit einem komischen An=

hange. Halle 1837, S. 79/81 über die „männliche Tragödie als Faust". —
Faust in der Rolle eines sozialistischen Agitators, positiv wirkend, bei
Léon Blum, Esquisse d'un troisième Faust, 1901; vgl. J. Petersen, DVS
XIV, 1936, S. 492 f. Weitere exemplarische ‚Faust'=Deutungen aus der
sowjetisch besetzten Mittelzone u. a. Joachim Müller, Goethes ‚Faust'=
Dichtung, in: Wirklichkeit und Klassik, Berlin 1955, S. 245 ff. (an ihrem
Ende gebe die Dichtung den Ausblick frei „in eine nachkapitalistische, im
revolutionären Kampf errungene Volkskultur", S. 246, obwohl Faust
vorher fast die Züge eines kapitalistischen Ausbeuters annehme, S. 234,
342; doch in der Trockenlegung des „faulen Pfuhls" könne „man gut
auch [!] ein Sinnbild für die Überwindung des faulen, verpestenden Hoch=
kapitalismus erblicken", S. 341); Paul Reimann, Hauptströmungen der
deutschen Literatur 1750–1848. Ein Beitrag zu ihrer Geschichte und Kritik.
Berlin 1956, über ‚Faust' bes. S. 624 ff., auch S. 495 (‚Faust' entwickele den
Gedanken, „daß die Arbeit der werktätigen Klassen ... die notwendige
Voraussetzung und Grundlegung des gesamten gesellschaftlichen Lebens
sei"; Goethe, wie vor ihm Lessing, reinige das kühne Faust=Bild vom
„Schmutz der reaktionären Legende" zum Ausdruck einer „optimistischen,
lebensbejahenden Weltanschauung"); Inge Diersen, Thomas Manns Faust=
Konzeption und ihr Verhältnis zur Faust=Tradition, in: Weimarer Beiträge,
1955, III, S. 313 ff. Eine neuere marxistische Quelle wahrscheinlich in
dem Werk des damaligen Volkskommissars für Volksaufklärung A. Lunat=
scharskij, Geschichte der westeuropäischen Literatur in ihren wichtigsten
Zügen, Moskau 1924 (russ.), der dort den Schlußteil von ‚Faust II' ins
Klassenkämpferische umdeutete; s. Friedrich Wilhelm Neumann, Die for=
male Schule der russischen Literaturwissenschaft, in: DVS, XXIX, 1955,
S. 115, 121. Zur Diskussion vgl. Ernst Bloch, Figuren der Grenzüberschrei=
tung; Faust und Wette um den erfüllten Augenblick, in: Sinn und Form,
Jg. 8, 1956, H. 2, S. 177 ff., bes. S. 189 ff., 194 ff.; ders., Das Faustmotiv
in der Phänomenologie des Geistes (1949), in: Hegel=Studien, Bd. 1,
Bonn 1961, S. 155 ff.; auch Georg Lukács, ‚Faust'=Studien, in: Goethe und
seine Zeit, Bern 1947, S. 127 ff., Beiträge zur Geschichte der Ästhetik,
Berlin 1954, bes. S. 174.

Zu Kapitel VII

1 Philosophie des Unbewußten. Versuch einer Weltanschauung. Berlin 1869.
2 Der Ideengehalt des Goethe'schen Faust, in: Im neuen Reich, 2. Jg. 1872,
S. 445 ff., 498 ff.
3 S. 502, 449, 507.
4 S. 445.
5 Wieder wurde, variiert, das „naturgemäß" der Gervinus, Loeper u. a.
(ironisch?) aufgenommen.
6 S. 452.
7 S. 449; Sperr. v. Verf.
8 S. 455, S. 499/500.
9 S. 507/08.

[10] Bd. VII, 1876, S. 487 ff.
[11] Zur Entwicklungsgeschichte der Goethe'schen Faustdichtung, in: Nord und Süd, Bd. 3, 1877, S. 228 ff.
[12] s. Preußische Jahrbücher, April 1877, S. 361 ff.: Goethes Faust. Ein Versuch.
[13] aaO. S. 241/42; Sperr. v. Verf.
[14] S. 249/50.
[15] Berlin (1877).
[16] S. 22, auch S. 31.
[17] S. 8/9, 16, 18/19.
[18] S. 25, 29.
[19] S. 33/34.
[20] S. 36/37.
[21] Die Bedeutung der ,Vier Apostel' Albrecht Dürer's, in: Christliches Kunst= blatt für Kirche, Schule und Haus, Jg. 21, 1879, S. 13 f.
[22] s. o. S. 168 und S. 177, Moriz Thausing und Erich Schmidt.
[23] s. o. S. 72.
[24] s. u. S. 265 f.
[25] Goethe's Faust. Erster und Zweiter Theil. Text und Erläuterungen in Vorlesungen, 2 Bde., Erlangen 1880.
[26] Bd. 1, S. IX, S. 55.
[27] S. 20/21, 47.
[28] S. 14/15.
[29] S. 47/48.
[30] S. 53.
[31] S. 47.
[32] Heidelberg 1881, in: Sammlung von Vorträgen für das deutsche Volk, Bd. 6, Nr. 2, Heidelberg 1882.
[33] Vgl. Adolf Schlatter, Die philosophische Arbeit seit Cartesius nach ihrem ethischen und religiösen Ertrag, Gütersloh 1906, S. 98 ff.
[34] Vgl. noch Franz Kern, Drei Charakterbilder aus Goethes Faust. Faust, Gretchen, Wagner. Oldenburg 1882, Zweite Ausgabe Berlin 1885; ferner ders., Chamissos Faust und Peter Schlemihl (1886), in: Zu deutschen Dichtern. Ges. Aufsätze, Berlin 1895, S. 92 ff.; Helena und Gretchen im zweiten Teile des Faust (1889), in: Vermischte Abhandlungen, Berlin 1898, S. 26 ff. Kern (1830–1894), seit 1881 Direktor des Köllnischen Gymnasiums zu Berlin, wandte sich, vom rechten Ort aus, ausdrücklich bereits gegen die sittliche Verklärung Fausts durch Herman Grimm; aaO. S. 6/7. Er bestritt in seinen Arbeiten, daß Faust irgendwie nachahmenswert, daß er gar der Mensch schlechthin sei. Er sprach, leider nur in einer Anmerkung (S. 83, Anm. 21), schon den interpretatorisch richtigen Zweifel aus: ob Goethe selbst ein moralisch erbauliches Bild von Faust habe entwerfen wollen.
[35] Leipzig 1883.
[36] so J. Petersen, DVS 1936, S. 489.
[37] aaO. S. 23.
[38] Er nahm gegen die päpstliche Infallibilitätserklärung vom 18. 7. 1870 Stellung.

39 Franz Schnabel, aaO. S. 96 u. a.

40 Frankfurter zeitgemäße Broschüren, hg. v. Dr. Paul Haffner, N. F. Bd. I, Frankfurt/Main 1880; Bd. II, ebd. 1881.

40a S. 39.

41 S. 2/5.

42 S. 10/11.

43 S. 19/20.

44 S. 21/22, S. 25 ff.

45 S. 28; Sperr. v. Verf.

46 S. 34; vgl. auch in der Schrift von 1881, S. 28.

47 S. 36.

48 S. 38.

49 S. 40.

50 Diese Angaben verdanke ich der freundlichen Hilfe von Herrn Prof. Dr. F. R. Schröder in Würzburg. — Goedeke, Grundriß, IV/4, 1913, S. 237 (Register) setzte diesen Autor fälschlich mit dem „Romantiker" Adam Heinrich Müller, 1770—1829, gleich.

51 Mit einem Faustmärchen als Anhang. Regensburg 1885; „mit Hinsicht auf ethischen Gehalt . . . geprüft an den Anschauungen der Alten und ver= glichen mit den Dramen Shakespeares und Calderons ‚wunderbarem Magier'", so der methodische Faden; S. III.

52 s. Goethe=Jahrbuch Bd. 7, 1886, S. 349. — Eine Auswahl dieses maßlosen Geschimpfes: „Tobsucht gegen das Übernatürliche", reiner Naturkult (45); ohne jedes sittliche Bewußtsein, „centrale Widernatürlichkeit" (39, 129), Genuß bis zur Geilheit; „bequem, weichlich und hoffärtig bis an sein Ende", „ein sittlich verkommener . . . böser Mensch" (33/34), ein „grund= verdorbener Bube" (126), Venus= und Fleischesanbetung (43, 50, 152); „Zersetzungselemente des Zeitalters" (131), „ethisches Monstrum" (37), „Einräucherung mit Kulturschwefel" (6); der „Rettungsphrasenapparat" des Prologs und Epilogs (75); boshafter Kirchenhaß (166, 38) — „der Dichter sorgt für Schminke" (52).

53 S. 189.

54 Müller verwendete allerdings fast durchweg statt „faustisch" die dem Genitiv nach nähere Bildung „Faustsche, Faustsches" („Faustsche Natur", „Faustsche Kultur", „Faustsche Moral", S. 25, 29); doch ebenso erschien „Faustisch" (S. 38, 225, 243) neben weiteren Neubildungen. Manche dieser Beispiele meinen den reinen Genitiv „des Faust"; die Mehrzahl jedoch verallgemeinert und führt in dieser Verallgemeinerung geschickt die Ab= wehr gegen das verhaßte „Faustsche Wesen". In dem „Faustmärchen" wurde „Faustisch", gemischt mit „Faustsche", jedoch bewußt doppelsinnig verwendet: konkret bezogen auf den persiflierten Faust dieses „Märchens", damit zugleich aber aller ‚faustische' Titanismus der Moderne gemeint.

55 S. 25, s. auch S. 29.

56 S. 35; weiter erläutert auf S. 172/73.

57 S. 50 ff., 61.

58 S. 65, 67.

59 S. 72. Müller fuhr fort: „Die von Faust projektierte Welt steht tiefer als die reale Welt, in welcher die Faustschen Gedanken am gesunden Ver=

stande und ungefälschtem sittlichen Bewußtsein vielfach abprallen, die Faustschen Zumutungen durch das edle und lautere Streben ... überwun=den werden, und die Faustsche Korruption nicht alles überflutet."

[60] S. 72/73.

[61] S. 127/28.

[62] S. 130.

[63] Vgl. auch Kühners versteinerten Faust im Irrenhaus; s. o. S. 80.

[64] S. 212 ff.

[65] S. 225; Sperr. v. Verf.

[66] S. 243.

[67] S. 245 ff.

[68] Bd. 7, 1886, S. 349.

[69] Bd. 98, 1886, S. 929 ff. Dort u. a.: „Verhüte aber Gott, daß die Art und Weise, wie [die Idee der Entwicklung] sich im Buche [‚Faust'] realisirt, Symbol sei für ihre Realisirung in der deutschen Nation!"

[70] 69. Jg., 1. Hälfte, 1889, S. 333 ff.

[71] Göthe's Jugend. Eine Culturstudie. Ergänzungshefte zu den ‚Stimmen aus Maria Laach' (deren Mitredakteur Baumgartner war), Nr. 10, Freiburg 1879; Göthe's Lehr= und Wanderjahre in Weimar und Italien (1775–1790), ebd. Nr. 19/20, 1882 – beide Hefte Band 1 der späteren Auflagen; Göthe und Schiller. Weimars Glanzperiode, ebd. Nr. 33/34, 1886; Der Alte von Weimar. Göthe's Leben und Werke von 1808 bis 1832, ebd. Nr. 35/36, 1886 – diese beiden Teile zusammen Band 2. Das zusammenfassende ‚Faust'=Kapitel im letzten Heft. Zweite (= erste Buch=)Auflage Freiburg 1885/86; 3. Aufl. neu bearb. v. Alois Stockmann, 2 Bde., ebd. 1911/13; 4. Aufl. ebd. 1923. Noch 1925 (Stimmen der Zeit, 55. Jg., Bd. 108, S. 378 ff.) verteidigte Stockmann, unter ausdrücklicher Berufung auf Haffner, die Positionen Baumgartners und griff zugleich aufs heftigste die 1923 er=schienene ‚Faust'=Darstellung des Franziskanerpaters Expeditus Schmidt an, der um Versöhnung zwischen Dichtung und dem christlichen Glauben bemüht war (Faust. Goethes Menschheitsdichtung, Kempten 1923, als Band 100 der Sammlung Kösel; vgl. ders., Die Grundidee der Faustsage ..., in: Anregungen. Ges. Studien und Vorträge, München 1909, S. 52 ff.; s. Anm. IV, 61).

[72] Vgl. dazu Harry Maync, Die deutsche Goethe=Biographie. Ein historisch=kritischer Überblick, in: Neue Jahrbücher für das klass. Altertum, Gesch. u. dt. Lit., Jg. 9, 1906, S. 65 f.

[73] Baumgartner selbst mußte als Jesuit nach Luxemburg „ausweichen".

[74] Noch wiederabgedruckt in 4. Aufl. 1923; danach zit., S. VI ff.

[75] aaO. (1. Aufl.) 4. Teil, S. 219 ff.; der Text stimmte im wesentlichen mit den späteren Auflagen von 1913 und 1923 überein.

[76] S. 229/30.

[77] S. 230/31. – Im selben Sinn argumentierte noch ein halbes Jahrhundert später Günther Müller („Es muß auf die Dauer unmöglich sein, eine solche natürliche Kraft im Menschen durch den Hinweis auf die Verderbtheit der menschlichen Natur abzuschnüren", u. a.), Geschichte der dt. Seele, 1939, S. 8/11.

[78] aaO. S. 235 ff., auch S. 241.

79 S. 247 ff.
80 S. 266.
81 S. 254/55.
82 S. 257.
83 S. 259 ff.; 1913, S. 682 ff.
84 S. 260 ff.
85 S. 264/65.
86 Hochland, 8. Jg., Bd. 1, 1910/11, S. 237 ff.
87 Z. B. Gerhart Gietmann, Parzival, Faust, Job und einige verwandte Dich=
   tungen (Klassische Dichter und Dichtungen, 1. Theil, 2. Hälfte), Freiburg
   Br. 1887; ‚Faust' S. 249–484. Diese breite ‚Faust'=Darstellung ohne Niveau
   brachte eigene Gedanken nicht mehr bei. Der „Standpunkt christlichen
   Glaubens und christlicher Sitte" verurteilte die Dichtung aufs schärfste.
   Gietmann zeigte die feste Tradition der „modernen" katholischen Kritik
   auf, wenn er als seine Gewährsleute Molitor, Baumgartner und Adam
   Müller nannte und Loepers Urteil „über die sittlich=religiöse Grundrichtung
   des Gedichtes" durchaus ablehnte (S. 274).
   Weitere typische Unterstützungen dieser antifaustischen Stimmung seien
   summarisch genannt; u. a. Otto Willmann (Prof. der Philosophie an der
   Univ. Prag), Geschichte des Idealismus, Bd. 3: Der Idealismus der Neuzeit,
   Braunschweig 1897, S. 369 ff.; Friedrich Paulsen, System der Ethik, Berlin
   1899, S. 289; ders., Schopenhauer, Hamlet, Mephistopheles, Berlin 1900,
   S. 201; Leopold Ziegler, Goethe und der Typus des germanischen Geistes,
   in: Allgem. Zeitung 1901, Beilage Nr. 180.
88 Freiburg 1918; hier zit. nach 8.–12. Aufl. ebd. 1922.
89 S. 86 ff.
90 Vgl. die Fortführung dieses Gedankenganges durch Ernst Beutler, Be=
   sinnung (1945), Wiesbaden 1946, S. 16 ff.
91 Zit. nach 5. Aufl. München 1947, S. 77/78.
92 Berlin 1938, S. 90 ff.: Die Düne des Glaubens; s. Zeitwende, Jg. 13,
   1937, S. 660 ff.
93 „Es gibt nicht nur eine aufhellende, klärende, blankputzende, es gibt
   leider auch eine einstaubende, vernebelnde, verschmierende Philologie,
   und von der wollen wir uns nicht dazwischenreden lassen"; S. 91.
94 S. 100.
95 S. 107/08.
96 S. 102.
97 Baden=Baden 1946, S. 35. — Vgl. dazu Johannes Pinsk, Krisis des Fau=
   stischen. Unliterarische Betrachtungen zu Goethes ‚Faust'. Berlin 1948.
98 S. 8/9.
99 S. 12.
100 S. 15.
101 S. 26.
102 S. 30.
103 S. 41.
104 S. 45.
105 Martensens Lebenserinnerungen waren gerade erst 1883 deutsch erschienen,

in denen er seine ‚Faust'=Auffassung nochmals eindringlich vorgetragen hatte.

[106] Zu Gwinner vgl. neben den üblichen Nachschlagwerken Carl Gebhardt, in: 8. Jahrbuch der Schopenhauer=Gesellschaft, Kiel 1919, S. 208 ff.; Ernst Beutler, Jahrbuch Freies Hochstift 1936/40, S. 613 f. u. Anm. 32, S. 678/79.

[107] Frankfurt 1892.

[108] s. die wenigen Besprechungen bei Goedeke, IV/3, S. 694.

[109] Altes und Neues, aaO. 1881, S. 94.

[110] S. V/VI.

[111] S. III.

[112] u. a. S. 317, 343, 351, 352; doch gerade dieses letzte Beispiel, wo Gwinner von dem „frevelhaften *Faustischen* Begehren" sprach und das zweite Beiwort gesperrt drucken ließ, beweist, daß diese Possessiva ebenfalls gegen die Ideologisierung zielten; ebenso S. 485.

[113] S. 309.

[114] S. 473.

[115] S. 3—115; diesen Teil, auf den sich auch Vischer bezog, hatte Gwinner bereits im Juni 1879 in der Augsburger Allg. Ztg. veröffentlicht, ‚Jüngste Phasen der Goethe'schen Faustidee'.

[116] S. VIII.

[117] S. 7, 22 u. a.

[118] S. 192.

[119] S. 232, Anm.

[120] Dieselbe Gruppe hatte schon 1884 Emil Mauerhof in einem fingierten Briefwechsel „berühmter Männer" verspottet — Loeper, Schröer, Scherer, Fischer, auch Du Bois=Reymond gehörten dazu; in: Zur Idee des Faust, Leipzig 1884, S. 3—72; „faustisch" wurde von Mauerhof mehrfach verwendet, doch nur auf die Faust=Figur und die Dichtung selbst bezogen; nur einmal spöttelnd über „einen Menschen faustischen Charakters" (S. 130). Verbissener und kaum weniger gallig als Gwinner ging der Tübinger Gymnasialprofessor Friedrich Braitmaier gegen ‚Göthekult und Göthephilologie' an; Tübingen 1892, Programm. H. Grimm, Scherer, E. Schmidt, kurz auch Loeper, wurden mit den wütendsten Schmäh= worten bedacht. Braitmaier gab seine Arbeit als einen „öffentlichen Protest des nationalen Bewußtseins" heraus. Leider ist der Abschnitt über ‚Faust' gestrichen (s. S. 79) und auch später nicht mehr veröffentlicht worden. Wir hätten sonst eine der heftigsten „antifaustischen" Schriften erhalten.

[121] S. 54.

[122] S. 94/95.

[123] S. 231.

[124] S. 125.

[125] S. 128.

[126] S. 441.

[127] S. 113 ff.

[128] S. 149 ff. u. a.

[129] Vgl. Über die Analogie des Erkenntniß= und des Zeugungs=Triebes, Jahr= bücher der Medicin, Bd. III, Tübingen 1808.

130 Hieran knüpfte Josef Nadler die eigene ‚Faust'=Deutung; vgl. neben den betreffenden Abschnitten in seiner Literaturgeschichte: Das Faustproblem in Brentanos Rosenkranzromanzen, in: Hochland, Jg. 24, 1926/27, Bd. 2, S. 105/06; Nadler bestätigte dort ausdrücklich „Gwinners Verdienst".

131 S. 158.

132 S. 177.

133 S. 183.

134 S. 190/91.

135 „Demgemäß sehen wir ihn [Goethe] alle Hauptmotive der Fausthandlung: Beschwörung, Verschreibung, Verjüngung und Infernalisierung bis zum Ab= schlusse der ‚Tragödie' instinktiv festhalten, und in dieser Thatsache liegt zugleich die Berechtigung und Möglichkeit der Aufdeckung seiner ur= sprünglichen Conception"; S. 260; vgl. Gwinners zentrale Darstellung der Walpurgisnacht, S. 403–460.

136 S. 161/62.

137 S. 297 ff. Vgl. später Hermann Schneider, Urfaust?, Tübingen 1949, und meine Besprechung in: GRM, N. F. Bd. 1, 1950, S. 74 ff.

138 S. 494; vgl. dazu eine Anmerkung aus der sowohl für Martensen wie für Gewinner grundlegenden Schrift Franz von Baaders, Über Divinations= und Glaubenskraft, Sulzbach 1822, zit. nach Sämmtliche Werke, hg. v. Franz Hoffmann, 1. Abt., Bd. 4, Leipzig 1853, S. 89: „Denn die Raserei der Wollust hat nicht nur denselben Sinn und Geist des Verderbers, als die der Mordlust (Samen= und Blut=Vergießen haben ähnliche Bedeutung), sondern sie äußerten in älteren wie neueren Orgien ihre Wuth immer ge= meinschaftlich. Wenn darum in Goethe's Faust Mephistopheles das Blut einen ‚besonderen' Saft nennt, so ist ihm der Samen nicht minder ein besonderer Saft . . .".

139 S. 351/52.

140 S. 401.

141 S. 426.

142 S. 507.

143 Albert Kniepf, Doktor Faust und die modernen Sozialpolitiker, in: Die Gesellschaft, hg. v. M. G. Conrad, Jg. 1894, 1204 ff. (Albert Kniepf, 1853 in Cottbus geboren, Verfasser populärer philosophischer Schriften, lebte damals in Hamburg.)

144 Thomas Manns ‚Doktor Faustus' (1947) ist nicht das einzige Zeugnis dafür, wenn auch das bedeutendste und bewußteste. – Die Beschreibung des „faustischen Urviechs", „das in sich selber eine Niete ist", die Franz Blei schon (Berlin) 1922 in seinem köstlichen ‚Großen Bestiarium der modernen Literatur' gab, S. 85/87, braucht dabei nur am Rande erwähnt zu sein. – Bemerkenswerter ist, daß Gerhart Hauptmann 1932 in seiner New Yorker Goethe=Rede Zweifel am „faustischen Wesen" zum Ausdruck brachte; vgl. Das Ges. Werk, 1942, 1. Abt., Bd. 17, S. 225/26. Auch auf Hofmannsthals Münchener Rede vom ‚Schrifttum als geistiger Raum der Nation' (1927) sei, neben vielen gleichlautenden Äußerungen des Dichters, in diesem Zusammenhang wenigstens verwiesen, obgleich das Wort „faustisch" dort nicht vorkam; dafür stand „titanisch". – Gottfried Benn, der Schopenhauer=, Nietzsche= und George=Schüler, hat von früh an die

„faustische Welt", „die faustischen Motive" (Ges. Werke, I, 1959, S. 376),
mit fast gleichbleibenden Ausdrücken, verhöhnt. Vgl. u. a. ‚Das letzte
Ich' (1920), Frühe Prosa und Reden, Wiesbaden 1950, S. 140 — „Hebammen
zu dem powersten Alraun, dem tätig=frei kausalen Alphabeten: in Wasser=
stiebeln, Faust, und Buhnen baun —"; ‚Rede auf Stefan George' (1934),
ebd. S. 251 — die Vision des neuen „abendländischen Geistes", der „do=
rischen Welt" klarer Maßstäbe, gegen das „Mütterliche..., das Faustische,
das Christliche, gegen alles Allzufrühe und Allzuspäte"; ähnlich 1941 wie=
derholt: „‚Olymp des Scheins'... innerdeutsch gesehn heißt es: Absetzen
des Faustischen in einem umgrenzten Werk", in: Ausdruckswelt, Wies=
baden 1949, S. 18; diese „Ausdruckswelt" Benns, die „neue Epoche" der
„anthropologischen Erlösung im Formalen", erhebt sich ausdrücklich über
der „infantilen faustischen Welt", s. ‚Lebensweg eines Intellektualisten'
(1934), in: Doppelleben, Wiesbaden 1950, S. 42, 64; weiter ausgeführt
in ‚Weinhaus Wolf' (1937), wo Benn von „Mythenpubertät" und „Pro=
methidenbiologie", von „lutherische[n] Schreie[n] in einem faustischen
Getümmel" sprach — „nicht das Leben durch Erkenntnisreize biologisch
steigern und züchterisch vollenden, sondern gegen das Leben ansetzen
den formenden und formelhaften Geist. Es ist demnach nicht die faustisch=
physiologische, sondern die antinaturalistische Funktion des Geistes, seine
Expressive, die wir heute über der Erde sehen", in: Der Ptolemäer, Wies=
baden 1949, S. 29/ 30; s. auch S. 112; vgl. noch: Drei alte Männer, Wies=
baden 1949, S. 15, 17. Nur — wie erschreckend typisch, wie erschreckend
folgerichtig — Benn, der 1933/34 den Nationalsozialismus unterstützte,
zitierte ‚Faust II/5' aggressiv im Sinne imperialer Gestik und nationalen
Aufbruches; s. ‚Züchtung' (1933), Ges. W. I., S. 222; vgl. Ausgew. Briefe,
Wiesbaden 1957, S. 58. — Hinzuweisen ist auf Bertolt Brechts ‚Faust II'=
Parodie am Ende der ‚Heiligen Johanna der Schlachthöfe' (1929/30), s.
Stücke IV, Berlin 1955, S. 197 ff.; dagegen in ‚Schriften zum Theater',
Frankfurt Main 1957, S. 126/27, eine nicht nur für Brecht selbst charak=
teristische Äußerung (1954): „Selbstverständlich kann der ‚Faust', auch
der ‚Urfaust' nur gestaltet werden mit dem gewandelten und geläuterten
Faust am Ende des zweiten Teils im Auge, dem Faust, der den Teufel
besiegt und vom Unproduktiven, durch den Teufel bereiteten Lebensgenuß
zum Produktiven übergeht...". — Auch Hermann Hesse schloß sich
1943 im ‚Glasperlenspiel' der Warnung vor dem „Verhängnis" „faustischer
Naturen" (!) und der „Figur des Doktor Faust" an; Berlin 1946, Bd 1,
S. 153, 335. — Hermann Kasack sprach in dem (Frankfurt) 1949 erschie=
nenen Roman ‚Die Stadt hinter dem Strom', auf Fausts Übersetzung von
Logos in „Tat" anspielend, von der „faustischen Blasphemie des Abend=
landes, der Deutschen zumal. Halten wir es in Zukunft mit dem Geist";
S. 518/19. — Carl Zuckmayer ließ in dem 1945 geschriebenen Drama ‚Des
Teufels General', Berlin 1947, den General Harras über den „deutschen
Wahnsinn" spotten: „Ich hab ihn satt. Er hat uns zu viele Windeier ge=
legt. Das Haus Wahnfried. Den Größenwahn... Wie man es über hat,
die Wichtigkeit, die Bedeutung, den Todesrausch, das gespaltene Innen=
leben, den faustischen Geldbriefträger, den dämonischen Blockwart...";
S. 104. (Daß Harras=Zuckmayer selbst ein höchst sentimentalisch=rausch=

haftes Gegenprogramm setzte, nicht weniger billig ideologisch, steht auf einem anderen und keineswegs erfreulicheren Blatt.) — Auch auf die „antifaustischen", freien Spielvariationen von Paul Valéry, Mon Faust, 1946, dt. Wiesbaden 1957, ist hinzuweisen; vgl. meine Besprechung, in: Zeitwende, 39. Jg., 1958, H. 12, S. 842 ff. — Nur summarisch seien ange= merkt: Gerrit Engelke, Vermächtnis. Aus dem Nachlaß hg. v. Jakob Kneip, Leipzig 1937, S. 251; Rudolf Borchardt, Prosa I, Stuttgart 1957, S. 194; Josef Weinheber, Sämtl. Werke, IV, Salzburg 1954, S. 77; R. A. Schrö= der, Ges. Werke, Bd. 4, Frankfurt 1952, S. 616.

145 Hermann Türck, Der geniale Mensch, Berlin 1897, 1899⁴, Kap.: Goethes Selbstdarstellung im ‚Faust'; Die Bedeutung der Magie und Sorge in Goethes Faust, in: Goethe=Jahrbuch, Bd. XXI, 1900, S. 224 ff.; Eine neue Faust=Erklärung, Berlin 1901 (1902³); Goethes Faust, eingel. v. H. Türck, Leipzig 1923. Auf die anregende Bedeutung dieser Arbeiten für die heutige Forschungslage hat Werner Milch, Ztschr. f. dt. Phil., Bd. 71, 1951, zu Recht hingewiesen.

146 Von Bruno Wille 1908 aufgenommen; s. Anm. VI, 152.

147 Konrat Ziegler, Gedanken über Faust II, Stuttgart 1919.

148 S. 63.

149 S. 4, 28.

150 S. 8, 63.

151 S. 57.

152 S. 61.

153 S. 57.

154 S. 62.

155 S. 10, 13.

156 S. 43.

157 S. 7.

158 S. 25, 41.

159 Berlin 1929. — „Bickermanns Auffassung ist die einzige, soweit ich sehe, die sich der hier vorzutragenden antiperfektibilistischen in wesentlichen Partien nähert", stellte Böhm fest; aaO. S. 16/17. Über Bickermann selbst war nichts in Erfahrung zu bringen. Er muß aus dem osteuropäischen Raum stammen und dort die ersten Jahre des Bolschewismus erfahren haben. In dem ‚Faust'=Buch fallen die wiederholten Hinweise auf russische Literatur auf; vgl. auch die beiden Schriften Bickermanns: Ten Years of Bolshevic domination. A compilation of articles. Patriotic Union of Rus= sian jews abroad. Ed. by J. B., Berlin 1928; Freiheit und Gleichheit. Soziologische Untersuchungen ..., Berlin 1934. War es der geschärfte politische Blick, der Bickermann das faustische Unwesen durchschauen ließ? Seine warnenden Schlußworte von 1929 galten der „totalen" Gefährdung unserer Kultur angesichts des Auftretens des „Übermenschen". Vgl. auch Walter Schubart, Europa und die Seele des Ostens, Luzern (1938), 1947, bes. S. 18 ff., 317.

160 Vgl. S. 216/17: „Doch gerettet wurde *nicht unser Faust*, nicht der Held der Tragödie — diesem fehlte eine der zur Rettung notwendigen Voraus= setzungen: das Mühen —, sondern *der integrale Faust* ...".

161 „Die Toten sind Opfer von Fausts Zügellosigkeit"; S. 258.

[162] S. 203/04, 214.

[163] S. 237.

[164] S. 235, 249.

[165] ,Faust' „ein episches Gedicht über die Irrfahrten eines verirrten Menschen", S. 254; auch 296 ff. Kap. „Das Faust=Epos".

[166] S. 205. — Vgl. dazu Erhart Kästner, Die Stundentrommel vom heiligen Berg Athos, Wiesbaden 1956, S. 175 ff.

[167] S. 218.

[168] S. 387 ff. — 1929 auch hatte Ludwig Klages im 1. Band von ,Der Geist als Widersacher der Seele' die Umwertung der traditionellen Faustdeutung aufgenommen; Leipzig 1929, S. 59/60. Sein Schüler Werner Deubel schloß sich dem in seinem Buch ,Der deutsche Weg zur Tragödie' an, Dresden 1935, im Kap. „,Faust' als Warnung", S. 58 ff., und brachte in seine Ablehnung des „Unsinns vom ,faustischen Menschen'" den penetranten antijüdischen, antichristlichen Ton hinein.

[169] Faust und die Sorge, DVS, Bd. 1, 1923; Die Disputationsszene und die Grundidee in Goethes Faust, Euphorion, Bd. 27, 1926; Das religiöse Pro= blem in Goethes Faust, ebd. Bd. 33, 1932.

[170] Ausdrücklich gegen die Arbeiten von Hermann Türck gerichtet; vgl. DVS, aaO. S. 23 ff.

[171] ebd. S. 27.

[172] ebd. S. 60.

[173] 1926, aaO. S. 68; in gewissem Sinne folgerichtig war es daher, wenn Burdach dieses Adjektiv, wo er es gelegentlich „genau" verwandte, noch im alten, man könnte sagen: im Goetheschen Sinn gebrauchte — possessi= visch, genitivisch, als „im Sinne des Faust=Gedichtes". Z. B. „um Fau= stisch zu reden", d. h. um mit Goethes Faust=Gestalt zu reden; DVS 1923, S. 50 u. a.; vgl. auch Euphorion 1926, S. 9. Auch „faustischer Unendlich= keitstrieb" erscheint einmal als adjektivische Umsetzung von konkretem „Unendlichkeitstrieb Fausts"; Euphorion 1932, S. 9, Anm. 7a.

[174] 1926, S. 65; Sperr. v. Verf.

[175] 1932, aaO. S. 75. — Auch Goethes „Verklärung" Gretchens nannte Burdach eine krasse „Verleugnung des Faustischen Geistes, des Faustischen Wollens, Strebens, Wirkens, des Faustischen Erkenntnisdrangs"; ebd. S. 73. Es bleibe offen, ob Burdach das Beiwort hier polemisch=generalisierend oder allein possessivisch verstanden wissen wollte; es war in jedem Fall negativ gedacht.

[176] Ebenso in: Die Schlußszene in Goethes Faust, Sitzungsberichte der Preuß. Akademie d. Wiss., Phil.=Hist. Kl., 1931/XXII, Berlin 1931, S. 604.

[177] 1932, aaO. S. 25/26.

[178] Ernst Beutler führte alsbald diesen Ansatz fort; s. Der Frankfurter Faust, Jahrbuch Freies Hochstift 1936/40.

[179] Vgl. dagegen, ebenso 1932, Heinz Kindermann in den alten ausgefahrenen Geleisen: das faustische Lebensgefühl als ein durchaus Wesenhaft=Deut= sches! Goethes Weg zur Gestaltung des faustischen Menschen, Danzig 1932, S. 23, 25, 28/29, 30 u. a. Ähnlich noch 20 Jahre später, in: Das Goethebild des XX. Jahrhunderts, Wien 1952, vgl. z. B. S. 361.

[180] Vgl. u. a. Heinz Otto Burger, Motiv, Konzeption, Idee — das Kräftespiel

in der Entwicklung von Goethes ‚Faust', in: DVS, Jg. 20, 1942, S. 17 ff. Gegen „die Verherrlichung" des Faustischen „im modernen Jargon" wurde vorweg der ‚Urfaust' als „Unfaust" erwiesen; erst 25 Jahre nach dem ‚Urfaust' werde die Dichtung auf das sogenannte „faustische Streben" eingerichtet. „Es heißt dem ‚Faust' seine eigentliche Bedeutung als Lebenswerk Goethes rauben, wenn man das Faustische beschränkt auf die Idee rastlosen Strebens"; S. 45. ‚Faust' ist nicht nur die Darstellung der „höchsten, faustischen Träume", sondern zugleich die „Abrechnung mit ihnen"; S. 62. Vor allem durch das „Gretchenmotiv", aufwachsende Gegenstimme, wurde ‚Faust' „zu einem Gericht über das Faustische gemacht"; S. 64, auch S. 53. Ferner Joachim Müller, Die tragische Grundstruktur von Goethes Faustdichtung, in: Ztschr. f. dt. Geisteswissenschaft, Jg. 6, 1943, S. 190 ff.

181 Wenn B. v. Wiese allerdings anmerkte (Stuttgart 1945, S. 5; ebenso: Die deutsche Tragödie von Lessing bis Hebbel, Hamburg 1955³, S. 686, Anm. 6), daß es Böhms Verdienst gewesen sei, „zum ersten Male die These von der allmählichen Höherentwicklung Faustens fraglich gemacht und auf den tragischen Kern der Dichtung hingewiesen zu haben", so ist das für beide Behauptungen historisch nicht richtig. Böhms Thesen wurden durch das ganze 19. Jahrhundert vorgeprägt und gelegentlich auch wörtlich vorformuliert. — Den Gegenschritt, Faust gänzlich zu liberalisieren, unternahm 1949 Hermann Schneider, indem er dem Paradoxon „Faust der Nichtfaustische" ein zweites anfügte: Faust der Nicht=Teufelsbündner; Goethes Faust. Dichtung und Legende, in: Studium generale, Jg. 2, 1949, S. 402 ff.; Urfaust? Eine Studie, Tübingen 1949. Dazu Werner Richter, in: Monatshefte für den dt. Unterricht, Jg. 41, 1949, Nr. 7, und meine Besprechung GRM, N. F., Bd. 1, 1950, S. 74 ff.

182 So Johannes Hohlberg, Goethes Faust im zwanzigsten Jahrhundert, Basel 1931.

183 aaO. S. 64.

184 S. 101.

185 S. 81.

186 S. 123.

187 S. 83. Vgl. als vergebliches, aber typisches Nachhutgefecht die Besprechung von Spieß in Ztschr. f. dt. Philologie, Bd. 60, 1935, S. 403.

188 Ernst Beutler, Besinnung, Wiesbaden 1946, S. 17.

189 München 1958 (Sonderausgabe), S. 293; s. vorher schon S. 290 das Zitat aus ‚Faust II'.

190 s. Anm. I, 1.

191 Ernst Jünger, Sgraffiti, Stuttgart 1960, S. 103.

Zu Kapitel VIII

1 Ausgabe Berlin, Frankfurt/Main 1949, S. 184 ff.; vgl. dazu die kurze Bemerkung in: Die Entstehung des Doktor Faustus, Frankfurt 1949, S. 67 f.

2 Ein erstaunlich ähnlicher Satz von Rudolf Kurtz findet sich 1913 im 1. Jg. der Münchner Ztschr. ‚Die neue Kunst': „Wer jung ist, soll es bis zur

Katastrophe sein: und Unreife ist das triebkräftigste Ferment der Welt=
geschichte ...“; nach: [Katalog] Expressionismus. Ausstellung des Dt.
Literaturarchivs im Schiller=Nationalmuseum Marbach, 1960, S. 67.

3 aaO. S. 187/89; Sperr. v. Verf. — Vgl. dazu eine bemerkenswerte Äuße=
rung von Georges Clémenceau vom 5. 2. 1929: „Il y a dans l'âme alle=
mande, dans l'art, dans la pensée, dans la littérature de ces gens-là, une
sorte d'incompréhension pour ce qu'est réellement la vie, pour ce qui en
fait le charme, la grandeur, et une sorte d'attirance maladive et satanique
pour la mort. Ces gens-là aiment la mort. Ces gens-là ont une sorte de
divinité qu'ils regardent en tremblant mais avec quelque chose comme un
sourire d'extase, comme un vertige, et qui est la mort ... Relisez leurs
poètes: la mort ... la mort à pied, à cheval ... partout! dans toutes les
poses! dans tous les costumes! Ils sont guidés, hantés par ça ...“; Jean
Martet, Le tigre, Paris 1930, S. 74.

4 aaO. S. 195.

5 Th. Mann erläuterte selbst: „... der Teufel, Luthers Teufel, Faustens
Teufel, will mir als eine sehr deutsche Figur erscheinen, das Bündnis mit
ihm, die Teufelsverschreibung, um unter Drangabe des Seelenheils für
eine Frist alle Schätze und Macht der Welt zu gewinnen, als etwas dem
deutschen Wesen eigentümlich Naheliegendes. Ein einsamer Denker und
Forscher, ein Theolog und Philosoph in seiner Klause, der aus Verlangen
nach Weltgenuß und Weltherrschaft seine Seele dem Teufel verschreibt, —
ist es nicht ganz der rechte Augenblick, Deutschland in diesem Bilde zu
sehen, heute, wo Deutschland buchstäblich der Teufel holt?“ Deutschland
und die Deutschen, Eine Rede (1945), in: Neue Studien, Berlin, Frankfurt
1948, S. 14.

6 Aus den Aufzeichnungen zu ‚Die Geburt der Tragödie‘; Musarion=Aus=
gabe, Bd. 3, München 1920, S. 396; Sperr. v. Verf.

7 ebd. S. 138.

8 Vgl. u. a. Sylvester Rosa Koehler, A Chronological Catalogue of the
Engravings, Dry=Points and Etchings of Albert Dürer, New York, 1897,
S. 58 ff.; Hans Tietze und Erika Tietze=Conrat, Kritisches Verzeichnis der
Werke Albrecht Dürers, Bd. II, 1, Basel, Leipzig 1937, S. 93. Albrecht
Dürers Tagebuch ..., hg. v. Friedrich Leitschuh, Leipzig 1884, S. 68.

9 S. dazu neuerdings Antonie Leinz=von Dessauer, Savonarola und Albrecht
Dürer, in: Das Münster, Jg. 14, 1961, H. 1/2, die in dem Stich ein ver=
schlüsseltes Porträt Savonarolas nachzuweisen bemüht ist; die „Gespen=
stergeschichte“ wäre eine Art Kaschierung gewesen.

10 Zu dem seit dem 18. Jahrhundert in der alten Bedeutung ausgestorbenen
Wort „einspennig, einspännig“, auch substantivisch „Der Einspennige“,
vgl. Grimms Dt. Wörterbuch, Bd. 3, 1862, Sp. 301. Demnach handelt es
sich um einen Einzelreiter, der zum Geleit mitgegeben wurde oder Be=
stellungen und Botschaften ausritt. „Einspennig“ wurde er genannt, weil
ihm nur ein Pferd zur Verfügung stand. Er war ein untergeordneter Be=
diensteter, ein Geleitsknecht, so wie es z. B. in einem Text des 17. Jahr=
hunderts heißt: „ein einspenniger knecht, das ist ein gemeiner kriegs=
mann, nit grossen ansehens oder nammens“.

11 Adolf Rosenberg, Dürer=Studien (III), in: Ztschr. f. bildende Kunst, Bd. 8,

1873, S. 351 f., Anm.; hier die Eintragung über Rinck „im Kressischen Verzeichnis No. 23".

12 Vgl. Christoph Gottlieb von Murr, Journal zur Kunstgeschichte und zur allgemeinen Litteratur, 14. Theil, Nürnberg, 1787, S. 95.

13 Vgl. Johann David Passavant, Le Peintre=graveur, Tome 3, Leipzig 1862, S. 155.

14 Druckfehler oder Variante für Philipp?

15 Heinrich A. Cornill d'Orville, Mittheilungen über einige Kupferstiche und Holzschnitte von Albrecht Dürer nach alten Katalogen, in: Archiv für die zeichnenden Künste, hg. v. Robert Naumann, Bd. 11, 1865, S. 62 f.

16 Alfred Hagelstange, Zu Dürers Stich B. 98, in: Mitteilungen aus dem Germanischen Nationalmuseum, 1904, S. 79.

17 „S'égarent dans son chemin à minuit, temps destiné par les imbecilles à toute sorte de diablerie", bemerkte trocken=vernünftig der schon zitierte Murr; Christophe Theophile de Murr, Description du Cabinet de Monsieur Paul de Praun à Nuremberg, Nürnberg 1797, S. 75 f., wo er nochmals, Ende des 18. Jahrhunderts, die Rinck=Legende weitergab.

18 Joachim von Sandrarts Academie der Bau=, Bild= und Mahlerey=Künste von 1675, hg. u. kommentiert von Alfred Rudolf Peltzer, München 1925, S. 64 (II. Teil, 3. Buch). Allerdings fand auch Sandrart „viele Seltsam= keiten" in dem Blatt, bewunderte jedoch die große Natürlichkeit der Dar= stellung.

19 Giorgio Vasari, Die Lebensbeschreibungen der berühmtesten Architekten, Bildhauer und Maler. Dt. hg. v. Adolf Gottschweski u. Georg Gronau, Bd. 4: Die mittelitalienischen Maler, Straßburg 1910, S. 533. — Ob Vasari sich an den ebenfalls 1513 entstandenen ‚Principe' des Niccolò Machiavelli (ersch. 1532) erinnert fühlte? Auf diesen zeitlichen Zusammenfall machte aufmerksam Albert Becker, Miles Christianus, in: Bl. f. Pfälzische Kirchen= gesch. u. Religiöse Volkskunde, 17. (26.) Jg., N. F. I, 1950, S. 10.

20 Heinrich Wölfflin, Die Kunst Albrecht Dürers, München 1905, S. 187.

21 „Ein geharnischter Mann zu Pferd, welcher einen Spieß über die Achsel trägt. Hinter diesem reitet der Tod, mit einer Uhr in der Hand, welchem eine gräßliche höllische Furie, mit einem Spieß in der Hand, folget . . ."; aaO. S. 48.

22 Leipzig, Schleiz 1769, S. 87.

23 Johann Caspar Füßli (17061—782; Vater des Malers Johann Heinrich Füßli), Raisonnirendes Verzeichnis der vornehmsten Kupferstecher und ihrer Werke, Zürich 1771, S. 74 f. — Im ‚Kritischen Verzeichnis der . . . Kupferstiche', Zürich 1798 ff. (4 Bde.) seines anderen Sohnes Johann Rudolf Füßli (1737—1806) findet sich über diesen Stich nichts ausgesagt.

24 Hüsgen wurde später einer der besten Kunstkenner Frankfurts; 1780 gab er seine ‚Nachrichten von Frankfurter Künstlern und Kunstsachen' heraus, deren 2. Aufl. von 1790 Goethe gewidmet war; auch besaß er selbst eine bedeutende Dürer=Sammlung; vgl. Goethe=Handbuch, hg. v. J. Zeitler, Bd. 2, Stuttgart 1917, S. 208 f.; Otto Heuer, in: Jahrbuch Freies Dt. Hoch= stift, 1902, S. 347 ff. — Goethe erwähnte Hüsgen, vor allem dessen Vater, in ‚Dichtung und Wahrheit', I, Buch 4. Den Sohn Hüsgen nannte er dort „gutmütig aber täppisch, nicht roh aber doch geradezu . . .".

[25] 1799, Bd. 1 (März), S. 254 ff.

[26] aaO. S. 57 f.; die Bezeichnung „Phantasiestücke" übernahm auch Johann Ferdinand Roth, Leben Albrecht Dürers ..., Leipzig 1791, S. 39.

[27] Gemeint ist das Täfelchen links unten im Bild, auf dem Dürers Namens=zeichen steht, dazu ein S mit der Jahreszahl 1513; es wird heute allgemein als ‚salus' oder ‚anno salutis' gelesen.

[28] Anders drückte es der ‚Teutsche Merkur', aaO., aus: „scharfsinnig erklärt er [Hüsgen] dabey die deutungsvollen Komposizionen Dürers mit kraft=vollen Anwendungen auf die jetzige Zeit".

[29] ... nach der französischen Handschrift des Herrn Michael Huber bearbeitet von Carl Christian Heinrich Rost, Zürich 1796, Bd. 1, S. 120.

[30] Vorlesungen über die Mahlerey (‚Lectures on Painting', ersch. 1801), aus dem Englischen von Johann Joachim Eschenburg, Braunschweig 1803, S. 136 ff. Sein Verwandter, der Politiker Hans Heinrich Füßli (1745–1832), der diese Sätze in seinem ‚Allgemeinen Künstlerlexikon ...', 2. Teil, 2. Ab=schnitt, Zürich 1806, S. 306 ziterte, fand das denn doch „sehr strenge" geurteilt; er selbst brachte allerdings über Dürers Stich weiteres auch nicht bei, wie ebenso in der ersten Ausgabe dieses damals umfassendsten Künstlerlexikons, Zürich 1779 (hg. v. seinem Vater Johann Rudolf Füßli, 1709–1793), S. 212, nichts über den Kupferstich zu finden war.

[31] In dem ‚Ehrengedächtnis unsers ehrwürdigen Ahnherrn Albrecht Dürers' des Wilhelm Heinrich Wackenroder in dessen ‚Herzensergießungen eines kunstliebenden Klosterbruders' (1797) ist der Stich nicht erwähnt.

[32] Vgl. Wilhelm Waetzoldt, Dürer und seine Zeit, Wien 1935, S. 116; ders., Dürers Gestalt in der deutschen Dichtung, in: Ztschr. d. dt. Vereins f. Kunstwissenschaft, Bd. 3, 1936, S. 127 ff.

[33] Catalogue de l'oeuvre d'Albert Durer par un amateur, Dessau 1805, S. 41; sein Verfasser war Wilhelm Heinrich Friedrich von Lepel. − „Les François appellent cette estampe ... le cheval de la mort, et le manège", erläuterte 1797 Murr aaO.; er gab übrigens auch den Hinweis auf Sickingen.

[34] Band 7, Wien 1808, S. 106 f. − Auch der andere bekannte Graphik=Katalog, der schon erwähnte ‚Le Peintre=Graveur' von J. D. Passavant, 1862, nannte den Stich noch mit romanischem Sprachgebrauch ‚Le cheval de la mort', S. 155.

[35] Vgl. Lebensgeschichte des Baron Friedrich de la Motte=Fouqué, aufge=zeichnet durch ihn selbst, Halle 1840, S. 359.

[36] Fouqués Werke, hg. v. Walther Ziesemer, Berlin, Leipzig (1908) (Bongs Klassiker), Teil 1, S. 211 ff.; „eines der besten prosaischen Stücke unseres Dichters", urteilte jüngst Arno Schmidt, Fouqué und einige seiner Zeit=genossen, Karlsruhe 1958, S. 291/92.

[37] In einem Brief vom 22. 2. 1816; s. Einleitung Ziesemer, aaO. S. 47.

[38] aaO. S. 220; Sperr. v. Verf.

[39] Briefe an Friedrich Baron de la Motte Fouqué, hg. v. Albertine Baronin de la Motte Fouqué, Berlin 1858, S. 236 f.

[40] Vgl. Bibliographisches Repertorium, Bd. 5: Almanache der Romantik, hg. v. Raimund Pissin, Berlin 1910, S. 272; dazu Gert Buchheit, Über Dürers ‚Ritter, Tod und Teufel', in: Ztschr. f. dt. Bildung, Jg. 4, 1928, S. 253 ff.

[41] S. 61/63.

42 Vgl. Meusel, Das gelehrte Teutschland, Bd. XXII, 1829, S. 205; danach geboren 178 . . in Torgau.

43 Vgl. Joseph Heller, Das Leben und die Werke Albrecht Dürer's, Bd. 2, I. Abt., Bamberg 1827, S. 151 u. a.; dort S. 152 auch der Text des Gedichtes von Bercht nachgedruckt.

44 Dasselbe gilt für das spätere, diese Abkunft fast wörtlich wiederholende Gedicht von Franz G. Pocci, ‚Ritter, Tod und Teufel. (Kupferstich von A. Dürer.)', in: Dichtungen, Schaffhausen 1843, S. 87 ff.

45 Es ist nur, wie oben angegeben, der Band 2 erschienen, in drei Abteilungen, Bamberg 1827 und 1831.

46 Vgl. aaO. I, S. 151, 159, 236, 240; II, S. 503 ff., 929, 938, 952. — Vorher Adam Weise, Albrecht Dürer und sein Zeitalter, Leipzig 1819, schon nur ‚Ritter, Tod und Teufel'.

47 aaO. II, S. 504.

48 Bd. 3, München 1836, S. 534; ebenso in Naglers eigenem Buch ‚Albrecht Dürer und seine Kunst', München 1837, S. 32 f., 89, 108, 156. In der Deutung des Stiches hielt Nagler sich wörtlich an Kugler, s. u., und verbreitete dessen Auffassung beträchtlich weiter.

49 Erstes Heft, Leipzig 1835.

50 aaO. S. 49.

51 Zu Carus' Verwendung von „faustisch" s. o. S. 71 ff.

52 Blätter für bildende Kunst, Jg. 4, 1836, Heft 8—18; ‚Albrecht Dürer, seine Vorgänger und Nachfolger'. Der Titel ‚Ritter, Tod und Teufel' galt für ihn schon ohne Einschränkung. Der Aufsatz nicht enthalten in: Kleine Schriften und Studien zur Kunstgeschichte, 2 Bde., Stuttgart 1853/54.

53 aaO. S. 69.

54 S. 76.

55 S. 105 f.; Sperr. v. Verf.

56 Stuttgart 1855, S. 292.

57 Leben und Wirken Albrecht Dürers, Nördlingen 1860, S. 355 f.; Sperr. v. Verf.

58 Albrecht Dürer's Kupferstiche, Radirungen, Holzschnitte und Zeichnungen, Hannover 1861, S. 35.

59 Über Kunst und Künstler, Jg. 2, 1867, S. 230.

60 Ralf von Retberg, Dürers Kupferstiche und Holzschnitte. Ein kritisches Verzeichnis, München 1871, S. 78; s. auch S. 132, 146, 157, 163. Sein Nachlaßkatalog dagegen setzte wieder: ‚Ritter, Tod und Teufel. Le cheval de la mort'; Katalog der berühmten Dürer=Sammlung des verstorbenen Herrn Ralf von Retberg, Amsler und Ruthardt, Berlin 1886, S. 13.

61 Ernst Bertram, Nietzsche, Berlin 1918, S. 42 ff.

62 Friedrich Nietzsche, Werke und Briefe. Hist.=Krit. Gesamtausgabe, Reihe: Briefe, Bd. 3, München 1940, S. 99.

63 Briefe, aaO. Bd. 4, 1942, S. 161; Nietzsche berichtete dort, ebenso wie in einem Brief an die Mutter, S. 158, und an die Schwester, S. 164, daß ihm ein Baseler Patrizier, Adolf Vischer, dies „berühmte und ganz unschätzbare" Blatt geschenkt habe, im Hinblick auf dessen Erwähnung in der ‚Geburt der Tragödie'.

64 aaO. S. 138; noch 1887 hieß es in der ‚Genealogie der Moral': Schopen=

hauer, ein „Mann und Ritter mit erzenem Blick, der den Mut zu sich selber hat, der allein zu stehen weiß". — In dieser „eigentümlichen ‚Standhaftigkeit' Schopenhauers" erspürte Nietzsche „von Anfang an das aufrührerische Wendezeichen abendländischer Existenz", so August Vetter, Nietzsche in unserer Zeit, in: Ztschr. f. philosophische Forschung, Bd. 5, 1951, S. 349.

65 s. Anm. VI, 1.

66 aaO. S. 369.

67 Friedrich Nietzsches Briefwechsel mit Erwin Rhode, Berlin 1902, S. 72; Briefe, aaO. Bd. 2, 1938, S. 246. — Thomas Mann zitierte diese Briefstelle in seinen ‚Betrachtungen eines Unpolitischen', Berlin 1918, S. 118, zur Charakterisierung Nietzsches. Auch in diesem Buch eines „konservativen Patriotismus" wurde „jene nordisch=deutsche, bürgerlich=dürerisch=moralistische Sphäre, in welcher das Griffelwerk ‚Ritter, Tod und Teufel' steht", noch durchaus positiv und bekenntnishaft, wie Nietzsche selbst, genommen. Vgl. dazu Thomas Mann an Ernst Bertram, Briefe aus den Jahren 1910 — 1955, Pfullingen 1960, S. 46: „Ich wußte wohl, daß ich ‚Kr[euz], T[od] u[nd] Gr[uft]' schon einmal früher angeführt habe (weil die Stelle mir sofort — und zwar als Symbol für eine ganze Welt, *meine* Welt, deren Gegensatz zur sozial=ethischen jetzt akut geworden ist, — unauslöschlichen Eindruck gemacht hatte) ...'; auch dort Anm. S. 223. Th. Mann ging denselben Weg wie Nietzsche auch: am Anfang stand das Ja, am Ende das Nein zu Dürers Stich bzw. zu dessen Ausdeutung. Denn auch Nietzsche erschien später das Blatt zu „unheimlich", „viel zu düster", und er wandte sich von ihm ab (Briefe an Mutter und Schwester, Leipzig 1909, Bd. 2, S. 611), gleichlaufend zu seiner späteren „heftigen, ja zügellos gehässigen Lutherfeindschaft" (Bertram, aaO. S. 53) und zu seiner wachsenden Skepsis hinsichtlich des „Faustischen". — Vgl. ferner Thomas Manns Bemerkungen über ‚Dürer' von 1928, in: Altes und Neues, Kleine Prosa aus fünf Jahrzehnten. Frankfurt M. 1953, S. 715 ff.; „durch das Medium Nietzsches habe ich Dürers Welt zuerst erlebt, geahnt, geschaut ...'; „... Kreuz, Tod und Gruft! Das ist ein weiteres Wesenselement der Dürerisch=deutschen Charakterwelt, innig verschränkt mit jener ‚Männlichkeit und Ständigkeit', jenem Rittertum zwischen Tod und Teufel: Passion, Kryptenhauch, Leidenssympathie, faustische Melencolia, idyllisiert auch wohl zum frommen Stubenfleiß rezeptiven Friedens ...'. Noch 1936 nahm Th. Mann dieses über Nietzsche gekommene Dürer=Erlebnis und diese Dürer=Deutung in seinen Vortrag ‚Freud und die Zukunft' auf und sah „den Psychologen des Unbewußten" im Bilde des „Ritters zwischen Tod und Teufel", wie Nietzsche ihn beschrieben habe; s. u. a. Fischer=Bücherei, Bd. 47, 1953, S. 196/97. Von so weit her kam aus Th. Manns eigenem Werk die Umkehrung und Selbstkritik im ‚Doktor Faustus'.

68 C. F. Meyer, Huttens letzte Tage, IV, Leipzig 1917, S. 13 f.; dazu Gert Buchheit, aaO. S. 257.

69 Dürerstudien (III), aaO. S. 352.

70 Albrecht Dürer. Zwei Vorträge. Leipzig 1875, S. 47 f.

71 Leipzig 1876, S. 450 ff.; s. o. S. 168 f. Gegen Thausings Beschreibung

wandte sich Robert Vischer, Studien zur Kunstgeschichte, Stuttgart 1886, S. 246, Anm.

72 Auch der englische Ästhetiker und Philosoph John Ruskin sah einen „fau= stischen" Zug in dem Stich, den er ‚Fortitude' nannte; vgl. S. R. Koehler, aaO.

73 s. o. S. 177.

74 Goethe=Jahrbuch, Bd. 2, 1881, S. 86, wiederholt in: Lessing, Bd. 1, Berlin 1884, S. 374 f. Vgl. Wilhelm Böhm, Goethes Faust in neuer Deutung, Köln 1949, S. 311/12.

75 Albrecht Dürer, Köln 1881; zit. nach 2. Aufl., Freiburg 1887, S. 65 ff.

76 S. 71; schon Thausing hatte auf den „Sanguinicus" hingewiesen, aaO. S. 454.

77 Die Bedeutung der ‚Vier Apostel' Albrecht Dürer's, in: Christliches Kunst= blatt für Kirche, Schule und Haus, Jg. 21, 1879, S. 13 f. (nicht 1878, wie Waetzoldt, Dürer und seine Zeit, S. 115, angab; er wies dort auf Merz hin und lehnte dessen Thesen ab). — Was Merz mit dem „sinnbildlichen Fuchspelz am Spieße" meint, ist nur dann verständlich, wenn man an= nimmt, daß der Fuchs im Volksglauben immer nur ein Teufelsgeschöpf, ein Teufelszeichen wäre, wie es z. B. Luther in seinen ‚Tischreden' einmal erwähnt; das ist jedoch keineswegs der Fall, ebenso oft gilt der Fuchs als ein Glücks= und Heilstier; vgl. Handwörterbuch des dt. Aberglaubens, Bd. 3, Sp. 174 ff. Ohne hierzu Dürers Vorstellungsquelle genauer zu kennen, läßt sich lediglich aus der Darstellung eines Fuchsbalges weder etwas Positives noch Negatives zur Bildausdeutung hinsichtlich des an= geblichen Teufelszugriffes aussagen. Selbst bei Annahme, daß Dürer den Fuchs als Teufelswesen auffaßte, könnte ebenso die Meinung vertreten werden, daß der Ritter diesen Balg nicht als Teufelszeichen trüge, sondern den „Fuchs" alias Teufel überwunden, d. h. aufgespießt hätte und ihn als Beute und Warnung mit sich führte, so wie der Hl. Georg den Drachen überwand; zu dem Zusammenhang mit St. Georg vgl. Schrade (s. u. Anm. VIII, 103), S. 354 ff., und den Hinweis von Mela Escherich in: Ztschr. f. christl. Kunst, Jg. 29, 1916, S. 61 f.

78 Nachtrag zu ‚Rembrandt als Erzieher' ab der 8. Auflage, veranlaßt durch den Antisemiten Theodor Fritsch; vgl. Die Zerstörung der deutschen Po= litik, hg. v. Harry Pross, Frankfurt M. 1959 (Fischer Bücherei 264), S. 244.

79 Bd. 36, S. 534 ff.

80 Eine der bezeichnendsten Stellen bei Erasmus lautet: „All die Schreck= und Spukgestalten, die dir überall entgegentreten, als wärest du am Eingang zur Unterwelt, mußt du wie Aeneas bei Virgil für gar nichts erachten."

81 Bd. 64, S. 194 ff.

82 Vgl. dazu auch Adolph Goldschmidt, Der Albanipsalter in Hildesheim und seine Beziehung zur symbolischen Kirchensculptur des XII. Jahrhunderts, Berlin 1895, S. 45 ff.; die Johannes=Apokalypse, sodann Paulus, Eph. 6, 10 ff. als Quelle der christlichen Reiterallegorie.

83 Anton Springer, Albrecht Dürer, Berlin 1892, S. 176, bestätigte die Auf= fassung vom christlichen Ritter sogleich nachdrücklich, bis in die Bild= unterschrift: ‚Der christliche Ritter (Ritter, Tod und Teufel)'. — Auch der Erlanger Bibliothekar Marcus Zucker hielt in seinem ‚Albrecht Dürer',

Halle 1900, an der (erasmischen) Benennung ‚Der christliche Ritter' fest; allerdings sah er in ihm kein Triumphbild, sondern wieder ein Memento mori, „ein ideales Gegenstück der üblichen Totentanzbilder". Möglicher=weise aus diesem Grunde brachte das ‚Christliche Kunstblatt...', 1899, Nr. 9, einen Vorabdruck seines ‚Ritter, Tod und Teufel'=Kapitels, die Zeit=schrift, in der Merz seine leidenschaftliche, orthodoxe Gegendeutung ge=geben hatte.

[84] Studien zur dt. Kunstgeschichte, Heft 23, Straßburg 1900.

[85] Mitteilungen aus dem Germ. Nationalmuseum, 1904, aaO.

[86] aaO. S. 100 f.

[87] Wie es aber in den gleichen Jahren außerhalb der Forschung, man muß sagen: nach wie vor zuging, vermag das „Vers"=Beispiel von Eberhard König zu zeigen: Phantasie über den Dürer'schen Stich Ritter, Tod und Teufel, in: Der Türmer. Monatsschrift für Gemüt und Geist, Jg. 1, 1899, S. 481 ff. Zwar sprach der Verseschmied in seiner „ernsten Zwiesprache" mit Dürers Blatt sich gegen das schaurige, todesumhüllte, endlose Reiten aus, setzte dafür aber, er sah das aus Dürers Darstellung, ein allumfassen=des, Tod und Leben versöhnendes, liebejubelndes „Menschheitsrittertum" ein. — Vgl. auch, noch mehr ein Curiosum, ein Zitat aus O. E. Lessing, Die neue Form. Ein Beitrag zum Verständnis des Naturalismus. Dresden 1910, S. 221/22, wo er die Gedichte von Arno Holz besprach: „... auch wer mit allen Fasern noch an hergebrachter Lyrik haftet, sollte für ein Gedicht wie folgendes Sinn haben: ‚Rote Rosen / winden sich um meine düstre Lanze. / Durch weiße Lilienwälder / schnaubt mein Hengst. / Aus grünen Seen, / Schilf im Haar, / tauchen schlanke, schleierlose Jungfrauen. / Ich reite wie aus Erz. / Immer, / dicht vor mir, / fliegt der Vogel Phönix / und singt.' Man denke sich etwa Dürers Stich: ‚Ritter, Tod und Teufel' mit den Farben Segantinis gemalt, dann hat man ungefähr den Maßstab der Würdigung".

[88] Hans Wolfgang Singer, Versuch einer Dürer=Bibliographie (= Studien zur dt. Kunstgeschichte, H. 41), Straßburg 1903; zit. nach 2. Aufl. 1928, S. X f., s. auch 1903, S. XV.

[89] aaO. S. 185, 187. — Neues Material zum Thema „Miles christianus" brachte Albert Becker in dem schon genannten Aufsatz von 1950, s. Anm. VIII, 19; ders. in: Forschungen und Fortschritte, 17, 1941, S. 381 f. — Die Arbeiten von Adolf Harnack, Militia Christi. Die christliche Religion und der Soldaten=stand in den ersten drei Jahrhunderten, Tübingen 1905, und von Hilarius Emonds, Geistlicher Kriegsdienst. Der Topos der militia spiritualis in der antiken Philosophie, in: Heilige Überlieferung, Festschrift für Ildefons Herwegen, Münster 1938, S. 21 ff., bieten für unseren Zusammenhang unmittelbar nichts, zeigen aber, wie weit tatsächlich die Vorstellung vom miles christianus oder miles spiritualis zurückreicht. Vgl. auch Friedrich Heer, Aufgang Europas, Wien, Zürich 1949, bes. S. 64 ff., 157 ff.

[90] Als ein Beispiel: Max J. Friedländer, Albrecht Dürer, Leipzig 1921, S. 142/43; zwei Jahre vordem hatte sich Friedländer wesentlich skeptischer zum „Schlagwort vom ‚christlichen Ritter'" geäußert; Albrecht Dürer, der Kupferstecher und Holzschnittzeichner, Berlin 1919, S. 84/85.

[91] Erwin Panofsky, Albrecht Dürer, Princeton, N. J., third ed., 1948 (1. ed. 1943), Bd. S. 1, S. 151 ff., Bd. 2, S. 29, 170.

[92] aaO. S. 42 ff.

[93] Vgl. Thomas Mann an Ernst Bertram. Briefe aus den Jahren 1910–1955, hg. v. Inge Jens, Pfullingen 1960, u. a. S. 51, 57 u. Anm. S. 226, 237.

[94] Auch Wilhelm Pinder, Die deutsche Kunst der Dürerzeit (= Vom Wesen und Werden deutscher Formen, Bd. III), (1939) 1953[2], S. 289, umging ab=sichtlich „Deutungsfragen" und sah in den drei zusammengehörigen Stichen vor allem anderen eine Selbstauseinandersetzung des Künstlers über Wesen und Mittel der Kunst.

[95] aaO. S. 58.

[96] S. 45 f.; Sperr. v. Verf.

[97] Vgl. auch den genannten Aufsatz von G. Buchheit, aaO.; auch Buchheit sah, Bertram stark verpflichtet, in dem Dürer=Blatt einen ewigen „Mythos", in dem sich der „Willen zum Tragischen als bestimmendes deutsches Schicksal" offenbare („Wille zum Tragischen" — ein weiteres, das schlimm=ste Kapitel deutscher Ideologie!). Ferner Ernst Michel, Weltanschauung und Naturdeutung, Jena 1920, S. 17.

[98] Hans Naumann, Der Reiter von Möjebro; Balders Tod (1932); Der Bam=berger Reiter (1932), gesammelt in: Wandlung und Erfüllung, Stuttgart 1933; ders., Der staufische Ritter, Leipzig 1936, bes. darin ,Der Reiter von Bassenheim' und ,Philosophie der Sorge'; ders., Der gereiste Mann, Köln 1942. — Hans F. K. Günther, Ritter Tod und Teufel. Der heldische Gedanke. München 1920, 1928[3], benutzte die Stich=Unterschrift nur als Titelverstärkung seines Buches. Zu Naumann s. o. S. 187.

[99] Wandlung und Erfüllung, aaO. S. 4 ff.; Sperr. v. Verf.

[100] ebd. S. 145 ff.

[101] Der staufische Ritter, aaO. S. 143 f. — Vgl. dazu Eugen Ortner, Albrecht Dürer. Deutsche Sehnsucht, deutsche Form. Berlin 1934, S. 66.

[102] Dürer und seine Zeit, Wien 1935, S. 116; noch deutlicher S. 223: „In der Ahnenreihe deutschen Soldatentums ist der ,Reiter' ein Nachfahre aus den nordischen Heldensagen, ein Vorfahre der preußischen Offiziere". Leider glitt Waetzoldt in dem Vortrag ,Dürers Ritter, Tod und Teufel', Berlin 1936, in zeitgemäß geforderte „Huldigungen" ab.

[103] Hubert Schrade, Ritter, Tod und Teufel, in: Das Werk des Künstlers, Bd. 2, 1941/42, S. 281 ff.; es handelt sich um einen Vortrag vom Dezember 1942, das Heft erschien erst etwa Frühjahr 1944.

[104] S. 362.

[105] S. 370 ff.

[106] Natürlich findet man dergleichen noch bei H. A. Korff, Geist der Goethe=zeit, IV, S. 693 u. a.

[107] Gustav Friedrich Hartlaub, Fragen an die Kunst, Stuttgart 1950, S. 202 ff.: Zum Problem des „Verstehens" alter Kunst.

[108] Geschichte der europäischen Kunst, Textband, Stuttgart 1951, S. 349/50; doch zitierte Weigert im Anschluß an die ,Melancholia' wieder ,Faust'=Verse und umschrieb Dürers Ringen um Kunst= und Geistesprobleme als „das faustische Ungenügen am einfachen Dasein"!

[109] Albrecht Dürer, Stuttgart 1952, S. 200; die Gegenmeinung Nietzsches

("unbeirrt und doch hoffnungslos") wird immerhin anschließend, doch
kommentarlos zitiert. — Ähnlich Forschung und Deutung zusammenfas=
send Friedrich Winkler, Albrecht Dürer. Leben und Werk. Berlin 1957,
S. 237 ff.

110 Frankfurter Allgemeine Zeitung, 7. 8. 1954, Nr. 181.

*

Den Goebbels=Ausspruch im Motto teilt mit Carl J. Burckhardt, Meine
Danziger Mission 1937–1939, München 1960, S. 53.

NAMENVERZEICHNIS